U0106230

楊天石

1936年出生於江蘇興化。1955年畢業於無錫市第一中學。1960年畢業於北京大學中文系文學專門化。現為中央文史研究館資深館員、中國社會科學院榮譽學部委員、中國社會科學院近代史研究所研究員、（北京）清華大學兼職教授、浙江大學客座教授、國家圖書館民國文獻保護工程專家委員會顧問、中華詩詞研究院顧問、《中華書畫家》雜誌顧問、上海《世紀》雜誌顧問、廣東《同舟共進》雜誌編委。中央文史研究館34卷本叢書《中國地域文化通覽》副主編之一。曾任中國文化學會常務副會長兼秘書長，為《中國文化詞典》副主編之一。

長期研究中國文化史、中國近代史、民國史、國民黨史。合著有《中國通史》第12冊，《中華民國史》第1卷、第6卷等。個人著作有《楊天石近代史文存》（5卷本）、《揭開民國史真相》（7卷本）、《楊天石文集》、《尋求歷史的謎底：近代中國的政治與人物》、《近代中國史事鉤沉：海外訪史錄》、《從帝制走向共和：辛亥前後史事發微》、《朱熹及其哲學》、《朱熹》、《朱熹：孔子之後第一儒》、《王陽明》、《泰州學派》、《南社史三種》、《半新半舊齋詩選》、《橫生斜長集》等。主編有《〈百年潮〉精品系列》（12卷）、《中日戰爭國際共同研究》（4卷）等。

楊天石參與寫作的多卷本《中華民國史》獲國家圖書獎榮譽獎。個人著作《尋求歷史的謎底》獲國家教委所屬高校出版社及北京市優秀學術著作獎。《找尋真實的蔣介石：蔣介石日記解讀》第1輯獲全國31家媒體及圖書評論家協會十大圖書獎以及香港十大好書獎，第2輯獲南方讀書節最受讀者關注的歷史著作獎，第3輯及第4輯獲《亞洲週刊》十大好書獎。楊天石著作所獲的獎勵還有孫中山學術著作一等獎、二等獎，中國社會科學院優秀學術著作獎等。《帝制的終結》獲《新京報》2011年度好書獎，是當年該報獎勵的唯一歷史圖書。

找尋真實的蔣介石：

蔣介石及其日記解讀（五卷本）

I

早年經歷、北伐戰爭
與「清黨」反共

楊天石 著

① ② | ③

① 蔣介石在日本振武學校讀書時
② 蔣介石（右）與張群
③ 蔣介石在日本高田野炮兵聯隊

二十四歲入伍照相

在日本高田野砲兵聯隊

中正

① 黃埔至北伐時期的蔣介石
② 蔣介石在桂林
③ 蔣介石（中站立者）與孫中山
④ 蔣介石（前排坐者）在上海接見新聞記者（1927 年）

① ② 　① 蔣介石與母親王采玉
　　　② 蔣介石日記手稿本（胡佛研究院藏）

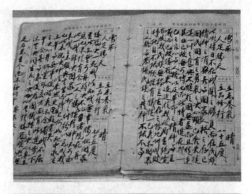

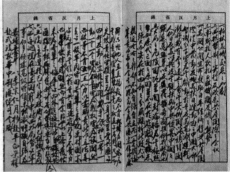

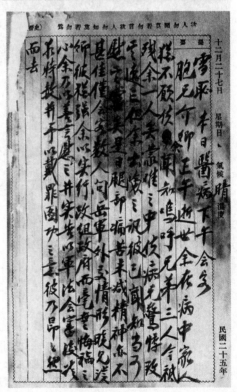

① ｜ ②

③

① 胡佛研究院陳列的蔣介石日記手稿本
② 蔣介石日記類抄本（中國第二歷史檔案館藏）
③ 蔣介石手批《聖經》譯本，旁邊字跡係蔣介石批註（宋曹琍璇女士藏）

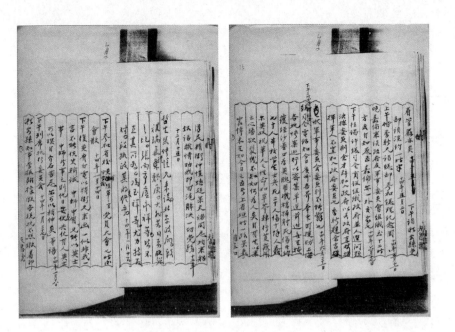
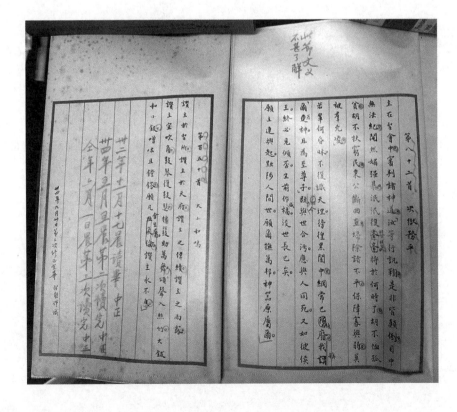

陳永發序

超越封建傳統的"成王敗寇"史觀

2022 年 2 月 24 日，從醫院出來，回到辦公室看電腦，才看到天石先生的來信。我陪右肱骨粉碎性骨折的內人住了四天病房，斷絕了與外界聯絡的所有管道。天石先生說最近曾寫信給我，一直等無下文，所以 23 日再度來信，要我為他的新書寫序；但不見回覆，若係現實困難，則請明白相告。我遍尋電腦，不見前信。再看後信，恐怕耽擱了他的大事，又覺得邀請本是莫大榮幸，所以還不知道是什麼新書，更不曾細想承諾後果以前，便立即覆信答應。天石先生這才再告訴我，他八十六歲高齡了，正在編輯個人文集，其中第六種的《蔣介石及其日記解讀》5 卷，共有 170 萬字，預定一個多月後付梓。我終於知道所謂新書是部大型論文集，內容是關於蔣中正及其日記。我主要研究蔣中正對手毛澤東的歷史，對蔣中正歷史雖多少知道一點，卻不能說熟悉與專精。十幾年前，不揣淺陋，曾為天石先生的《找尋真實蔣介石——蔣介石日記解讀》寫過一篇不成熟的書評，早已不敢回憶，虧他如此高齡，仍清楚記得這件往事。聯想到這篇序文是有時間限制的，慢筆成性如我，頗想敬謝不敏。又想到，既已答應，怎可臨時打退堂鼓，也就不敢了。

1945 年 8 月 9 日，蘇俄繼美國向日本投放兩顆原子彈後宣佈派大軍進攻東北。接著連續兩天，毛澤東以延安總部總司令朱德的名義下達 7 道命令，要原第十八集團軍和前新四軍（國軍番號），立即向日本佔領區，尤其是蘇聯即將全面佔領的東北進軍，沿途接受日軍投降，並宣佈阻擾此一行動的任何武裝，必定予以攻擊。在此電文中毛澤東指斥蔣中正是"法西斯頭子獨夫民賊"。其實，不要追溯到抗戰以前，早在 1940 年元月毛澤東發表《新民主主義論》時，就以不點名方式批判蔣中正為大地主和大資產階級的代表；隨時步武汪精衛，走上漢奸之路。毛澤東又說，正因為共產黨對其不斷批評，投降才未成為事實。蔣中正躲在四川峨嵋山上，消極度日；好不容易等到美、蘇把日本打到無條件投降，才搶在堅決抗日的中共前面，下山摘桃，搶奪勝利果實。接著不久，國共內戰爆發，毛澤東更傾其全力指斥蔣中正為民賊獨夫、人民公敵，號召人民推翻反動的腐敗政權，解放全中國。

1980 年代，天石先生奉命參加早經確定的《中華民國史》的撰寫，認為歷史是客觀存在。一切歷史研究都必須服從這種客觀存在，以真實地再現為目的。為了達到這一目的，歷史學家必須盡一切可能廣泛收集各類資料、文獻和證據，辨析考核，實事求是，力求記錄已經逝去的客觀歷史。他寫的《中山艦事件之謎》，當時主導意識形態的胡喬木審閱，認為可信可讀，大為讚許。天石先生決心以同樣的路子和方法寫作。他到處訪求有關文獻，更乘中國大陸改革開放之機，到香港、台灣、日本和美國等地蒐求史料。幸運的是，蔣中正當時實存的 53 年的詳細日記此時已經寄存於斯坦福大學胡佛檔案館。天石先生認為其內容豐富，雖有其主觀偏見，但廣閱相關文獻，仔細考據分析，大有助於民國史的編撰，也大有助於認識和研究蔣介石其人。此後，天石先生不斷以短篇論文方式發表成果，隨而彙為五本論文集，亦即一本《蔣氏秘檔與蔣介石真相》，以及四輯《找尋真實的蔣介石：蔣介石日記解讀》。

這些著作，因為史料扎實，不離事言理，文字清楚暢達，以及充滿中國大陸不易看到和聽見的史實，深受讀者歡迎。

天石先生呈現的蔣中正，與中國大陸一度所描述的蔣中正多有距離，個別堅持舊觀念的學界人物，硬指他是“歷史虛無主義”，要求嚴懲。所幸，中共主管黨史和歷史研究的高層，並不認同這種攻訐；否則他早成為中國大陸彼可鳴鼓而攻之的反動分子了。儘管如此，天石先生內心所受痛苦委屈，不難想像，然而他依舊故我，堅持以實事求是為原則，也就是我們通常所說的實證主義方法進行中華民國史的研究。

天石先生的研究，在長期認為蔣介石“蓋世英明、一生功勳”的台灣，也因為去魅或去神化，起了一些矯正作用。蔣介石不再是天縱英明的革命家和聖賢領袖了。他年輕時，貪慕女色，動輒使氣，自以為是，染有濃厚洋場風和江

湖氣。他個性浮躁、易怒、多疑、驕傲、倔拗、孤癖、自戀，有很多弱點。成
為國民黨領袖後，更堅持一黨專政，專制獨裁；爭取蘇聯合作與外援的同時，
其政府官員貪污成風，以殘酷手段壓制共產黨人與其他不同政治理念者。其
實，在楊天石寫作蔣中正的 1990 年代，因為蔣經國實行民主化政策，開放黨禁
和言論，以及國民黨分裂和反對黨執政，出現各種各樣反體制出版品，蔣中正
的形象已由萬民擁戴的領袖變成專擅自為的獨裁者，以致越來越多的人再聽到
蔣中正看到小溪游魚力爭上游立大志的故事，立即嗤之以鼻，也越來越多人辱
罵他是 1946 年 "二二八" 事件的元兇、1950 和 1960 年代白色恐怖的禍首，而
凡是曾經遭到蔣中正軟禁、下獄和流放的軍事將領和政治領袖，譬如張學良、
孫立人、吳國楨、雷震，都頓時成為反抗暴政的英雄，甚至連被大多數百姓肯
定的土地改革，也被指責為搶奪本省地主土地。天石先生對這些批評和指責，
凡是有文獻佐證者，據實直書；若有錯誤、歪曲、醜化和誇大不實者，也予以
澄清。不論承認還是否認，天石先生在尋找真實的蔣中正過程中，總是力圖恰
當地再現其個人性格中的民族主義一面。之所以既拉攏和依賴美國，卻抗拒其
無視中國主權的霸凌和干涉，反對美國在中國大陸使用原子彈，堅持中國對釣
魚島的主權，原因均在此。天石先生本人是民族主義者，肯定孫中山三民主義
思想的革命進步意義，肯定蔣中正以和平方式貫徹三民主義規定的土地改革，
認為它促進了台灣的經濟起飛。

通觀這部關於蔣中正及其日記的新書，我覺得天石先生耗費心力極大，編
輯舊文，增寫新文，重新按時間先後編排，內容偏於政治、外交、軍事和思想
等幾方面，不足的是疏於社會和經濟。

新論文集總字數高達 170 萬字，短時間難以卒讀。我建議有興趣的讀者，
閱讀天石先生的自序後，不妨先讀《蔣介石是個什麼樣的人》、《蔣介石與中國
抗戰》、《論第一次國共合作的分裂》三篇，再根據個人喜好，選擇閱讀其他各
篇。至於愛讀比較輕鬆課題的讀者，則可直接閱讀第五卷關於蔣中正婚姻和家
庭的幾篇，因為天石先生針對民間流傳極廣的幾個不實傳說，提出了可信的澄
清和更正。

對中國何去何從，蔣中正與毛澤東兩人都有歷史使命感，也都深知貫徹歷

史使命必須先以實力取得革命領導權，因此都致力於政治、軍事或其他各方面組織力量的擴展和蓄積。至於在過去的時代有無不需要戰爭就能解決雙方爭執的方法，恐怕相當困難。天石先生是一個愛國主義者，也是一個認同中國必須革命的歷史學者，集中心力發掘一個在行動和思想中的真實蔣中正，發現蔣中正和毛澤東、國民黨和共產黨，雖有巨大階級差別，但都是中國民族主義者，都有為謀求中國迎頭趕上西方先進國家而奮鬥的願望。兩黨兩度合作，一度採取黨內合作方式，一度採取黨外合作方式，遺憾其均不能長期維持，也都是在彼此廝殺和全國性武裝鬥爭中爭奪主導權。這 5 卷《蔣介石及其日記解讀》，雖不能為中共一度擬議的兩黨未來合作提供理想方案，卻以豐富的歷史事實，剖析說明了此前兩次合作難以長期堅持的主要原因。天石先生渴望國家和平統一，盡可能避免血腥內戰和民族自殘，對這一段以毛澤東與蔣中正為主導歷史人物的民國歷史，我們應該好好研究。他以耄耋之年，孜孜矻矻，嘔心瀝血，完成這部龐大的論文集，每一個中國人都應該心存感激。我更是深深佩服，謹祝賀其順利付梓問世。是為序。

台北"中央研究院"院士　陳永發

李又寧序

"非同尋常人物" 的艱辛研究

承蒙楊天石教授邀約，為他的新著寫序，深感榮幸，也覺惶恐。

這本書不同尋常。它展現出大量的新史料以及對新史料的解析，足以改變世人對一位重要歷史人物的看法和評價。想要研究 20 世紀中華民族史，不可不細讀它。

這位人物非同尋常。他繼承孫中山遺志，進行北伐，先後擊敗吳佩孚、孫傳芳、張作霖三大軍閥集團，雖然只是初步，但畢竟在形式上統一了中國。此後，日本帝國主義的侵略成為中華民族的生存和發展的主要威脅，敵強我弱，他一度妥協退讓，但最終畢竟領導國民黨和國民政府，聯合共產黨和世界反法西斯國家，抗擊日本侵略，取得最終勝利，使中國成為世界上的四強之一。他在大陸被中國共產黨擊敗，退到台灣後，堅持一個中國，反對"台獨"，進行土地改革，發展經濟建設，提出"科學第一，教育優先"的方針，注重改革台灣教育，培養人才，鼓勵留學，因此，華族、華人、華裔紛紛移民海外，對當地作出貢獻。作為這樣的一個歷史人物，蔣中正必須與同時代各國各地、各黨各派、各種各樣的人物互動往來，有數不盡的明爭暗鬥，毀譽隨之。20 世紀又是政治、理論、媒體滿天飛的時代，是非難判。平日做人難，寫歷史更難。有些時候，有些地區，蔣中正其人被抹得面目全非，甚至妖魔化。

楊先生治學以恆毅及正直。1950 年代，他以高分考入北京大學中文系，畢業後分配到了毫無研究條件的基層，達 18 年之久。1970 年代，調入中國社科院近史所，接受分配，研究中華民國史，從檔案中發掘了許多不為人知的史實。因為許多史料仍散在海外，1980 年代後，他不辭艱辛，多次親自到海外的幾個檔案館和圖書館，鑽研許多塵封已久的資料，其中最令人注目的是蔣中正的親筆日記。這日記不同尋常，不是草草記事，而是一筆一畫，恭謹寫成，記下了他的努力與奮鬥、挫折與悲憤、過失與自責。數十年如一日，累積數十大冊。楊天石先生用了十餘年的時光，平心靜氣地研讀，同時參考所能找到的一切史料及檔案，檢核辨析，才綜合所見所知寫成這部書。可謂皓首窮經，終成正果，因此史界知者也尊崇他為楊大師。這過程中有千辛萬苦，幸有他賢惠的夫人金祖芳女士照顧他、陪伴他、鼓勵他、支持他。

　　自 1989 年春夏，筆者在北京中國社科院近代史研究所做點研究，得識楊先生，知他兼擅文史，博聞強記，向他請教。得知他有過艱苦的經歷，而能克服萬難，追求並獲得學術上巨大的成就。藉此機會謹向楊大師致敬並致賀。

美國紐約聖若望大學教授　李又寧

2022 年 3 月 15 日

陳紅民序

皓首窮經著文章

　　忽接中國社會科學院近代史研究所楊天石研究員郵件，其大作 5 卷本《蔣介石及其日記解讀》將由香港三聯書店出版，囑我作序，言辭懇切。閱之，惶恐不安。印象中，都是前輩為後輩作序，評點學術，獎掖後進。楊老師是近代史學界高山仰止的前輩，曾為拙著作序。我才疏學淺，豈敢造次，為人恥笑，故迅即回復說明，請他另尋年高德劭的學者。不意楊老師再來郵件，堅持原意，稱學問之道"不當論資歷、輩分、年齡"。楊老師是浙江大學蔣介石與近代中國研究中心客座研究員，多年來對我鼎力支持。我若再推脫，恐不近人情，恭敬不如從命。古代也有前輩虛懷若谷讓後輩作序的雅事，稱為"囑序"。我遂斗膽承應下來，一則為楊老師大作付梓誌賀，二則作為先讀為快的學習心得。

　　各種公私場合，我均尊稱楊天石研究員為"楊老師"，為行文嚴謹簡明，下面只直呼其名。

一

　　楊天石研究員現為中央文史研究館資深館員、中國社會科學院的榮譽學部委員。前者由國務院總理聘任，入選者為有德、有才、有名望之士；後者是中國社會科學院內的最高學術稱號，為終身榮譽，地位相當於中國科學院院士。這兩個稱號，是國家對他學術地位與貢獻的充分肯定。

　　楊天石畢業於北京大學中文系，成名於中華民國史研究，涉足的研究領域與課題較廣，但成就最大的，還是他的蔣介石研究。

蔣介石是中國近代史上叱咤風雲的重要人物，對他的學術研究水平是近代史研究的標杆之一。改革開放以來，對於蔣介石的學術研究有長足的進步，這其中有楊天石的突出貢獻。說他是海內外蔣介石研究領域中用功最勤、成果最多、影響最大的學者，在史學界恐怕不會有多少學者提出異議。他涉足蔣研時間早，起點高，早年研究蔣介石與中山艦事件關係的論文，不僅為學界所稱道，中央負責意識形態的主要領導同志也充分肯定、讚賞。

以我的觀察，楊天石治史有兩個鮮明特點：一是對史料，尤其是珍稀史料十分重視。他在海外訪學，絕大部分時間泡在檔案館與圖書館裏；二是進入一個研究領域，就會窮追到底，鍥而不捨。他在蔣介石研究方面取得卓越的成就，與這兩個治學特點密不可分。唯其重視史料，所以能從史料出發，發現新的研究課題，或對前人的研究有所匡正與補充；唯其鍥而不捨，在一個課題上長期耕耘，所以才能系統地推展研究， 進而推動該課題的深入發展。1980 年代，他在學界最早利用中國第二歷史檔案館的蔣介石檔案進行研究；1990 年代末，台灣開放蔣介石檔案，他是較早去台灣的大陸學者；進入新世紀，美國斯坦福大學胡佛研究院開放《蔣介石日記》，他與張海鵬研究員受到邀請，是第一批讀者。他從事蔣介石的相關研究，已有近 40 年的時間。我在研究生教學時，時常以楊天石的學術之路作為成功個案，加以推廣，要求學生認真學習。

楊天石的蔣研成果在學術圈以外也很受重視，他的"粉絲"很多。我曾經數次主持過他的講座，有的是在大學裏，有的是在書店，每次聽眾都是人潮如湧，反響熱烈。2008 年，我在斯坦福大學校園內偶遇一對國內退休後去美國探親的工程師夫婦，那位先生得知我是專程來看蔣介石日記時，馬上說，楊天石的蔣介石研究做得最好，他的許多文章我都讀過，你認識他嗎？楊天石的影響之大可見一斑。他的著作，多次在媒體的各種"好書"評選中名列前茅。

二

楊天石將幾十年來研究蔣介石學術成果，經過選編、補充而成《蔣介石及其日記解讀》，洋洋 5 卷，可以視為是他蔣研成果之集大成。

5 卷的內容，基本上是按照中國近代史的基本脈絡與蔣介石個人地位的變化來劃分。第 1 卷《早年經歷、北伐戰爭與"清黨"反共》，收錄 21 篇文章；第 2 卷《內外政策與抗日戰爭》收錄 23 篇文章；第 3 卷《抗戰外交》收錄 23 篇文章；第 4 卷《內戰再起與統治崩潰》收錄 15 篇文章；第 5 卷《台灣年代及其婚姻、家庭》收錄 25 篇文章。共計 107 篇文章，另加上附錄 18 篇。內容涵蓋了蔣介石的一生。如果量化分析一下，涉及 8 年全面抗戰時期的文章最多，除第 3 卷外，第 2、第 4 卷中也各有些時段上屬抗戰時期的。或許，可以理解為抗日戰爭在中國近代歷史上很重要，對蔣介石個人也很重要。

　　楊天石的蔣介石研究，基本上是圍繞著專題進行——根據史料選定一個專題展開，也就是大家常說的"問題意識"很強，優點是能把一個問題講深講透。他運用專題研究方式解讀蔣介石日記，或填補學術"空白"，或對一些重要歷史問題提出新見解，或補充歷史細節，探幽發微。這種研究與寫作方法非常成功，已然形成了一種獨特的"楊氏風格"。本書收錄的 100 餘篇論文，大致上就是 100 餘個專題。用如此多的專題對一個歷史人物進行研究，應該是夠深入、細緻與全面了。

　　這些專題，有的是史學界較少涉及的，有開拓與"揭秘"的性質。如釣魚島的歸屬是中日兩國長期爭端的問題，台灣地區主要領導人蔣介石的態度如何，有著重要指標意義。學者們囿於史料，過去鮮有論及。書中《蔣介石與釣魚島的主權爭議》一文，對蔣介石在 1970 年代初美國將釣魚島交給日本前後態度進行了詳細梳理，蔣強調釣魚島歸屬事關中國領土主權，"寸土片石，亦必據理全力維護"。

　　有些專題學術界已有研究，楊天石根據新史料，或從新的角度進行闡釋，或者補充細節，深化對問題的認識。關於 1945 年舉行的重慶談判，學術界的研究成果已很多，書中的《蔣何以邀毛？毛何以應邀？》、《如何對待毛澤東：扣留、"審治"，還是"授勳"、禮送》二文，楊天石從抗戰勝利後的國際局勢著手，分析美國、蘇聯對華政策的轉變，使我們清楚地看到，重慶談判的促成及結局並非單純是國共兩黨角力的結果，而有更深的國際背景。

　　楊天石的著作，思路開闊，史料翔實，文筆洗練，深受讀者好評。這次 5

卷本的出版，一定能得到學界與讀者的認可，洛陽紙貴，也能有力地推動蔣介石學術研究扎實前進。

<h1 style="text-align:center">三</h1>

歷史學是一門強調實證性的科學，史料是學術研究的基礎。新史料的發掘，不僅可以考訂與補充既有的學術成果，更可以發現新的研究課題與領域。蔣介石研究之所以取得突破，與"蔣介石檔案"與蔣介石日記開放密切相關。楊天石是最早運用這兩種史料進行研究的大陸學者，給人的印象如此深刻，以致有人不加辨析地說他只運用蔣介石的檔案與日記來研究蔣介石，難免會被"帶偏"，影響立論的客觀性。這其實是絕大的誤解。楊天石對蔣介石日記的史料價值與局限性有著清醒認識，他曾多次說過："迷信日記，專憑日記立論不行，只有傻瓜、笨蛋才這麼做，必須廣泛搜羅各種相關文獻加以考訂、參證、補充，才有可能讀懂日記，進而讀懂蔣介石其人及其時代。"在實際研究中，他也是這麼做的。

在此，以《蔣何以邀毛？毛何以應邀？》一文為例，對其所引用文獻資料進行"量化分析"。全文資料注釋超過100個，分別來自《大公報》、《中央日報》、《解放日報》、《新華日報》、《美國對外關係文件集》、《中共中央文件選集》、《中美關係資料彙編》、《戰後中國》、《延安日記》、《斯大林與中國》、《重慶談判資料》、《重慶談判紀實》、《"總統"蔣公大事年表初編》、《毛澤東選集》、《毛澤東文集》、《毛澤東年譜》、《毛澤東軍事文集》、《朱德選集》、《劉少奇年譜》、《周恩來年譜》、《周恩來軍事文選》、《季米特洛夫日記》、《鐵托傳》，以及國民黨黨史館檔案、俄羅斯總統檔案館檔案、俄羅斯對外政策檔案館檔案，胡喬木、師哲、葉飛、唐縱及張治中等人的回憶錄，約30餘種，相當豐富。其中引用蔣介石日記僅8處，不到十分之一。此例，足以印證楊天石的研究是廣徵博引，絕非僅憑日記等少數幾種史料。

四

唐代劉知幾《史通》提出，史家必須兼具史才、史學與史識。蔣介石學術研究取得了前所未有的進步，得益於國家的改革開放與思想解放，使學術界有足夠的雅量與自信客觀評價以前的革命對象與"人民公敵"。當然，也離不開楊天石代表的一代具有才、學、識的前輩學者們篳路藍縷、卓越見識與進取精神。

毋庸諱言，蔣介石是位重要而複雜的歷史人物，與現實有著剪不斷理還亂的聯繫。每個現代中國人，都有自己對蔣介石的獨特看法。作為一位"蔣研"同道，我對蔣研環境的艱難有過一段感慨："史學研究的過程艱辛而枯燥，而對涉獵蔣介石相關研究的學者來說，艱辛與枯燥之外，還多了些難與人道的壓力與無奈。甘苦自知，點滴在心！"

身處這樣的環境，楊天石的蔣介石研究提出新觀點，振聾發聵，得到許多學者的肯定與認可，也有人從學術的角度提出批評，與其商榷。有不同見解是正常現象，新的學術觀點正是在不斷爭鳴與辯論中，逐漸被接受的。但是，蔣介石研究的這幾十年中，楊天石遭遇到不少非學術因素的干擾，有站在"政治正確"的立場對他無端指責，有人身攻擊，甚至有寫黑函"告狀"。好在，楊天石堅守科學精神，持正不阿，不畏艱難，得道多助，終成一家之言。

學術史一再證明，史學長廊裏留下的是那些認真閱讀史料、實事求是進行研究、勤於思考的學者的著作，而那些無視史料與史實、想當然地站在"道德制高點"上、無端指手劃腳的文字，最終只能淪為學術進步的背景。

楊天石幾十年研究蔣介石的成果以 5 卷本的彙集出版，大功告成。他用 100 餘個精深的專題研究，展現了不同時期、不同側面的蔣介石。我先睹為快，深受啟發。讀罷全書，掩卷而思，不免產生意猶未盡的"非分之想"——期待楊天石能夠不辭辛苦，在現有專題研究的基礎上，整合海內外學界的最新成果，寫成一部前後貫通，涵蓋蔣介石一生思想演變與事功的傳記性巨作，寫出他多年來找尋到的那個真實、完整的蔣介石。相信，這也是其他史

陳紅民序

學工作者與讀者的企盼。

　　衷心祝賀楊老師大作出版，祝願他學術生命長綠！

浙江大學蔣介石與近代中國研究中心教授兼主任　陳紅民

2022 年 3 月 4 日

自序

一、周恩來總理下達任務
與我參加《中華民國史》編寫組的經過

　　中國有隔代修史的傳統。一個新的朝代建立了，要為前一個朝代修史。例如，明王朝建立了，要為元王朝修史；清王朝建立了，要為明王朝修史等等。中華人民共和國建立後，老一輩革命家董必武、吳玉章即提出，要為中華民國修史。當時曾列入國家科學發展 12 年規劃。由於種種原因，這一規劃未能落實。直至 1972 年，周恩來總理重提此事，並由當時的國務院出版口將這一任務下達給中國科學院近代史研究所。曾任吳玉章秘書、時任近代史研究所副所長的李新教授勇敢地接受這一任務，並且說幹就幹，組織班子，制訂規劃，聚集人材，開始工作。起始的任務是編資料，即首先編寫《中華民國大事記》、《中華民國人物傳》和《中華民國的政治、經濟和文化》。後者是一組專題資料，涉及的題目有好幾百個。李新教授的想法是，編資料有了頭緒之後，才啟動多卷本《中華民國史》的寫作。

　　我於 1960 年畢業於北京大學中文系文學專門化，分配到一個和研究無關、可以說沒有起碼研究條件的單位。我在大學時研究過清末和民國時期的革命文學團體南社，發表過有關論文。恰巧，《中華民國的政治、經濟和文化》中有《南社》一題。1974 年 10 月，我被邀請參加該題的寫作。1977 年，《中華民國史》第一編《中華民國的創立》寫作啟動，我被邀請執筆其中的一章 ——《中國同盟會成立後的革命鬥爭》。這樣我就成了《中華民國史》編寫組的正式成員。全書初稿寫出後，我奉命參加統稿，修改和重寫《武昌起義》一章。該書出版後，我奉命撰寫並主編第二編第五卷《北伐戰爭與北洋軍閥的覆滅》（現為第六卷）。

《中華民國史》第一編的主角是孫中山，早有定評，國共兩黨並無重大分歧，困難之處在於如何發掘新資料，將這一人物寫得更科學、更準確、更豐滿、更生動，因此我在寫作時並無任何思想負擔。但是寫到蔣介石，就大不一樣了。北伐時期，蔣介石是國民革命軍的總司令，成了這一時期的主角，但是，對這一個人物，後來國共兩黨的評價天地懸殊。譽之者視為"功勳蓋世，千古一人"，斥之者貶為"人民公敵，獨夫民賊"。怎麼寫？面對這一超級難題，我仍然毫無顧慮。這是因為，我想，只要堅持"實事求是"這一歷史唯物主義的基本原則，力求從史實出發，還原歷史的本來面目，就不會犯大錯誤，而且，當時改革開放已進入高潮，關於真理標準的討論深入人心，學術界思想解放，允許探索，允許創新，我有何背負沉重思想負擔的必要呢！

　　當然，戰略上樂觀，戰術上卻必須慎之又慎。北伐戰爭的時間不過三年，我和幾位合作的學者寫這本書的時間卻用了整整十年。該書出版於 1992 年，出版之後，中共中央文獻研究室常務副主任金沖及教授發表評論，認為"這部近60 萬字的巨著，許多方面的研究成果比前人又有新的突破。它是近年來中國近代史研究領域內一部不可多得的力作"。[1] 台灣中國國民黨黨史會主任李雲漢教授也發表評論，認為該書"內容充實，體系完整，能脫出舊窠臼而能運用多方面的史料"，"除對蔣中正尚是斧鉞交加外，其他敘述都甚平實可信"。[2] 我們的這卷書寫北伐戰爭的全過程，其中既有國共兩黨共同作戰，並肩對敵，也有兩黨分裂，刀兵相見，不共戴天，因此之故，許多歷史事件的評論歷來不同，而我們的書卻能得到兩黨黨史研究領導人的共同好評，我自然非常非常高興。

　　我原來的理想是當作家，當詩人。北大五年，改為想當文學研究者。1977年，近代史研究所決定調我進所。經歷種種曲折，重重困難，1978 年 4 月，調動成功。我當時的想法是幹幾年，然後找機會回頭搞文學。不想幾年下來，我認識到歷史學的重要，也感到了歷史學有著無比廣闊的天地，值得我投入一輩子，甚至幾輩子的精力，就決心與文學告別了。

　　2003 年 9 月 10 日，溫家寶總理到中央文史研究館視察，親自主持座談

<hr>

1　金沖及：《一部求真可信之作——〈中華民國史〉第 2 編第 5 卷讀後》，《近代史研究》1997 年第 1 期。
2　李雲漢：《北伐史的面面觀》，台北《近代中國》第 113 期，1996 年 6 月。

會。我即席發言，表示編寫《中華民國史》是當年周恩來總理交給我們的任務，現在完成了一部分，還有許多部分尚未完成，主編已經病危，希望溫總理幫助我們，完成周總理交給我們的未竟之業。溫總理當時要我寫一份報告給他。此後，我聯絡原《中華民國史》編寫組的兩位骨幹耿雲志與曾業英，共同給溫總理寫報告，提出了一份約 4000 萬字的擴充修訂計劃。9 月 29 日，溫總理批交文化部、教育部就此事進行調查研究。10 月 17 日，我們第二次給溫總理寫信，報送已經出版的 26 部著作，提出增修黨派誌、政府誌、社團誌等 39 種誌書和 30 餘種圖表的計劃。11 月 5 日，溫總理批交國家新聞出版總署領導 "閱酌"。此後即無消息。2004 年 8 月 1 日，原國民黨大佬居正之女居蜜博士自美國華盛頓上書溫總理，要求加速《中華民國史》的編寫。溫總理批交國務委員陳至立處理。陳至立國務委員批請文化部提出意見。後來了解到，文化部領導經過研究，認為以戴逸教授領銜的國家清史工程正在進行，《中華民國史》的擴大、修訂問題需要 "擱一擱"。

鑒於上述情況，我便決定繼續重點研究蔣介石，這個曾經身任國民黨總裁、軍事委員會委員長、國民政府主席、中華民國總統，集黨政軍三大權力於一身的人，為中華民國史研究做點不能繞開的工作。

二、我研究《蔣介石日記》的經過

我奉命主持《中華民國史》第二編第五卷的編寫工作後，因為蔣介石是這一時期的主角，便留心收集蔣介石的有關資料，研究其中重大的帶有關鍵性的問題。我了解到，1926 年 3 月 20 日發生於廣州的的中山艦事件撲朔迷離，親共的學者認為是蔣介石的陰謀，親國民黨的學者認為是共產黨的陰謀，蔣介石自己則稱，要了解事件的真相，只有在他死後看他的日記。自此，這一事件便成為不解之謎，兩派學者爭持不下。

蔣介石有愛保存歷史資料的習慣。大概是 20 世紀 30 年代，蔣介石曾將自己早年的部分日記、電稿、文稿、函札交給毛思誠保管。毛是蔣介石青年時代的老師，後來成為他的秘書。毛思誠接到這批文件後，一直藏在寧波家中。"文革"期間，紅衛兵在毛家發現了這批文件，層層上報，一直報到北京的中華人民共和國公安部。"文革"後落實政策，毛思誠家人將這批文件捐獻給在南京的中國第二歷史檔案館。1983 年，我到南京該館查檔，無意中發現了這批資料。其中有一份題為"黨政"，我很快意識到，這就是寧波毛家的原藏品。全名《蔣介石日記類抄》，分黨政、軍務、學行、文事、雜俎、旅遊、家庭、身體、氣象等 9 類，都是從蔣介石日記中摘錄出來的。其中就有蔣介石在中山艦事件期間的日記。我手頭有當年寧波方面留下的檔案目錄，於是按目索驥，一卷卷、一件件調閱。看了審理中山艦事件有關人員的記錄、報告，也看了蔣介石、汪精衛之間的通信，經過一段時期的研究，終於發現，中山艦事件的起因並非蔣介石的陰謀，也不是中共的陰謀，而是國民黨西山會議派和孫文主義學會製造的謠言，其目的在於離間廣州國民政府的內部團結。生性多疑、對中共的發展懷有戒懼心理的蔣介石誤信謠言，因而採取了錯誤行動。偶然中有其必然性。文章發表後，胡喬木同志幾次對中共黨史學界的領導人發表談話，肯定拙文"運用大量翔實的歷史材料，將中山艦事件的來龍去脈梳理得很清楚，作出了中肯的分析，真正解開了這個歷史之謎"，"是近年來中國近現代史研究中不可多得的上乘之作"，"是一篇具有世界水準的學術文章"，"希望黨史研究也能作出這樣好的成果"。[1]他並在接見我時當面鼓勵："你的路子是對的，要堅持這樣走下去。"文章很快被日本學者和美國學者譯為日文和英文，在各自國家的學術刊物上發表。[2]該文在台灣學界也迅速獲得好評。蔣永敬教授原是國民黨部隊的政工人員，後來進入中國國民黨黨史會做研究，從黨史會退休後進入政治大學任教，也寫過關於中山艦事件的文章，獲得過盛譽。讀了拙文之後，他親自到北京見我，高度評價拙文，表示願意將"盛譽"轉讓給我。此後，他幾乎"到處逢人說項斯"，只要有機會，他就要誇獎拙作。

　　毛思誠所存蔣介石早年檔案中，除了《蔣介石日記類抄》外，還有蔣介石1931 年全年日記的仿抄本 1 冊、1932 年半冊。1995 年，我根據上述資料寫成《九一八事變後的蔣介石》一文，提交當年台灣學界舉辦的紀念抗日戰爭勝利

1　原中央黨史研究所副主任鄭惠：《胡喬木同志對〈中山艦事件之謎〉的評價》，1993 年 7 月 21 日。
2　（*Asia Monthly*）《東亞》, 1991, No. 287-288; *Republican China*, April, 1991.

50週年學術討論會，獲得會議重視，被安排為首場的第一篇報告。這是我第一次訪問台灣。此後我訪台機會漸多，在"國史館"發現了蔣介石日記的另一種摘抄本——《困勉記》、《省克記》、《學記》、《愛記》、《遊記》等《五記》。毛思誠的《蔣介石日記類抄》時間自1919年至1926年，《五記》則延長到1945年。我用喜馬拉雅基金會資助我的5萬台幣，聘用台灣學生全文照錄，繼續寫了一批文章，集結為《蔣氏秘檔與蔣介石真相》一書。當時，中共中央統戰部設有中華英才基金會，專門資助黨外專家出版學術著作。我經社會科學院推薦，並經嚴格審查、評議，獲得批准，由王兆國部長召開大會，宣佈給予資助。該書後交社會科學文獻出版社，再次報批、審讀，與我的其他兩部書《海外訪史錄》和《從帝制走向共和》組成"近史探幽系列"出版。

讀了兩種蔣介石日記的摘抄本，我進一步關心蔣介石的全本日記何在。從台灣《聯合報》的一位記者口中，我得知蔣介石的全部日記保存在蔣經國的次子蔣孝勇的夫人方智怡女士手中，我便通過該記者傳話，《日記》史料價值很高，務必慎重保管。

大概是2005年，美國胡佛研究所的馬若孟（R. H. Myers）、郭岱君兩位教授從舊金山專程到北京來看我。他們給我帶來了絕好的消息：方智怡女士決定將《日記》寄存胡佛檔案館50年，將於明年3月下旬開放，邀請我屆時前往閱覽。這自然使我高興之至。光陰似箭，轉眼就到了開放日期，我和近代史研究所張海鵬所長提前到了斯坦福大學，在研究生宿舍租房住下。開放前一日，我和海鵬教授相約，第二天早點去，免得排長隊。第二天，我們到達位於地下的檔案館閱覽室時，發現並無人排隊。原來，我們二人是主人專門邀請的客人，《日記》開放的消息尚未廣為宣佈。我們花幾分鐘時間填了張表，在不得照相、不得複印、不使用電腦，只能手抄的保證書上簽了字，就開始調閱《日記》的影本了。《日記》影本就放在櫃檯工作人員身後的盒子裏。我報了需查閱的月份，工作人員隨手取給我，簡便之至。

胡佛檔案館方面宣稱，《蔣介石日記》從1915年開始，至1972年蔣介石去世前三年為止，但我檢查，發現缺少1915、1916、1917、1924年這4年，實存53年。公佈前規定，凡涉及個人及家庭隱私、身體狀況者不能開放，須作技術處理。秦孝儀先生的學生潘邦正代表蔣家，曹麗璿女士代表宋家參加審查，作技術處理的地方在影本上以墨塗黑，同時蓋章說明處理時間，30年後恢復原狀。全部日記分四批開放，每次開放約十年左右的日記。我從2006年起，共赴胡佛檔案館四次，以10個半月的時間讀完全部蔣介石日記，摘抄了大部分內容。

我的《中山艦事件之謎》以至《蔣氏秘檔與蔣介石真相》都是根據《蔣介石日記》的摘抄本寫的。摘抄本的水準如何？有無斷章取義、歪曲竄改之處？如果有，我此前的研究豈不是根基不牢，須要推倒重做嗎？因此，我在到胡佛檔案館之前，心中不無惴惴，及至進了胡佛，仔細讀了蔣介石日記的影本，發現原來的摘抄非常之好，處理恰當，我原來的立論都可以成立，連引文都不需要更動。

日記有兩種，一種是準備出版，給別人看的，一種是只給自己看，在身前不準備出版的。從蔣介石不避諱寫自己的隱私和內心醜惡、齷齪、難以示人的念頭，也不避諱罵人，他的同事、親朋、下屬，如胡漢民、孔祥熙、宋子文、孫科，以至自己的老婆宋美齡，無人不罵。從這些方面看，我判定其日記屬於後一種，只給自己看，因此，沒有向公眾宣傳、粉飾自己，哄騙社會公眾的必要。此類日記，有較高的真實性，但是，也會有不願記、不能記，粉飾、美化自己，甚至作假的情形。我由此認為，研究中國近代史，不看蔣介石日記，會是很大的損失，但是看了之後，什麼都相信，也會上當受騙，必須廣泛收集史料，對照其實際行動謹慎判別、考證、辨析。

自來的政治家，人們可以從他的公開言行去觀察他，研究他，但是政治家很少向公眾敞開自己的內心世界，因此，歷史家很難了解政治家公開言論背後的真實的隱蔽的意圖。蔣介石日記大量記載自己的思想活動，這就向歷史家敞開了心靈的窗戶，使歷史家不僅知道他做什麼，而且知道他為何這樣做。此外，政治家的許多活動是公開的，人們可知可見，但是，有許多活動是黑箱作業，人們難知、難見。蔣介石的這些黑箱作業，有些會在日記中有部分記載，或者透露出蛛絲馬跡，便於歷史家追蹤、探尋。因此，我決定利用這部《日記》，同時廣泛地收集各國和中國各黨、各派、各方的有關資料，參稽考辨，力求為讀者還原一個真實的蔣介石。

2008年，我的《找尋真實的蔣介石：蔣介石日記解讀》出版，立即在國內外、境內外引起較大反響。深圳《商報》邀請專家評選年度十大好書，據悉，全體評委一致推舉拙書為十大好書中的第一部，但不久即奉命撤除，臨時換了另一部書。瀋陽《商報》也評選十大好書，拙書也被選入列。報社及時通知我並讓我寫了《獲獎感言》，久久未見刊出。我打電話詢問，是否深圳故事重演？答云：評獎有效，但決定不宣傳。事後，報社給我寄來了獎盃。其後，全國31家媒體和中國圖書評論學會共同評選十大好書，拙書依然入列。我曾詢問，"上面"是否同意？答稱：上面認為資料豐富，同意。這樣，我就不僅高興，而且感激。顯然，這是"百家爭鳴、百花齊放"方針在起作用。喬木同志要我"堅持這樣走下去"，自然，我沒有任何理由半途而廢。於是，接著寫，也繼續得到社會的鼓勵。第二集入選在廣州舉行的南國書香節的"金南方2011年最受關注歷史類圖書"榜單。第三集獲在香港出版的《亞洲週刊》"2014年十大好書獎"，在境內則獲得《作家文摘》舉辦的"十大好書獎"。第四集繼續獲《亞洲週刊》"2017年十大好書獎"，在境內則獲得《南方週末》舉辦的2018年"非虛構類讀物十大好書獎"。加上此前我得到過的"香港書獎"等，這樣，我的研究蔣介石的書幾乎每集都得獎，有時甚至是雙獎、多獎。我感到這一切都是社會和廣大讀者對自己的鼓勵，表明了社會和讀者對研究蔣介石著作的需要。

三、關於本書

到2018年底止，關於蔣介石其人，我已經出版了5本書，這就是最初出版的《蔣氏秘檔與蔣介石真相》以及其後陸續出版的《找尋真實的蔣介石：蔣介石日記解讀》第1至第4集。有朋友建議我出一部合集，這是個好主意，但是，簡單地湊合在一起又不行，這是因為，蔣介石有些方面，我還沒有寫到，更重要的，是上述各書並非成於一時，而是成於幾十年間。原始資料的發現和收集有一段漫長的過程，即以《蔣介石日記》而論，從我在中國第二歷史檔案館發現《蔣介石日記類抄》到《蔣介石日記》在美國全部開放，也經歷了二十多年。我的寫作原則是,一個題目,資料大體齊全了,條件成熟了,我才動筆寫作。這樣,我的寫作就無法按部就班,而只能成熟一個題目寫一個題目,出書時只能做到一本書之中,其時間先後有序,而各書之間,其時間則可能是交叉的,要合編,除補寫必要的篇目外,還必須將各書打亂,嚴格按歷史事件的先後重新排序。我還有若干文章,與《蔣介石日記》無關,但與蔣介石緊密相關,收在我的其他著作,如五卷本《楊天石近代史文存》裏。此次出書,就必須將它們收進來,一起排序,因此,本書不是個人關於蔣介石研究某部著作的再版或增補,而是個人關於蔣介石研究論文的增訂與選編,其他雖涉及蔣介石,而非以其為主角者則另編。

恩格斯在《反杜林論》一書中說:"原則不是研究的出發點,而是它的終了的結果。""不是自然界和人類要適合於原則,而是相反地,原則只有在其適合於自然界和歷史之時才是正確的。"[1] 我一生治史,服膺恩格斯的這一段名言。從史實出發,還是從原則或其他什麼先驗的結論出發,是保證在歷史研究中能否堅持唯物主義的分水嶺。可以說,史實是史學研究的基礎和出發點,也是檢驗歷史著作科學水準高低的重要標準。我願意以恩格斯的上述名言和同行互勉,也和讀史者、評史者共勉。最近寫了一首小詩,中云:

> 道是有情卻無情,功過條條縷縷明。
> 史筆千秋大義在,鏡中歷歷顯原形。

歷史好比一面鏡子,只要我們掌握史實,善用這面鏡子,拋棄各種主觀的、客觀的障蔽,任何複雜的歷史人物都可以功過清晰,是非分明。

在近代中國歷史上,蔣介石是個十分重要的人物,也是個十分複雜的人物,運用科學理論與科學方法對之進行研究,給以科學的敘述和定位,是我們這一代歷史學家義不容辭的任務。這一工作做好了,將大有利於整個中國近代史科學水平的提高,也大有利於與台灣同胞以及世界各地愛國華人的大團結,應該繼續做下去,且力爭做好。

記得 2002 年 2 月,社會科學文獻出版社出版了我的《蔣氏秘檔與蔣介石真

1　恩格斯:《反杜林論》,人民出版社 1960 年版,第 34 頁。

相》一書，次年 7 月，有自號 "秀龍山人" 者，化名 "一批老紅軍、老八路軍、老新四軍、老解放軍戰士"，在網上發表致中共中央及胡錦濤同志的公開信，題為《蔣介石是中國的 "民族英雄"，還是 "頭號戰犯"、"千古罪人"、"民族敗類"？》，要求治我以 "叛國罪"，並藉機攻擊改革開放政策。當時領導中國社會科學院的陳奎元院長奉命 "閱研"。事後向中共中央彙報，認為拙書是 "扎實的學術著作"，"是研究，不是吹捧"。胡錦濤總書記批示："此事到此為止。" 主管意識形態的政治局常委李長春指示院裏派負責人和我談話，要我繼續安心研究。此事遂得以平息。至今想起此事，我仍然非常感謝胡錦濤、李長春、陳奎元等有關領導的關懷和愛護。沒有他們的關懷和愛護，我的蔣介石研究和出版可能很困難，很困難。

本書分 5 卷，寫了近百個專題，此次出版，在舊著 5 本之外又補寫了若干新篇章，共 107 題。個人感覺尚有若干專題可寫，或可補寫，但個人條件還不成熟，只能期之以異日。所論如有謬誤，史實或有不確，均請讀者批評指正。跂予望之。

2019 年 7 月 31 日初稿於云南大理，洱海之濱，10 月改於北京

目錄
Contents

蔣介石早年反清、反對
沙俄與反對袁世凱稱帝
的經歷 *

* 本文原載香港《獨家人物》試刊號，2009 年 9—10 月。

一、立志赴日，學習陸軍，參加同盟會

蔣介石，名中正，幼名瑞元，學名志清，介石為其字，出生於浙江奉化溪口。祖父蔣斯千，在當地經營玉泰鹽鋪，家道漸漸富裕。父親蔣肇聰，在蔣介石十歲時去世，剩下母親王采玉獨力支持。蔣介石同父異母兄蔣介卿（錫侯）要求分產。結果，由蔣介卿續掌鹽鋪，田地三十餘畝及竹林一片，歸王采玉及其三位親生兒女蔣介石、蔣瑞青與蔣瑞蓮所有，靠田租為生。受到族人排擠覬覦。兩年後，蔣介石的胞弟瑞青夭折，蔣介卿要求將亡弟名下的財產重分，王采玉堅決拒絕，雙方為此反目，幾乎到了要打官司的地步。

1897 年，蔣介石十一歲，從塾師蔣謹藩讀書。蔣謹藩講到美國歷史，談到"大總統為國家公僕，出入扈從甚簡"，聽的人都很驚訝，蔣介石起立說："大總統是一個人，平民也是一個人，總統行動，固應如平民，何足為奇！"[1] 1901年，蔣介石十五歲，被迫與大自己五歲的毛福梅結婚，體會到中國早婚惡習的苦惱。1904 年，蔣介石十八歲，到寧波鳳麓學堂讀書，接受新式教育。部分學生因膳食惡劣，要求"改良"，蔣介石被推為代表，交涉中情緒激動，打碎餐碗，推翻桌子，觸怒校董，差點被"送將官裏去"。[2] 第二年，蔣介石轉入寧波箭

---

1 《民國十五年以前之蔣介石先生》（線裝本），第 1 冊，第 2 編，第 2 頁。
2 蔣介石：《中華民國六年前事略》（手稿本），美國斯坦福大學胡佛檔案館藏。

金學堂，隨顧清廉讀書。從顧先生那裏，蔣介石知道了中國學問中，有"漢學"與"朱學"之分，有程朱學派與陸王學派之分。也是從顧先生那裏，蔣介石第一次聽到"孫文"的名字，知道他是"革命領袖"，"心嚮往之"。顧先生告訴蔣介石，"如欲大成求新，應出洋留學"。蔣介石後來自述，從這一年開始，他就下了"出洋"的決心。[1]

1906 年，蔣介石二十歲，為了學日文，轉入奉化龍津中學堂讀書，知道的天下大事更多了。蔣介石自稱："余既痛國事之衰墮，滿族之陵夷，復痛家事之孤苦，被欺受淩，更欲發奮圖強。"[2] 當年，溪口因向政府應交的錢糧不足，按例可向大戶攤派。按蔣介石十歲時所分家產，自然可以列入"大戶"，一次攤派的款項很高。王采玉不肯接受。官府即以"賴糧不交"為理由，派差役到蔣家逼款，並且票傳蔣介石到官。王采玉除了暗暗哭泣之外，只好"出錢了案"。蔣介石自稱，由此"乃知社會之黑暗與不平"，"更恨世態之炎涼與人情之澆薄"，"嫌惡貪官污吏之狼狽為奸，壓迫孤寡"。這樣就使蔣介石下定決心，認為除"出洋求學，加入革命，再無其他出路"[3]。對此，家鄉親友群起反對，蔣介石毅然剪掉辮子，託人帶回溪口家中，以示決絕。王氏雖然不願意兒子遠離，但希望藉蔣介石出國光耀門楣，改變處境，便湊籌經費，助子出國。

蔣介石到日本，本意學陸軍，但日本政府規定，必須清朝政府保送。蔣介石只能改入東京清華學堂，學習日語。年底，蔣介石回國。1907 年夏，蔣介石到保定，進入清政府新設的通國陸軍速成學堂。這是中國最早的軍官學堂，由段祺瑞任督辦。

在軍事學堂上課。某日，一位講衛生學的日本教官拿著一方泥土放在講台上，對學生說："這塊土約一立方寸，可以容納四萬萬微生蟲。""這塊土，好比中國一國，中國有四萬萬人，好比四萬萬微生蟲寄生在這塊土裏一樣。"蔣介石聽言，怒不可遏，立即走上講台，將土分為八塊，反問日本教官："日本有

1　《民國十五年以前之蔣介石先生》卷 1，第 19 頁。
2　蔣介石：《中華民國六年前事略》（手稿本）。
3　蔣介石：《中華民國六年前事略》（手稿本）。

五千萬人，是否也像五千萬微生蟲，寄生在這八分之一的土中？"[1] 教官無言可對。他發現蔣介石無辮，便手指蔣說："你是革命黨！"事後，日本教官報告總辦趙理泰，要求嚴辦。趙轉知監督曲同豐，將蔣介石訓斥了一通。

這一年冬天，清政府考選留日陸軍新生，蔣介石中選。

二、杭州起義，率隊進攻浙江巡撫衙門

1908 年春，蔣介石再次東渡日本，進入振武學校，被編入炮兵科。同年，結識正在日本警監學校留學的浙江吳興人陳其美（英士）。當時，日人宮崎滔天同情和支持中國革命，他的家，成為許多中國革命志士的聚集之地。宮崎在家仲介紹蔣介石認識正在日本的孫中山和其他志士，並且介紹蔣介石加入了同盟會。[2] 蔣介石自稱，自此，他的"驅逐滿清、恢復中華之志更不可抑矣"[3]，因此，蔣介石將陳視為自己的革命領路人，友誼發展很快。

在振武學校學習期間，蔣介石曾在照片題了一首詩給他的表兄單維則，詩云：

> 殺氣騰騰滿全球，力不如人肯且休。光我神州完我責，東來志豈在封侯。

詩寫得不算好，也不符合格律，不過內容卻有可取之處，表達的是：列強相爭，中國衰弱，自己東來求學，志不在個人的功名富貴，而在於為國家、民族爭光。

1910 年 10 月 24 日，蔣介石從振武學校畢業。三年總成績 68 分，在同期 62 名畢業生中，蔣介石位列第 55 名。[4] 11 月，蔣介石分配到高田日本陸軍第十三師團野戰炮兵第十九聯隊實習，成為士官候補生。實習期一年。主要工作

1　《對從軍學生訓話》（1944 年 1 月 10 日），《"總統"蔣公思想言論總集》卷 20，台北中國國民黨黨史會 1984 年版，第 315 頁。

2　蔣介石：《中華民國六年前事略》（手稿本）。

3　蔣介石：《中華民國六年前事略》（手稿本）。

4　黃自進主編：《蔣中正先生留日學習實錄》，財團法人中正文教基金會 2001 年版，第 36—37 頁。

是擦馬、餵馬。

1911 年 4 月，革命黨人計劃在廣州發動起義，蔣介石託故請假，回上海與陳其美密謀，在江浙起義回應。蔣介石到上海時，廣州起義已經失敗。過了幾個月，蔣介石銷假回日。

10 月 10 日（八月十九日），武昌起義成功，陳其美急電在日本的同志回國。蔣介石接電後，即向師團長岡外史請假，未准，再和聯隊長飛松寬吾商量，得到 48 小時的短假。蔣介石便和同學張群等趕到東京，向同盟會浙江支部領取經費，將軍服和佩劍寄回高田的炮兵聯隊，自己則換上和服，經長崎登輪回國。按日本軍隊規定，如 48 小時內不能歸隊，就當為逃兵緝拿。蔣介石等為此還準備了自殺的毒藥，以備萬一。10 月 30 日，蔣介石和張群到達上海，立即會見陳其美。當時，陳其美正策劃在上海和杭州兩地同時起義，遂命蔣介石立即趕赴杭州。

10 月 31 日，蔣介石到達杭州，寫信向母親報告，決心殉身革命。11 月 12 日，蔣介石到上海，向陳其美報告計劃。陳其美將招募的 100 名敢死隊員交給蔣介石，任命其為先鋒敢死隊指揮官，另一位紹興革命黨人王金發為副。13 日，陳其美在上海起義成功，出任滬軍都督。同日，蔣介石與同志攜帶印信、旗幟、手槍等物趕到杭州。14 日，蔣介石在車站下達作戰動員令。面對區區百人，為了鼓舞士氣，他說：革命勝敗，不在人數。革命軍應該以一當百，我們這一百個人能夠和一萬個敵人戰鬥。隨後，蔣介石親率包括尹銳志、尹維峻兩位姐妹在內的一支隊伍，由望江門入城，直接進攻巡撫衙門。尹氏姐妹手持炸彈，勇猛當先，一舉攻到巡撫衙門大堂。巡撫增韞嚇得由屋後牆垣間逃出，躲在馬槽裏，被活捉。當晚，另一支隊伍攻佔旗營、將軍署、軍械局等處。15 日晨，杭州內外，白旗一片。原咨議局議長、立憲派領袖湯壽潛被推為軍政府都督。據蔣介石自述，起義第二天，各派之間爭權奪利之態即起，蔣介石辭謝了給他的軍職，回到上海陳其美身邊。上海起義過程中，商團曾捐助四萬元給陳其美，陳即以此組織滬軍第五團，任命蔣介石為團長。

蔣介石的團長職務沒有當幾天，陳其美與光復會領袖陶成章之間的矛盾尖銳化。1912 年 1 月 14 日夜 2 時，蔣介石偕同另一光復會員王竹卿潛入廣慈醫院，將正避居該院的陶成章槍殺。一時輿論譁然，在南京的臨時大總統孫中山下令陳其美緝捕兇。自然，人們懷疑蔣介石身後的陳其美。1 月 31 日，蔣介石向陳其美稱病辭職，到日本暫避。有關經過，另詳本書《蔣介石為何刺殺陶成章》及《"倒孫風潮"與蔣介石刺殺陶成章事件》。

三、在日本創辦《軍聲雜誌》，
主張"征蒙"，反對沙俄

公元 1206 年，成吉思汗建立大蒙古國。1271 年，成吉思汗的孫子忽必烈建立元朝。元朝滅亡後，蒙古人退回草原。到 17 世紀，清朝政府將蒙古全境納入中央政府管轄，逐漸分為外蒙古和內蒙古兩個部分。清末，外蒙的上層王公、貴族、喇嘛階層倒向北方的沙皇俄國，形成親俄集團，俄羅斯也積極向外蒙滲透、擴展，力圖將之納入自己的勢力範圍。辛亥革命爆發，沙俄認為侵吞外蒙的時機已到，便唆使蒙古的親俄集團於 11 月 30 日宣佈"獨立"，驅逐清軍和清政府官員出境。12 月 16 日，成立"大蒙古國"，以庫倫活佛哲布尊丹巴為"皇帝"，車林齊密為"總理"。

繼蒙古宣佈"獨立"之後，長期覬覦我國西藏的英國也積極策動所謂西藏"自治"。

剛剛卸任的英印總督明托到印度大吉嶺，與兩年前流亡當地的十三世達賴密謀，達賴派內侍達桑占東回藏，組織軍事叛亂。1912 年 3 月，達桑占東所部進攻中國政府駐紮江孜的軍隊。4 月，達桑占東調集各路叛軍，包圍並進攻拉薩，迫使中國政府軍返回內地。同年 6 月，達賴在英軍護送下返藏，英方官員表示，英國的願望是"在中國維持對西藏的宗主權而不進行干涉的條件下，看到西藏內部自治"[1]。11 月，達賴強令駐藏所有政府官員必須於同月 10 日前離開西藏。這樣，西藏的局勢也就緊張起來。

蔣介石雖然到了日本，但他關心國內局勢，自然，首先關心邊疆危機。此

---

[1] 《俄國中央及地方政府檔案》（1978—1917），第 2 類第 20 卷，第 220—221 頁，轉引自丁名楠等：《帝國主義侵略中國西藏的罪惡歷史》，《歷史研究》1959 年第 5 期。

前蔣介石在日本留學時，曾與人組織武學社，計劃創辦武學雜誌，至此，正好賡續前志。11月1日，蔣介石在東京創辦《軍聲雜誌》，表達他的國防和軍事主張。《發刊詞》中，蔣介石首先闡述自己的"大同"理想：

> 五洲統一，中外無分，合黃、白、紅、黑各色種族建造一世界共和大國，各聯邦中但能多設警察，防衛內寇，已足以弭亂，而練兵命將之權統轄於中央，邦與邦或有爭議，訴之於中央仲裁裁判，以解決其曲直，如此則海陸各防，永可裁撤，養兵鉅費，改歸實業。嗣此以往，由一世以至萬世，同守此大同主義，歷久勿失，則兵爭永息，民無慘禍。[1]

蔣介石設想，全世界各種民族，聯合而為一個"大共和國"，永遠消滅國與國之間戰爭，人民自此永遠擺脫戰爭之苦。顯然，蔣介石的思想源自中國的儒學，但也接受了德國康德和英國邊薩馬等思想家的"世界和平"理念。

儘管26歲的蔣介石希望人類未來能夠達到他理想的"燦爛光明"的一天，但他當然懂得，"尚非其時"。接著，他敘述了英、美、俄、法、德以及後起的日本馳騁角逐，以中國為競爭焦點的情況，對黃帝以後，有四千餘年文明傳統的中華兒女淪為"奴隸"的狀況深感痛心。時在辛亥革命成功之後，蔣介石天真地認為，"數千年專制之政體，以天下為君主一人之私產"的問題已經解決，今後的任務是"對外"，因此，他要創辦《軍聲雜誌》，重點研究六大方面：一、鼓吹尚武精神；二、研究兵科學術；三、詳議徵兵辦法；四、討論國防計劃；五、補助軍事教育；六、調查各國軍情。蔣介石表示，他要通過雜誌，"曉音瘏口"，反復喊叫，警醒國人。[2]

作為國防和軍事雜誌的創辦人，蔣介石廣泛研究世界大勢，特別重點研究當時與中國密切相關的英、俄、日三個國家及其和中國西藏、蒙古、滿洲（東北）的關係。蔣介石認為，英國的政略重點在歐洲，對華，主要採取經濟侵略主義。俄國，自1905年日俄戰爭失敗之後，企圖進取東亞，鋒芒指向中國的蒙古和新疆，處心積慮，企圖乘機攘奪。日本則積極經營滿洲，"分割有心"，和

---

1 《"總統"蔣公思想言論總集》卷35，第1—2頁。
2 《軍聲雜誌發刊詞》，同上書，第3頁。

俄國一樣，對華取"武力的侵略"主義。因此，蔣介石將當時中國的"目的敵"定為俄、日兩國。主張"陸主海從"，擴張陸軍兵力，維持海軍現狀。

1912 年，蔣介石在《蒙藏問題之根本解決》一文，指責俄國"陰謀詭計，唆弄活佛，始則暗中補助，繼則明加干涉，橫暴狂謬，無理已極"。他並且指出，自日俄戰爭後，俄國即"專力圖蒙"，企圖"併吞囊括"。他主張"據理力爭，依法駁斥"，必要時調集東南各省重兵，"征蒙敵俄"。[1]同年 12 月，蔣介石又進一步寫作，《征蒙作戰芻議》，提出"今日之征蒙，非言論之時，乃實行之期"。他坦言，所謂"征蒙"，不過是"討俄之代名詞"，"征蒙為從，討俄為主"，真正的打擊對象並不是"冥頑不靈、強硬無忌"的蒙古活佛，而是站在"活佛"背後的"雄視全球、睥睨世界"，擁有數百萬重軍，一千二百萬平方公里廣大土地的俄羅斯。[2]他從外交得失、戰地大小、交通遲速、距離遠近、兵力厚薄等方面對中俄兩國的狀況作了考察，提出了"征蒙"作戰的初步規劃。對於英國在西藏的分裂活動，蔣介石建議利用此前簽訂的《藏印條約》，"斥其背謬，摧抑其野心"，揭露其"假平和、假人道之面目"。他批評以袁世凱為總統的中央政府"一再隱忍，甘為退守，喪權辱國，莫此為甚"。[3]1912 年 7 月 10 日，袁世凱任命四川總督尹昌衡為征藏總司令，帶領兩千多川軍入藏，平定叛亂。蔣介石認為征蒙易而征藏難，擔心尹軍的命運，不過，歷史的發展與蔣介石的估計恰恰相反，尹昌衡西征，進展非常順利，很快收復失地，促成了達賴與中央政府的和談。1913 年 6 月，尹昌衡返回成都，袁世凱卻任命胡景伊為四川都督，尹昌衡被派一個特別地區——川邊，做那裏的軍政長官，頭銜為經略使。"征藏"還是"征蒙"？蔣介石建議：將取先予，避鋒養銳，集中力量"征蒙"，一心一意，"專志敵俄"。蔣介石很得意地把他的這一策略稱為："擊虎驚犬，平北收西"。[4]

在提出對外作戰謀略的同時，蔣介石也在對內政策方面提出了一些重要意見。例如，他總結唐朝的節度使和清朝的督撫制度後提出，軍民必須分治，

1 《"總統"蔣公思想言論總集》卷 35，第 16—22 頁。
2 《"總統"蔣公思想言論總集》卷 35，第 38—39 頁。
3 《"總統"蔣公思想言論總集》卷 35，第 18 頁。
4 《"總統"蔣公思想言論總集》卷 35，第 19 頁。

各省都督絕不能兼管軍事和政治，集兩權於一身，否則必將出現野心家，形成唐代藩鎮割據之禍。又提出軍政必須統一，全國軍隊須破除省界，分為數大管區，每一管區設一司令長官，直隸中央政府。這些意見，對於鞏固大一統的中央政權，防止軍閥割據都是有益的。[1] 不過，這一時期，他的文章內也流露出對 "開明專制" 的嚮往，如，他認為，在民國最初十年的紛擾之際，"正式大總統" 一定要有 "華盛頓之懷抱，而用拿破崙之手段"，"建造共和民國之模範"，否則，就會出現 "豆剖瓜分" 的局面。這裏所說的 "拿破崙之手段" 就是一種 "開明專制"。[2]

《軍聲雜誌》一共只出版四期，因資金不繼停刊。

四、宋教仁被刺，蔣介石投入反對袁世凱的鬥爭

民國建立，孫中山讓位於袁世凱。蔣介石認為，中國的民主共和制度從此可以確立，為此興奮過，不過，他也有一絲擔心，今後會不會有 "反側之徒" 開倒車，或夢想開倒車呢？[3] 蔣介石沒有想到的是，這個 "反側之徒" 很快就出現了。他就是孫中山讓位的對象袁世凱。

自 1912 年底到 1913 年初，袁世凱依據南京臨時政府公佈的《臨時約法》，在全國進行國會（參議院、眾議院）議員選舉。結果，國民黨在兩院 870 個席位中，佔有 392 席，居各黨之首。1913 年 3 月 20 日，國民黨領袖宋教仁在上海火車站被刺。人們普遍判定，這是袁世凱背後指使的結果。於是，孫中山迅速發動 "二次革命"。7 月 12 日，李烈鈞在江西湖口召集舊部，成立討袁軍總司令部，宣佈獨立，通電討袁。接著，江蘇、安徽、上海、湖南、福建、四川等省繼起。

蔣介石本來準備赴德留學。宋教仁被刺後，孫中山通過陳其美告蔣，留滬候命。當時，陳其美經費困難，蔣介石將自己積存的三萬多元留學經費，全部

1　《軍政統一問題》，同上書，第 5—10 頁。
2　《軍政統一問題》，第 7—8 頁。
3　《軍聲雜誌發刊詞》，同上書，第 3 頁。

提供給陳其美使用。7月22日，陳其美回應孫中山號召，在上海起兵討伐袁世凱。18日，發表獨立宣言，下令進攻位於上海城南高昌廟地區的江南製造局。

江南製造局是清政府洋務派開辦的規模最大的近代軍事企業，也是近代中國最大的軍火工廠。蔣介石原來隸屬於駐守該局的第93團，此時正接替原團長職務。7月28日，蔣介石召集已調駐他處的第93團各部訓話，說明討伐袁世凱的正義性質，大約有一營士兵回應。蔣介石即率領這部分士兵自廠南進攻，另一革命黨人鈕永建則率部自北夾擊。由於袁世凱所部海軍中將鄭汝成指揮海軍，炮擊討袁部隊，戰鬥激烈，討袁軍死傷很多，轉而進攻吳淞要塞等地，都未能得手。8月13日，上海討袁軍失敗。蔣介石一度與張靜江潛赴南京，企圖協助柏文蔚軍討袁。到後，蔣介石覺得柏並不重視自己，而且，心志未定，第二天早晨即返回上海，再次前往日本，追隨孫中山革命。

10月29日，蔣介石在上海宣誓加入中華革命黨，誓詞為："立誓言人蔣志清為救中國危亡，拯生民痛苦，願犧牲一己之生命自由權利，附從孫先生再舉革命、務達民權、民生兩目的，並創設五權憲法，使政治修明，民生樂利，操國基於鞏固，維世界之和平。"主盟人兼監誓人為張靜江。[1] "二次革命"失敗以後，孫中山總結經驗，認為其原因在於由同盟會改組而成的國民黨組織渙散，領袖缺乏權威，於是決定對國民黨再次進行改組，加強組織性、紀律性，樹立領袖權威，要求黨員從入黨起，必須永遠遵守以下五條，至死不變。這五條是："實行宗旨"、"服從命令"、"盡忠職務"、"嚴守秘密"、"誓共死生"。宣誓人須表示，"如有二心，甘受極刑"，而且須在誓約上摁指印表示確認。這一做法，來自中國古老的會黨。受過現代民主、自由教育的知識份子自然有些人不願接受，黃興等人分道揚鑣，另組較為鬆散、自由的歐事研究會。蔣介石決定加入中華革命黨，表明他當時為了中國革命成功，甘願接受最嚴格的組織和紀律約束，"犧牲一己之生命自由權利"。

1914年5月，孫中山命蔣介石在上海主持討袁軍事，任第一路司令，進攻潭子灣、小沙渡、曹家渡等地。蔣介石計劃於5月30日舉事，事為上海鎮守使

1　《中華革命黨黨員誓約》（1913年10月29日），《一般檔案》，台北中國國民黨黨史館，一般395/154.2。

鄭汝成偵悉，部分同志被捕。袁世凱於 6 月 15 日在《政府公報》上宣佈："此次謀亂，悉蔣介石代表孫文主持一切"，下令各省通緝。[1] 此際，革命黨人認為辛亥革命之所以未能奏效，原因在於北方革命力量太弱，於是，孫中山決定命陳其美到東北活動。陳其美電召蔣介石赴日。7 月 8 日，蔣介石在東京築地精養軒參加中華革命黨成立大會。會上，孫中山宣佈中華革命黨 "實行民權、民生兩主義" 目的為 "掃除專制政治，建設完全民國"。10 日，蔣介石遵孫中山之命，偕日本滿洲鐵路公司的山田村三郎等抵達哈爾濱，探索 "東北革命" 的可能性。蔣介石在當地及齊齊哈爾停留一個多月，發現在袁政府的壓迫下，死氣沉沉，在東北發動起義的可能性不大，覺得必須另闢革命途徑。

8 月 2 日，蔣介石返回東京，上書孫中山，說明歐戰爆發，國際關係發生新變化，建議仍以江浙為根據地，在統一各省革命計劃，確定全盤方案之後 "集中一點，注全力，聚精銳以付之"。[2] 9 月 1 日，蔣介石離日赴滬，日本外相加藤高明隨即電告駐滬總領事有吉明，要他注意此人。[3] 9 月 20 日，原在上海運動軍隊的安徽革命黨人范鴻仙被鄭汝成派人刺死，蔣介石慷慨捐資，為范營葬，接濟其家人。

1915 年，蔣介石在東京進行自我修養。每日靜坐、習字，用心閱讀王陽明、曾國藩和胡林翼三人的文集。2 月，陳其美回上海發動革命，蔣介石到橫濱送行。臨別，面對世事茫茫，吉凶難料的未來，面對這位引導自己走上革命的朋友，蔣介石流著淚對陳說："您此去，萬一不幸為袁世凱所害，我就做您的第二化身，完成您的未竟之志。"[4] 其後，蔣介石應陳其美電召，再次回上海策動起義。鑒於此前幾次革命，均壞於上海鎮守使鄭汝成之手，蔣介石便向陳建議，首先將鄭除去。11 月 10 日，陳其美得知鄭將赴日本駐滬總領事館，祝賀日本新天皇登基，陳其美即派人狙擊，將鄭除去。袁世凱派楊善德繼任。楊的才智均遠在鄭汝成之下，蔣介石便加緊策劃起義，以同時奪取海軍軍艦和吳

1　《政府公報》，第 758 號，1914 年 6 月 16 日。

2　《民國十五年以前之蔣介石先生》卷 1，第 40—42 頁。

3　《外務大臣男爵加藤高明發駐上海總領事有吉明收報告書》（1914 年 9 月 8 日），《各國內政關係雜：支那之部：革命黨關係》卷 12，機密第 39 號。

4　《民國十五年以前之蔣介石先生》卷 1，第 44 頁。

淞炮台為上上策。12月5日晚，楊虎以小汽輪奪取肇和艦成功，陳其美聽到炮聲，以為得手，偕蔣介石等前往指揮，因袁軍四集，各路義軍仍然失敗。

1916年12月12日，袁世凱悍然稱帝，改民國五年為中華帝國元年，總統府為新華宮，袁世凱的倒行逆施立即激起強烈反對。15日，云南都督唐繼堯及蔡鍔、李烈鈞等宣佈獨立，組織"護國軍"討袁。3月22日，袁世凱被迫宣佈撤銷帝制，但已無法消彌全國人民的怒火。1916年4月14日，蔣介石與楊虎等率兵攻佔江陰要塞，準備進一步控制長江，發表《江陰獨立宣言》。不料5天後內部叛變，同行者紛紛逃遁，只剩下蔣介石一人留在要塞中，靠了兩個士兵的引導，才得以離開要塞，脫險返滬。

陳其美一再舉事，一再失敗，每次舉事，大都靠金錢運動。至此，經費已極端困難。袁世凱在上海的偵緝機關獲悉，誑稱有一煤礦公司願以礦地向日方抵押借款，倘陳其美能介紹，可將借款的十分之四充作革命經費。陳其美不知是計。5月18日約定簽字之時，兇徒突然衝入，向陳其美頭部連開數槍。陳當即氣絕。在場的日人山田純三郎既緊張，又恐懼，不許親友哭泣。

蔣介石聞詢，立即趕到，僱車將陳其美的遺體運回自己的寓所，為其治喪。20日，蔣介石回憶1907年與陳其美相交以來的經過，在祭文中寫道："嗚呼！自今以往，世將無知我之深、愛我之篤如公者矣。丁未至今十載，其間所共者何如事？非安危同仗之國事乎？所約者何如辭？非死生與共之誓詞乎？而乃一死一生，國事如故，誓詞未踐。死者成仁取義，固無愧於一生；而生者守信堅約，豈忍惜於一死！"[1]他決心繼承陳其美的遺志，不惜一死，完成陳其美的未竟事業。7月31日，蔣介石奉孫中山之命，前往山東濰縣，擔任中華革命軍東北軍參謀長，襄助總司令居正和副手許崇智處理軍務。任內，蔣介石發現總司令部副官長陳中孚事事掣肘，貪污腐化，不堪共事，便於8月12日辭職回滬。參謀長一職，只當了13天。

---

1 《祭陳英士先生文》，《"總統"蔣公思想言論總集》卷35，第56頁。

蔣介石為何刺殺陶成章 *

* 本文錄自《蔣氏秘檔與蔣介石真相》，重慶出版社 2015 年版；原載《近代史研究》1987 年第
4 期。

1912 年 1 月 14 日，光復會領袖陶成章在上海廣慈醫院被刺。關於此案，當時人已經普遍懷疑是陳其美指使蔣介石所為；後來，毛思誠在編著《民國十五年以前之蔣介石先生》一書時，也承認不諱。不過，毛書所述較略，而中國第二歷史檔案館所藏《中正自述事略》殘稿則所述較為詳盡，且係蔣介石“自白”，因此，史料價值更高，有助於回答蔣介石刺陶這一疑案。《事略》以毛筆工楷寫成，文字略有蝕損。現將有關段落照錄如下，凡蝕損處均以□□表示，可以意補的地方則以括弧標明。

　　《事略》述蔣 1908 年的經歷時說：

　　　　是時之知交，以竺紹康為第一人……余無形中亦漸染其風尚。彼□（言）錫麟之死，實為陶成章之逼成，不然，以□□（徐之）學行，其成就必不止此。又談，陶之為人，不易共事。余聞此乃知陶、龔日常詆毀徐伯□□（生有）帝王思想者，實有其他意圖。余當時聞陶、龔毀徐，僅以為伯生已死，即有過誤，我同志不應再加猜測，詆毀先烈而已，而孰知伯生之死，為陶所逼□（乎）！自此，即甚鄙陶之為人，以其無光明正大態度，無革命人格。

　　竺紹康，浙江會黨首領，曾與秋瑾、徐錫麟共同在紹興創辦大通學堂，策劃起義。1908 年與蔣介石相識。1910 年去世。錫麟，即徐錫麟，字伯蓀，蔣介石寫作伯生，章太炎寫作伯孫。龔，指龔寶銓，光復會的重要成員。（按：徐錫麟和陶成章本是志同道合的戰友，後來，因在革命途徑及大通學堂應否續辦等問題上意見分歧，二人發生衝突。）1907 年，徐錫麟依靠表伯、山西巡撫俞廉三的關係，以道員分發安徽，被任命為巡警學堂會辦，深得信任。7 月，刺殺巡撫恩銘，被捕犧牲。關於此事，章太炎曾說："其後伯孫入官頗得意，煥卿等不見其動靜，疑其變志，與爭甚烈，及伯孫殺恩銘，始信之。"[1] 竺紹康所言，"錫麟之死，實為陶成章之逼成"，指此。這一事實表現出陶成章性格的一個突出弱點——多疑，但據此即將徐錫麟之死的責任歸在陶成章身上，並由此認為其"無革命人格"，顯然不妥。

《事略》又說：

> 及陶由南洋歸日，又對孫先生詆毀□□（不遺）餘情。英士告余曰：陶為少數經費關係，不顧大體，掀起黨內風潮，是誠可憾，囑余置之不理，不為其所動，免致糾紛。余乃知陶實為自私自利之小人，向之每月接濟其經費者即停止，不與其往來也。

1907 年春，同盟會內部發生反對孫中山的風潮，陶成章是參與者之一。1909 年 9 月，陶成章因在南洋募捐未獲滿意結果，聯絡李燮和、柳聘農、陳方度、胡國梁等七八人以東京南渡分駐英、荷各屬辦事的川、廣、湘、鄂、江、浙、閩七省同志的名義起草《孫文罪狀》，指責孫中山有 "殘賊同志"、"蒙蔽同志"、"敗壞全體名譽" 等罪狀 12 條，要求開除其總理一職，通告海內外。《罪狀》並誣稱孫中山貪污公款，在香港、上海存款 20 萬云云。陶成章並帶著《罪狀》，趕赴東京，要求同盟會本部開會討論。《事略》所稱 "為少數經費關係，不顧大體，掀起黨內風潮"，指此。這一事實同樣表現出陶成章思想性格中的弱點，陳其美批評其 "不顧大體" 是有道理的，但由此判定其為 "自私自利之小人"，也顯然不妥。

《事略》還說：

> 當革命之初，陶成章亦□（踵）回國，即與英士相爭，不但反對英

1　章太炎：《答陶冶公代劉霖生問光復會及煥卿事書》，《浙江辛亥革命回憶錄》，浙江人民出版社 1981 年版，第 253 頁。

士為滬軍都督而顛覆之，且欲將同盟會之組織根本破壞，而以浙江之光復（會）代之為革命之正統，必欲將同盟會領袖□□（孫、黃）之歷史抹煞無遺，並謀推戴章炳麟以代孫先□（生），□（嗚）呼革命未成，自起紛爭。而陶之忌刻成性，竺紹康未死前，嘗謂余曰：「陶之私心自用，逼陷徐伯生者，實此人也。爾當留意之！」惜竺於此時已逝世，而其言則余切記未□（忘）。及陶親來運動余反對同盟會，推章炳麟為領袖，並欲置英士於死地，余聞之甚駭，且怨陶之喪心病狂，已無救藥，若不除之，無以保革命之精神，而全當時之大局也。蓋陶已派定刺客，以謀英士，如其計得行，則滬軍無主，長江下游必擾亂不知所之；而當時軍官又皆為滿清所遺，反復無常，其象甚危，長江下游，人心未定，甚易為滿清與袁賊所收復，如此則辛亥革命功敗垂成，故再三思索，公私相權，不能不除陶而全革命之局。

本段中，蔣介石坦率地承認，他是刺陶案的主兇，並列舉了許多理由，證明他的行動是有功於革命的正義之舉。其實，不管是出於哪種理由，刺陶都是錯誤的。在這些理由中，有些還有可疑之處，例如所謂陶成章準備刺殺陳其美的問題。蔣介石是陳其美的親信，這一點陶成章不可能不知道，他怎麼會糊塗到向蔣介石透露刺陳方案，甚至動員蔣下手呢？倒是蔣介石所說的其他理由，對於說明陶成章的死因，有一定意義。如蔣介石稱，陶成章回國"即與英士相爭，反對英士為滬軍都督而顛覆之"，以及"反對同盟會"等，應該說，這才是陶成章的真正死因所在。

1909年秋陶成章再次掀起反對孫中山的風潮後，因受到黃興等人的抵制，於次年2月在東京重建光復會，以章太炎為會長，正式與同盟會分家。1911年籌備廣州起義期間，兩會關係有所緩和。不久。趙聲在香港患盲腸炎逝世，陶成章懷疑為胡漢民所毒，再次對同盟會產生疑忌。同年7月，陶成章應尹銳志、尹維峻姊妹之邀，回到上海，組織銳進學社，作為秘密聯絡機關。當時，陳其美、譚人鳳、宋教仁等正在上海籌備成立同盟會中部總會，以便在長江中下游發動起義。同月26日，陳其美、陶成章在沈縵云宅開會，討論合作問題，二人發生爭執，陳其美一怒之下，竟掏出了手槍。幾天後，陶成章匆匆離滬，再赴南洋，上海一地存在著兩個革命組織的狀況也就因之未能改變。所幸的是，面對共同的敵人，雙方大體仍能配合。11 月 3 日，上海起義發動，陳其美率隊奪取製造局，他隻身入內勸降，被扣押。起義群眾奮勇進攻，光復會的李燮和也調來軍警助戰，救出了陳其美。11 月 6 日，滬軍都督府成立，陳其美被推為都督，李燮和任參謀。對此，李燮和與光復會的人都很不高興。有人主張逮捕陳其美，治以"違令起事，篡竊名義"之罪[1]。李燮和不同意，於 11 月 9 日率部去吳淞成立軍政分府及光復軍總司令部，自任總司令，宣佈只承認蘇州軍政府為全省的軍政府，"所有上海地方民政、外交等事，均歸蘇州軍政府辦理"[2]。這樣，同盟、光復兩會矛盾再度公開化。

上海光復之際，陶成章自南洋歸國。他未能因應形勢，和同盟會棄嫌修好，相反，卻繼續鼓吹和同盟會分家，進一步惡化和孫中山的關係。南京攻克後，各省都督府代表聯合會在上海開會，推舉大元帥，一部分人主張推黃興擔任，以朱瑞為首的浙軍將領則主張推黎元洪，強烈反對黃興。時任浙軍參謀的葛敬恩後來回憶說："袒黃（亦即袒孫）袒黎一時鬧得不可開交。光復會份子反對同盟會日益露骨，陶煥卿、李燮和一派鼓吹與同盟會分家，我們就成了此等人的對象。"[3]會議本已於 12 月 4 日選舉黃興為大元帥，黎元洪為副，但於 12 月 17 日又改推黎元洪為大元帥，黃興為副，代行大元帥職權。這一變化，原因複雜，但同盟會方面認為和陶成章"嗾動軍隊"有關[4]。12 月 20 日，馬君武鑒於孫中山即將回國，在上海《民立報》著文，盛讚孫中山的革命品格和經驗，斷言財政及外交等問題，"通計中國人才非孫君莫能解決"。該文稱：

> 孫君之真價值如此，日人宮崎至謂其為亞洲第一人傑，而尚有挾小嫌宿怨以肆誣謗者，其人必腦筋有異狀，可入瘋人院也。吾平生從不阿諛人，又以為吾國素知孫君，故默默然不贅論。今見反對孫君之人大肆旗鼓，煽惑軍隊，此事與革命前途關係至大，又孫君於數日內將歸國，故不

1　楊鎮毅：《光復軍攻克上海江南製造局及陳其美篡取滬軍都督之真相》，《辛亥革命回憶錄》第 1 集，文史資料出版社 1981 年版，第 33 頁。
2　《中華民國駐吳淞軍政分府李宣言》，《民立報》，1911 年 11 月 17 日。
3　葛敬恩：《辛亥革命在浙江》，《辛亥革命回憶錄》第 4 集，第 123—124 頁。
4　章太炎口授、寂照筆述：《光復繼起之領袖陶煥卿君事略》，湯志鈞編《陶成章集》，中華書局 1986 年版，第 439 頁。

能已於言。[1]

　　馬君武此文所稱"挾小嫌宿怨以肆誣謗"、"大肆旗鼓，煽惑軍隊"的人，顯指陶成章。辛亥前，馬君武長期生活在德國，和同盟、光復兩會之間的矛盾素無關係。他感到"不能已於言"而出面著文，可見陶成章的活動已經引起了嚴重的關切。當時，《民立報》和南洋同盟會員曾經為孫中山做過部分輿論鼓吹工作，陶成章等人認為意在為孫中山"騙取總統"。1912 年 1 月，孫中山就任臨時大總統後，陶成章曾致書孫中山，重提"南洋籌款"舊事。孫中山憤而復書，責問陶在南洋發佈《孫文罪狀》的理由，並稱："予非以大總統資地與汝交涉，乃以個人資地與汝交涉。"[2] 這樣，兩人間沉澱已久的猜嫌再度攪起。

　　這一時期，陶成章與陳其美的矛盾也進一步尖銳化，突出地表現在幾個問題上：

　　1. 陶成章拒絕陳其美的"協餉"要求。據章天覺回憶，陳其美為在上海籌辦中華銀行，曾向浙江都督湯壽潛要求"協餉"25 萬元，作為發行紙幣的準備金。當時，陶成章在浙江軍政府任總參議，湯壽潛向陶徵求意見，陶表示容"緩商"，湯壽潛即復電拒絕。後來，陳其美當面質問湯壽潛，湯答以陶成章"不允"[3]。其他記載也說，陳其美曾因軍需，向陶成章要求分用南洋華僑捐款，陶回答說："你好嫖妓，上海盡有夠你用的錢，我的錢要給浙江革命同志用，不能供你嫖妓之用。"[4]

　　2. 陶成章對陳其美在滬軍都督任內的作為不滿。樊光回憶說："時陳其美在滬督任上，聲名惡劣，（陶成章）當然是大不滿意，間有譏評。"[5]

　　3. 陶成章在上海練兵，並號召舊部。據《民立報》記載，1911 年 11 月下旬，為了進攻為清軍盤踞的南京，陶成章曾電飭浙江溫、台、處三府，添練義勇三營，又電告南洋各機關，速匯鉅款；同時又在上海成立"駐滬浙江光復義

1　馬君武：《記孫文之最近運動及其人之價值》，《民立報》，1911 年 12 月 20 日。
2　魏蘭：《陶煥卿先生行述》，《陶成章集》附錄，《陶成章集》，第 436 頁；參見前引太炎口述、寂照筆述《光復繼起之領袖陶煥卿君事略》。
3　《回憶辛亥》，《辛亥革命史叢刊》（2），中華書局 1980 年版，第 163 頁。
4　《辛亥革命回憶錄》第 6 集，第 286 頁。
5　《陶成章集》，第 444 頁。

勇軍練兵籌餉辦公處"，準備在閔行鎮一帶練兵[1]。這一舉動，自然更易引起陳其美的警惕，認為其鋒芒是指向自己的。1912 年初，章太炎曾勸告陶成章："江南軍事已罷，招募為無名。丈夫當有遠志，不宜與人爭權於蝸角間。"[2] 所謂"與人爭權"，自然是指陳其美等。

南京臨時政府成立後，湯壽潛出任交通總長，所遺浙江都督一職建議在陳其美、章太炎、陶成章三人中擇一以代。從當時輿論看，幾乎是一片擁陶聲。有的說，"成章早一日蒞任，即全浙早一日之福"[3]。有的說："非陶公代理，全局將解體矣！"[4] 有的甚至說："繼其任者，惟有陶煥卿，斯人不出，如蒼生何！"[5] 章太炎也積極為陶成章活動，認為"浙中會黨潛勢，尤非煥卿不能拊助"[6]。陳其美不會樂意丟掉上海去當浙江都督，但由陶成章出任，陳其美也不會安枕。

當時，上海已經謠傳陳其美準備刺殺陶成章，王文慶在南京也得到"確實消息"，陶成章在滬"大不利"[7]。於是，陶成章先後避居於客利旅館、江西路光復會機關、匯中旅館、廣慈醫院等處。1 月 7 日，他在《民立報》發表通告，內稱：

> 當南京未破前，舊同事招僕者，多以練兵、籌餉就商於僕，僕未嘗敢有所推諉。逮南京破後，僕以東南大局粗定，函知各同事，請將一切事宜商之各軍政分府及杭州軍政府，以便事權統一，請勿以僕一人名義號召四方，是所至禱！恐函告未周，用再登報聲明。

這一通告表明，陶成章已經十分清晰地感到了自身處境的危險，正在力圖使對手相信，他不會組織軍事力量，"號召四方"，構成什麼威脅。1 月 11 日，他又通電聲明，不能勝任浙江都督一職，電文云：

> 公電以浙督見推，僕自維輊才，恐負重任。如湯公難留，則繼之者非

1　《光復義勇軍紀聞》，《民立報》，1911 年 11 月 28 日；參閱許仲和《章炳麟撰龔未生傳略注》，《浙江辛亥革命回憶錄》，第 98 頁。
2　《太炎先生自定年譜》，1912 年，見《章氏叢書》三編。
3　《杭州電報》，《民立報》，1912 年 1 月 10 日。
4　《杭州電報》，《民立報》，1912 年 1 月 11 日。
5　同上注。
6　《越鐸日報》，1912 年 1 月 12 日。
7　《陶成章集》，第 436 頁。

蔣軍統莫屬，請合力勸駕，以維大局。[1]

蔣軍統，指蔣尊簋，同盟會會員，陶成章此舉仍然是為遠禍保身，但是，他的"舊同事"們卻不能理解他的苦衷，沈榮卿等以"全體黨員"名義致電各報館及陶成章，電稱：

> 頃閱先生通告各界電，駭甚，先生十餘年苦心，才得今日之收果。吾浙倚先生如長城，經理浙事，非先生其誰任？況和議決裂，戰事方殷，榮等已號召舊部，聽先生指揮。先生為大局計，萬祈早日回浙籌備一切，若不諒榮等之苦衷，一再退讓，將來糜爛之局不可逆料。敢佈區區，敬達聰聽。[2]

這份電報不啻是陶成章的催命符。

1911 年 12 月，還在浙軍反對黃興出任大元帥的時候，陳其美就曾請浙軍參謀呂公望轉告陶成章"勿再多事，多事即以陶駿保為例"[3]。陶駿保原為鎮軍軍官，1911 年 12 月 13 日為陳其美槍斃。可見，當時陳其美已萌發了除陶的念頭。這時，沈榮卿等又堅持要陶成章出任浙督，並且"號召舊部"，聽陶指揮，這樣，自然使陳其美感到事不宜遲。

《事略》又說：

> 余因此自承其罪，不願牽累英士，乃辭職東遊，以減少反對黨之攻擊本黨與英士也。

這裏，實際上是在承認，"除陶"是陳其美指使的了。

在《事略》中，蔣介石自詡他的"除陶"是"辛亥革命成敗最大之一關鍵"，實際上，他的行為極大地損害了革命隊伍的團結，削弱了革命力量。此後，光復會即煙消云散，原成員和同盟會更加離心離德了。

陶案發生後，輿論譁然，蔣介石不得不避走日本；刺陶的另一兇手王祝卿逃到浙江嘉興，被當地光復會員僱人殺死。1912 年 9 月，黃興、陳其美入

---

1 《民立報》，1912 年 1 月 12 日。
2 《民立報》，1912 年 1 月 14 日。
3 《光復繼起之領袖陶煥卿君事略》，《陶成章集》，第 438—439 頁。

京，共和黨設宴歡迎，邀請章太炎"同食"，但章太炎拒絕參加，他發表公開函件說：

> 陶成章之獄，罪人已得，供辭已明，諸君子亦當聞其崖略。自陶之死，黃興即電致陳其美，囑保護章太炎，僕見斯電，知二豎之朋比為奸，已髮上衝冠矣！[1]

黃興要求保護章太炎，但章太炎卻將黃興視為"朋比為奸"者。此函既表現出章對同盟會的深刻的猜忌和隔閡，也曲折暗示著刺陶案的隱微複雜的背景。

---

1 《卻與黃、陳同宴書》，《大共和日報》，1912 年 9 月 19 日。

「倒孫風潮」與蔣介石
刺殺陶成章事件*

* 本文錄自《找尋真實的蔣介石：蔣介石日記解讀》（4），東方出版社 2018 年版；原載《近代史研究》2017 年第 2 期。

1909 年，陶成章到東京，提出《七省同盟會會員公啟》，攻擊孫中山以大言謊話，騙取"總理"，要求開除其職務，受到黃興等人抵制。1910 年 1 月，陶成章發表《佈告同志書》，回答為孫中山闢謠、辯護的各地同盟會員，並對孫中山等進行新的攻擊。這是一份迄今尚很少為人所知的文獻。同年 2 月，陶成章與同盟會分家，重建光復會。1912 年 1 月，民國建立，孫中山當選臨時大總統，陶成章致書孫中山，重提"南洋籌款"舊事，陶的同志則散佈流言，攻擊孫中山以謊言騙取"總統"。

　　上海為革命黨人掌握後，陶成章練兵籌餉，計劃進攻清兩江總督所在地南京。南京既克，章太炎建議陶出兵援助正在與清兵搏戰的武漢義軍，陶未從，編練"光復軍"如故，引起忠於孫中山和同盟會的陳其美的警惕和猜忌，指使因"倒孫風潮"而對陶成章深為不滿的蔣介石進行刺殺。

　　辛亥革命之前，同盟會內部有過兩次"倒孫風潮"。第一次發生於 1907 年。當時，清政府要求日本政府驅逐孫中山出境，日本西園寺內閣不願意得罪孫中山和中國革命黨人，改為贈款勸離。另一股票商人也贈款助行，大約共得 15000 元。孫中山隨即離日，將 2000 元留給章太炎辦《民報》，大部分錢自帶，作為到中國南方沿海發動起義的費用。同盟會員張繼、章太炎、劉師培等人均認為孫中山受賄，主張罷免其總理職務。

　　第二次發生於 1909 年。當時，在南洋的同盟會員李燮和（柱中）、柳聘農、魏蘭、沈鈞業、陳方度、胡國梁等起草《七省同盟會員公啟》，認為同盟會成立之初，孫中山本無一分功勞，在兩廣、內地，亦無一分勢力，全憑"大言"謊話，騙得總理職務，就職後營私謀利，將大量募款攫為己有，在香港、上海銀行，居然存款 20 萬之多。《公啟》指責孫中山有"殘賊同志"、"蒙蔽同志"、"敗壞全體同志名譽"等"罪狀"3 種 14 項，提出開除孫中山的總理職務等 8 項要求，委託陶成章帶往日本東京，要求當時同盟會的"總庶務"黃興發佈。該《公啟》或稱《七省同盟會員意見書》，或稱《孫文罪狀》，均同。繼之，章太炎發佈《偽〈民報〉檢舉狀》，攻擊汪精衛奉孫中山之命續刊的《民報》為"偽"，同時攻擊孫中山"懷挾鉅資，而用之公務者十不及一"，是貪污腐敗的"大老虎"。

以上兩次"倒孫風潮"，受到同盟會領導人劉揆一、黃興的抵制和反對。同盟會系統在日本、香港，以至南洋、歐洲、美洲的報刊紛紛發表文章，為孫中山闢謠、辯護。有關情況，筆者多年前曾多次詳論，對此，辛亥革命史學界大都熟知。[1] 但是幾乎沒有人知道，1910 年 1 月，陶成章為回答同盟會內擁孫一派的批評，在東京發表《佈告同志書》，對孫中山等人進行新的攻擊。1911 年 12 月，陶成章運動浙軍，反對黃興出任大元帥。次年 1 月，南京臨時政府成立，孫中山當選為臨時大總統，陶成章直接致函孫中山，表示反對。這或許可以視為第三次"倒孫風潮"的發端吧！新舊矛盾，纏繞糾結，其結果是釀致陳其美指使蔣介石對陶成章進行暗殺。茲根據筆者多年前收集而迄未使用的資料，對這一問題進行新的敘述和探討。

---

1 有關各文分別為《章太炎與端方關係考析》（《南開大學學報》1978 年第 6 期）、《龍華會章程探微》（《歷史研究》1979 年第 1 期）、《同盟會的分裂與光復會的重建》（《近代史研究》1979 年第 1 期）、《續刊〈民報〉及其爭論》（《中華文史論叢》1982 年第 2 期）、《蔣介石為何刺殺陶成章》（《近代史研究》1987 年第 4 期）、《何震揭發章太炎》（《近代史研究》1994 年第 2 期），拙著則有《中華民國史》第一編（1981）、《晚清史事》（2007）、《從帝制到共和》（2009）、《帝制的終結》（2011）、《晚清風云》（2015）等，不一一詳列。

一、陶成章和“倒孫風潮”的關係
及其對孫中山的新攻擊

1910 年 1 月 25 日（宣統二年十二月十五日），陶成章印刷《佈告同志書》，說明自己和第一、第二兩次“倒孫風潮”的關係，闡明反對孫中山的理由，進行新的攻擊。對於這一份文件，筆者 2011 年在寫作《帝制的終結》一書時曾經提到，但未展開論述。[1] 因此，學界尚未加以注意。

關於第一次“倒孫風潮”，陶成章否認和自己有任何關係。關於第二次“倒孫風潮”，陶成章承認自己是文件傳送者。《佈告同志書》稱：

> 受事以來，少與外間同志交涉。孫文、精衛在東京時，僅一面，漢民則並一面而無之，未與合謀，罔知底蘊。故凡向日有同志自香港來者，道及孫文之惡，僕未嘗措意。東京同志，有欲罷去孫文，僕亦未嘗與議。[2]

這一段首言香港同志道及“孫文之惡”，用“惡”字，可以明確地表現陶成章對孫中山的仇視與輕蔑。其下所云，當指 1907 年第一次“倒孫風潮”。陶成章聲明自己未曾參與“罷去孫文”之議，這可能是事實，但是，他在《佈告同志書》中批評東京同盟會總會時曾說：“若言總會，則總會之失信用久矣。”在文中特別加了個夾注：“自丁未春孫文受外賄始。”“丁未”即 1907 年，可見，他在認為孫中山接受日方“賄賂”這一點上與“倒孫風潮”的其他參加者並無二致。[3] 關於第二次“倒孫風潮”，《佈告同志書》說：

> 去年南遊，所遇同志，多有間言。僕乃細加審察，知謗言固非無因而至。今年五月，檳港李君柱中等，乘僕東歸之便，囑僕帶一公啟，至東京宣佈。僕以公事當付諸公議，乃交之總庶務黃興君，請為邀集各省職員，妥議良策。不數日，而精衛東來，與黃興君同寓。於是黃興君致函僕，意欲由彼作中，曲為解說（此信現存李君柱中處）。僕以此非僕一人之事，二三人私議，固為何者？故當時即行拒絕。

1　楊天石：《帝制的終結》，嶽麓書社 2013 年版，第 240 頁。
2　陶成章佚文：《佈告同志書》，第 1 頁，台北中國國民黨黨史館藏，《吳稚暉檔案》，04439。
3　陶成章佚文：《佈告同志書》，第 9 頁，台北中國國民黨黨史館藏，《吳稚暉檔案》，04439。

1908 年，陶成章組織江、浙、皖、贛、閩五省革命協會，以便在國內進行暗殺和暴動。9 月（八月），赴南洋群島，籌募經費，歷經新加坡、仰光、檳榔嶼、泗水、吧城（雅加達）、檳港等地，重新打出光復會旗號。因得不到孫中山、胡漢民及同盟會南洋支部的有力支持，募款效果較差。在檳港時，陶成章結識在當地中華學堂教書的湖南人李燮和及同事陳方度、胡國梁、柳聘農等人。他們也都對孫中山及同盟會有意見，於是便由李燮和領銜起草《七省同盟會員公啟》，對孫中山進行多方面的攻擊。所謂"七省同盟會員"，其實只是從國內到南洋檳港等地教書的幾位與李燮和相熟的教員，並非真正可以代表四川、廣東、湖南、湖北、江蘇、浙江、福建等七省的革命黨人。從陶成章的《佈告同志書》可知，對於李燮和等人的意見，陶成章曾"細加審察，知謗言固非無因而至"，是同意並且支持的。這一點，陶成章在寫給時在巴黎辦《新世紀》的吳稚暉的信中講得更清楚。函稱：

> 南渡之後，廣見各同志之受欺於孫、汪、胡諸輩，不覺憤憤，以故各同志欲發表孫文罪狀，弟亦贊成之。

函中，陶成章自稱到南洋群島，聽了"各同志"的意見之後，"不覺憤憤"，可見陶對"各同志"的意見不僅支持、贊成，而且為此動了感情。

陶成章到東京後，要求黃興召集各省在東京的同盟會負責人討論。由於《七省同盟會員公啟》嚴厲指責孫中山有七大罪狀，黃興認為不實，沒有同意。貿然公佈，自然更加不能同意。他與陶成章辯論多時，無效。[1] 又與譚人鳳、劉揆一共同致函南洋同志，為孫中山詳細解釋，勸南洋署名各同志反省。[2] 陶成章此時已決定與同盟會分家，"另開局面"，並且決定自行發佈《七省同盟會員公啟》。[3] 由這些方面可見，陶成章不僅是李燮和等《七省同盟會員公啟》的代交者，而是代表者，甚至是主持者和決策人。這一點，可以從李燮和的兩個兒子李興瀟、李興藻的回憶中得到證明。二李說：

1　陶成章：《致亦遠、李燮和信》（1909 年 9 月 22 日至 24 日）："今日特走訪之，與克公辯論中山之事多時。"引自《陶成章信箚》（修訂本），嶽麓書社 1985 年版，第 14 頁。
2　黃興：《復孫中山書》（1909 年 11 月 7 日），引自《黃興集》，中華書局 1981 年版，第 9 頁。
3　陶成章：《致亦遠、李燮和信》（1909 年 9 月 22 日至 24 日）；又《致胡國梁信》（1909 年 9 月 24 日），引自《陶成章信箚》（修訂本），第 15、17—18 頁。

1909 年 8 月，陶成章來到檳港，談到同盟會黨務、人事和經濟上的許多問題，對孫中山極為不滿，先父頗為同情。陶遂邀約先父及魏蘭、沈鈞業、陳方度、胡國梁等人聯名上書同盟會東京總部，指責孫中山，要求改選黃興為總理。其主動者實際上是陶成章本人。[1]

　　二李雖非當事者，但其所述，當必得自乃父李燮和。據此可見，不是陶成章聽了李燮和等南洋同志的意見，受到影響，而是李燮和等聽了陶成章的談話，受到影響。在這一過程中，陶是主動者、決策者。

　　陶成章的《佈告同志書》分《自述》、《證明》、《辨正》、《聲明》、《附則》五部分。

　　在《自述》中，陶成章自敘個人革命歷史：素志破壞（清政府）中央（機構），擬由學陸軍入手，但未能如願；繼而聯絡會黨。次述與徐錫麟分道行事，共謀襲取南京。再述秋瑾返回浙江，在紹興籌備起事，因孫中山"遍放謠言"，聲稱由南洋密運軍火來長江，因此促使清吏加意搜索，牽及全局，以致皖浙起義計劃失敗。末述到上海重建機關，因缺少經費，到南洋籌措，被孫文、汪精衛、胡漢民目為"保皇黨"和清政府的"偵探"，因此，陶成章質問孫中山等人，"其意果何居"？

　　《證明》列舉事例，說明孫中山、汪精衛、胡漢民三人"居心險惡，行事巧詐"。其所舉事例有二：一為光緒、慈禧去世，云南志士思復等計劃起義，陶成章亦力主"專重云南"，但汪精衛等出於嫉妒，撥弄同志，顛倒是非。二為同盟會廣西分會會長劉某為發動起義，到南洋募捐，向孫中山、胡漢民索取介紹函，但孫、胡所出函件卻不肯說明劉某為"吾黨中人"，足見"存心陰險，操術狡詐"。

　　《證明》並以惠州、潮州、河口、鎮南關等處的起義為例，說明孫中山等常常誇口，或稱"吾助以大宗軍火"，或稱"每人每月餉銀十元"，或稱"有十萬大兵"，或稱"（孫）親往鎮南關督陣，大炮飛來，燃其鬍鬚，屹不為動"，等等。陶成章用這些事例說明，孫中山等人慣於以"大話"、謊言糊弄和欺騙

1　李興灝、李興藻：《追憶先父李燮和》，2004 年 5 月長沙自印本，第 17 頁。

黨人。陶稱："今孫文行事，實等兒戲，同志性命，其戲具耳！"又稱："孫文既以詐偽之術，行之於內，復以誇大之言，施之海外，於彼一己之名利固有進矣，其如祖國前途何！"

在反駁《七省同盟會員公啟》時，香港《中國日報》曾指責陶成章受章太炎委託，以復興《民報》為名，募得數千金，而一事未辦，受南洋支部詰責，逃回日本。對此，陶成章在《辨正》部分說明，本人到南洋，非如《中國日報》所言，受章太炎委託，為《民報》招股而來；到南洋之後，即將股單交給汪精衛，雖到過仰光、庇能等十餘個城市，從未為《民報》招分文之股。《中國日報》還指責"陶成章在東京朋比為奸，久為東京革黨所深惡痛疾"，對此，陶成章答稱，自 1907 年春孫文受外賄之時始，同盟會總會早已失去信用；《民報》遭日本政府封禁後，同盟會的"總庶務"擬召集兩三個分會會長開會，都開不成。哪裏還有人對他"深惡痛疾"？《中國日報》還提到劉師培的友人汪公權初為革命黨，後投降清朝兩江總督端方，出賣同志，在上海為革命黨人所殺。對此，陶成章稱，殺汪者，係王金發，為友人報仇，不特與孫文無關，也與同盟會無涉。同盟會所言，"狐假虎威，妄言冒功，無恥極矣"。

《民報》一度由章太炎主編，1908 年 10 月，日本政府禁止其 24 號發行，《民報》出版中斷。1909 年 10 月，同盟會本部在東京籌備續刊，以汪精衛為總編輯，將章太炎排除在外。章太炎憤而寫作《偽民報檢舉狀》，除指責續刊《民報》為"偽"外，攻擊孫中山"本一少年無賴"，貪污鉅款，賣國賣友。《中國日報》認為《檢舉狀》和《七省同盟會員公啟》均為"一人所為"，隱指陶成章。對此，陶成章聲明："夫僕行事，素不畏強禦，欲宣佈則竟自宣佈之，何藉《檢舉狀》、《公啟》為！"

《聲明》部分說明，自孫中山離日後，《民報》的經費日益困窘，章太炎屢向孫中山、汪精衛告急，孫、汪均不曾為之想過一法；章託陶成章攜帶"股單"到南洋募股，孫、汪卻秘不宣傳，證明孫、汪早已"棄絕《民報》"。及至章太炎被日本政府判處罰金 115 元，逾期不交，將送東京監獄，作苦工代替，幸賴四川、湖北、江西三省同志及陶成章捐出仰光華僑資助的旅費，章太炎才得以免除災難。對此，陶成章評論說："當《民報》盛時，精衛、漢民皆嘗支用多金，及窘，則棄之勿顧，事平，又竊之以行，是豈仁人君子之為哉！"他批評汪精衛"蒙蔽一切，擅自出版，其設心不問可知"。又向黃興表示，《民報》不經公議出版，決不承認。

陶成章表示，過去與諸同志的革命經費，全部靠同事典當家產，不曾向外界捐募分文，只是因為在日本無法歸國，才不得已到南洋，準備在募得萬金之後，即進行各事。現在決定"累積寸進"之法籌款，決不像孫中山等人一樣"蠱惑黨人，聊樹一幟，陷人絕地，以自高聲譽於海外"。他宣稱，此後停止籌款。前此在南洋等地所籌款，僅收到日元 700 餘元，其他未寄者，概請停寄。陶成章當時決定編寫並發行教科書，經營商業，以此獲得利潤，作為革命活動的經費。其所謂"累積寸進"之法，指此。

發佈《佈告同志書》後一個月，陶成章正式與同盟會分家，在日本東京重建光復會總部，以章太炎為會長，陶成章自任副會長。章太炎是文人、思想家，名望高，但不善理事，也不樂於理事，陶成章成為重建後的光復會的實際領導人。

二、陶成章《佈告同志書》評議

陶成章的這份《佈告同志書》雖然旨在回答各地擁護孫中山一派對自己的批評，但主要批評矛頭仍然指向孫中山及其當時的兩個助手汪精衛和胡漢民，是對於孫中山及同盟會的新攻擊。

《佈告同志書》所述各例，分幾種情況。

1. 確有部分類似事實。例如，孫中山在各地動員起義時，有時確實誇大自身實力，說過與實際不符的"大話"；或者最初應允以金錢犒賞、獎勵，而最終無法兌現。這種情況，就孫中山說來，或為對敵鬥爭中的虛張聲勢，鼓舞人心，或為擴大兵力、人員之需，方法雖未必盡妥，但並無錯誤。又如，對從國內到南洋各地的募捐者，須由孫中山簽名介紹，這是為了加強管理，避免有人借機謊騙、斂財，在這一過程中，過於嚴格、謹慎，因而接待、處理可能出現不當現象。這些問題，有些可以批評、改進，但不應成為攻擊之點。

2. 事出有因。例如對章太炎與《民報》的態度。孫中山離日時，除以 2000 元交給章太炎，作為維持《民報》出版的經費外，其餘 13000 元則攜到南方，在廣東欽州、廉州地區發動起義。由於起義需要大量經費，孫中山不可能為《民報》提供更多款項。此後，孫中山等人的經濟也處於極度困難中，無力繼續支持《民報》。孫中山在南洋所依靠的主要是胡漢民主持的同盟會南洋支部及其機關報《中興日報》，對曾經掀起 "倒孫風潮" 的東京同盟會總部已經很失望。加之此時的章太炎企圖改造佛學，作為鼓吹革命、淬礪黨人的精神武器，在《民報》中大談佛理，這一條編輯方針和當時革命黨人，包括孫中山等人的思想有較大距離，和汪精衛、胡漢民創編時期的《民報》也有很大不同，因此，銷量大減，《民報》的經費更加困窘。1909 年 10 月，孫中山派汪精衛到東京續刊《民報》，在改組編輯部時排斥章太炎，其故在此。在這一過程中，孫中山等和同盟會的其他領導人缺少溝通、協商，對章太炎和《民報》的艱難處境關懷不夠，體貼不夠，是缺點，但同樣不應作為攻擊之點。

3. 判斷無據。1907 年，徐錫麟在安慶巡警學堂謀刺安徽巡撫恩銘，秋瑾在紹興大通學堂被捕，以致光復會籌備的浙皖起義失敗，其起因在於光復會員葉仰高被捕，供出部分黨人的別名和暗號，和陶成章所稱孫中山 "遍放謠言"，致令清吏 "防患未然，加意搜索"。沒有直接關係，現有資料也沒有孫中山洩露過有關浙皖起義消息的任何記載。其實，從孫中山成立興中會，在廣州發動起義始，清政府就一直在搜索、破壞、逮捕、鎮壓革命黨人，何能將歷次起義失敗的原因都加在孫中山等人身上，責之以 "洩密" 之罪？

在 1907 年的第一次 "倒孫風潮" 後，東京同盟會本部處於渙散狀態，章太炎 "憤欲為僧"，想到印度學梵文，觀摩印度革命黨人的風範，因缺少路費，便通過劉師培的妻子何震和清朝的兩江總督端方聯繫，企圖取得經費支持。其後，劉師培、何震及其表弟汪公權等均投降端方，成為叛徒，為了挑撥同盟會的內部關係，何震公佈了章太炎為向端方謀款寫給自己的五六封信，在同盟會中引起巨大震動。同盟會系統的香港《中國日報》曾發佈消息，指稱劉師培受端方委派，"擔任解散革命黨及充常駐東京之偵探員"。陶成章和章太炎、劉師培關係親密，在劉、何、汪三人的叛徒身份暴露，而陶又對孫中山大肆攻擊之時，人們對陶成章的真實身份產生某種懷疑是自然的。陶成章在《佈告同志書》中指責孫中山等"目僕為保皇，為偵探"，這一點，黃興、譚人鳳等同盟會骨幹都不相信，陶成章本人也拿不出過硬的證據。[1] 考察當時狀況，稽查文獻，一般同盟會員有這種懷疑是可能的，但孫中山、汪精衛、胡漢民等同盟會領導人卻絕無相關言論及記載。

劉師培夫婦、汪公權等人叛變之後，出賣浙江革命黨人、原龍華會副會主張恭，導致張恭被捕繫獄，因而汪被同為浙江革命黨人的王金發所殺。對此，《中國日報》發表消息稱："又以汪公權久充端方偵探，罪狀顯著，即行宣告死刑，而汪雖伏誅於上海。"對於這一段消息，陶成章在《佈告同志書》中大加撻伐，說是："夫誅汪公權者，海內各報，皆言王君金發。王君者，徐君錫麟舊同事也。不特與孫文無關，且與同盟會無涉。其誅汪公權也，乃為友人報仇，並非友人委使，亦復何人能委使之？"該報所言，"即行宣告死刑，實未識何人所宣告，而又在何方所宣告，並為何日所宣告？狐假虎威，妄言冒功，無恥極矣。"不錯，王金發和張恭是朋友，殺汪公權，有為友人報仇的成分，但其主因則在於懲罰叛徒。關於此，蔣介石所寫《中華民國六年前事略》說得很清楚："是夏，余仍設法告假回國省親，乃與英士等規畫（劃）江浙起義，與營救張恭等之法，以劉光漢為其夫人所賣，勾結端方，欺賣張恭入獄，各同志皆痛恨刺骨，非先殺劉、何，（無以）振黨紀。行刺數四，皆不果也。"[2] 可見，懲罰叛徒，是陳其美等同盟會員的一致意見。蔣介石沒有說明的是，後來成功地對汪公權實行了制裁的王金發，正是陳其美在 1908 年親自介紹的同盟會會員。上述各情，陶成章在不很了了的情況下，就辱罵同盟會"狐假虎威，妄言冒功，無恥極矣"，未免過於輕率，顯得成見過深，怨恨過度。

在同盟會的領導工作和歷次起義的組織與發動中，孫中山有許多疏漏、缺點、不足，在"倒孫風潮"中，孫中山缺少寬宏雍容的氣度，胸襟窄小，發揚民主不夠，與同志溝通、商量不夠，竟至輕易捨棄東京同盟會總會，專注南洋

---

1 陶成章：《致李燮和信》（1909 年 9 月 22 日）："孫文妄指弟為保皇黨及偵探之事，克公以為無有，而石公更以為無有，弟亦不辯。"引自《陶成章信箚》（修訂本），第 13 頁。

2 未刊稿，美國斯坦福大學胡佛檔案館藏。

支部，這些，都是缺點。對此提出意見，謀求改進是必要的、應該允許的，但是像李燮和的《七省同盟會員公啟》和陶成章的《佈告同志書》那樣公然大肆攻擊，橫加"謊騙"、"詐偽"、"陰險"、"乾沒"等惡言，並且要求開除孫中山的總理職務，顯然是極為不妥的。

三、孫中山當選臨時大總統，陶成章等再次發起攻擊

1911 年 10 月 10 日，武昌起義。當時孫中山正在美國，得到消息後，敏銳地估計成功在望，企圖首先為革命黨人解決即將面臨的外交和財政問題。他致函美國國務卿諾克斯，要求會晤，諾克斯拒見；企圖訪問日本，希望日本政府借此顯示對中國革命的同情，但日本政府只同意孫中山以化名登陸。11 月 2日，孫中山到倫敦。11 月 21 日，到巴黎。在巴黎時，孫中山會見法國東方匯理銀行總理西蒙，謀求貸款。西方銀行家們當時還無法判斷中國革命黨和清政府之間會鹿死誰手，決定在經濟上"嚴格中立"。12 月 16 日，孫中山對南洋華僑鄧澤如表示，中國當時需要 5 萬萬元錢，才能建設裕如。同月 25 日，他要求日本友人幫助"搞點錢"、"1000 萬、2000 萬都可以"。當時，革命黨人財政極度困難，因此，當孫中山抵達上海時，立即被包圍，記者們最關心的是，孫中山歷經美洲、歐洲、南洋、香港，到底帶了多少錢回來，孫中山的回答卻是："予不名一錢也，所帶回者，革命之精神耳！"[1] 12 月 29 日，在南京的 17 省代表會議投票，每省 1 票，孫中山以 16 票當選為中華民國臨時大總統。中華民國建立，中國歷史由帝制轉為共和、民主，開闢了亞洲和中國歷史的新紀元。

孫中山，這個陶成章欲打倒而後快的"大騙子"和"大貪污犯"居然成了中國新政府的領袖，陶成章和他的支持者們自然心情極為惡劣，不肯接受，於是，就出現了下述情況。據魏蘭《陶煥卿先生行述》稱：

> 時孫文勾結《民立報》，謂孫文攜有美金鉅款及兵艦若干艘回華。孫黨並有兵艦之照相，在南洋群島發賣，騙取總統，在南京組織臨時政府。

1　陳錫祺主編：《孫中山年譜長編》上冊，中華書局 1991 年版，第 596 頁。

先生因南洋籌款事，致書孫文，旋得其復書，略謂先生與彼反對，當籌如何對待。

魏蘭（1866—1928），浙江雲和人，是陶成章多年的親密朋友與合作者，一起留學日本，一起運動浙江會黨，籌備起義，一起在南洋教書，一起創建光復會，一起反對孫中山，是《七省同盟會員公啟》的炮製者之一，因此，魏對陶成章可謂知之甚深。文中所述對孫中山出任臨時大總統的意見應該是二人的共同意見。作為光復會會長的章太炎也有此看法，曾在《自定年譜》中追憶："逸仙返，甫抵岸，自言攜兵艦四艘至，且挾多金。""軍民惑焉，遂選孫文為臨時大總統。"[1] 這些意見的核心就是孫中山並非靠功勞，而是靠吹牛皮、說大話，才"騙取"了大總統的權位的。其手法，和《七省同盟會員公啟》攻擊孫中山"騙取"同盟會總理一事完全一樣。不過，應該指出的是，魏蘭文中對孫中山勾結《民立報》和該報幫助孫行騙的指責卻全非事實。檢閱現存《民立報》，對孫中山確有歌頌之詞，例如"革命家的泰斗"、"中國之福星"，以至"中國之救世主"之類，但是絕無魏文所說的任何類似記載。孫中山到達上海的當日，對《民立報》記者僅言"從前種種困難，雖幸破除，而來日大難尤甚於昔"，並未有任何自誇金錢、兵艦之詞。[2] 魏蘭、陶成章以及章太炎的有關說法完全是根據訛傳所作的錯誤攻擊。

魏文稱，陶成章當時曾"因南洋籌款事，致書孫文"，孫回函略謂陶"與彼反對，當籌如何對待"。陶函內容，魏蘭諱而不言其核心所在。如果陶函僅是對孫的就任表示祝賀，或向孫表示將再赴南洋"籌款"，那麼，孫的回函無論如何絕不會有"與彼反對"一類語言。孫中山這樣回信，必然是陶的去函中有"反對"孫中山的重要內容。陶成章的這封信和孫中山的回函，筆者多年來在海內外遍覓未得，好在陶成章被刺的第二天，章太炎曾對人口授談話，其中有一段能幫助我們解決疑問。章稱：

> 未幾，孫文歸，被舉為臨時大總統，就任後，即與陶君書，詰問從前

1　湯志鈞編：《章太炎年譜長編》，中華書局 2013 年版，第 202 頁。
2　陳錫祺主編：《孫中山年譜長編》上冊，第 596 頁。

宣佈《罪狀》之理由，謂予非以大總統資地與汝交涉，乃以個人資地與汝交涉。書到之日，陰曆十一月二十三日也。其後三日，陶即於廣慈醫院被人刺死。[1]

《罪狀》即李燮和委託陶成章帶到日本東京，要求開除孫中山總理職務的《七省同盟會員公啟》。孫中山並非小肚雞腸的猥瑣之輩，他就任臨時大總統，需要立即處理國內外的大量緊急公務，如果不是陶成章主動打上門來，重提《罪狀》所述"南洋籌款"舊事，並攻擊孫中山"騙取總統"的話，孫中山是不會有興趣和精力重提 1909 年的陳年舊賬的。《罪狀》不是一般工作中的不同意見，而是嚴重不實的誹謗傳單，孫中山熟悉西方法律，所以他準備以"個人資地"向陶成章提起毀壞個人榮譽的民事訴訟。顯然，這是孫對陶來函的回答。陶、孫之間的上述信件，多年來，我曾在海內外廣泛搜尋，至今尚未發現，應已不存於世，但是這並不影響我們根據現有資料，做出應有的分析和判斷。

四、蔣介石與刺殺陶成章事件

章太炎的口述稱：陶成章收到孫中山復函，時在陰曆十一月二十三日，即公元 1912 年 1 月 11 日，被刺則在 1 月 14 日。兩者銜接如此緊密，人們不得不懷疑，陶成章被刺和孫中山有無關係？

答案是否定的。1943 年 7 月 26 日，蔣介石在日記中承認陶成章為本人所殺，"由余一人自任其責"，特別表示："余與總理始終未提及此事。"這就有力地說明，不管是刺陶前，還是刺陶後，蔣介石和孫中山之間都未曾談及這一問題。前已指出，孫中山在處理"倒孫風潮"時，心胸有時狹隘，但是在被選舉為臨時大總統後，心胸卻空前恢宏開闊。在研究內閣人選時，孫中山致函蔡元培稱："至於太炎君等，則不過偶於友誼小嫌。""尊隆之跡，在所必講，弟

---

[1] 《光復繼起之領袖陶煥卿事略》，原載《神州日報》，1912 年 10 月 10 日；見《陶成章集》附錄，中華書局 1986 年版，第 438—439 頁。

無世俗睚眥之見也。"[1] 章太炎是兩次"倒孫風潮"的主力和健將，罵孫時罵得很嚴酷、很厲害，但孫中山卻以"友誼小嫌"淡淡視之，自然不會部署刺陶。[2]

關於刺陶經過，蔣介石有多次回憶，但以《中正自述事略》為最完整。其中云："及陶由南洋歸日，又對孫先生詆毀不遺餘情。英士告余曰：陶為少數經費問題，不顧大體，掀起黨內風潮，是誠可憾。囑余置之不理，不為其所動，免致糾紛。余乃知陶實為自私自利之小人，向之每月接濟其經費者即停止，不與其往來也。"[3] 這裏所指，當即 1909 年陶成章攜《七省同盟會員公啟》到東京要求開除孫中山總理職務一事。從蔣介石的敘述可知，他的消息來源是陳其美（英士）。蔣、陶原來同為革命者，關係密切，蔣甚至"每月接濟其經費"，聽了陳的敘述後，鄙視陶的為人，不僅斷絕接濟，而且不相往來。

至於刺陶理由，蔣介石敘述道：

　　當革命之初，陶成章亦□（踵）回國，即與英士相爭，不但反對英士為滬軍都督而顛覆之，且欲將同盟會之組織根本破壞，而以浙江之光復〈會〉代之為革命之正統，欲將同盟會領袖□□（孫、黃）之歷史抹煞無遺，並謀推戴章炳麟以代孫先□（生），□（嗚）呼革命未成，自起紛爭。[4]

蔣介石的這段話，有真有假，時間錯亂，需要細緻考察。

上海克復由同盟會中部總會的陳其美和光復會的李燮和分別籌劃、領導。李燮和組織光復軍，所聯繫的力量主要是駐滬清軍和警察，陳其美參與同盟會中部總會，被選任庶務，聯絡的主要力量是上海商人、紳士及其掌控的商團以及學生敢死隊和會黨。最初，兩會、兩人之間各自為政。陳其美計劃進攻當時清政府在上海的兵工廠 —— 江南製造局，李燮和"不許"。[5] 直到 11 月 2 日，陳、李二人才在《民聲報》社相會，決定於次日舉事。當日，並未商及起義後

1　章太炎佚稿，中國第二歷史檔案館藏，引自湯志鈞編：《章太炎年譜長編補編》，中華書局 2013 年版，第714 頁。
2　近年來，仍有學者懷疑孫中山和刺陶之間的關係，參見胡國樞：《光復會與浙江革命》，杭州出版社 2002年版，第 284 頁。
3　《中正自述事略》，《蔣介石個人全宗》，中國第二歷史檔案館藏。參見拙作《蔣介石為何刺殺陶成章》，《近代史研究》1987 年第 4 期。
4　同上註。
5　《（章太炎）自定年譜》，引自湯志鈞編：《章太炎年譜長編》（增訂本）上冊，第 202 頁。

的政權組織等其他問題。3 日，陳其美以上海軍政府名義照會李平書，請其出任上海民政總長。同日，陳率敢死隊及商團進攻上海江南製造局，遭到抵抗，陳入局勸降被囚，陳部向李燮和"叩首"請援。[1] 李燮和召來同情革命的清巡邏隊官李漢欽商議。4 日，兩會所掌握的武裝會攻製造局，救出陳其美。11 月 6 日，陳其美被商紳及會黨人士擁為滬軍都督，成立滬軍都督府，而僅以李燮和為參謀。光復會方面認為滬軍都督一職應歸李燮和，李一度大怒，準備進攻陳其美。9 日，李燮和率兵北走吳淞，組織吳淞軍政分府，同樣稱都督，經章太炎勸解，改稱總司令，歸設在蘇州的江蘇都督府領導。這樣，巴掌之距的上海和吳淞就出現了兩個不相統屬的政府組織，同盟、光復兩會之間的關係進一步惡化。上文中，蔣介石所稱陶成章反對陳其美出任滬軍都督一事，指此。這是一。

二是抹殺同盟會領袖孫中山、黃興的歷史，企圖以光復會代替同盟會問題。在黃興拒絕陶成章開除孫中山的總理職務的要求後，陶成章決定開闢新局面，另行"組織新機關"。1910 年 2 月，陶成章在東京重建光復會，以章太炎為會長，陶自任副會長，和同盟會分道揚鑣。其事在辛亥革命前，蔣介石將之說成為辛亥革命爆發，陶成章自南洋歸國之後，時間上是錯的。革命黨人於 1911 年 11 月 4 日佔領上海後，章太炎即於 12 月 24 日和江蘇都督程德全等人組織中華民國聯合會，以監督、補助政府為目的。他曾建議陶成章出任浙江都督，但並未和陶繼續合作，或有所合謀，因此，蔣介石所稱陶成章在民國建立後仍然計劃推戴章太炎，以之代替孫中山，並無根據。而且，應該指出的是，在"倒孫風潮"中，陶成章攻擊孫中山，"抹殺"其革命歷史是事實，但是，當時尚並未完全"抹殺"黃興的革命歷史。這一點，從他將《公啟》交給黃興處理可以證明。不過，由於黃興堅決維護孫中山及其領導地位，因此，陶成章對黃興的印象轉壞。武昌起義之後，各省都督府代表聯合會在上海開會，推舉大元帥，部分革命黨人推黃興，本已定議，但由於陶成章、李燮和影響下的浙軍將領反對，"諸軍洶洶，浙司令朱瑞尤憤"，[2] 於是，又於 12 月 17 日改推黎元

1　《（章太炎）自定年譜》，引自湯志鈞編：《章太炎年譜長編》（增訂本）上冊，第 202 頁。
2　同上注。

洪為大元帥，而以黃興為副。長期留學歐洲，從未參加同盟、光復之爭的馬君武看不慣，在《民立報》上撰文批評："今見反對孫君之人大肆旗鼓，煽惑軍隊，此事與革命前途關係至大。又孫君於數日內將歸國，故不能已於言。"[1] 可見，在辛亥革命成功，形勢一片大好的情況下，陶成章等並未能因應形勢，顧全大局，消釋和孫中山、黃興以及同盟會之間的矛盾，共同將革命推向前進，相反，卻繼續堅持派別立場，製造新的矛盾。這無論如何都是錯誤的、說不過去的。

三是陶成章動員蔣介石支持章太炎和光復會，並計劃刺殺陳其美問題。蔣回憶稱："陶親來運動余反對同盟會，推章炳麟為領袖，並欲置英士於死地，余聞之甚駭，且怨陶之喪心病狂，已無救藥，若不除之，無以保革命之精神，而全當時之大局也。蓋陶已派定刺客，以謀英士。"[2] 這一段話，有兩大疑點。一是蔣介石是陳其美的親信，這一點應該為陶成章所深知，而且據蔣自稱，二人早就不相往來，陶成章怎麼會輕易"親來運動余反對同盟會"，策反蔣介石呢？二是陶成章"派定刺客"刺殺陳其美，這是絕密大事，蔣介石從何得知？陶成章絕不會向蔣透露半分，推想起來，可能是陳其美動員蔣介石刺陶時所言，其目的顯然在於激勵蔣介石，為刺陶找尋正當理由。

上海歸入革命黨人掌控後，為了進攻清政府兩江總督所在地南京，陶成章在上海設立駐滬浙江光復軍練兵籌餉辦公處，計劃在閔行練兵。其後，李燮和因上海都督一事與陳其美不和，憤而到吳淞另立軍政分府，繼續編練光復軍，擴大招兵。對此，陶成章支持，章太炎勸阻。章的理由是南京既克，"江南軍事已定，招募為無名。丈夫當有遠志，不宜與人爭權於蝸角間。"武昌當時正處於袁世凱所率北洋軍的進攻中，形勢危殆，章太炎因此勸陶與浙江都督湯壽潛商量，"乞千餘人上援"，這是"大義所在"，湯壽潛不可能拒絕。章認為這樣做，既可避免和同盟會系統的競爭，又可以為挽救革命立功（"既以避逼，且可有功"）。他警告陶成章說："戀此不去，必危其身。"但是，陶成章不聽

1 馬君武：《記孫文之運動及其人之價值》，《民立報》，1911 年 12 月 20 日；參見拙作《蔣介石為何刺殺陶成章》，《近代史研究》1987 年第 4 期。
2 《中正自述事略》，《蔣介石個人全宗》，中國第二歷史檔案館藏。參見拙作《蔣介石為何刺殺陶成章》，《近代史研究》1987 年第 4 期。

章太炎的話，於是，迅速就有了近代史學人普遍熟悉的上海廣慈院的刺陶一幕。多年後，章太炎回憶往事，在《自定年譜》中寫下"煥卿不從，果被刺死"八字，其手稿本則稱"或言英士為之也"。[1]

章太炎和陶成章二人關係親密，他的這段回憶應該是最接近事實真相的記載。試想，陶成章鄙視、反對孫中山，長期以"倒孫"為目標，也反對陳其美擔任上海都督。當他手上有了一支軍隊，其矛頭會指向誰，自然是使陳其美、蔣介石等人難以安枕的問題。蔣介石在《中正自述事略》中稱："如其計得行，則滬軍無主，長江下游必擾亂不知所之；而當時軍官又皆為滿清所遣，反復無常，其象甚危，長江下游，人心未定，甚易為滿清與袁賊所收復，如此則辛亥革命功敗垂成，故再三思索，公私相權，不能不除陶而全革命之局。"[2]陶成章是否有掌握武裝，用以反對陳其美、孫中山的計劃，或是否已"派定"刺陳之人，沒有證據，蔣介石也只說是"如其計得行"，但是，他的話卻道出了陳其美等人對陶成章的警惕與恐慌心理。

章太炎看出了陶成章、李燮和繼續練兵的危險，勸陶停止行動。光復會成員王文慶在南京也已經得到消息，急急忙忙趕到上海報訊。[3]陶成章立即做了退避的準備，先是通告浙江舊日同事，"勿以僕一人名義號召四方"，繼而發表聲明，辭謝出任浙江都督的推薦，並且躲入醫院，然而，已經晚了。[4]

可以看出，蔣介石刺陶，和孫中山就任大總統之後所謂"騙取總統"的新糾紛沒有直接關聯，但是和此前"倒孫風潮"的舊矛盾以及辛亥革命後同盟、光復以及陳其美、陶成章之間的新矛盾緊密相聯。

革命黨人之間，大目標相同，但是在思想、理論、策略、人事以及個人性格上總會有差異，有差異就會有矛盾，有衝突，甚至會出現分離、分裂現象。這種情況，屢見不鮮，古今中外，一概如此。解決之道只有溝通、交流、討論、協商，妥協，再交流，再協商，以求統一。輕易主觀判斷，憑"想當然"

1　《（章太炎）自定年譜》，引自湯志鈞編：《章太炎年譜長編》（增訂本）上冊，第214頁。
2　《中正自述事略》，《蔣介石個人全宗》，中國第二歷史檔案館藏。參見拙作《蔣介石為何刺殺陶成章》，《近代史研究》1987年第4期。
3　《辛亥革命光復會領袖陶成章傳》，引自湯志鈞編：《陶成章集》附錄，中華書局2014年版，第444頁。
4　《致浙省舊同事》、《致各報館轉浙江各界》，均引自湯志鈞編：《陶成章集》附錄，第205—206頁。

決斷，一定償事；動輒批判、鬥爭，常常批錯、鬥錯。至於以暗殺手段消滅不同意見者的肉體，則絕對錯誤，以法律的眼光考察，則是犯罪。

五、陶成章的優點和缺點

陶成章是革命者，這一點毫無問題。他腳踏實地、艱苦樸素、堅毅果敢，注重聯繫下層會黨，是其突出優點，但是，他在思想、性格上也有嚴重缺點，對此，不應該諱言，也不應曲為辯解。

首先是"獨行主義"。這是陶成章在致吳稚暉函中給自己戴的帽子。[1] 其意為喜歡單幹，不願意也不善和別人合作，在《浙案紀略》中，陶自稱"浙人素多個人性質，少團體性質，其行事也，喜獨不喜群，既不問人，亦願人之不彼問"。[2]

其次是猜忌、多疑，心胸狹窄，將主觀設想當成客觀事實。他和徐錫麟合作，徐投身官場，企圖打入清朝內部，陶成章久不見徐的動靜，就懷疑徐的志節有變。趙聲於黃花崗起義後在香港病逝，陶成章卻懷疑為被毒。他對孫中山的許多攻擊，很多也是出於猜測和懷疑。

再次是不能正確認識自己和別人。他常常高估自己，低估合作者。例如，他以自己能布衣草鞋，深入浙東，聯絡會黨自傲，但卻無視其他革命黨人在其他地區、其他方面的活動。在致吳稚暉函中，他曾說："吾且不必論其誰是而誰非，但問其誰在內地往來運動而已。"[3] 這就是以自己的強項傲視儕輩了。因此，在《佈告同志書》中，他之所以用首要篇幅細述本人革命經歷及其在浙東內地的活動，正是為了將孫中山及同盟會諸人比下去。為此，在致吳稚暉函中，他特別強調說："孫、汪、胡諸人，未嘗一往內地。惠州之役，孫文又居台灣。"[4] 這裏，蔑視孫中山和同盟會等人的情緒躍然紙上。在重建光復會時，他對章太

1　《陶成章致吳稚暉函》，未刊稿，《吳稚暉檔案》，03870，台北中國國民黨黨史館藏。
2　陶成章：《浙案記略》，中國近代史資料叢刊《辛亥革命》（三），上海人民出版社 1952 年版，第 17 頁；又，《陶成章致吳稚暉函》，未刊稿，《吳稚暉檔案》，03870，台北中國國民黨黨史館藏。
3　《陶成章致吳稚暉函》，未刊稿，《吳稚暉檔案》，03870，台北中國國民黨黨史館藏。
4　同上注。

炎說："逸仙難與圖事。吾輩主張光復，本在江上，事亦在同盟會先，曷分設光復會？"[1] 其中 "逸仙難與圖事" 一語，可見他對於孫中山的輕視和鄙視，這是嚴重背離事實的。

就全面提出民族、民權、民生的三大革命綱領這一點來說，近代中國不能不首推孫中山。陶成章的理想是在中國實行無政府主義。在致吳稚暉函中，他表示："下流社會，更不識無政府主義之為何物，而其間涉以財產、土地公有之說，為日後預備漸變為無政府主義之地步而已。"[2] 這就說明，實現無政府主義是陶成章的最高革命理想。這種理想，在他所草擬的《龍華會章程》中有比較充分的表達。例如，陶成章表示："成功以後，或是因為萬不得已，暫時設立一總統，由大家公舉，或五年一任，或八年一任，年限雖不定，然而不能傳子孫呢！或者用市民政體，或者竟定為無政府，也未可知。" 陶成章同情貧民，主張 "把田地改作大家公有財產，也不准富豪們霸佔"、"不生出貧富的階級"。[3] 這些思想，顯然受到當時流行於日本的社會黨左派，如幸德秋水等人的影響，有其深刻和高明之處，但是，陶成章的 "無政府" 等主張大部分超越現實，流入空想，遠不如孫中山思想接近中國實際。再如，就首揭 "反清" 的民族、民主革命之旗的先後來說，人們不能不首推 1894 年孫中山在檀香山創立的興中會，而不是 1904 年才在上海成立的光復會。陶成章所稱 "事亦在同盟會先"，顯然與歷史事實不符。陶成章研究過中國民主革命的歷史，《浙案紀略》列舉勵志會、中夏亡國紀念會、青年會等團體或會議，就是絕口不提最早的興中會，這不會是偶然的疏忽。

最後是思想偏激，感情用事，在判斷事物性質時易於誇大其詞，上綱過高。例如，1907 年，清政府要求日本政府驅逐孫中山，西園寺內閣改為贈款勸離，這是從長遠眼光出發，對孫中山和中國革命黨人的友好表示。孫當時無權無勢，在此前後，西園寺內閣也並未對孫提出任何利益要求，因此，雙方關係並非 "賄賂" 與 "受賄" 關係。張繼、劉師培、陶成章當時都是無政府主義者，

1　《(章太炎)自定年譜》，引自湯志鈞編：《章太炎年譜長編》(增訂本)上冊，第 184 頁。

2　《陶成章致吳稚暉函》，未刊稿，《吳稚暉檔案》，03869，台北中國國民黨黨史館藏。

3　參見拙作《〈龍華會章程〉探微》(與王學莊合作)，《歷史研究》1979 年第 9 期。

章太炎也正受到無政府主義的影響（後來很快改變了）。他們將孫中山接受贈款視為"受賄"，認為孫中山等應在東京遊行、抗議，而不應悄悄離日。這是無政府主義的"左傾"激進病，自然是不妥的、錯誤的。由於思想偏激，在見之於行動時，就常常不顧大局，魯莽行事，動輒決裂、散夥，這並不奇怪。由於陶成章自視高明，黃興懷疑陶之所以對孫中山"極力排擊"，是"欲自為同盟會總理"，不是毫無原因的。[1]

當然，亂世英雄起四方，晚清時期，群雄並起，陶成章自立組織，在參加同盟會後要求更換同盟會總理，甚至在要求被拒後，恢復原組織，都是正常的、可以允許的，不應過加責備。但是，在同盟會已建，迫切需要鞏固、發展的情況下，陶成章沒有過硬事實和確鑿資料，就輕易發佈《七省同盟會員公啟》，歷數孫中山的"罪狀"，誣衊孫騙取總理。在南京臨時政府成立，孫中山已經被推為臨時大總統之後，陶成章仍然重提南洋舊事，誣孫"騙取總統"，無論如何總是一個嚴重的錯誤。

1　《致巴黎新世紀社書》，引自湖南省社會科學院編：《黃興集》，中華書局 2011 年版，第 12 頁。

蔣介石追隨孫中山「護法」*

＊ 本文原載香港《獨家人物》創刊號，2019 年 11—12 月。

孫中山讓位於袁世凱，對袁能否忠於共和，沒有把握。為了限制和控制袁世凱，孫中山於 1912 年 3 月 8 日，匆匆忙忙公佈了由宋教仁起草、經參議院議決的《臨時約法》，共 7 章 56 條。它在中國歷史上，破天荒第一次規定 "中華民國之主權，屬於國民全體。" 規定："中華民國人民一律平等，無種族階級宗教之區別。" 規定：保護人民的身體、家宅、財產、營業，有言論、著作、刊行及集會、結社之自由，有書信、秘密之自由，有居住、遷徙之自由；規定 "人民有請願於議會"，"陳訴於行政官署"、"訴訟於法院"，"對於官吏違法、損害權利之行為，有陳訴於平政院之權"；規定立法院 "以參議院行之"。為了防止 "臨時大總統、副總統" 濫用最高權力，規定二人均由參議院選舉，"在受參議院彈劾後，可由最高法院、全院審判官，互選九人，組織特別法庭審判之"。這一條明顯針對即將成為 "最高領袖" 的袁世凱，世界憲法史上鮮有此例。在法院部分，特別規定 "法官獨立審判，不受上級官廳之干涉"。除了沒有規定參議員和官吏的民選原則外，這是中國歷史上前所未有的水準最高的民主大法，是具有憲法性質的根本大法。[1] 不過，袁世凱迷信武力和強權專制，並不把法律當回事兒。1914 年 1 月，袁世凱解散國會。5 月，廢除《臨時約法》，代之以袁記《中華民國約法》。這部袁記《約法》共 10 章 68 條。它將內閣制

1　《大總統宣佈參議院議決臨時約法》，中國近代史資料叢刊《辛亥革命》（8），第 30—36 頁。

改為總統制，將立法院降為行政附庸，刪除了對總統權力進行制約、彈劾的一切條文，極大地提高了總統的個人權力。前人批評它所賦予總統的權力已經超過美國憲法，"和清朝皇帝的權力差不多了"。[1]

南京臨時政府的《臨時約法》從制訂、公佈，存在僅僅兩年。

袁世凱死後，黎元洪繼任總統，段祺瑞任總理。為了維持民主、共和的樣態，恢復了《臨時約法》和國會。不久，黎、段之間因中國是否向德國宣戰，發生總統府與國務院之爭。黎元洪下令免去段的總理之職，並且引督軍團團長張勳入京。1917 年 7 月 1 日，張勳操縱廢帝溥儀復辟，國會再被解散。同月 3 日，孫中山在上海召集陸海軍及國民黨要人會議，決定到南方另行召集國會，組織臨時政府，討伐復辟。不過，孫中山尚未到達廣州，張勳的復辟醜劇即告結束，段祺瑞重掌政權。在是否對德宣戰的問題上，段祺瑞曾受國民黨議員的諸多阻攔，因此重新掌權後拒絕恢復《臨時約法》，召集國會。他接受梁啟超的建議，企圖召集臨時參議院，另組新國會。17 日，孫中山抵達廣州，指出共和快六年了，但國民並未享過共和幸福。他批評當時的北京政府"以假共和之面孔，行真專制之手段"，號召人民"除盡假共和"，"爭回真共和"。[2] 7 月 24 日，他在《復陸榮廷電》中明確提出："國會者民國命脈所在，托名民國，獨去國會，則凡百措施皆為背法。彼叛人既不利有國會，我護法者必當擁護之。"[3] 這就明確地提出了"護法"口號。

第一次世界大戰爆發後，國際分裂為同盟國與協約國。德意志帝國、奧匈帝國、奧斯曼帝國、保加利亞王國組成同盟國，大英帝國、法蘭西第三共和國、俄羅斯帝國、意大利王國和美利堅合眾國組成協約國，相互廝殺。在中國內部，段祺瑞政府決定加入協約國，對德絕交並參戰，孫中山與國民黨人則反對參戰。德國政府決定資助俄中兩國反對參戰的政黨。在俄國，資助布爾什維克及其領袖列寧；在中國，資助國民黨人及其領袖孫中山。德國公使在下旗歸

1　雷震原：《中華民國制憲史》，台北稻香出版社 2010 年版，第 44—45 頁。

2　《在廣州黃埔歡迎會上的演說》，《孫中山全集》卷 4，第 14 頁。

3　《孫中山全集》卷 4，第 124 頁。

國之前，決定向孫中山提供 200 萬元。[1] 孫中山命蔣介石秘密辦理此事。拿到德方資助後，孫中山即以 30 萬元經費交程璧光率艦隊南下，以部分經費資助在北京的國會議員到廣州開會，命蔣介石留在上海，主持東南各省的黨務及軍事。

　　1917 年 9 月 1 日，由於到達廣州的議員只有 120 餘人，不足法定人數，只能舉行國會 "非常會議"，選舉孫中山為中華民國軍政府大元帥。次日，繼舉滇系的唐繼堯和桂系的陸榮廷為元帥，但陸迅即致電反對。9 月 10 日，孫中山就任，以勘定內亂，恢復民國元年時的《臨時約法》相號召，形成與在北京的段祺瑞政府南北對峙的局面。20 日，蔣介石上書孫中山，提出《對北軍作戰計劃》，用以抵抗段政府的南下之兵。計劃書分兩期。第一期自 9 月至同年 11 月上旬，出動左、中、右三路部隊。中央軍由兩廣進攻長沙，肅清湖南，待左翼軍佔領四川之後，東下湖北，兩軍合攻武昌。右翼軍則與海軍合作，先攻閩、浙，繼下淞滬，在中央軍與左路軍攻克武昌後，會師南京。第二期自 1918 年 3 月起，中央軍由津浦線，左路軍自京漢線，右路軍自海道北進，會師北京。[2] 這一計劃未被孫中山採納。1917 年 9 月 29 日，北方的馮國璋以代理大總統身份下令，指責孫中山等人 "擅發偽令"、"煽動軍隊"，要求 "一體嚴緝，依法訊辦"，同時下令各省選派參議員，到北京重新組織參議院。[3] 10 月 1 日，段祺瑞對《大陸報》記者發表談話，揚言將 "出師剿滅" 南方 "護法" 軍政府的部隊。[4]

　　段祺瑞揚言對南方用兵的同日，蔣介石再次上書孫中山，提出《滇粵兩軍對於閩浙單獨作戰之計劃》，主張護法軍在湖南取守勢，將主力作戰集中於閩、浙沿海一帶，然後北伐。蔣介石很樂觀，估計杭州與福州兩地，"不至四旬，乃可同時併下"，"閩浙既下，淞滬不難靡風而定"。[5]

　　紙上談兵易，實際用兵難。當時，國民黨人的最大困難是手中無兵。蔣介石與黨內各同志商量，將廣東省省長朱慶瀾手下的二十營親兵，作為基本隊伍，不過，軍政府內部桂系勢力很大，岑春煊、陸榮廷、陳炳焜、莫榮新都是

1　參閱拙文《孫中山和第一次世界大戰》，《江蘇師範大學學報》2018 年第 5 期；香港《明報月刊》2019 年第 1 期。

2　《對北軍作戰計畫》，《蔣中正先生年譜長編初稿》第 1 冊，台北 "國史館" 2014 年版，第 76 頁。

3　《中華民國史大事記》卷 2，1917 年 9 月 29 日，中華書局 2011 年版，第 880 頁。

4　同上注。

5　《民國十五年以前之蔣介石先生》卷 1，第 60 頁。

廣西人，這支隊伍很輕易地就被桂系奪走。到了 11 月，經過海軍總長程璧光力爭，以離粵征閩，實行北伐為條件，才將這支隊伍的指揮權奪了回來，定名為"援閩粵軍"，孫中山任命陳炯明為總司令，許崇智、鄧鏗為副，不少黨人紛紛參加這支部隊。10 月 6 日，國會非常會議通電宣佈段祺瑞罪狀，要求西南各省一致護法討段。同日，程潛就任護法軍湘南總司令。隨之，段祺瑞也下令討伐。南北兩軍在湘南衡山、寶慶一帶鏖戰，護法戰爭開打。其間，有人主張"調和"，孫中山堅決反對，於 11 月 18 日通電表示："此次西南舉義，既由於蹂躪《約法》，解散國會，則捨恢復《約法》及舊國會外，斷無磋商之餘地。"[1]

　　1918 年 2 月，蔣介石上海過了一個窮困拮据的舊曆新年，自歎其窘迫程度為平生所未有。3 月 2 日，蔣介石應孫中山電召赴粵。5 日晚，抵達廣州。自此，連日會見孫中山。3 月 10 日，蔣介石上書，陳述《今後南北兩軍行動之判斷》。當時，長沙已被段祺瑞的北軍攻克，蔣介石估計，北軍的必將繼續以全力進攻衡州，而將攻陷廣州為最後目標，他建議出奇兵，命令川軍和滇軍搶先進攻湖北的荊州和宜昌，撫敵之背，以此解救廣州之危。3 月 11 日，蔣介石赴汕頭援閩粵軍總部，會晤總司令陳炯明和參謀長兼第一師師長鄧鏗，商議作戰計劃。15 日，因鄧鏗推薦，蔣介石被任命為援閩粵軍總司令部作戰科主任。17 日，蔣介石偕同鄧鏗到黃岡、潮安、三河壩、蕉嶺等地檢閱部隊。4 月 6 日，滇軍內部發生衝突，蔣介石在日記中歎道："今日滇軍內部衝突，幾用武力，軍情如此，焉能打仗！焉能救國！吾手恨無三千兵，否則不難制敵人之死命也。"[2] 8 日，再歎道："中國之亂，亂於軍隊；中國之亡，亡之軍官也。"[3] 4 月 11 日，軍政府議決自廣東東北部進攻福建的計劃，許崇智部擊潰閩軍第一旅，於 5 月 24 日攻克福建上杭。初戰告捷，不幸，廣州軍政府內部發生危機。

　　在廣州的護法軍政府是一個包含桂系、滇系在內的鬆散聯合體，桂系、滇系各懷異志，都想利用孫中山的旗幟，以"護法"為名擴張自己的勢力和地盤。他們不滿意以孫中山為"大元帥"，醞釀改組。5 月 4 日，國會非常會議

1　《對於時局通電》，《孫中山全集》卷 4，中華書局 1985 年版，第 239 頁。
2　《蔣介石日記》（手稿本），1918 年 4 月 6 日。
3　《蔣介石日記》（手稿本），1916 年 4 月 8 日。

討論軍政府改組案，贊成改組者 27 名，不贊成改組者 23 名，相差僅 4 票，結果，改組案獲得通過。孫中山明白這一方案針對自己，於 5 月 4 日發表通電，辭去"大元帥"職務。通電指責各省軍閥囂張跋扈，鄙視法律與民意，聲稱："武人之爭雄，南與北如一丘之貉。雖號稱護法之省，亦莫肯俯首於法律及民意之下。"他表示：今後"仍願以匹夫有責之身，立於個人地位，以盡其扶助民國之天職"。[1] 16 日，孫中山決定離開廣州。5 月 20 日，在桂系操縱下，國會非常會議選舉孫中山、岑春煊、陸榮廷、唐繼堯、唐紹儀、伍廷芳、林葆懌為軍政府總裁，形成"七龍治水"局面。孫中山不願就職，於 21 日下午乘輪離開廣州。臨行前，通電留言："民主政治賴以維繫不敝者，其根本存於法律，而樞機在於國會。必全國有共同遵守之大法，斯政治之舉措有常軌；必國會能自由行使其職權，斯法律之效力能永固。所謂民治，所謂法治，其大本要皆在此。"[2]不久，吳玉章勸說孫中山，希望他留在"七總裁"的行列裏，孫中山氣憤地說："他們根本不革命！他們想拿軍政府同北方議和，以保個人權位，我決不與他們同流合污！"[3]

　　5 月 26 日午間，孫中山到達三河壩援閩粵軍駐地視察，會見陳炯明、鄧鏗、蔣介石等人，鼓勵大家努力建設革命軍隊，快速討閩。蔣介石到江邊歡迎孫中山時，見孫形容憔悴，不覺悽然流淚。蔣介石隨孫到行營，二人長談，直到夜半。5 月 30 日，蔣介石赴永定指揮作戰，於當晚攻克永定。31 日，蔣介石回到行營，向孫中山報捷，孫喜動顏色。6 月 27 日，北軍總司令率部猛烈反攻，先後攻克黃岡、饒平、下洋等地。段祺瑞命曹錕、張懷芝、吳佩孚等各軍全面反撲，孫中山則電令陳炯明、蔣介石，冒險進攻。電稱："此時，敢冒險進攻則生，不冒險則必致坐困。以攻為守則士氣壯，回應多，敵膽寒，一進必收奇效。否則，士氣日喪，回應日微，敵膽日壯，而我以可勝不可敗之兵，據能戰而不能退之地，必無倖免也。諸兄其速圖之！"[4]同月底，孫中山到達上海，居住在法租界內，自此，轉入理論研究，致力於規劃未來中國藍圖《建國方略》

---

1 《軍政府公報》第 78 號，1918 年 5 月 10 日。
2 《辭大元帥職臨行通電》，《孫中山全集》卷 4，第 480 頁。
3 吳玉章：《對孫中山先生的一段回憶》，上海《文匯報》，1956 年 11 月 11 日。
4 孫中山逸文，《民國十五年以前之蔣介石先生》卷 1，第 70—71 頁。

的寫作。

　　儘管孫中山已經離開廣東，主要精力轉移，但是，蔣介石仍然堅持將拯救中國的希望寄託在孫中山身上。7 月 2 日，岑春煊通電出任護法軍政府主席總裁，護法軍政府的大權落到岑派手中。岑春煊在清朝統治時期，官至兩廣總督，屬於有點新思想的舊官僚。蔣介石在日記中寫道：“此老不死，國亡無日矣。”[1] 7 月 9 日，蔣介石上書孫中山，陳述粵軍第二期作戰計劃：將主力集中於右翼，先行收復黃岡、饒平等失地，然後自海道攻取福建漳州，與暫取守勢的左翼在閩江下游會師，進逼福建省會福州。7 月 19 日，閩軍反攻，大埔危急，陳炯明準備退卻。緊要關頭，陳派蔣介石到前線督戰，安置炮位，效果很好，得到陳炯明和鄧鏗的倚重。不過，在此同時，蔣介石也受到同僚的嫉妒。不知道有人說了什麼話，感情脆弱而且易於動怒的蔣介石於 26 日向陳炯明遞交辭職書，立即離開部隊。陳派陳其尤持函追到潮安車站，企圖挽留，函中並稱：“粵軍可百敗而不可無兄一人”，極力強調蔣介石對於粵軍的重要，蔣介石讀後流淚，但辭職之心未變。[2] 8 月 2 日，鄧鏗派代表趕到汕頭強留，蔣介石仍然不肯改變主意。第二天，蔣介石到達香港，會見廖仲愷、朱執信、居正等人。孫中山於 8 日致電蔣介石，警告他，上海各碼頭均有偵探等著抓人，“萬不可回”。儘管如此，蔣介石還是於 8 月 21 日回到上海。他反思這一段時期的行為，自感“慚惶無地”，在日記中自我批評：“一言之不合，一事之不如意，乃即念辭職獨行，不僅於理不合，而且於法亦不對也。”[3]

　　到上海後，蔣介石即於 8 月 23 日謁見孫中山，報告閩粵戰況。孫中山自然不贊成蔣介石擅自辭職。這時鄧鏗也來信，勸蔣介石返回部隊。9 月 18 日，蔣介石奉孫中山之命，回到漳州，向總司令陳炯明報到。26 日，蔣介石就任援閩粵軍第二支隊司令，設司令部於長泰。19 日，蔣介石祭神禱告，祝願自己“戰必勝，攻必克，統一中華，平定全亞，威震寰瀛”。其中的“統一中華”四字，自然是一個值得嘉尚的理想。其後，蔣介石即率軍，秘密由西部山地，北上作

1　《蔣介石日記》（手稿本），1918 年 7 月 4 日。

2　《蔣介石日記》（手稿本），1918 年 8 月 1 日。

3　《蔣介石日記》（手稿本），1918 年 8 月 16 日。

戰。12月8日，收復永泰。永泰在福州之南，福州指日可下了。

1918年10月10日，徐世昌就任北京政府大總統，主張南北休戰議和，當時以岑春煊為主席總裁的廣州軍政府也表態回應。11月11日，第一次世界大戰結束。次日，北京政府決定召開南北和平會議，解決國內紛爭。16日，北京政府命令前方軍隊罷戰撤兵。22日，廣州軍政府也通令休戰，與北方依法和平解決。就在此際，蔣介石打了一個敗仗。

12月10日，蔣介石率部進擊汰口，距離福州僅有60華里，忽奉廣州軍政府停戰令，固守原防，不再前進。蔣介石當即下達停戰令，同時通知對手 —— 閩浙援粵軍總司令李厚基。李一面復文，聲稱已電漳州陳總司令炯明，直接交涉。一面暗中命人率五千士兵反攻汰口，蔣介石倉促無備，匆促逃出。12月15日，永泰得而復失，蔣介石此前個人日記及《巴爾克戰術》以及克勞塞維茨的名著《戰爭論》兩書，均因此遺失。

永泰雖然失守，但陳炯明並未責怪蔣介石，而是致函說明，原因複雜，"非關吾兄處置之不當"與"軍士作戰之不力"，要蔣介石留在部隊裏，"為國、為黨、為友"，積極整頓部隊，襄贊機要。[1] 1919年2月19日，蔣介石再次上書孫中山，建議"廢督裁兵"，使各省都督不再擁有指揮軍隊的權力，軍隊"皆為國家之軍隊"。[2] 3月5日，蔣介石請假，自漳州回上海，連日會晤孫中山，對孫的思想和主張有了更深入的理解。4月23日，蔣介石對人說："吾師思想之偉大，受教彌久，慕道益篤，乃知更非儕輩所能仰希萬一也。"[3] 5月2日，蔣介石返回長泰復職。

援閩粵軍是一支複雜的軍隊。內部依地域分為不同的派系，有以陳炯明為核心的東江、惠州集團，鄧鏗為核心的粵東集團，許崇智為核心的福建集團，等等。蔣介石回長泰後，力謀進行改革和整頓。自然，這會觸及部分人員的既得利益，遭致反對。7月9日，蔣介石致函鄧鏗，訴說由於各官長為"個人私利"而"保全地位"、"把持勢力"的種種痼疾。[4] 7月12日，蔣介石自鼓浪嶼向

---

1 《陳炯明集》（上卷），第368頁。
2 《廢督裁兵議》，《"總統"蔣公思想言論總集》卷36，第33—34頁。
3 《民國十五年以前之蔣介石先生》卷1，第103頁。
4 《與鄧仲元書談個人去留問題》，《"總統"蔣公思想言論總集》卷36，第38—39頁。

孫中山寄呈辭職書，要求辭去第二支隊司令一職。他特別說明，此次辭職，和上次不同，不是在鬧彆扭，而是出於個人良心，"彼以其勢，我以吾道；彼以其利，我以吾義"，是"志廣心明"的正義舉措。[1] 7 月 29 日，蔣介石產生籌措資金，遊學歐美三年的打算。他自覺平時待人，驕矜暴戾，往往盛氣凌人，因此特別以"渾厚寬恕"四字自勉。10 月 3 日，蔣介石到上海拜見孫中山，要求遊學歐美。孫中山要蔣留在國內，助理軍事，不許遠離。其後，蔣介石奉孫中山之命，赴日本探問友人犬塚勝太郎的病情，至 11 月 21 日，才返回上海。12 月 5 日，陳炯明派陳其尤持函到滬，勸蔣介石回漳州，"將粵軍弄好"，"於福建樹一遠大之規模"，但蔣介石執意留在上海。[2] 從日本神戶乘船歸國途中，蔣介石讀到《俄國革命記》一書，對俄國革命產生"想望"。1920 年 1 月 1 日，蔣介石制訂計劃，準備學習俄語，赴俄考察。

陳炯明率領援閩粵軍進入福建作戰後，桂系派莫榮新出任廣東督軍。莫為廣西桂平人，原為清軍軍官，在鎮壓反清起義和人民抗捐抗稅鬥爭中殘忍好殺，有"莫屠戶"之稱。孫中山發動反袁的"二次革命"，莫榮新鎮壓了其中的柳州起義。出任廣東督軍後，莫榮新排擠國民黨勢力，竭力使廣東變成為桂系的天下。孫中山要"護法"，必須推翻莫榮新在廣東的統治。在當時，駐紮福建漳州的陳炯明積極擴展粵軍。初始只有 20 個營，後來擴展到 108 個營，數達 2 萬人。1920 年 4 月 2 日，孫中山致電蔣介石，命其到漳州輔佐陳炯明、許崇智、鄧鏗等，參加指揮對桂系的作戰，蔣介石遲遲未行。陳、許、鄧及朱執信等人連電催促，廖仲愷則一再當面勸說。8 日，蔣介石離開上海，到漳州後，會見總司令許崇智、參謀長鄧鏗，討論作戰計劃。不過，蔣介石很快就受到"群小"的排擠，神經受到刺激，避居鼓浪嶼。4 月 17 日，胞兄蔣介卿到鼓浪嶼來談家事。22 日，蔣介石匆匆歸滬。6 月 3 日，出資 5000 元，與陳果夫共同籌辦友愛公司，購買上海物品證券交易所的股票。7 月 5 日，再與陳果夫等成立茂新公司，經營股票買賣。

此後的一段時期，蔣介石心志未定。動搖於經營交易所與跟隨孫中山"護

1　《辭第二支隊司令職志感》，《"總統"蔣公思想言論總集》卷 36，第 41 頁。
2　《民國十五年以前之蔣介石先生》卷 1，第 115 頁。

法"之間。6月12日，蔣介石起草《湘粵軍共同作戰方略》，說明他還未忘情於前方的戰事。不過，當他了解到孫中山並無赴閩計劃時，也不願單獨前往，而是留在上海或奉化。

7月8日，孫中山派朱執信、廖仲愷到漳州催促陳炯明回師廣東，自然，也電催蔣介石到漳州輔佐陳炯明，在上海的胡漢民、戴季陶更當面勸蔣。7月12日，蔣介石終於再到福建。17日，蔣介石會見陳炯明，發現陳正在擴充私人軍隊，任意提拔親信，感到難以合作。8月5日，蔣介石接到孫中山來電，便返回上海，與廖仲愷一起向孫中山彙報，研究粵軍軍情，討論國內大局。當時，陳炯明已經在漳州誓師。31日，蔣介石應孫中山電召，到上海見孫。孫中山、戴季陶和鄧鏗仍然要蔣介石赴粵，蔣介石惦念交易所的生意，不肯離開。9月22日，孫中山再召蔣介石，讓他從赴俄、赴蜀、赴粵三處中選擇，廖仲愷堅決動員蔣介石赴粵，蔣介石比較之後，決定聽從廖的意見，於30日赴粵參加討桂。

老同盟會會員朱執信積極支持孫中山的討桂決定，親自到虎門炮台動員桂系守軍反正，不幸被害。10月3日，蔣介石途經香港，曾到朱的靈柩前痛哭。當日下午，會見陳炯明，陳述作戰意見。陳炯明的討桂隊伍分三路，蔣介石加入右翼許崇智的第二軍，三次向陳、許提出建議。10月22日，陳軍攻克惠州。10月29日，攻克廣州。孫中山很高興，自上海致函蔣介石，首先表揚陳炯明此役"實舉全身氣力"，表示當如此前相信黃興和陳其美一樣信任陳炯明。孫保證：自己三十年來信奉"共和主義"，不會像專制君主一樣，以"言莫予違"為得意。孫中山特意要求蔣介石將自己的意思完全告訴陳炯明。信中，孫還專門針對蔣介石寫了一段話：

> 執信忽然殂折，使我如失左右手，計吾黨中知兵事而且能肝膽照人者，今已不可多得；惟兄之勇敢誠篤與執信比，而知兵則又過之。兄性剛而嫉俗過甚，故常齟齬難合；然為黨負重大之責任，則勉強犧牲所見，而降格以求，所以為黨，非為個人也。[1]

---

1 《致蔣中正函》，《孫中山全集》卷5，第379頁。

朱執信是革命黨人中的佼佼者，孫中山的這段話將蔣介石與朱執信相比，表明了對蔣的高度評價與信任。信中，孫中山還表揚了蔣介石的優點，也委婉地批評了蔣介石的缺點，可謂推心置腹之談。

蔣介石與粵軍第二軍副軍長張國楨矛盾很深。11 月 4 日，蔣介石向軍長許崇智揭發張國楨 "悖謬招搖"，"陰險叵測"。5 日，再次函許，揭發張國楨在收編降敵時 "專擅"。[1] 同時，蔣介石就下一步的進兵計劃向陳炯明獻計，陳未予採納，這使蔣介石很不滿，覺得自己處於 "上不信任，下不服從，同事復相疑忌傾軋" 的尷尬局面，便於 5 日晚到廣州會見許崇智、鄧鏗後，離開軍隊，返回上海，向孫中山報告廣東情形。[2] 13 日，蔣介石再見孫中山時，發現許崇智也已 "蓄憤來滬"。14 日，蔣介石回歸奉化。年終反省，自覺 "近來性質尤其怪癖，驕矜自持，暴躁不堪，對於社會嫌惡更甚，對於家庭亦如之，是一不好現象也"[3]。

蔣介石居住奉化期間，自然，孫中山、胡漢民、廖仲愷、戴季陶、張靜江、陳炯明等人不斷致電或致函蔣介石，勸其或赴滬，或赴粵，蔣介石也均有答復。1921 年 1 月 10 日，他郵呈孫中山《軍事意見書》，建議首先平定廣西，然後解決四川問題，對閩浙，則取懷柔政策。[4] 他請張靜江轉告孫中山，自己願 "以個人私交，隨從督戰，勿居名義"。[5] 對古應芬，他答應 "克日來粵，負練兵之責"，"準備於半年之內，練成一支勁旅，參加中原劇戰"。[6] 1921 年 1 月 7 日，孫中山致電蔣介石，告以 "援桂決定從速出師"，要蔣來 "相助"，蔣答以 "如動員下令，當不俟召，自來侍從督師"。[7] 1 月 21 日，陳炯明致電蔣介石，聲稱 "中軍指揮官無人勝任，非借重吾兄不可"。蔣介石答以 "西北重於長江，而蜀為重心，尤不可不急圖之"。他擔心北方的吳佩孚會首先攻取湖南，建議將廣州部隊分為四部分，以兩部分援桂，一部分防湘，一部分作為總預備隊。

---

1 《民國十五年以前之蔣介石先生》卷 1，第 135—136 頁。
2 《民國十五年以前之蔣介石先生》卷 1，第 136—139 頁。
3 《蔣介石日記》（手稿本），1920 年 12 月 31 日。
4 《民國十五年以前之蔣介石先生》卷 1，第 153—155 頁。
5 《民國十五年以前之蔣介石先生》卷 1，第 155—156 頁。
6 《民國十五年以前之蔣介石先生》卷 1，第 156—157 頁。
7 《蔣介石日記》（手稿本），1921 年 1 月 11—12 日。

他表示，將在十天內，"以個人名義來效馳驅"。對於陳炯明請他擔任"中軍指揮官"一事，他推薦別人，表示自己"決不敢奉命"。[1] 其 2 月 4 日日記云："今日決心，對於自己地位，始終以個人名義幫孫（中山）陳（炯明）之忙"，"凡有職責一概不受，以為藏拙養精蓄銳之地。此時甚恐盜虛名而無實才，一朝失敗，前途絕望，不可不慎也。"[2]

蔣介石決定以個人名義幫孫中山、陳炯明之後，於 2 月 6 日到達廣州，會見孫中山及粵軍總司令陳炯明、軍長許崇智、師長鄧鏗等人。蔣介石發現，各方意見尚不一致，鄧鏗為躲避矛盾，有意不出席討論對桂作戰的軍事會議，陳炯明、許崇智之間，互相爭奪地盤；也得知廣州正在醞釀選舉孫中山為"大總統"，各方對此有不同意見。蔣介石有自己的看法，覺得事無可為，再度萌生退志。2 月 14 日，蔣介石再度離粵返鄉。經過香港時，致函鄧鏗，認為"今日之局面，正兄任勞任怨之時，而非避嫌避難之日"。[3] 3 月 5 日，蔣介石致函孫中山，要他緩選總統。函稱：

> （現在）根基尚虛，桂逆既未掃除，西南難望統一，議員又未足數，國會尚非正式，則選舉總統一節，鄙見以俯順各方輿情，從緩進行為是。此事前在粵時，亦同汝為（許崇智）細加研究，彼言對黨惟有服從，於此固無異議，然以事實上之利害關係而言，平桂之後，首舉大元帥再選總統，則凡百進行，較為穩當。[4]

孫中山自 1918 年 5 月 4 日辭去"大元帥"職務，宣佈"願以匹夫有責之身"，"立於個人地位"，"以盡其扶助民國之天職"後，一直沒有正式的行政職務，此次，可能希望擔任"大總統"一職，以便名正言順地下令討桂，但是，蔣介石覺得，國會議員人數不足，內部意見不一，選舉總統的條件尚不成熟，建議緩選。蔣介石對孫中山是敬重的，甚至是崇拜的，但他仍然敢於違逆孫的意願，提出不同意見，反映出他當時性格中的耿介一面。

---

1 《民國十五年以前之蔣介石先生》卷 1，第 159—162 頁。

2 《蔣介石日記》（手稿本），1921 年 2 月 4 日。

3 《與鄧仲元書討論援桂固粵》，《"總統"蔣公思想言論總集》卷 36，第 58 頁。

4 《民國十五年以前之蔣介石先生》卷 1，第 164—166 頁。

在廣州的國會議員人數確實不足。4月2日，廣州國會的參議院和眾議院聯合召開非常會議，由居正等人提議，將總裁合議制改為總統制，一切政務、軍務、內閣任免均由大總統"乾綱獨斷"。孫中山以218票被選為"非常大總統"。5月5日，孫中山就任"非常大總統"，將總統府設於觀音山南麓的粵秀樓。7月1日，下令討伐桂系的陸榮廷等人。

1921年6月14日，蔣介石的母親王采玉病故，享年58歲。蔣介石對母親感情很深，是孝子。6月21日，粵桂戰爭爆發，楊庶堪電請蔣介石"墨絰從戎"，赴粵助戰。其後，孫中山、汪精衛、胡漢民、田桐、張靜江、邵元沖等函電紛來，都一致要求蔣介石體諒孫中山"辦事之困難"，前來佐理，蔣介石均答以母葬之前不敢以身許國。其後，汪精衛、許崇智、胡漢民再次電催。8月5日，孫中山致電蔣介石，聲稱"西寇擊破易，收拾難"，要蔣到廣西南寧相助。[1] 10日，蔣介石由溪口啟程，到達上海後，遇大風雨，擔心母親的靈柩被水所淹，又匆匆返里。

9月3日，蔣介石自上海啟程。10日，到達廣州，會晤許崇智、胡漢民、許崇智及新任的大總統孫中山，討論出兵討伐桂系的時間，決定暫緩。許崇智要蔣介石就職，蔣拒絕。9月17日，蔣介石到南寧會見陳炯明，發現陳反對北伐之心愈加強烈，並且責問蔣介石，既然反對孫中山競選大總統，何以甘心與其共事？[2] 蔣介石不能忍耐，含怒而出。當即搭船返回廣州，會見孫中山。21日，蔣介石與胡漢民、汪精衛、鄧鏗在許崇智住所秘密集議，決定以第二軍取道湖南省南部北伐，也決定了軍隊出發日期。蔣介石秘留香港候命。八天後見仍無動靜，便回滬並回鄉。10月11日，蔣介石接到孫中山6日電報，聲稱與許崇智將於15日到桂林，要蔣即來臂助。11月，蔣介石為母親選擇墳地。23日，扶棺安葬。事畢，蔣介石留函蔣經國與蔣緯國，聲稱："余葬母既畢，為人子者，一生之大事已盡，此後乃可一心致力革命，更無其他之掛繫。"[3] 這以前，蔣介石屢次出山，又屢次歸鄉，原因複雜，思念母親，擔心母親的身體是原因

---

1 《民國十五年以前之蔣介石先生》卷1，第177頁

2 《蔣介石日記》（手稿本），1921年9月19日。

3 《民國十五年前之蔣介石先生》卷1，第185—186頁。

之一。現在母親歸天，安葬事竣，蔣介石自覺沒有什麼可惦念的了。不過，痼疾難改，以後忽而出山，忽而歸鄉的情形還是有時發生。

孫中山、陳炯明之爭與蔣介石東征討陳 *

* 本文原載香港《獨家人物》2020 年第 1 期、第 2 期。

一、陳炯明其人

陳炯明，字競存，廣東海豐縣人。1878 年（清光緒三年）1 月 13 日生。父親是商人。

戊戌年間，陳炯明中過秀才。1908 年以優異成績畢業於廣東政法學堂，次年被海豐縣推選為省咨議局議員，以"仗義執言"、"建議獨多"著稱。1909年加入同盟會，參與籌備同年 2 月的新軍起義。1911 年再度參與廣州起義，任統籌部編制課課長兼調度課副課長，負責率領一路敢死隊進攻巡警教練所。起義爆發，陳炯明單獨逃跑出城。辛亥革命時，陳炯明與鄧鏗被派到廣東東江地區，組織民軍，配合其他民軍光復惠州。11 月 9 日，廣州光復，陳炯明任副都督，後任代理都督、都督。宋教仁被刺後，孫中山密令陳炯明準備出兵，陳均以"兵力薄弱"為理由推延。"二次革命"中，一度宣佈廣東獨立。"二次革命"失敗，陳炯明拒絕參加中華革命黨，在南洋組織"中華水利促成社"，擁戴清朝政府的兩廣總督、舊官僚岑春煊。"護國運動"期間，陳炯明回到廣東東江一帶，組織民軍起義。1916 年在惠州成立"討逆共和軍"，自任總司令。袁世凱稱帝暴卒後，他擁護黎元洪為總統、段祺瑞為總理的北京政府，將所屬軍隊二十營改編為廣東省省長朱慶瀾的"親軍"，被黎、段二人授以"定威將軍"稱號。

1917 年夏，陳炯明到上海，參加孫中山發起的“護法”運動，其後回到廣東。9 月 1 日，孫中山在廣州設立海陸軍大元帥府。時值北京政府派兵從福建進攻廣東的潮汕地區，孫中山派人與朱慶瀾商量，撥還二十營軍隊，交由陳炯明率領“援閩”。12 月 2 日，孫中山任命陳炯明為“援閩”粵軍總司令，並派許崇智、鄧鏗協助。在粵東，陳炯明將部隊擴展到一萬人左右。在孫中山的多次催促和全黨人力、物力的支持下，陳炯明終於率軍入閩，打敗李厚基的北洋軍，佔領福建西南二十多個縣，成為“閩南護法區”。陳在當地創辦《閩星報》，標榜“刷新政治”、“建設新社會”，提倡“新文化”，引起各方關注。自稱“中共代表”的共產國際人士費奧多羅夫曾向俄共（布）阿穆爾州委報告，盛讚陳是中國南方的社會主義的“著名活動家”，說是他的參謀部裏設有“專門的報導部”，“出版帶有社會主義傾向的報紙和書籍”[1]。

1918 年 5 月，孫中山辭去七總裁之一職務，廣州護法軍政府的權力落入桂系手中。1920 年 3 月，孫中山命令駐閩粵軍回師廣州，驅逐桂系。8 月 12 日，陳炯明在漳州公園誓師，兵分三路，向廣東進軍。10 月 29 日，攻佔廣州，桂系勢力退往粵西。11 月 10 日，孫中山任命陳炯明為廣東省省長兼粵軍總司令，蔣介石為粵軍第二軍總參謀長。11 月 28 日，孫中山重返廣州，重組軍政府。在此之後不久，陳炯明曾電促陳獨秀來粵，擔任廣東省教育委員會委員長，保證全省教育經費佔全省收入的十分之一以上。[2] 為此，陳獨秀將中共上海發起組書記的工作交給李漢俊，自己赴粵就任。直到 1921 年 7 月，中共舉第一次全國代表大會，陳獨秀被推舉為中央書記，才回到上海。

陳炯明建設“閩南護法區”，邀請陳獨秀赴粵主管教育，表明他確實有過部分政治和文化改革要求。

<hr />

1　《劉江給俄共（布）阿爾穆州委的報告》，《聯共（布）、共產國際與中國國民革命運動》（1920—1925），北京圖書館出版社 1997 年版，第 45 頁。
2　《民國日報》，1920 年 12 月 27 日。

二、孫中山決計北伐，邀請蔣介石襄助

　　辛亥革命的勝利推翻了中國綿延兩千多年的皇權專制制度，在亞洲建立了第一個共和國。但是，中國的封建主義傳統根深蒂固，袁世凱稱帝失敗之後，中國的中央政權轉入北洋軍閥的幾個派系之手。所不同的是，"皇帝"的名稱換成了"總統"，徒有"民主共和"之名，而無"民主共和"之實。這種情況，孫中山稱之為"假招牌"。1921 年 1 月 3 日，他明確指出："民國雖已十年，禍亂相尋，實際未達共和境界"，"北方政府實在不是國民政府"。[1] 他表示："我等要造成真正民國，還要將辛亥革命未了的事業，做個成功。"[2] 辛亥革命時，孫中山曾計劃派兵北上，直搗北京，但由於經費困難和其他種種原因，未竟其功，忍痛議和。[3] 現在，他主張像當年一樣進攻北京。11 月底，桂系撤離粵境。11 月 28 日，孫中山重返廣州。12 月 29 日，北京政府任命陸榮廷為粵桂邊防督辦，促其進犯廣東。1921 年 5 月，孫中山在廣州宣誓就任非常大總統。

　　孫中山志在以武力北伐，推翻軍閥控制的北京政府。同年 9 月 6 日，他在歡迎討桂凱旋的將領宴會上明確表示："統一中國，非出兵北伐不為功。"[4] 10 月，孫中山向在廣州的國會非常會議提出北伐案，獲得通過。為此，孫中山於同月 29 日，在廣西梧州設立大本營。12 月 4 日，在桂林設立北伐大本營。

　　武力北伐，手上自然要有軍隊，還必須有地盤。孫中山當時只有一支軍隊，這就是陳炯明掌握的援閩粵軍。地盤呢？自然是廣東。但是，廣東當時還掌握在自廣西東來的桂系軍閥手中。為了北伐，孫中山必須利用時在福建漳州的陳炯明部隊，回師廣東，趕走桂系，掌控廣東，才有可能。

　　蔣介石留學日本，學過軍事，是孫中山身邊少有的軍事人材。早在 1920 年 3 月，孫中山命陳炯明軍回師廣東，討伐桂系之際，即曾召喚時在上海的蔣介石趕赴漳州，輔佐粵軍總司令陳炯明、第二軍軍長許崇智、參謀長鄧鏗等人。蔣介石於 4 月 11 日到達漳州，進入粵軍總司令部。14 日，籌定作戰計劃。不

1　《在廣州中國國民黨本部特設駐粵辦事處成立會的演說》，《孫中山全集》卷 5，第 451—452 頁。

2　《在中國國民黨交通部成立大會的演說》，《孫中山全集》卷 5，第 460 頁。

3　參閱拙作《孫中山與民國初年的輪船招商局借款 —— 兼論革命黨人的財政困難與辛亥革命失敗的原因》，拙著《國民黨人與前期中華民國》，中國人民大學出版社 2011 年版，第 51—70 頁。

4　《在廣州宴請北伐軍將領時的演說》，《孫中山全集》卷 5，第 598 頁。

過，此後，蔣介石並未能實際投入作戰指揮，而是來回於福建、廣東、上海、奉化之間。其過程，本書《教授追隨孫中山護法》一節已有敘述，直到 1921 年 6 月 27 日，孫中山任命陳炯明分三路討伐陸榮廷，7 月 17 日，陸在南寧通電辭職。9 月 30 日，粵軍攻克龍州，討桂戰爭結束。粵軍平定廣西，兩廣統一。這樣，北伐問題才比較實際地提到了蔣介石的面前。

三、孫中山主張武力統一，陳炯明主張"聯省自治"

1921 年 12 月 22 日，蔣介石抵達廣州，途中草擬北伐計劃。孫中山將計劃略告廖仲愷、汪精衛二人，要蔣介石偕戴季陶到桂林商量。1922 年 1 月 18 日，孫中山在桂林設立大本營，將十萬餘人的北伐軍分組 7 個軍團，準備出發。同日，蔣介石抵達桂林，住在風景清幽的八桂廳，籌劃北伐，議決以湖北為第一目的，江西為第二目的。孫中山計劃自由桂林出發後，首佔全州，經衡陽、長沙、岳陽直攻湖北。這時，湖南督軍趙恆惕派代表會見孫中山。要求每月補助湘軍 10 萬元，子彈 100 萬發。3 月 2 日，孫中山以"移營"需要為理由，命陳炯明籌解 100 萬元，陳炯明答以年關在即，需款結束，新增的營業稅、所得稅等尚無收入，難以解款。[1]

陳炯明拒絕孫中山的解款要求，可能有其實際困難，但其根本原因則在於陳炯明反對北伐。

孫中山企圖借道湖南，直攻湖北，但這一時期，陳炯明卻正在暗中與趙恆惕聯繫，反對北伐軍過湘。3 月 12 日，他復電湖南弭兵會，表示湖南連年用兵，受禍至巨，應該休養生息，表示本人所率部隊，決不派出一兵一卒。[2] 18 日，他復電趙恆惕，申述"聯省自治"主張："以分權期地方之發展，以大法杜軍閥之貪橫"，認為當務之急是制訂"省憲"。[3] 有資料說，湖南與廣東已經締結"聯防條約"，以"互不侵犯"及促進"聯省自治"為共同目標。[4]

1 《孫文對北伐之積極進行》，《晨報》，1922 年 3 月 2 日。
2 《上海快信摘要》，長沙《大公報》，1922 年 3 月 19 日。
3 《陳省長與趙恆惕往來電》，《廣東群報》，1922 年 3 月 21 日。
4 陶菊隱：《北洋軍閥統治時期史話》第 6 冊，北京三聯書店 1957 年版，第 14 頁。

"聯省自治"是陳炯明的一貫主張。

根據陳炯明的《建設方略》一文，陳認為，民國以來之所以變亂迭起，其原因在於中央與地方之許可權不明，中央厭惡各省意見與己不同，企圖以兵力壓服，地方則擔心中央專制，思以兵力抵抗，因此，他認為，"地方分權之制本屬於自然"，建議組織"中華民國聯省政府"，以此"實行統一"。其方案是：中央以建設方略徵求各省意見，主張相同的各省選出代表，組織聯省會議，制訂聯省大綱，由此產生參議院，由參議院選舉執政和副執政，進而產生聯省憲法。他推薦孫中山和段祺瑞為正副執政。[1] 陳炯明的這一意見，實際上以"省"為"國"，中國將不復成為大一統的國家，而將變成各個"省"的自由組合體，陷入分裂狀態。當時的中共中央就曾經指出："這種聯省自治不但不能建設民主政治的國家，並且是明目張膽的提倡武人割據，替武人割據的現狀加上一層憲法的保障。"[2]

在如何統一中國的理念和途徑上不同，陳炯明就很難與孫中山合作了。

3 月 21 日，鄧鏗在廣州被暗殺。鄧鏗贊同北伐，時任陸軍中將，粵軍第一師師長，兼廣東總司令部參謀長。孫中山出駐桂林時，鄧鏗留守後方，一面籌濟餉彈，一面以監督陳炯明之責自任。被暗殺時年僅 38 歲。兇手及幕後指使者均不明。[3] 在桂林的孫中山、胡漢民、蔣介石聞訊都十分震怒。孫中山致電陳炯明，稱讚鄧鏗"平日忠於國事，勇於奮鬥，前途之望，正復無量"。[4] 26 日，孫中山召開緊急會議。許崇智主張回師廣東，蔣介石主張討伐陳炯明。最後，議決班師回粵，改道江西南部北伐。

4 月 8 日，孫中山率大本營人員自桂林啟程回粵，陳炯明不明白孫中山這一行動的真實意圖，聽信部下謝文炳所言，懷疑孫將進攻廣州，便密令葉舉所部開回桂江上游，阻止北伐軍回粵。[5] 12 日，北伐軍主力抵達梧州，蔣介石認為

---

1 《聯省自治運動》，《陳炯明集》（下卷），第 872—875 頁。

2 《中國共產黨對於時局的主張》（1922 年 6 月 15 日），《中共中央文件選集》（1），中央黨校出版社 1989 年版，第 40 頁。

3 鄒澤如《中國國民黨二十年史跡》稱，其主謀者為陳炯明的族弟陳達生，見上海正中書局 1948 年版，第 248 頁。

4 《孫中山全集》卷 6，第 97 頁。

5 桑兵：《孫中山史事編年》卷 8，中華書局 2017 年版，第 4272 頁。

陳炯明意圖叛變，逆跡已彰，向孫中山建議討伐陳炯明，"先息內患，再圖中原"。[1] 4 月 16 日，孫中山抵達梧州，在軍艦上召開軍事會議，決定改攻江西。他說："我們已經沒有後方了"，"我們只有以廣州做後方，從韶關出兵。"[2] 18 日，廖仲愷、伍朝樞、鄒魯、謝持等由梧州到廣州，要陳炯明赴梧州，與孫中山面商北伐問題，陳炯明拒絕，反而電辭本兼各職。孫中山不想將事情做絕，於 21 日下令免除陳炯明的廣東省省長兼粵軍總司令、內務部長等職務，而保留其陸軍總長一職。同日，陳炯明通電表示"即日分別裁撤交代"，"所有部下軍隊，飭令服從大元帥指揮調遣"。[3] 22 日，陳炯明回到惠州，致孫中山電稱：自己"積勞成疾，精力日衰"，從此"息影衡廬，躬耕養母"，"西湖名勝，最宜養疴。小作勾留，便當回里。"[4] 23 日，再次致電孫中山稱，自己將長依老母膝下，"藏拙故園，退為補過之思，坐觀太平之盛"。[5] 23 日，孫中山返抵廣州，派伍朝樞（梯云）到惠州看望陳炯明，陳致電孫中山表示感謝，聲稱從此放刀成佛，賣劍買牛。[6] 不過，陳炯明此次回惠，隨帶軍官 54 人、士兵萬人以上，哪裏有一點"放刀成佛"的樣子！

陳炯明返回惠州後，許崇智及其部將魏邦平等立即以"國事多艱"為理由，聯電懇留，洪兆麟也致電孫中山，聲稱陳炯明"為國功高，軍民愛戴"，要求孫中山明令恢復陳的總司令職務，迅派專員，勸慰陳炯明回廣州復職。蔣介石聽說陳炯明將接受曹錕、吳佩孚任命的兩廣巡閱使職務，擔心陳會叛變，心中不安，接連終夜不眠。4 月 22 日，蔣介石向孫中山建議，及時進攻惠州，消滅陳炯明及其在桂的葉舉等部，然後北伐，孫中山沒有採納，蔣介石很不高興，再次決定心辭職返鄉。23 日，蔣介石到廣州後即向孫中山表態，要求辭去所任許崇智部參謀長職務，孫聞訊親到蔣住處挽留。對蔣說："此時你若走，則我與汝為（許崇智）機能全失。人無靈魂，軀殼何用？"[7] 據說蔣曾感動流淚，但回鄉

---

1 〔日〕古屋奎二：《蔣總統秘錄》，第 5 冊，台北"中央日報社" 1982 年版，第 176 頁；段云章等：《孫文與陳炯明史事編年》，第 482 頁。

2 《在梧州軍事會議上的演說》，《孫中山全集》卷 6，第 100 頁。

3 《辭職通電》，《陳炯明集》（下卷），第 883 頁。

4 《致孫中山電》，《陳炯明集》（下卷），第 853 頁。

5 《辭去廣東省長職通電》，《辭職歸惠通電》，《陳炯明集》（下卷），第 852 頁。

6 《陳炯明集》（下卷），第 854—855 頁。

7 《民國十五年以前之蔣介石先生》卷 1，第 199—200 頁。

之心未變。當晚，蔣介石離開廣州。在輪船中，蔣介石致函陳炯明，勸陳"為大局計，為民黨計，又為個人之過去及將來計"，"速即表明態度，服從孫先生之主張，帶兵北伐"。函稱："吾公如能深信中正之言，採納一二，勿聽細人之讒，勿墮宵小之計，服從孫總理，共圖北伐"，則自己雖然尚在為母喪"守制"期間，也將"待罪疆場，執鞭以從，聊供指臂之助"。[1] 27 日，蔣介石返回溪口，省視母親墓園，發現已經積水成窪，立即僱工修治。6 月 4 日，是王采玉夏曆去世的一週年，蔣介石決定，以後每逢母親忌日，不葷食，不動氣，不御色。6 月 14 日，是王采玉陽曆去世的一週年，蔣介石一早就去墓前祭拜，向觀世音菩薩許願，建築大殿，重興雪竇寺。

　　孫中山雖然免去了陳炯明的大部分職務，但他仍然要用陳炯明。4 月 27 日，孫中山復電陳炯明，要他即回廣州，共商要事，如：陸軍如何擴張組織？粵中軍隊如何編成北伐？留守餉彈如何計劃補充？孫中山表示，自己很快將轉移大本營於韶關，盼陳即來決定一切。他動情地說："十年患難道義之交，一旦相棄，縱弟不求誤於人，兄則何忍為之！"[2] 陳炯明則對前來勸駕的古應芬、李君佩表示："年來從事政治，精疲力竭，久已厭倦。"[3] 他復電魏邦平說："息肩大慰初心，國事不欲再問。"[4] 5 月 2 日，陳炯明復電孫中山，聲稱接濟後方等各事，在職諸公可以做得很好，無須我參與。萬不得已，陸軍總長一職，可以暫時不退，目前先由次長程潛代理。[5] 當月月底，孫中山派總統府參議居正持函到惠州勸陳，陳說明了他和孫中山的不同意見：

> 第一，我對於北伐，始終主張積極進行，惟方法上與總統稍有出入。我以為用兵與政治並重，故主張於未來局面政治上重要條件，當先與北方之可與言而有力者先為協議，然後用兵，否則貿然用兵，而無具體的目的，縱然軍事勝利，而在政治上終無結果。我意即在對於一定之目的用兵，並且以政治的方法促進用兵，決非舍用兵而單講政治也。

1　蔣介石：《致陳炯明書》，《"總統"蔣公思想言論總集》卷 36，第 66 頁。
2　《孫中山致陳炯明電》，《盛京時報》，1922 年 5 月 16 日。
3　《陳總長暫不回省原因》，《申報》，1922 年 4 月 28 日。
4　《陳總長復各方面電》，《廣東群報》，1922 年 5 月 3 日。
5　《復孫中山電》，北京《晨報》，1922 年 5 月 4 日。

第二，我以為粵軍總司令部不可撤廢。此種不可撤廢，並非因人立法之謂，因為有許多機關，如軍法處、艦務處、軍務處，等等，不好收歸中央直轄。但現在既有明命，當然毋庸再談，將來或設法使歸省長公署管理。[1]

談話末尾，陳炯明表示，既來此間，實欲借此稍事休養，將來萬一有用我必要時，仍當"為國效命"。

陳炯明的這段話，第一條所謂"方法上與總統稍有出入"云云，不是真話。他反對北伐是堅決的，主張"聯省自治"也是堅決的。二者之間難以調和。

居正勸說無效，孫中山再派汪精衛、古應芬勸駕。5月2日，陳炯明復電同意擔任陸軍總長，要求准假，稍事休息。他向孫中山提出不要改編所部官兵、補足拖欠軍餉等5項條件，孫中山也一一同意。[2]

當時，第二次直奉戰爭爆發，奉直兩軍正在河北馬廠等地大戰。孫中山認為，北伐不宜遲緩。5月2日，北伐軍第二軍在廣州東校場舉行誓師典禮，孫中山親自授旗。5月4日，孫中山以陸海軍大元帥名義聲討徐世昌，下令北伐。命令稱："連年國難未定，人民痛苦益深益烈，爰命諸將，分道出師，親履行間，以除民賊。"其宗旨則是："樹立真正之共和，掃除積年政治上之黑暗與罪惡，俾國家統一，民治發達。"[3] 5月6日，孫中山離開廣州，前往粵北韶關誓師。8日，大本營發佈總攻擊令，分三路進軍江西，謀取贛州。

如果說，陳炯明堅持"聯省自治"，還是一種政治理念，但其部將堅持的則僅僅是"軍權"即是否恢復陳炯明的粵軍總司令職務。

5月22日，陳炯明的部將葉舉出面召開會議，擁戴陳炯明復任粵軍總司令，汪精衛、廖仲愷略露不贊成之意，葉舉等即破口大罵，威脅將有"相當對待"。當日，葉舉、魏邦平等通電表示：我等從陳公十餘年，生死與共，倘非陳司令之命，則斷難絕對服從。廣東為護法政府策源地，如不以粵軍為主，則部下紛亂，護法政府亦無基礎。"23日，葉舉、魏邦平等在廣州忠烈祠集會，

1　《在惠州與居正的談話》（1922年5月1日），《陳炯明集》（下卷），第861—862頁。
2　據報載，經胡漢民、汪精衛、伍朝樞等人斡旋，孫陳之間曾訂定陳炯明仍兼陸軍總長等6項條件，孫中山已批准，而陳婉辭拒絕。見《孫陳已有言歸於好說》，《晨報》，1922年5月14日。
3　《聲討徐世昌令》，《孫中山全集》卷6，第112頁。

要求孫中山派人迎陳入省，罷免伍朝樞、胡漢民、蔣尊簋、廖仲愷等人職務，革除許崇智的軍長一職，將粵軍全部歸陳管轄。否則，即以武力解決。葉舉等人的通電表明，他們企圖以武力脅迫，將粵軍變成只接受陳炯明一人控制的鐵板軍事集團，[1] 而孫中山則認為，總司令一職已經裁撤，不便朝令夕改。他提出任命陳為兩粵軍事督辦，或粵桂聯軍總司令作為替代方案，並派汪精衛、程潛前往葉舉處調停。不料葉舉態度強硬，不肯做任何讓步[2]，而且每日到廖仲愷處索餉。6月1日，孫中山自韶關返回廣州，企圖召集葉舉等軍官談話。葉不願與孫見面，於前一天離開廣州。孫中山憤而秘密命令海軍陳策，開炮轟擊"陳家軍"，為人勸阻而止。

孫中山自韶關回到廣州，政府各部總次長和高級將領即聯名致電陳炯明，告以孫將留此等待，在與陳會晤後才返回韶關。6月2日，陳炯明到石龍檢閱部隊，孫中山親自電陳，要求陳來廣州，"共商一些重要計劃"。陳仍然拒絕。

其時，陳炯明的部隊已有四十餘營進入廣州，伍廷芳派人持親筆函到惠州，聲稱"中山係西南首倡共和之第一人，萬不可逼迫過甚，否則異日無調和之餘地"，他提出5項條件：1. 城內秩序請葉舉部隊維持；2. 中山住宅及公文函件由葉軍保存；3. 許崇智、李烈鈞部隊攻贛，其他軍隊不能斷其後路；4. 中山對內對外所用總統名義，他人不得以武力取消；5. 此後西南大局，由唐紹儀、岑春煊函約孫中山，從根本上討論。目前仍以維持北伐軍為宗旨。

四、"六一六"事件，陳炯明發動兵變

6月12日，孫中山在廣東省財政廳召開記者會，聲稱"本大總統受國會委託之重，行使總統職權"，此次自韶返省，要與"陳家將"當面解釋一切，"而彼不與我會面，終日索餉，欲陷省城於不義，吾豈無法治之！"他要求陳的部隊退出廣州三十里以外地區，並稱："他若不服命令，我不難以武力壓服。"講話中，孫中山並要求報界"主持正義"，"十日之內，做足功夫，對於陳家軍加

---

1 《孫文託伍廷芳赴惠挽陳》，《晨報》，1922年5月28日。
2 《上海快訊摘要》，長沙《大公報》，1922年5月31日。

以糾正"。末尾，孫中山表示："萬一無效，就不能不執行我海陸軍大元帥的職權制裁他們了。"[1] 這次講話，孫中山很激動，很生氣，口氣前所未有地嚴厲。外間傳言，孫中山將用八寸口徑大炮，發射毒氣彈，在三小時內將"陳家軍"變為泥粉。[2]

6月13日，葉舉等舉行緊急會議，決議請"陳總司令"返省主持一切，如"陳總司令"不出，"我等當一致行動，早日解決大局"。會上，葉舉發洩對孫中山的不滿說：我軍自桂返省以來，軍紀肅然，而政府尚不滿意，豈欲置我等於死地而後快乎？"土匪出身的楊坤如立即接腔道："請總指揮拿令來，我即往詰問孫中山。"[3] 又稱："吾人不知有所謂孫總統，只知道有豢養我輩的陳總司令。"[4] 6月14日，陳炯明在石龍召集將領會議，決定發動政變。有人顧慮，士兵不願打總統，認為打總統大逆不道，陳炯明稱："此時無錢犒賞，只如我們打廣西例，准其隨意搶掠，萬事皆可解決。"[5] 當日，葉舉等通電，聲稱徐世昌已經下野，要求孫中山實踐諾言。在革命黨人中，廖仲愷掌管財政，同日，陳炯明謊邀廖到惠州領款，在廖剛剛到達石龍時即被扣留，押到廣東兵工廠囚禁。

6月15日，楊坤如派兵包圍廣東兵工廠。葉舉等在白云山設指揮處，出示陳炯明密令，佈置進攻總統府，佔領行政機關，進駐韶關，許以事成後大掠三日，並且懸賞20萬元殺害孫中山。會議決定由洪兆麟部首先動手。

叛兵的行動很快被發現。6月16日上午9時，孫中山的秘書林直勉到越秀山向孫報告，孫不信，說是陳炯明雖惡劣，當不至此。明日2時，自己將在財政部召集陳部將領訓話，懂得大義的將領不會附從。如果陳真正叛變，置我於死地，我為黨國而死，也死而無憾。林一再要孫中山暫避，孫都不肯，仍然回室就寢。觀音山僅有衛士五十餘人，三十餘條手提機關槍。夜1時許，林再次催促孫中山離開，孫稱，叛兵必定在拂曉時才開始攻擊，鎮靜如常。3時，葉舉指揮洪兆麟、楊坤如等4000多人進攻總統府，林一再強迫，孫中山才穿上長

1　《與廣州報界公會及各通訊社記者談話》，《孫中山全集》卷6，第150頁。
2　香港《華字日報》，1922年6月14日。
3　香港《華字日報》，1922年6月15日。
4　《陳炯明叛國史》，《近代稗海》第9輯，四川人民出版社1988年版，第466頁。
5　《陳炯明叛國史》，同上書，第533頁。

衫，從容離開。他要宋慶齡同行，宋擔心目標太大，堅持孫中山先行。途中，孫中山被叛兵截住，林詐稱父病求醫，得以通過。林、孫等到達海珠岸邊後僱小艇前往海珠海軍軍部，部長溫樹德出迎，換乘小輪，駛往白鵝潭，登上楚豫軍艦。孫中山即起草討逆檄文、通電等檔，然後轉登永豐艦，駛往黃埔，與脫險的宋慶齡相見。當時，孫中山尚能掌握軍艦 10 艘，便親率各艦，炮擊叛軍。

五、蔣介石趕赴廣州，登上永豐艦，護衛孫中山

蔣介石是孫中山身邊少數懂得軍事的人。孫中山決定自韶關北伐後，革命黨人自然會想到蔣介石。蔣介石辭職返鄉之後，廖仲愷於 5 月 31 日致電蔣介石，要他即來廣州，趕赴前線，協助在韶關北伐前線的許崇智。6 月 1 日，廖仲愷再次電蔣，催他“即日命駕，勿延遲”。同日，蔣介石致函許崇智，建議“先發制人”：如陳炯明部久佔廣州，許部可以自韶關回師，同時以主力，經由粵北的連平、河源，直接攻擊惠州，將陳部一網打盡。蔣介石警告許崇智，猶豫遷延，必將噬臍莫及，不可挽救。[1] 6 月 2 日，孫中山急電蔣介石：“粵局危急，軍事無人負責。無論如何，請兄即來助我。千鈞一髮，有船即來。至盼。”[2]汪精衛、張繼也都先後電蔣，要將迅速出來，挽救危局。18 日，蔣介石接到汪精衛、林業明等電報，得知廣州兵變，認為書生敗事，政府處置不當，感到自己沒有迅速趕回廣州，屬於“有罪”之列。日記說：“葉部之無天理人道，聞之為之髮指。天眷吾黨，幸而中山不死，中國尚有一線生機，然而危矣！”[3]他立即致函張靜江，託以後事，也將經國、緯國兩個孩子託付給張。6 月 25 日，蔣介石離滬赴粵。

6 月 28 日，蔣介石到達香港。29 日，潛行穿越叛軍的警戒線，到永豐艦上與孫中山相見，“相顧愕然”，長談到夜半。這一時期，蔣介石每天焦急地等待北伐軍自韶關回師的消息。7 月 3 日，駐守魚珠炮台的叛軍限海軍各艦於午

1 　毛思誠：《民國十五年以前之蔣介石先生》卷 1，第 204—206 頁。
2 　毛思誠：《民國十五年以前之蔣介石先生》，1936 年版，第 4 冊，第 21 頁。
3 　《蔣介石日記》（手稿本），1922 年 6 月 21 日。

夜離開黃埔，蔣介石請示孫中山後，下令開炮攻擊，預定 7 月 4 日 6 時開炮。屆時，不聞炮聲。原來，海軍中的海圻、海琛、肇和三艦已被陳炯明收買，於當夜駛離黃埔。三艦都是三四千噸以上的大艦，這樣，孫中山就只能指揮一千噸以下的小艦。孫中山命它們駛往上游，掩護長洲要塞。7 月 9 日，海軍陸戰隊孫祥夫所部投降陳炯明，引敵登陸，長洲要塞失陷。10 日，蔣介石力勸孫中山攻擊中途必經的車歪炮台，進攻省河。通過車歪炮台時，炮台開炮攻擊，永豐艦身中 6 彈，船身劇烈震動，蔣介石始終站在舵樓中，瞪眼注視。二十分鐘後，到達白鵝潭。該地有美國等其他國家的軍隊艦停泊，叛軍不敢輕易攻擊。當日中午，叛軍在永豐艦附近安放水雷，距美艦僅數丈，美國當即提出抗議。

這一段期間，蔣介石一直焦急地等待自韶關回師廣州的各路北伐軍的消息。8 月 9 日，蔣介石得到確訊，各軍都已失敗，覺得孫中山此時，既不能牽制叛軍，又不能迅速集中各方義軍，不如離開廣州，另謀發展。下午 4 時，蔣介石護衛孫中山由白鵝潭乘英艦赴港。日記云："吾國人，吾黨友，吾子孫，勿忘陳逆炯明謀害元首黨魁之罪惡，不殺不已。"[1] 10 日，在香港換乘俄艦。14 日，孫中山、蔣介石等安抵上海。23 日，蔣介石到普陀等地養病。其間，曾兩度應孫之召，到上海討論進行方法。

9 月 13 日，蔣介石寫成《孫中山廣州蒙難記》一稿，記錄自當年 6 月 15 日至 8 月 15 日，共 62 天期間孫中山的事蹟。孫中山為之作序稱："陳逆（炯明）之變，赴難來粵，入艦日侍奉予側，而籌劃多中，樂與予及海軍將士共死生。茲紀殆為實錄。" 他自我檢討說："予乏知人之鑒，不及豫寢逆謀，而卒以長亂貽禍，賊焰至今猶烈，則茲編之紀，亦聊以志吾過，且以矜吾海軍及北伐軍諸將士之能為國，不顧其私，其視於世，功罪何如也。"

8 月 15 日，陳炯明由惠州回到廣州，在白云山召開軍事會議，自任粵軍總司令。8 月 23 日，省議會推舉香港匯豐銀行買辦陳席儒為廣東省省長，以陳覺民為政務廳廳長。名為軍民分治，實際上確立的是陳炯明的軍閥統治。

---

1 《蔣介石日記》（手稿本），1922 年 8 月 9 日。

六、包圍惠州，半途而廢

1923 年 1 月 4 日，孫中山在上海通電，討伐陳炯明，宣佈 "為國家除叛逆，為廣東去兇殘"。9 日，東路討賊軍許崇智通電宣佈，遵孫大總統令，即日由閩返旆，討伐陳炯明。同月，滇軍總總指揮楊希閔聯合桂軍組成討賊聯軍，進軍廣州。15 日，駐廣州周圍各軍紛紛回應。洪兆麟在潮汕宣佈脫離陳炯明，當日，陳炯明通電下野，返回惠州，負隅固守。19 日，洪兆麟等致電孫中山，表示絕對服從。20 日，孫中山電委魏邦平為討賊聯軍總司令。21 日，粵桂討賊各軍將領舉行會議，電請孫中山來粵，主持大計。

1923 年 2 月 15 日，孫中山偕同譚延闓由上海啟程赴粵。21 日，抵達廣州，在廣州東郊設立大本營，任陸海軍大元帥，提出和平統一，掃除叛亂軍隊、化兵為工等主張。3 月 2 日，陸海軍大本營在廣州正式成立，特任程潛為軍政部長。7 日，孫中山任命滇軍總司令楊希閔為廣州衛戍司令。

3 月 17 日，孫中山特任蔣介石為大本營參謀長。電蔣稱 "此間須兄助至切，萬請速來"，"軍事樞機不可一日無人"。3 月 19 日，許崇智也以孫中山身邊 "現無軍事人才" 等為理由，要蔣介石接電立即赴粵。4 月 19 日，蔣介石抵達廣州，出任大本營參謀長。此後的數月內，蔣介石即草擬作戰計劃，隨孫中山赴各地勞軍。11 日，陳炯明舊部葉舉、洪兆麟、楊坤如等在東江再叛，蔣介石於 23 日抵達廣東博羅，會同桂軍總司令劉震寰等，決定作戰計劃。當時，陳炯明為解惠州之圍，命令一支部隊，抄出後方，佔領博羅，進窺石龍，廣州震動。30 日，蔣介石請求孫中山親自督戰，本人則率領鄧演達團二百餘人為前驅。6 月 7 日，蔣介石隨同孫中山到惠州，登上虎頭嶺，下窺惠城形勢。又冒大雨隨孫赴虎門炮台觀察，企圖移用該台大炮攻擊惠州，因台基堅固，大炮呆重作罷。6 月 17 日，孫中山特任蔣介石為大元帥行營參謀長，視蔣為軍事上的左右手。21 日晨，蔣介石訪問許崇智，許批評蔣 "妨礙其事"，蔣介石大為吃驚。日記云："應酬敷衍，虛偽陰險者，非吾友也。敗吾黨者，未知何人耶？"[1]當日，蔣介石與劉震寰等各將領會議，決定以許崇智部三旅增加惠州戰場。蔣

---

1 《蔣介石日記》（手稿本），1923 年 6 月 21 日。

介石與許崇智本來關係尚好，21 日發生矛盾，心存芥蒂。22 日，兩人見面時蔣介石都不願與之談話。[1]

在大本營，軍政、財政，都歸蔣介石"一人負責"，自然，"怨忌漸集"。蔣介石覺得當時的局面是"內部水火，君子道消"，雖有孫中山這位"賢主"，也不能改變這一局面，發展下去，必將黨敗國亡。[2] 7 月 6 日，蔣介石"思慮處境之難，辦事之艱"，萌生引退辭職，免入漩渦的想法，但轉念又覺得要報答孫中山的知遇之恩，不忍離去。[3] 7 月 5 日，蔣介石指揮所部攻克韶關。7 日，與孫合影留念。8 日，發佈攻擊惠州命令。

這一時期，蔣介石覺得"瑣事太多，經費太少"，為此傷透腦筋。又覺得，"本黨人員，非自私，即要錢"，"心術"壞透了，因此心緒惡劣。10 日，他在一次會上"聲色俱厲"，大發脾氣。[4] 11 日，蔣介石回到大本營，自覺"心煩意亂"，日記云："政治生活，非人所為。"[5] 至 12 日，蔣介石決定辭職不幹，他上書孫中山說："傾軋之禍，甚於壅蔽；媚嫉之患，烈於黨爭。此豈愚如中正者所能忍受哉！"上午，蔣介石訪問廖仲愷，因為心情不好，發了脾氣，竟罵起"同志某"來。接著，訪問楊庶堪，楊說了些不中聽的話，蔣既心痛，又悔恨。下午，見孫中山辭行。三點即上船離開廣州。

7 月 13 日，蔣介石在香港致致函楊庶堪，自述從 5 月 27 日潮、汕二地丟失後，心情不好，"懷怒含恨，一觸即發"，昔日同志，幾乎都受到自己侮辱。反躬自問，在強敵面前，個人尚無怯懦膽小之態，但得罪"我內部同志"，特別是"素所敬愛之諸友"，則實在難以安心。他表示："惠州未下，而弟先行，是弟所最不甘心之事。"14 日，在由香港回寧波的海輪上，又覺得致楊函不宜發，後悔之至，只好以"從前種種，譬如昨日死；以後種種，譬如今日生"二語自慰。16 日，蔣介石總結自己的差誤，認為自己被人看不起原因在於"戲謔"，被人妒忌的原因在於"傲慢自大"。這些毛病，蔣介石概括為"輕浮"二字，

---

1 《蔣介石日記》（手稿本），1923 年 6 月 22 日。
2 《蔣介石日記》（手稿本），1923 年 7 月 5 日。
3 《蔣介石日記》（手稿本），1923 年 7 月 6 日。
4 《蔣介石口記》（手稿本），1923 年 7 月 10 日。
5 《蔣介石日記》（手稿本），1923 年 7 月 11 日。

決心以後要言不妄發，行不專橫，謹言慎事，厚重自持，寧可被人笑為"道學"，而不願被人譏為"輕浮"[1]。

7月17日，蔣介石回到上海。當時，證券物品交易所因內部矛盾，正在打官司。下午，蔣介石訪問張靜江，談"訟詞"，晚上，再次訪問張靜江。[2]

七、蔣介石東征陳炯明

1924年1月20日，國民黨在廣州召開第一次全國代表大會。23日，通過《大會宣言》，確定"聯俄、容共"政策，中共黨員以個人身份加入國民黨，國民黨和中國共產黨建立革命統一戰線。會議決定設立軍校。1月24日，孫中山定名為陸軍軍官學校，委任剛自蘇聯回來，由滬抵粵的蔣介石為籌備委員會委員長，校址選定黃埔海軍學校舊址。2月21日，蔣介石致函國民黨中央辭職，並且未經允許就逕自回家，經孫中山、廖仲愷、胡漢民等人一再勸說，蔣介石才於4月26日入校視事。5月3日，孫中山特任蔣介石為黃埔軍校校長兼粵軍總司令部參謀長。6月16日，軍校舉行開學典禮。孫中山演講稱：中國革命十三年，完全是失敗，"原因就是：只有革命黨的奮鬥，沒有革命軍的奮鬥"。他表示："從今天起，要用這個學校的學生做根本，成立革命軍。"[3]9月3日，孫中山主持國民黨中央政治委員會，討論北伐。9月4日，在大元帥府宅開會，籌備北伐。9月5日，發佈大元帥令，宣佈刻日移師北指，討伐以曹錕、吳佩孚為代表的直系北京政權。為了爭取陳炯明參加討曹，孫中山一度撤去包圍惠州之兵，停止進攻，等待陳炯明自決。他在韶關大本營與日本東方通訊社記者談話，稱陳軍為"友軍"，表示："正在與陳炯明謀諒解"，"余亦以國事為重，不妨蠲棄前怨。"[4]同時，孫中山派吳稚暉去海豐，勸說陳炯明參加北伐。孫稱："陳炯明如能同心北伐，則本人亦願放棄廣東。"陳答："現在廣東正苦

1 《蔣介石日記》（手稿本），1923年7月16日。
2 《蔣介石日記》（手稿本），1923年7月17日。
3 《在陸軍軍官學校開學典禮的演說》，《孫中山全集》卷10，中華書局1986年版，第291—292頁。
4 《大元帥昨晨赴韶關》，上海《民國日報》，1924年9月14日；《孫文對於江浙時局之談話》，《順天時報》，1924年9月25日。

客軍之禍，如中山能率各客軍北伐，將廣東付之廣東人，使粵人稍得昭蘇，則東江部隊亦可以不追擊。"吳將陳此意告孫，孫要求陳炯明必須先寫悔過書，始有商量餘地。不能，則出兵福建，為浙江聲援，以功自贖。[1] 陳炯明得悉，反過來要求孫中山出具悔過書，方有商量餘地。[2] 吳稚暉感覺難以調和，停止斡旋。

孫中山對日本記者的談話，通過吳稚暉所作的調停，是給陳炯明的最後一次機會。這樣做，固然有爭取陳炯明的一面，同時也是為了安定北伐後方。但是，他很清醒，批示稱："陳逆陰險，非至勢窮力竭，豈肯宣佈攻曹？"[3]

當孫中山積極謀劃北伐之際，10 月 25 日，馮玉祥在北京發動政變，推翻直系北京政權。11 月 10 日，孫中山發表《北上宣言》，13 日，應馮玉祥之邀，偕同宋慶齡乘永豐艦北上。

馮玉祥在北京搞"首都革命"，孫中山在韶關準備北伐，陳炯明在南方覺得有機可乘。他勾連福建、江西、湖南各省的軍閥，聯絡東江一帶的土匪，集聚了約近 10 萬兵力。雖然孫中山給他提供了"悔過"機會，但陳炯明不僅拒不接受，反而於 11 月 15 日在汕頭召開軍事會議，自稱"援粵軍總司令"，企圖乘孫中山北伐之機，奪回廣州。

蔣介石念念不忘討伐陳炯明。1925 年 1 月 1 日，蔣介石赴黃埔軍校，參加中華民國建國第 14 週年紀念，他在訓詞中說："從今天 1 月 1 日起，我們革命軍的口號是：殺陳炯明。無論是起居、飲食、上課、受課，都要念念不忘的。"[4] 1 月 30 日，蔣介石參加粵軍總司令部會議，通過滇、粵、桂三軍、三路進兵計劃。黃埔軍校學生參加右翼，組成校軍，由海豐、陸豐進取潮州、汕頭。1 月 31 日，蔣介石召集陸軍軍官學生隊、兩教導團官兵及入伍生隊舉行誓師典禮。2 月 1 日，大本營發佈《東征動員令》。2 月 3 日，蔣介石登上福安艦，率軍出發。其兵力有黃埔一二期學生組成的步兵總隊、一個炮兵營、一個工程隊、一個輜重隊，由第三期學生組成的入伍生營等。當時，孫中山在北京病重，2 月

1 《吳稚暉勸陳炯明悔過討賊》，《廣州民國日報》，1924 年 9 月 19 日。

2 《吳稚暉調停孫陳之經過》，《申報》，1924 年 9 月 28 日。

3 佚名撰：《總理遺墨》，第 103 頁；《批吳稚暉等電》，《孫中山集外集補編》，上海人民出版社 1994 年版，第 323 頁。

4 《民國十五年以前之蔣介石先生》卷 2，第 501 頁。

9 日，蔣介石對軍校官生發表講話，聲稱"孫大元帥的病恐非藥石可治"，"我們這次一定要救國救民，並且要救大元帥無藥可醫的病症"，"寧做光榮的革命鬼"。他表示："如果本校長偷生怕死，口是心非不肯向前努力，全體官兵都可以殺我。如果大家不向前努力，也要照樣槍決，不徇私情。"[1] 當時，不會寫詩、很少寫詩的蔣介石寫了首詩："親率三千子弟兵，鷗鶹未靖此東征。艱難革命成孤憤，揮劍長空涕縱橫。"此次出征，為了不擾民，槍炮等物一律自行扛抬推挽，加之出發匆忙，缺餉、無米，不比其他軍隊後勤補充完備，蔣介石頗有"此中苦處，無地可訴"之感。11 日。抵達平胡（湖），軍校宣傳隊到達，一路踏歌而行。歌罷演說，齊聲高喊"殺陳炯明"，顯示出蔣介石此前征戰從未出現過的景象。

2 月 13 日，黃埔校軍進攻淡水。英勇善戰，勢不可擋，蔣介石感覺："以天時、人心測之，陳逆末日已到。"[2] 14 日，敵軍反攻，與校軍激戰。結果，校軍獲勝，斃敵百數十人，俘三百餘人。敵軍退入城內，閉城固守，並以油潑竹，放火燃燒，同時大開探照燈，一時城腳燈火通明。當日夜，蔣介石下達命令，限第二天清晨攻克淡水。黃埔軍立即挑選"奮勇隊"、連黨代表及士兵一百多人，提前潛伏。15 日，蔣介石下達《激勵將士令》，要求部隊"共矢為黨為國之決心，奮勇無前，可進不可退"。晨 5 時，攻城開始，蔣介石親到南門炮兵陣地指揮。7 時，在掌旗兵引領下，中路軍衝奪入城，左路軍爬梯攀高，進入城中，展開巷戰。洪兆麟部一度突入東門，被擊退。這是蔣介石獨自指揮的第一次勝仗。此役，黃埔軍以二千人與陳軍五六千人戰，俘二千餘人，槍一千餘杆。16 日，馳電孫中山告捷。汪精衛代孫復電讚揚。

淡水之戰，黃埔軍單獨作戰，滇軍、桂軍均袖手旁觀，違約不進。2 月 27 日，黃埔軍抵達梅隴，當地住戶約有千餘家，百姓沿途以稀飯糖湯、紙炮紅條歡迎黃埔軍，蔣介石很高興，覺得可以告慰於總理。[3] 當夜，粵軍及黃埔校軍佔領海豐，陳炯明倉皇從汕尾逃到香港，殘部無人統帥，土崩瓦解。進入普寧

1　《民國十五年以前之蔣介石先生》卷 2，第 519—520 頁。
2　《蔣介石日記》（手稿本），1925 年 2 月 13 日。
3　《蔣介石日記》（手稿本），1925 年 2 月 27 日。

時，蔣介石信口罵人，事後反思，覺得自己曾立志"沉澹潤渾"，而失態如此，"誠禽獸不若"，為自己記大過一次。[1] 3 月 7 日，蔣介石得知部隊有擅取百姓甘蔗、葡萄及強買等弊病，立即集合官兵訓話，下令禁止軍隊擾民，要求軍隊成為"有紀律，有精神，不要錢，不要命，不怕凍、不怕餓、不怕渴、不怕痛、不怕苦"的革命軍。[2] 3 月 11 日，部署進攻陳軍林虎部。15 日，黃埔軍校當黨代表廖仲愷、蘇聯顧問加侖將軍前來訓話，讚揚校軍教導團為"世界第一精強之軍隊，俄國紅軍之最高者亦不過如此"。[3] 蔣介石在訓話中表示：反對我們的帝國主義者，如英美法日各國新聞，亦稱許我們勇敢真不愧為革命軍。"他惦念臥病北京的孫中山，聲稱"我們總理得到這個消息亦必定很快活的。"[4] 19 日，蔣介石率軍進攻興寧。興寧為林虎司令部所在，守軍為該部主力，最為強悍。城寬溝深，有小南京之稱。黃埔軍冒雨攻城，一度槍聲猛烈異常，蔣介石突然打起寒顫，擔心"萬一失敗，個人不足惜，其如全軍生命，黨軍成敗何！"他自稱，這是出生以來，從未有未有過的緊張和憂慮。[5] 3 月 21 日，蔣介石率軍進駐興寧，馳電許崇智報捷。

孫中山在北京臥病，3 月 12 日在協和醫院逝世。21 日下午 5 時，粵軍總司令部得悉噩耗，於 22 日遙祭。蔣介石至 23 日才得到消息，日記云："此心幾碎。"東征以來，蔣介石身邊常常帶著一把手槍，以備被俘時自殺之用。現在孫中山逝世，蔣介石頓感："尚何有人生樂趣耶！遁世隱藏乎？繼續志願乎？令人悲慘不能自決。嗚呼，休矣！"[6] 24 日，粵軍克復梅縣。蔣介石於 25 日寫成《東征感言》，中云："斬草先要除根，擒賊先要擒王，不殺叛逆陳炯明，不算革命真男兒，剜其心肝，祭我總理。肅清東江餘孽，實行三民主義。繼續總理生命，完成革命責任。"[7] 27 日，蔣介石在興寧對教導團官兵訓話，回憶孫中山啟程北上，視察黃埔時和自己的對話。當時，孫稱："我現在進京，將來能否回

1　《蔣介石日記》（手稿本），1925 年 3 月 4 日

2　《蔣介石日記》（手稿本），1925 年 3 月 7 日。

3　《蔣介石日記》（手稿本），1925 年 3 月 15 日。

4　《民國十五年以前之蔣介石先生》卷 2，第 551 頁。

5　《蔣介石日記》（手稿本），1925 年 3 月 20 日。

6　《蔣介石日記》（手稿本），1925 年 3 月 23 日。

7　《蔣介石日記》（手稿本），1925 年 3 月 25 日。

來，尚不能定，然而我進京是去奮鬥的，就是死了也可安心。"蔣介石問故，孫答："人總是要死的，不過要死得其所，今天能夠看見黃埔陸軍軍官學校的官長、學生、士兵們，如此奮勇的精神，就可以繼續我的生命，所以我雖死也能安心。"[1] 蔣介石要大家記住孫中山的這段話，努力繼續奮鬥。同日，撰成《為大元帥逝世哀告全軍》，勉勵全軍將士"剷除軍閥與帝國主義者之勢力，實行三民主義，期慰我大元帥之幽靈"[2]。30 日，召開追悼孫中山及陣亡將士大會，宣誓稱："主義不行，責任未盡，鞠躬盡瘁，死而後已。"[3] 4 月 7 日，召集軍校第三期入伍生訓話，聲稱：若是本校長的行動與主義有所違背，你們可以殺校長。"[4] 9 日，再次對第三期入伍生講話，盛讚蘇聯共產黨的嚴明紀律，聲稱：我們要黨成功，主義實現，一定要仿效俄國共產黨的辦法。"[5] 20 日，左路滇軍開入惠州。至此，東征勝利結束。4 月 13 日，國民黨中央決定建立"黨軍"，以廖仲愷為黨軍黨代表。29 日，任命蔣介石為黨軍司令官。

八、蔣介石第二次東征，掃蕩陳炯明殘部

第一次東征勝利結束，但並未全部殲滅陳炯明的有生力量。當年 9 月 16 日，陳炯明坐鎮香港，以討伐蔣介石為名，指派劉志陸為總指揮，企圖進犯廣州。24 日，蔣介石與蘇聯顧問羅克覺夫（Victor Rogachev）會議，討論第二次東征。28 日，蔣介石受任東征總指揮，下令自 10 月 1 日起，各部陸續出發，預定一個月內完成戰事。29 日，蔣介石以何應欽為第一縱隊長，李濟琛為第二縱隊長，程潛為第三縱隊長。10 月 1 日誓師，宣佈"先清內奸，繼禦外侮"[6]。10 月 8 日，下令何應欽率領第一縱隊包圍楊坤如把守的惠州。惠州素稱天險，自宋以後歷次戰爭從未被攻破過。14 日，東征軍爬梯攻城，楊坤如負傷逃逸。15

1　蔣中正講述，鄧文儀主編：《黃埔訓練集》，第 260—261 集。
2　《"總統"蔣公思想言論總集》卷 30，第 1 頁。
3　同上書，卷 36，第 143 頁。
4　蔣中正講述，鄧文儀主編：《黃埔訓練集》，第 287—289 頁。
5　《民國十五年以前之蔣介石先生》（線裝本），第 10 冊，第 7 編，第 12—14 頁。
6　《民國十五年以前之蔣介石先生》卷 2，第 713 頁。

日，蔣介石率部入駐惠州，訓話稱："為我們孫大元帥洗刷了不少遺憾"[1]。

惠州既克，蔣介石於 10 月 17 日通電辭去第一軍軍長職務，電稱："以後革命，全恃民眾勢力，非專仗武力可以完成"，現在中正"兵力擴張，事權增大，實有造成新式軍閥之可能"。自己"願終身勉為先總理之信徒"，必須"卸去軍權"，"造成打破軍閥之勢力，使中國軍閥完全消滅，再無發生之餘地"。[2]但他同時表示，由於奉命東征，職責未了，可以暫任總指揮。

10 月 19 日，蔣介石為掃蕩盤踞東江上游的陳炯明舊部，擬定第二期作戰計劃。27 日，蔣介石到五華縣華陽地區督戰，輕敵冒進，為敵所敗。危急中，蔣介石曾舉槍企圖自殺，被共產黨員，時任師長的陳賡所救。陳連背帶拖，將蔣救出。[3]28 日，第一、第二兩縱隊會合，與洪兆麟部在華陽、河婆激戰，擊潰洪軍包圍圈，殲敵五千餘人。此役被視為"東征成敗的最大之關鍵"。[4]同日，東征軍總指揮部下令拆毀惠州城。11 月 6 日，蔣介石致電國民政府告捷。

這一時期，蔣介石繼續在各種場合發表革命言論。10 月 21 日，他參加平山各界歡迎革命軍大會，發表演說，聲稱"革命是為各界（解除）痛苦的，所以革命軍就是農民的軍隊，工人的軍隊，也就是各界一切人民的軍隊"。他提出："軍隊保護人民，人民幫助軍隊，革命軍要打出一條光明之路，與人民同走，在革命成功之後，各界人民方有幸福可享。"[5]27 日，蔣介石致電廣東工人代表大會，表示"軍行所至，自當秉承黨綱，扶植農工，完成國民革命之工作"。[6]11 月 7 日為蘇俄革命八週年，蔣介石在東征軍總指揮部宴請蘇聯軍事顧問，發表演說，肯定孫中山的"聯俄政策"，聲言"要真正的革命成功，一定要照俄國革命的方法去做，才是總理的真正的信徒"。[7]11 月 16 日，他更在汕頭市總商會歡迎會發表演說，聲明"國民黨不是共產黨，國民革命軍不是共產軍"。"本黨主張'平均地權，節制資本'，不許大地主、大資本家再現於中國。"他

---

1 《廣州民國日報》1925 年 10 月 23 日。
2 《通電表明願解除軍權心跡》，《"總統"蔣公思想言論總集》卷 36，第 159—160 頁。
3 參見《陳賡傳》第 2 章，當代中國出版社 2003 年版。
4 《民國十五年以前之蔣介石先生》卷 2，第 735 頁。
5 《廣州民國日報》，1925 年 10 月 31 日。
6 《廣州民國口報》，1925 年 10 月 27 日。
7 《蔣校長演講集》，第 1—10 頁。《蔣介石日記》（手稿本），1925 年 11 月 7 日。

說："本黨的主義是三民主義,是現在中國處在帝國主義勢力之下最需要的主義。""能夠拯救中國,得到獨立自由的,只有這個主義。"他並且將中國資本家與歐洲英美的"大資本家"對比,認為中國的資本家"算不得是一個資本家","怎麼能夠說共產呢"?[1]

上述言論,表明當時蔣介石的思想還處在孫中山思想的影響之下,正在不斷左傾,但是,其中也包含著某些危險的因素。例如,他認為中國不是歐美,根據中國國情,高度肯定孫中山的"節制資本"等思想,自然有其道理。不過,他將"三民主義"說成是當時中國"最需要的主義",並且說:"只有這個主義",這就包含了和中共的思想、主張發生衝突的危險。不幸,這一"危險"很快就爆發了。

12月15日,蔣介石上書軍事委員會,建議改革軍政,內容之一為撤廢"軍長"職銜,各師直接受軍事委員會的節制統帥,避免形成"尾大不掉"、"軍權割據"局面。內容之二為,軍人不得干涉財政、民政及司法,有關官員,均由中央政府、省政府委派,各軍隊不得過問,否則立即予以最嚴厲之制裁。[2]

這一時期,國共兩黨處於合作時期,蔣介石所行所言,大都符合時代潮流;有些意見,雖未必正確,但包含合理成分。例如,他建議改革軍政,其中撤廢"軍長"一項,未必妥當,也未必可行,不過,卻是他繼辭卸第一軍軍長之後的又一項自我約束和防範舉措。

蔣介石反對"軍閥割據",憎惡"舊軍閥",不過歷史愛作弄人,過了若干年,蔣介石還是成了中國共產黨所嚴厲批判的"新式軍閥"。

---

1 《民國十五年以前之蔣介石先生》卷2,第754頁。

2 《蔣中正建議改革軍政以利北伐》,《蔣中正"總統"文物》,台北"國史館",002-020100-00001-013。

蔣介石和上海證券物品
交易所 *

——蔣介石下海從商的緣由、經過與感受

＊ 本文錄自《蔣氏秘檔與蔣介石真相》，重慶出版社 2015 年版。

上海證券物品交易所是在近代中國政治史、經濟史上起過重要作用的機構。從 1918 年至 1923 年，蔣介石和它發生過密切關係；它也曾給予蔣的生活、思想以深刻影響。1920 年初，蔣甚至有過以經紀人為職業，"作棉花、棉紗買賣"的念頭。[1] 但是，前此有關論述大都依靠個別人員的回憶錄，或流於膚淺，或謬誤連篇。本文將根據確鑿的文獻和檔案資料清理有關史實，希望能在大多數問題上作出比較準確、清晰的說明。但是，由於某些環節的資料尚感不足，因此，本文又還難以說明全部問題。進一步的探討，有待於更多研究者的關注和更多資料的發現。

一、上海交易所是孫中山倡辦的

　　孫中山在多年的革命生涯中，始終為經費所窘。1916 年 12 月，孫中山接受日本某政黨的建議，決定與長期支持中國革命的日本神戶航運業巨頭三上豐夷共同在上海開辦交易所，企圖以盈利所得資助革命。同月 5 日，由戴季陶出面與三上的代表中島行一簽訂草約，規定資本總額為上海通用銀元 500 萬元，

1　蔣介石 1920 年 1 月 1 日日記云："今年擬學習俄語，預備赴俄考察一看，將來做些事業，或學習英語，遊歷世界一周，訪探各國政治，以資採擇。二者如不能，即在事業方面立足，組織棉麥會社，種植棉麥，否則充當經紀人。作棉花、棉紗買賣。"

日方提供 250 萬元，作為無息貸款，所得紅利，日本資本團得十分之八，創立人得十分之二，同時規定，交易所須聘用日本資本團推選的精通業務之人為顧問，合議處理一切[1]。其後，對草約個別條款作過修改，即行定案，簽字者有孫文（中山）、趙家藝、虞和德（洽卿）、張人傑（靜江）、洪承祁、戴傳賢（季陶）、周佩箴等 11 人[2]。次年 1 月 22 日，由孫中山領銜，虞洽卿、張靜江、戴季陶等 8 人附議，向北京政府農商部呈請，成立上海交易所。呈文首先歷述中國缺乏交易所的種種弊病，中云：

> 上海為全國物產集散之樞紐，所有大宗物產交易均由各業商人任意買賣，價格無適中之標準，交易無保證之機關，恐慌無從預防，金融不能活動，且經紀人亦漫無限制，於工商業之發展，窒礙實多，雖各業有各業之公會及任意集合之市場，然既無確實之資金，又無完備之組織，政府難於監督，商人無所置信，是以大宗物產之價格，一二外國經紀人常得自由操縱之，病商病國，莫此為甚。至於有價證券之交易，亦無一中心之機關，已發行之公司股票不能流通，新發生之公司不易招股，已發行之公債價格日見低落，將來國家或地方發行公債更難於辦理。因此之故，中國公司多於外國政府註冊，以圖其股票可以賴外國交易所而流通，中國之投資者亦多棄本國公債於不顧，而樂購外國之公債，且各公司之內容，無一機關調查保證之，買入賣出，漫無所察，一旦破綻發生，股票頓成廢紙，往往因一公司之內容缺陷，致市場大起恐慌。凡此種種禍患，皆由無資本充足、信用確實之交易所有以致之，不能徒責商人之無愛國心也。

呈文聲稱："交易所之組織，則以證券交易、物品交易二者同時經營為最有益於上海市場，尤能助中國一盤實業之發展。" 據有關人員回憶，該文由朱執信起草，但既由孫中山領銜，應視為孫中山的重要佚文。

根據該呈文，上海交易所申報的業務範圍有證券、花紗、金銀、中外、皮

---

1 《創立上海交易所股份有限公司協定豫約案》（戴季陶手跡），山田純三郎檔案，日本愛知大學藏。又，1917 年 2 月 29 日日文《上海日報》對此有簡要報導，並摘錄了合同中的 2、3、7、8、9 各款。

2 《孫文壟斷上海市面之大計劃》，《晨鐘報》，1917 年 4 月 6 日。其主要修改為規定："本借款之金額交款後，用創立人名義存入日本正金銀行，以信用狀在正金銀行上海支店支用所存正金銀行本店內日本金額之上海銀元交付股款。"

毛等 7 項[1]。2 月 24 日，北京政府農商部批准先行經營證券；關於物品交易，咨請江蘇省長查復報部，再行核辦[2]。同月，戴季陶赴日，在東京證券交易所內設立籌備處[3]。但是，正當籌備工作緊張進行之際，張勳在北京擁溥儀復辟，上海市面頓時陷入混亂，銀根突緊，拆息猛漲，商業停滯，交易所籌辦暫停。

1918 年，戴季陶、張靜江、蔣介石等共謀利用前案，繼續申辦。戴等秘密組織協進社，吸收原發起人虞洽卿、趙家藝、洪承祈為社員。同年 3 月，日人在上海成立取引所（交易所）股份有限公司，經營證券、棉紗、棉花等，企圖操縱上海市場。各業商董認為：“我不自辦，彼將反客為主，握我商權”[4]，因此，虞洽卿等於同年 7 月成立預備會，推虞及趙林士、鄒靜齋、盛丕華、周佩箴五人為籌備員[5]，上海工商界知名人士溫宗堯、聞蘭亭（漢章）、李云書、張澹如、沈潤挹、吳耀庭、顧文耀等紛紛加入為發起人。此後，遂由虞洽卿領銜，呈請北洋政府，以“時會之趨勢，實不容再緩”為理由，要求“將證券、物品一併開辦”，得到批准。但是，上海各商幫旋即產生分辦、合辦之爭。原發起人金業董事施兆祥、徐甫孫擬申請成立上海金業交易所，原上海股票交易公會的范季美等人擬申請成立證券交易所。1918 年 4 月，北京政府農商部要求分為三家交易所辦理。虞洽卿等據案力爭，農商部訓令上海總商會召集各商幫討論，並飭江蘇實業廳詳查。結果輾轉遷延，不能決定。1919 年 6 月 27 日，農商部認為合辦資本勢力較為雄厚，取決多數，以合辦為宜，准予先行開辦[6]。此令既下，上海金業、股票兩業仍有異議。12 月 20 日，農商部再令，要求從交易所營業範圍內除去證券、金類，以免糾葛，但虞洽卿等旋即提出異議，呈請免於修改。

1920 年 2 月 1 日，上海證券物品交易所在總商會開創立會。計股東 572 戶，10 萬股，到場股東或代表 408 戶，代表 85408 權[7]，超過半數。會議公推虞

1 《孫文等上北京政府農商部呈文》，原件，未刊；參見魏伯楨：《上海證券物品交易所與蔣介石》，《文史資料選輯》第 49 輯，第 149 頁。
2 轉引自虞和德：《致農商部事略》，《舊上海的交易所》，上海古籍出版社 1992 年版，第 19 頁。
3 參見趙立人：《孫中山與上海證券物品交易所》，《孫中山與近代社會》，廣東人民出版社 1996 年版，第 165—174 頁。
4 虞和德：《致農商部事略》，《舊上海的交易所》，第 19 頁。
5 《證券物品交易所創立會紀事》，《申報》，1920 年 2 月 2 日。
6 《上海縣知事公署訓令第 404 號》，上海市檔案館編：《舊上海的證券交易所》，上海古籍出版社 1992 年版。
7 權，指各股東的議決權，一股一權。

洽卿為臨時主席。虞在致詞中追溯了中國交易會的發起歷史，聲稱 20 年前，即有袁子壯及周熊甫二君提議創辦，但未成事，"民國五年冬間，孫中山先生又復發起，鄙人追隨其後"，"屈指二十載，交易所之創造艱難，一至於斯。幸今日股本已超過原額數百股，可知我國商業之程度日高，將來本所之成績，必大有可觀"，云云。會議選舉理事 17 人，監察人 3 人。虞洽卿以 81633 權居理事第一位。[1] 張靜江被選為候補理事。蔣介石的同鄉、同志周駿彥（枕琴）以 53860 權當選為監察人。對此，蔣介石日記云："枕琴當選為交易所監察人。"[2] 可見，他是相當重視的。周駿彥在辛亥前被官府選派赴日留學，入警監學校，與蔣介石結為同志。曾參加寧波光復之役，為奉化軍政分府負責人之一。1911 年冬，在蔣介石麾下任軍需科科長。後任寧波商業學校校長。二次革命失敗，蔣介石受通緝，周曾將蔣藏於校內。[3] 2 月 6 日，交易所召開理事會，選舉虞洽卿為理事長，聞蘭亭、沈潤挹、趙林士、郭外峰、鄒靜齋、盛丕華為常務理事。[4] 其中，寧波人郭外峰曾在日本長崎道勝銀行工作 18 年。

二、蔣介石組建茂新號，陳果夫充當經紀人

從孫中山倡辦交易所之日起，蔣介石即奉命與戴季陶、張靜江等共同參與籌備。

1920 年 4 月，蔣介石因與陳炯明不合，從福建漳州的粵軍總部回到上海，與陳果夫共同籌辦友愛公司。同年 6 月 3 日蔣介石日記云："擬與果夫訂定友愛公司資本共銀五千圓，先由中正全部墊付。先購上海物品證券交易所四百股為基本。定為十股。豐鎬房七股，果夫、駢夫、幹夫各約一股，推定果夫為義務經理。"陳果夫的岳父朱五樓原在上海經營福康錢莊。1918 年 5 月，陳經其岳父介紹，到滬任晉安錢莊助理信房。1919 年，他曾借用蔣介石存在晉安的一千

1　《證券物品交易所創立會紀事》記虞洽卿得票為 82833 權，見《申報》，1920 年 2 月 2 日。
2　蔣介石日記（毛思誠分類摘錄本），未刊，1920 年 2 月 1 日，中國第二歷史檔案館藏。本文所引蔣氏日記，均同，不一一注明。
3　王舜祈：《蔣介石故里述聞》，上海書店出版社 1998 年版，第 200—201 頁。
4　《上海交易所電報舉定理事長》，《申報》，1920 年 2 月 8 日。

多兩銀子，"做了一筆洋鈿生意"，三個星期賺了六百幾十兩銀子。[1] 因此，在革命黨人中，陳比較熟悉金融，懂一點經營之道。這是蔣介石推陳出任義務經理的緣由。不過，這個友愛公司似乎並沒有成立起來。計劃剛定，蔣介石迅即碰到了國際金融風潮。倫敦、紐約銀價下跌[2]，上海的銀價也隨之突然大落。這一事件使蔣介石的經商遇到了第一次挫折，加之這一時期，蔣介石的家庭生活也出現矛盾。失意之餘，蔣介石離開上海，寄情山水去了。《年譜》云："公以戎謀莫展，而閨房與商業又連不得意，遂乃漫遊以舒鬱懷。浮海至普陀……凡遊六日而倦還。"[3]

普陀歸來後，蔣介石繼續與張靜江等商量交易所事宜。1920 年 6 月 26 日，蔣介石日記云："往靜江家，與佩箴商議公司事。"佩箴，指周佩箴，吳興南潯鎮人，與張靜江有姻親關係，原為上海證券物品交易所理事，1920 年 5 月 29 日被補選為常務理事。這裏所說的公司當即幾天後出現的茂新公司。

同年 7 月 1 日，上海證券物品交易所開幕。王正廷、王正亭及江蘇省長、上海道尹代表等三千餘人等出席致賀[4]。當日。上海《申報》出現了一則廣告："上海證券物品交易所五四號經紀人陳果夫，鄙人代客買賣證券、棉花，如承委託，竭誠歡迎。事務所四川路 1 號 3 樓 80 室。電話：交易所 54 號。"[5] 關於此事，陳果夫回憶說："蔣先生就要我和朱守梅（孔揚）兄，及周枕琴（駿彥）先生，趙林士先生等商量，組織第五十四號經紀人號，名茂新，做棉花、證券兩種生意，推我做經理，守梅兄做協理。"[6]

此後幾天內，蔣介石日記連續出現關於茂新號的記載，可見此事已成為蔣的興奮中心，也可見他為此焦思苦慮的情況：

> 1920 年 7 月 5 日，蔣介石日記云："今日為組織茂新公司及買賣股票事，頗費苦思，終宵不能成寐。"

---

1 陳果夫：《商業場中》，《陳果夫傳先生全集》，第 54 頁。
2 據中美新聞社消息，6 月 9 日倫敦電匯及遠期銀價各跌 6 便士，紐約銀價跌至 8 角 4 分。見《銀市報告》，《申報》，1920 年 6 月 10 日。
3 中國第二歷史檔案館編：《蔣介石年譜初稿》，檔案出版社 1992 年版，第 41 頁。
4 《證券物品交易所開幕紀》，《申報》，1920 年 7 月 2 日。
5 《申報》，1920 年 7 月 1 日。
6 《陳果夫先生全集》第 5 冊，第 55 頁。

1920 年 7 月 6 日，蔣介石日記云：「晚在寓商議茂新公司組織法。」

1920 年 7 月 7 日，蔣介石日記云：「赴茂新公司。」

辦友愛公司時，蔣曾表示，全部資本由他負責；但在組建茂新公司時，其資金則並非來源於蔣。據陳果夫回憶：它的開辦，最初由朱守梅出資兩千元，又由陳果夫向晉安錢莊借了一千兩銀子。資本總數不過三千數百元現金。

茂新號開業後並不順利。第一天開張，就虧了一千七百餘元。與此同時，蔣介石委託朱守梅代購股票，價格上也吃虧很大。朱原是蔣介石的奉化同鄉，畢業於兩浙高等師範學校，初營商業，沒有經驗。6 月 25 日，證券物品交易所股票上市試驗，收盤價每股 29.9 元。[1] 27 日，價格陸續上漲。到 7 月 4 日，已經漲到開盤價 31 元，收盤價 31.2 元；下午繼續上漲（開盤價 31.6 元，收盤價 31.9 元，記賬價 32 元）[2]。以後幾天中，價格陸續升高，至 7 月 4 日，已經漲到每股 42 元。朱守梅在低價時沒有買進，到高價時，才突然收購。蔣介石得悉此訊，極為懊惱。日記云：「益卿來舍，上交股票漲至四十二元，甚是驚憂。即往茂新訪守梅，乃悉前託代買股票，均四十二元價購入。初營商業者之不可靠如此，可歎！已而果夫趨至，淒咽含淚而訴，情殊可憫，乃知其膽量甚薄也。」

蔣介石託人買進高價股票本已吃虧，他完全沒有想到，幾天後，價格卻又突然回落。蔣介石在福建接到陳果夫電報，獲悉有關消息。日記云：「接果夫電，悉上交股票慘落，虧本至七千餘元，乃知商業不易營。然大半為果夫、守梅所害。星相家謂我五六月間運氣不好，果應其言，亦甚奇也。」兩天後，又記云：「接果夫信，知其膽小多疑，不能主持營業也。」

蔣介石此次赴閩，本是孫中山、廖仲愷、胡漢民等人力勸的結果，目的是協助陳炯明、許崇智處理軍務。蔣介石對陳炯明有意見，到閩後，又發現陳、許二人不和，認為事無可為，便於 8 月 5 日離閩返鄉。在老家，他依然惦念上海證券物品交易所的買賣情況，思考對策，並派人赴滬傳達他的意見。[3] 下旬返

---

1 《申報》，1920 年 6 月 25 日。

2 《申報》，1920 年 6 月 27 日，第 12 版。

3 蔣介石 1920 年 8 月 20 日日記云：「下午假眠時，甚思以後交易所之買賣，派阿順赴滬。」

滬後，又親到交易所參觀，污濁的空氣和嘈雜的人聲令蔣介石感到頭暈腦脹，不禁產生經紀人難當的感歎[1]。

茂新號初期營業不利，後來逐漸興旺。陳果夫回憶說："茂新的股本，由一萬加至一萬五千元，慢慢的又增到三萬元。每天開支不到三十元，而每天生意，在最差的時候，傭金收入總在三十元以上，最好則有二千元。生意的興隆可想而知。"[2] 於此可見，陳果夫在經營上還是有一套辦法的。

三、擴大投資，成立恆泰號

茂新號初期營業不利，蔣介石等即集議改組。9月2日，蔣介石決定退出6股[3]。第二天，蔣介石訪問張靜江，因為心情不好，狠狠地揍了車夫一頓[4]。9月5日，蔣介石、陳果夫、朱守梅等人再次集議，研究公司改組事宜。蔣介石決定投資4000銀元，作為與張靜江合作的本錢；同時決定投資5000元，託人經營臨時商業[5]。同月22日，蔣介石再次訪問張靜江，談經商事，蔣介石決定投資15000元作為成本[6]。

當蔣介石雄心勃勃地要在商業上大幹一場之際，粵桂戰爭正在緊張進行。9月30日，蔣介石離開上海，趕赴前線。但是，又因與陳炯明意見不一，於11月12日回到上海，次日回到老家。11月25日，孫中山應粵軍許崇智的要求，離開上海，前往廣州。張靜江、戴季陶要求蔣與孫中山同行，戴並曾到甬相勸，聲色俱厲地責以大義，但蔣仍堅決拒絕[7]。

12月上旬，蔣介石再到上海，15日，決定與張靜江等17人合作，繼續經營上海證券物品交易所的經紀人事業，定名為恆泰號。議定條件如下：

1　《蔣介石日記》，1920年8月30日。
2　陳果夫：《商業場中》，《陳果夫先生全集》第5冊，第57頁。
3　《蔣介石日記》，1920年9月2日。
4　《蔣介石日記》，1920年9月3日。
5　蔣介石1920年9月5日記云：1920年9月5日，蔣介石日記云："果夫、守梅、岡栢諸君集議改組公司事，付新銀元四千元，作為與靜江合本，五千元託孫鶴皋營臨時商業。晚結賬，茂新連資本五股，及欠我四千四百元，尚欠銀九千四百元。"
6　蔣介石1920年9月22日記云："傍晚，訪靜江兄，談營商事。余擬投資一萬五千元以為成本。"
7　《蔣介石年譜》，第47頁。

1. 牌號。定名為恆泰號，經紀人由張君秉三出名。

2. 營業範圍，暫以代客買賣各種證券及棉紗二項為限。

3. 資本額，計上海通用銀幣三萬五千元，每股一千元。

4. 佔股數目，蔣偉記四股，張靜江五股。

5. 此契約成立於上海租界，一式十八份。[1]

該合同現存，下有吳俊記等 17 人簽名，其中小恆記是戴季陶的化名，吟香記是周佩箴的化名，陳明記是陳果夫的化名，朱守記是朱守梅的化名，張秉記是張靜江的姪子張秉三（名有倫）的化名，張靜記是張靜江的化名，張弁記是張靜江的哥哥張弁群的化名，蔣偉記名下，蔣介石親筆簽了中正二字。[2] 不過，其股份是由張靜江代認的。[3]

這一年，與蔣介石有關的商業繼續虧本[4]。

上海證券物品交易所開業後，虞洽卿曾於 1920 年 9 月向農商部呈請註冊，同年 11 月，虞並親自到北京活動。但是，由於江蘇省議會及張謇都致電農商部，要求在《交易所法》未修正前停發執照，上海證券物品交易所的註冊因此受阻。直到次年 3 月 7 日，虞洽卿再次向農商部呈請發給營業執照時，才出現轉機。3 月 14 日，陳果夫致函蔣介石，報告申領執照及擴大金銀業務等喜訊，函稱："股票價格前日稍稍回頭，大約今日可以望好，因為執照今日可以在北京發給，發給後，金即欲發表，所以只幾天可以望好。"[5] 不過，直到當年 6 月 25 日，北京政府農商部才批准發照。[6]

張靜江等鑒於即將領到營業執照，決定擴大恆泰號的業務範圍，增加代客買賣金銀業務，資本額 4 萬 6 千元，每股 100 元。計蔣偉記 44 股，張靜記 55 股。[7] 但是，業務仍然很不順利。

當年 1 月下旬，蔣介石在孫中山一再催促下，離開奉化，於 2 月 6 日抵

---

1 《舊上海的證券交易所》，上海古籍出版社 1992 年版，第 105—107 頁。

2 參見陸丹林：《蔣介石、張靜江等做交易所經紀的物證》，《文史資料選輯》，第 49 輯。

3 蔣介石 1921 年 1 月 10 日與張人傑書："代認恆泰股份，甚感，請為簽字。"見《蔣介石年譜初稿》，第 55 頁。

4 蔣介石 1920 年 12 月 31 日日記云："今年費用，除營商輸本外，不下七八千元之譜。"

5 手跡。

6 《舊上海的證券交易所》，第 24 頁。

7 《舊上海的證券交易所》，第 123—124 頁。

達廣州，參加討論援桂作戰計劃。不久，因與陳炯明發生矛盾，於同月回返奉化，其後就一直留在家裏。4月間，蔣介石接連收到張靜江的告急電報，聲稱"商戰為人環攻，請速來拔救"。蔣介石不知道恆泰號到底發生了什麼事，既擔心，又氣惱，一時神情失常。但是，蔣介石很快就自覺不夠鎮靜，在日記中嚴厲自責："愁怖之容，暴躁之氣，即不可遏，何其鄙也！"[1]

在張靜江連電告急的情況下，蔣介石匆匆趕赴上海，和陳果夫、戴季陶、張靜江等商量挽救辦法。4月17日，蔣介石日記云："果夫來晤，談靜江兄因交易所為人攻擊事，往訪煥廷兄。旋詣大慶里，與季陶討論營商失敗挽救法。"次日日記云："下午，與靜江、季陶聚議，營救商業事。"兩天日記，雖是寥寥幾行，但蔣介石等人的焦急情狀，歷歷可見。不過，半個月之後，命運之神就又給蔣介石等人送來了喜訊：股票價格上漲。5月2日：蔣介石日記云："接靜兄函，知交易所股價漲至百零八元。"5月5日，日記又云："接守梅電，交易所股票漲價至一百二十四元。"對於股民來說，沒有比股價暴漲更好的消息了，蔣介石興奮之餘，在日記中寫下了四個字："私心慰甚！"[2]

孫中山於4月7日在廣州被選為非常大總統。計劃發動討桂戰爭。4月18日孫中山致電蔣介石，告以"軍情緊急"，要他迅速來粵襄助；陳炯明、許崇智、胡漢民、戴季陶等人也函電交馳，敦促蔣介石赴粵。5月10日，蔣介石啟程。在粵期間，蔣介石收到陳果夫一函，報告交易所情況以及他和張靜江之間的矛盾，中云：

> 靜公為欲取回高所沒收證金之一部（即我們四家共做老股三萬股，計納證金一百廿萬元，被沒收者，外間只拿到七十五萬，其餘四十五萬，原為本所填補差金，現擬取回者即此一部分）囑我去商者約七八次。然彼自作主意，未嘗納我絲毫意見。我亦因不善語言，故有意往往不能盡達。且此時以為可辦，並不反對。近日彼大有急急動作之意，姪不得不細心考察。考察結果，以為此事現在萬不可行，而二先生只顧自己一方面，不管他人為難。且此事由屬君為之奔走，難免為他方所利用，一舉而成，則彼

1 《蔣介石日記》，1921年4月15日。
2 《蔣介石日記》，1921年5月2日。

等坐失其利。否則我方名譽損失之外，尚須再棄若干辛苦錢。現在所中所怕者是空頭，餘款由空頭來爭，而且未必能得，如由多頭爭，則將由上海全埠之人所唾罵，即使用全力致勝，空頭方面豈不又有說話，甚至要和你辦大交涉。因為當時糊裏糊塗過去，現在明白了，做三萬吸多頭者原來是你，即使你拿得到，也是不得安枕，況且我們經紀人是代客買賣，現在我們代表買方出場，將何以對得起一班吃虧最大，空頭、套頭的客人！所以我想來想去，不能替他做這一件事。我已經拒絕他了。不知我叔之意見如何？我擬將客人的交易如數了清之後，經紀人也不要做了，將茂新停辦。[1]

函中所言"空頭"，指賣出股票者；"多頭"，指買進股票者；"套頭"，指利用近期和遠期股票的差價以套取利潤者；"我叔"，指蔣介石。據此函所述可知：張靜江等做"多頭"，買進交易所"老股"3萬股，由於判斷錯誤，保證金120萬元被沒收，其中75萬賠償損失，另45萬元有可能收回。張靜江急於動作，挽回損失，和陳果夫商量過七八次，但陳認為此時萬不可行，如做，不僅錢收不回來，而且有可能被全上海人唾罵，因此堅決拒絕，和張發生爭論。同函又云：

他前天晚上說名譽不顧這些氣話，但是我不能不顧他和我們的名譽，況且還是名譽壞了也必無效果的事情。

可以看出，張、陳之間已從挽回損失的時機發展為要不要名譽的爭論。張靜江聲稱"名譽不顧"，可見此次生意失敗給予他的刺激。

四、與張靜江、戴季陶等合資經營利源號

上海證券物品交易所開始營業後，半年內即盈利50餘萬元。於是，各業"如發狂熱"，紛紛效法，上海華商證券交易所、麵粉交易所、雜糧、油餅業交易所、華商棉業交易所等陸續成立。《申報》調查報告稱："本年（1920年）秋

---

1 《陳果夫致蔣介石函》，1921年5月12日，手跡，中國第二歷史檔案館藏。

後，交易所鼎盛一時，風起云湧，各業以有交易所為榮耀。"[1] 至 1921 年 10 月，上海已有交易所 140 餘家，額定資本達一億八千萬元。[2]

此際的張靜江、戴季陶等人自然更加興奮。1921 年 5 月 31 日，張、戴與徐瑞霖等簽訂合同，決定合資創辦上海證券物品交易所利源號經紀人營業所，以吳梅岑為經理。該所資本總額三萬元，每股一千元，共三十股，其中，張靜江一股，戴季陶一股。蔣介石三股，由戴季陶代簽[3]。

利源號辦起來了，也和茂新、恆泰的最初的命運相似，受到同行排擠，使蔣介石極為憤慨。7 月 8 日，陳果夫致函蔣介石，報告營業疲軟的情況，函稱："靜公因公司尚未了結，日來交易不做，公司進行以廿餘元為事。近日價格極疲，姪看勢頭不至於大漲。且二元半之息，不能引起投機與投資家之興會也。"[4] 信中所反映的完全是一種事無可為的心態。但是，事實正好相反，7 月 10 日，上海證券物品交易所召開第三次股東會，張靜江被選為理事。18 日，張靜江等決定擴大利源號的業務範圍，"兼辦金業"，同時決定每股追加股本二百元。計蔣介石追加 600 元，張靜江、戴季陶各追加 200 元，共 6000 元[5]。其後，利源號的業務越做越大。陳果夫致函蔣介石，報告張靜江大量購進股票和股票價格飛漲的情況：

> 靜江先生近來對於股票買進有增無減，公司益打益大，聽說和從前做空頭的人也有聯絡。不過時局不好，多拿在手中，不免危險耳！前日價格漲到二百四十二元，如照此價格出去，賺錢一定不少。

這一段時期，上海股票業正處於黃金時期。不僅張靜江等人幹勁十足，而且蔣介石、陳果夫等最初發起的茂新號，也大賺其錢。陳果夫在同函中向蔣介石報告說：

> 茂新自去年九月至今年六月止，共淨盈洋一萬八千四百零一元七角

1 《辛酉年各業交易之概況》，《申報》，1922 年 1 月 23 日。
2 舊金山日報（*The Sun Francisco Journal*），轉引自《外人論中國商人道德之墮落》，《申報》，1921 年 3 月 16 日。
3 《舊上海的證券交易所》，第 120—121 頁。
4 《陳果夫致蔣介石函》，手跡，中國第二歷史檔案館藏。
5 《舊上海的證券交易所》，第 122—123 頁。

八，清單明後日可以寄上。新豐名下應得發起人酬金洋一千零八十二元四角，又紅利一千八百六十四元九角。下星期擬開股東會，吾叔到申一行否？否則請將意見知下，加股若干？[1]

除茂新外，函中提到的"新豐"，應是蔣介石參加發起的另一個經紀人營業所，不過，關於它的情況，目前還沒有更多的資料。

從陳果夫函還可以發現，這一時期，蔣介石和朱孔揚等又在組建"第4號經紀人鼎新號"，做棉紗與金銀生意，由朱孔楊任經理，陳果夫為協理。函云：

> 現在資本一萬五千，除花、證、金三種，保證金一萬八千元外，尚有付鼎新資本洋二千元。如將紅利分派，無活動餘地，故非加添資本不可。

至此，蔣介石已先後投資茂新、恆泰、利源、新豐、鼎新等五家經紀人事務所，可謂竭盡全力了。

五、畸形發展後的衰落，張靜江、蔣介石大虧本

事物的發展規律是盛極必衰。上海的交易所事業雖然一時繁榮，但是，當時國內商業並不景氣，交易所畸形發展，每個交易所的營業額必然大量減少，資金不足，緊跟著的必然是衰落。從 1921 年 8 月起，上海的交易所事業開始走下坡路[2]。9 月 28 日，陳果夫致函蔣介石云：

> 交所情形仍惡，市價變動非常，紗尤甚，花次之。所做客人因交所不可靠，多存於號者絕無，積欠於號者漸多，此次紗之下跌，鼎新因循，不免有吃虧矣！[3]

函中，陳果夫告訴蔣介石，由於擔心商情危險，決定從 10 月 1 日起停止茂新號的業務，辭去鼎新號的協理職務，將家眷遷回湖州老家。陳並稱："茂新結

---

1 《陳果夫致蔣介石函》，手跡，中國第二歷史檔案館藏。
2 參見徐鼎新、錢小明：《上海總商會史（1902—1929）》，上海社會科學院出版社 1991 年版，第 433 頁。
3 《陳果夫致蔣介石函》，手跡，中國第二歷史檔案館藏。

束事已與靜江先生接洽，靜江先生亦贊成，想吾叔亦必贊成也。"不過，後來茂新並未"結束"，可能出於蔣介石的反對。

陳函所反映的情況實際上是整個上海交易所事業的縮影。據統計，1921年11月，上海有38家交易所歇業。12月，歇業者幾乎每天都有。次年2月，上海法租界工部局發佈《交易所取締規則》，規定了嚴格的管理和懲罰條例[1]。至1922年3月，各交易所驚呼"空氣日非，社會信仰一落千丈"[2]，紛紛停業清理，經紀人因破產而自殺者也頗不乏人，蔣介石的同鄉、同志周駿彥也曾一度自殺。以見之於《申報》廣告和有關報導為例，3月份即有棉布匹頭證券交易所、中國糖業交易所、中華國產物券交易所、上海綢商絲織匹頭股券交易所籌備處、公共物券日夜交易所、中美證券物產交易所、上海五金交易所、上海糖業交易所、上海紗線證券市場、上海華煤物券交易所、上海內地證券交易所、神州物券日夜交易所、中外交易所、浦東花業交易所、東方物券交易等宣佈停業，成立清理處。當月上海全市能維持營業的交易所只剩下12家。[3] 3月25日，具有同業公會性質的上海交易所公會決議解散。[4] 4月8日，江蘇督軍和省長會銜訓令：未經領照各交易所，一律解散；已領照者，勸令改營他業。[5]。

交易所屬於投機事業，其興也勃，其衰也速。當時有人撰文云："去年海上各種交易所勃興以來，風起云湧，盛極一時，投機事業，舉國若狂……不及匝年，鼉耗迭起，某也併，某也閉，某也訟，某也封，某也逃，某也死，而最近若最初開張之某交易所，亦以風潮聞。昨日陶朱，今日乞丐。飆焉華屋連雲，飆焉貧無立錐。"[6]

大環境不利，上海證券物品交易所自難獨善其身。

最初，情況還是不錯的。1922年1月8日，上海證券物品交易所資本總額已達18,719,752元，盈利661,129元[7]。當日股東會決定提取50萬元作為第三屆

1　《申報》，1922年2月4日。
2　《上海綢商絲織匹頭股券交易所籌備處通告》，《申報》，1922年3月7日。
3　《舊中國交易所介紹》，參見《取締後之法租界交易所》，《申報》，1922年3月7日。
4　《交易所公會議決解散》，《申報》，1922年3月26日。1921年9月上海交易所公會成立。
5　《蘇長官取締交易所之會令》，《申報》，1922年4月8日。
6　《交易所之教訓》，《申報》，1922年3月6日。
7　《上海證券物品交易所股東會紀》，《申報》，1922年1月9日。

股東紅利。"每一老股 5 元，新股 4 股作一老股。"[1] 會上，戴季陶提出，增加股銀 500 萬元，作為附加份股。分為 25 萬股，每股 20 元，一次繳足。各股東均表贊成。隨後，虞洽卿提出成立上交銀行，經討論。決定資本總額 1 千萬元，分作 20 萬股，每股 50 元。這次會上，周駿彥以 69806 權繼續當選為監察人。11 日，上海證券物品交易所在報上刊登《發給紅利公告》，通告股東前來領取紅利。但是，情況迅速發生變化。2 月 24 日，交易所在買賣本所股票時，因買方資金不足違約，證券部停止交割，引起恐慌。

關於此事，周駿彥向蔣介石寫信報告說：

> 查上交風潮之起，初由於賣空者造謠，實由於做多頭者乏款收現。二月二十三日，彥因茂新號電召到申，此時外面已有謠言，所中拍板如常。果夫先生詢之做多頭者，猶云資本已備，可無患。迨二十四□□□，證券部倏然停版，聞因做多頭者向某處所□（借）英洋三百萬元一時被絕，致有此變。證券部因此停止交割，大起恐慌。後由聞蘭亭等雙方調解，做多頭者貼現洋五十萬元，所中墊洋五十萬元（以九六鹽餘公債一百萬元相抵），並將多頭家代用品一百萬元沒收，以支配賣出者，計賣出六萬餘股。

同函並提出，此次事故，由交易所洪承祈、盛丕華造成。函稱："此次交易所被做多頭者拆坍，非特前此開辦時一番之熱心及功績盡歸烏有，且市面動搖，寧幫大失體面，實為洪、盛諸惡所害（此中原因極複雜，大約洪、盛諸君實為首禍，做多頭失敗，亦因洪君之故居多，今洪君俱已先後相逝矣），言之殊堪痛心。"[2] 這次風潮，使得蔣介石前所未有地大虧其本。3 月 15 日，蔣介石日記云："今日接上海電，言交易所波靡，靜江失敗，余之損失可觀，度已傾倒一空。"

關於此次風波，魏伯楨另有說法。魏是上海交所的理事之一。他晚年時回憶說：戴季陶、張靜江等"以為他們有實力（有每股一百二十元市價的四萬股股票），因而大做本所股買賣"。"不僅不繳證據金反而強迫常務理事郭外峰、聞蘭亭（他們是管理市場業務的）等收受空頭支票，充作現金。同時現貨與期

1　《上海證券物品交易所股份有限公司發給紅利公告》，《申報》，1922 年 2 月 22 日。
2　《周枕琴致蔣介石函》，手跡，中國第二歷史檔案館藏。

貨（本月期貨與下月期貨）的差價越來越大，差金打出愈多，致會計上的現金大量支出。交易所由外強中乾到捉襟見肘，拖延到 1922 年 2 月，宣告‘死刑’，大量股票一旦變為廢紙，大富翁變為窮光蛋了。”[1] 魏與周，二人關於責任者的說法不同，但關於破產原因的說法則有一致之處。

違約事件發生後，2 月 28 日，由聞蘭亭及經紀人公會出面調停，勸賣出一方認虧，其辦法為，由違約者交出現金 50 萬，由交易所墊出鹽餘公債 100 萬元，抵作 50 萬元，連同違約者的代用品 150 萬元，賠償賣方（共 61025 股）。賣方每股僅得現洋 6 元 1 角 9 分，公債票抵額 8 元 2 角（代用品另擬）。[2]

4 月 4 日，陳果夫致函蔣介石云：

> 此次靜江先生所認之二十三分三的公司份頭，又分為四份，其中四份之一是吾叔的。照現在拿出一百萬現洋，應派吾叔名下，約三萬二千六百元，又一百五十萬代用品，應派吾叔名下約四萬八千九百餘元，兩共洋八萬一千五百元。[3]

信中，陳果夫告訴蔣介石，計核之後，“約數虧去五萬元”，“靜江先生損失，應與吾叔相等”。同函並稱：“恆泰號去年下半年之紅利，每股四百六十餘元。利源結至去年底止，約盈七八千元，並未分派。茂新至年底，約盈有二萬餘。此次損失，茂新約在二三萬左右，利源損失或比茂新多。”

蔣介石事後反思，一是覺得過於相信張靜江。1922 年 5 月 23 日日記云：“以二十萬金託於靜江，授以全權，自不過問，雖信人不能不專，自己實太隔膜。”一是覺得陳果夫有問題。同年 6 月 6 日，蔣介石日記云：“果夫之為人，利己忘義，太不行也。痛斥之。”

關於在交易所的經營情況，陳果夫後來回憶說；“從開始到交易失敗為止，大約做了數萬萬元的交易，傭金收入總在二十餘萬元。可惜到第三年，交易所

1 《上海證券物品交易所與蔣介石》，《文史資料選集》第 49 輯，中國文史出版社 2000 年版，第 152—153 頁。
2 《上海證券物品交易所經紀人公會關於該所股票買賣違法問題的會議記錄及通告》，《舊上海的證券交易所》，第 111—116 頁。原記錄有月份，無年代，該書編者繫於 1921 年，誤。參見《物品交易所之和解訊》，《申報》，1922 年 3 月 9 日。
3 《陳果夫致蔣介石函》，手跡，中國第二歷史檔案館藏。

風潮一起，所有盈餘全都倒了，幾乎連本錢也賠進去，好比一場春夢。到交易所將倒的時候，'茂新'辦理交割，把收入股票出售所得之款，與代商人買入股票應付出之款，兩相抵過，尚須付交易所六十萬左右。客人看見情勢不穩，款亦不交來了。我們在事前略有所知，便做了種種準備，一面保護客人，儘量減少他們的損失，一面卻須為自己的號子打算。我為計劃調度，一連幾晚沒有安睡。畢竟客人的保護已盡力所及，而自身部分本錢的保持，也算順利達到。這也不能不說是在錢莊做了兩年半夥計的好處。"他又說："我們這樣的盡了人事，到交易所倒賬的時候，我們自問沒有對不起別人的事，心裏很安。"[1]

六、風波之後

證券物品交易所發生買方違約事件後，處於停業狀態。其間，從上海全球貨幣物券交易所借得 20 萬元。3 月 18 日，兩所成立契約，營業合併，雙方理事用合議制執行業務，資本共同運用，但兩所仍各自單獨存在，損益按資金比例分擔。3 月 27 日，重新開市。增加了幾位"洋員"，意味著外國資本和外國勢力的增加。[2] 但是，證券部的本所股，仍然停版。[3] 3 月 30 日，虞洽卿、聞蘭亭等宴請上海新聞界，感謝報刊在風波期間的善意支持，宣佈與全球貨幣物券交易所共同營業的消息。[4] 4 月 1 日，證券物品交易所全面開市。[5]

上海證券物品交易所與"全球"合作，周駿彥不放心，向蔣介石報告說：

> 信用已失，營業一時能否復元，尚未可知。且與全球合併，難保無存心破壞者起而攻擊，後事真難逆料。惟近聞靜公云：現有人集款組織公司，擬將交所股票准與押款。此公司如果實現，將來或有生機。總之，且此次損失最大者為套利者。[6]

1　陳果夫：《商業場中》，《陳果夫先生全集》第 5 冊，第 57—58 頁。
2　《上海交易所證券部明日開市》，《申報》，1922 年 3 月 26 日。
3　《各交易所之最近狀況》，《申報》，1922 年 4 月 3 日。
4　《上海證券物品交易所宴報界》，《申報》，1922 年 3 月 31 日。
5　《全球與上交合同成立》，《申報》，1922 年 3 月 20 日。
6　《周枕琴致蔣介石函》，手跡，中國第二歷史檔案館藏。

信中，周駿彥稱，此次失利，係張靜江決策錯誤："彥屢聞靜公言，套利甚穩，且云借款套利，亦屬便宜。"它不僅打擊了上海證券物品交易所，周駿彥在寧波開設的交易所也因之停業。可能蔣介石曾以蔣經國與蔣緯國的名義投資寧波交易所，因此周函稱："經、緯事，彥前謂無希望，亦以甬交做品不佳，難免發生危險。"函末，周駿彥稱：

> 總之，吾輩非商人，經營新商業，究嫌其經驗之少。然事已如此，後悔莫及。惟望後局諸公，煞費經營，或尚有轉機，並望閣下盡心愛國，以國事為重，不必以此為念。

當時，蔣介石正在廣西軍中，周駿彥表示："擬來桂願隨閣下之後，冀為國效勞。"他因套利欠債 20 萬元，兩次跳黃浦江自殺[1]。

當年 4 月，蔣介石返鄉。6 月 15 日，陳炯明兵變，孫中山避居永豐艦，蔣介石聞訊，從上海趕到廣東，與孫在艦上相見。據魏伯楨回憶，蔣行前，要虞洽卿資助，"開始時虞說蔣搞垮了交易所，還要搗蛋，不能同意。最後談判結果，虞答應可由交易所拿出六萬元，但要蔣在離開上海的那一天才能給錢。"[2]同年 8 月，蔣隨孫中山抵達上海，23 日返鄉。

陳炯明兵變後，許崇智率粵軍轉入福建。孫中山支持粵軍，企圖以武力推翻李厚基在福建的軍閥統治，然後回師廣東，討伐陳炯明。為此，孫中山計劃組織東路討賊軍，以許崇智為總司令，蔣為參謀長。9 月 18 日，蔣介石於入閩之前致函張靜江，敘述所欠債務。函云：

> 中秋節前，弟尚欠二千五百元之數，未知可為我代籌若干匯甬？在鄉以去年用度太大，至今未了之事尚欠七千餘元，在滬虧欠亦與此數相等，故今年以來不能稍資周轉。舍兒經國在滬上學，竟於十五元衣服費亦被茂新拒絕不支，思之傷心。

函中所稱"去年"，當指 1921 年。當年 6 月 14 日，蔣母病逝，醫藥喪葬，自然花費不小。交易所破產之後，蔣經國所需衣服費雖僅十五元，但茂新號竟

---

1 魏伯楨：《蔣介石與上海證券物品交易所》，《文史資料選輯》第 49 輯，第 153 頁。
2 魏伯楨：《上海證券物品交易所與蔣介石》，《文史資料選輯》第 49 輯，第 155 頁。

然拒付，可見其極端困難的狀況。同函中，蔣介石提出，請張從交易所賣方所賠 "代用品" 中借出若干，以便還清私債，安心赴閩。函云："此次物品訟款，如能為弟借出若干，不致久苦涸轍，徒呼庚癸，俾得稍資活動，以了此私債，將來如能如數還清最好，否則以弟個人虧空名義報銷，想孫先生與汝為亦必見諒邀准也。" 這一時期，蔣介石身體不好，心情也不好，他向張靜江傾訴說：

> 貧富生死，率有定數，得此不足為富，無此不足為貧，況預備死者未必死，但求生者未必生，亦不必競於此金錢，以貽平生之羞也。惟債留後人，於心不安；教育無費，終難辭責。此所忝在愛下，故敢不避公私，剖腹一談。[1]

寫完此函，蔣介石又很後悔，日記云："滬行為金錢所苦迫，貪私之言，非我所應出，不勝悔恨，故不願成行也。"[2] 不過張靜江接到此函後，立即向孫中山彙報，孫即命陳果夫匯寄 2500 元給蔣介石。張在復函中表示："代用品之事極易辦，來滬接洽可也。"[3] 10 月 1 日，蔣介石日記有與周駿彥 "談商業事" 的記載，可能即與處理交易所善後事宜相關。[4] 12 日，蔣介石決定拋開各種個人考慮，獻身革命。日記云："家何為乎？子何為乎？非竭盡全力以攘除兇頑，誓不生還也。"

蔣介石於 10 月 22 日啟程赴閩，就第二軍參謀長之職。其後，曾數度往返於福建、上海、奉化之間。1923 年 3 月 3 日，陳果夫到寧波，與蔣商談 "交易所起訴事"[5] 8 月 3 日，葉琢堂、虞洽卿與蔣介石討論交易所事務，發生嚴重分歧，方案反復變卦，經反復磋商，直到 8 月 5 日深夜，才得以最終定案，蔣介石日記云："昨夜，交易所事未了，夢寐顛倒。天下事之難，莫難於共事不得其人也。直至後夜三時，其事方得解決。" 同月 16 日，蔣介石受孫中山委派，率領孫逸仙博士代表團訪蘇，此後，蔣介石不再過問交易所事務。

1 《致靜公函》（手跡影本），湖州張靜江故居藏。此函僅署 "制弟中正頓，廿八日。" 據此可知，當時蔣介石尚在為母親守制。又據函中所述 "中秋節前" 及 "安心赴閩" 等語，推斷此函為 1922 年夏曆七月廿八日（9 月 19 日）之作。
2 《蔣介石日記》，1922 年 9 月 26 日。
3 《張靜江函》，《蔣介石年譜初稿》，第 99 頁。
4 《蔣介石日記》，1922 年 10 月 1 日。
5 《蔣介石日記》，1923 年 3 月 3 日。

1924 年國民黨第一次全國代表大會期間，孫中山決定建立陸軍軍官學校，以蔣介石為委員長。在上海的茂新、鼎新經紀人事務所相繼歇業，同人紛紛南下，到黃埔軍校找尋新的出路，只有陳果夫留在上海，清理遺留事項。1924年，由陳希曾出面，新創一家買賣棉紗號的經紀人事務所。1925 年，陳希曾也南下黃埔，陳果夫只在春秋兩季"各做一次生意"，用以"補助生活或應付特殊用途"。1930 年，又做過兩筆。[1]

七、上海證券物品交易所與國民黨的關係

如前述，上海證券物品交易所的初辦由孫中山倡議並領銜申請，那麼，1920 年的重辦是否仍和孫中山有關，它和國民黨人的革命事業有無聯繫呢？

陳果夫回憶說："在民國九年的秋天，總理命令本黨同志在上海籌設證券物品交易所。蔣先生把這件事告知了我，並且要我研究這問題。"[2] 上海證券物品交易所成立時，孫中山雖遠在廣州，但寄來賀詞："倡盛實業，興吾中華。"[3] 1921 年 12 月 11 日，陳果夫致函蔣介石，告以"孫先生之款已收到"。這裏所說的"孫先生之款"，聯繫下文"孫先生待款甚急"等語，當系蔣介石通過陳果夫資助孫中山的款項。同函云：

> 叔款現在晉安者約五千四百餘元，存姪處。金融公債二千，靜江先生告我，孫先生待款甚急，姪乃以此款移交靜公，並聲明作為姪個人向晉安借款。靜江先生亦說一月後歸還。姪已向索回六百元，其餘一千四百元待陸續歸還後收入叔賬。此事吾叔勿與靜公說起，作為不知可也。[4]

據此可知，陳果夫還曾將蔣介石存在晉安錢莊的金融公債 2000 元移交張靜江，以此解決孫中山的急需。當時，孫中山正在桂林成立北伐大本營，籌備北伐。張靜江所稱"孫先生待款甚急"，當指此事。

1　《事在人為》，《陳果夫先生全集》第 5 冊，台北陳果夫先生遺著編印委員會 1991 年版，第 60—61 頁。

2　《商業場中》，《陳果夫先生全集》第 5 冊，第 55 頁。

3　南伯庸：《上海大亨——虞洽卿》，海南出版社 1996 年版，第 248 頁。

4　《陳果夫致蔣介石函》，手跡，中國第二歷史檔案館藏。

上海物品證券交易所和國民黨人在經濟上的聯繫，目前尚難一一厘清。周祖培稱：“當時國民黨基金完全由張掌管，國民黨有很多散在各地未到粵隨同孫中山擔任工作和職位的人，經孫中山批准，可到張處支領津貼和活動費。為了避免租界巡捕房的注意，付賬用種種暗號，如火柴代軍火，一角代一百元等。”[1] 這說明，張靜江經營交易所所得，用於公，而非用於私。陳果夫也回憶說：“歇業之後，清算結果，有幾筆作撫恤同志遺族的股本，都能提出，加倍送去。”[2] 這說明，交易所有些股本是預留作為革命事業之需的。國外有的學者認為，上海證券物品交易所是為孫中山和革命籌集政治經費的巧妙管道[3]。此說雖尚待一步證明，但並非全無道理。至少，就孫中山倡辦的初衷來說，確實如此。

這種情況，也表現在廣東交易所方面。居正詩云：“吾黨中心政策行，必從經濟樹先聲，金融交易粗成就，百萬輸將始出兵。”[4] 1920 年 11 月 29 日，孫中山在廣州重組軍政府，次年 5 月 5 日，就任非常大總統，任命居正為總統府參議，兼理國民黨本部事務。居正即利用外資，創辦廣東交易所及國民儲蓄銀行。曾撥借一百萬元，用為出兵廣西的軍餉。同年 6 月 10 日，蔣介石日記云：“接靜江函，知粵交易所全數放棄，只留二萬股與吾輩。本黨作事如覺生者，誠令人齒冷，決無良好結果也。即復靜江函並致覺生書。”這則日記所涉及的史實目前也還難以完全厘清，但廣東交易所的股本既可以留出二萬股給上海的張、蔣等人，則其間的關係可想而知。

陳果夫回憶說：“當時我們的招兵接洽機關，設在上海證券物品交易所內，掛了陳希曾經紀人的牌子，表面是做生意，實在每天按時前去，暗中接見客人，秘密接洽招兵事情。”[5] 據此可知，上海證券物品交易所還是國民黨人的一個特殊的聯絡站。

1　《張靜江事跡片斷》，《文史資料選輯》第 24 輯，第 279 頁。
2　《事在人為》，《陳果夫先生全集》第 5 冊，第 59 頁。
3　〔美〕斯特林·西格雷夫：《宋家王朝》，中國文聯出版公司 1986 年版，第 233—234 頁。
4　陳三井、居蜜編：《居正先生全集》（上），台北“中央研究院”近代史研究所 1998 年版，第 114 頁。
5　《建軍史之一頁》，《陳果夫先生全集》第 5 冊，第 67 頁。

八、交易所生活對蔣介石的影響

　　蔣介石雖然出身鹽商家庭，但是，父親早故，家道中落，以後又留學日本，投身革命，可以說，是交易所的活動，才使蔣介石和和商業、商人階層發生關係。

　　1920 年 1 月 24 日，蔣介石日記云："赴開元會議交易所選舉董事。商幫仍不能除把持與專制之惡習，大股份壓迫小股份，大多數壓迫小多數。舞私牟利，壟斷其間。小商人中，雖有達材正士，不能施展一籌，以致中國實業，日趨衰落，安得將此種奸商市儈，一掃而空之，以發榮社會經濟也。"根據上海證券物品交易所章程，可設名譽議董 15 名，由有商業、工業學識，或有豐富之經驗者擔任，和理事共同組成評議會。[1] 但實際上，上海證券物品交易所開辦時，只有名譽議董 12 人，為朱葆三、沈聯芳、顧馨一、姚紫若、項惠卿、徐慶雲、邵聲濤、張綸卿、許松春、葉惠鈞、賈玉山、宋德宜。[2] 蔣的這則日記可能反映的就是名譽董事的選舉過程。從中可以看出，蔣對上海商幫中的把持、壟斷、傾軋是極為不滿的。

　　蔣介石對上海商人的不滿和反感可以說貫徹他參與交易所活動的始終。如：

> 1921 年 6 月 12 日日記云："得煥廷、瑞霖各函，告知滬上商友操縱壟斷，伎倆百出，不勝憤憤。交易所各理事之營私舞弊，至於此極，殊非意料所及。爾來公私交迫，幾欲遠避塵俗，高隱山林，獨善其身，然而不可得也。"
>
> 1922 年 11 月 28 日日記云："中國商人，勢利之重，過於官僚，其狡獪狀態，見之疾首。"
>
> 1923 年 2 月 3 日日記云："下午又因奸商妒忌，激忿異常，殊非其道。"
>
> 1923 年 8 月 3 日日記云："下午，琢堂、洽卿來談交易所事。商家之析利，心計險惡，令吾心甚難過。夜間又忽變卦，市儈誠可誅哉！"

1　朱彤芳：《舊中國交易所介紹》，中國商業出版社 1989 年版，第 159—160 頁。
2　《上海證券物品交易所申謝》，《申報》，1920 年 7 月 2 日。

上引各日日記，在在表現出蔣介石對"奸商"們的強烈憤懣之情。"市儈誠可誅哉"一語，表現出他和葉琢堂、虞洽卿等人的關係已處於爆發的邊緣。

交易所的活動也使蔣介石了解到中國民族資產階級的困境。前文已經提到，1920 年 6 月，蔣介石剛剛決定拿出 5000 銀圓，與陳果夫共同創辦友愛公司，就趕上國際金融風潮，銀價大落。《申報》探討這一突變原因時曾稱："或謂係進口貨多結匯水，或謂某國有意外金融風潮，或謂因西曆六月底解款，或謂某國銀礦有大批現銀放出之故，總之大上大落，華商之對外營業，受其影響不鮮也。"[1] 這一事件激發了蔣介石的民族主義情緒。日記云："銀價大落三日，賤六片士。金融機關，在外人之手，國人時受壓榨，可歎也。"[2]

經營交易所的失利增強了蔣介石的社會改造思想。1920 年 12 月，他自覺"矜張自肆，暴躁不堪，對於社會厭惡更甚"。日記云："對於中國社會厭鄙已極，誓必有以改造之"。[3] 這一思想，他不僅寫在日記裏，而且也對邵元沖等人宣揚，聲言"中國宜大改革，宜徹底改革"[4]。這一時期，正是他在交易場上一再虧本的時候。

當然，交易所的活動也增強了蔣介石和江浙金融資產階級的聯繫。1924年，蔣介石要陳果夫在上海為黃埔軍校採辦制服、皮帶、槍帶、刀鞘等物，為上海海關扣留。葉琢堂、王一亭、沈田莘、虞洽卿等出面幹旋。[5] 1927 年，北伐軍進展到長江中下游一帶，江浙金融資產階級寄望於蔣，紛紛出資，支持他和左傾的武漢國民政府相抗，這不是沒有原因的。

1 《兩日來金融之大變動》，《申報》，1920 年 6 月 10 日。
2 《蔣介石日記》，1920 年 6 月 10 日。
3 《蔣介石日記》，1920 年 12 月 1 日、31 日。
4 《蔣介石年譜初稿》，第 57 頁。
5 《建軍史之一頁》，《陳果夫先生全集》第 5 冊，第 63 頁。

孫逸仙博士代表團團長的蘇聯之行 *

——1923 年蔣介石訪問蘇聯紀實

* 本文錄自《找尋真實的蔣介石：蔣介石日記解讀》（1），重慶出版社 2015 年版；原載上海《世紀》，2007 年第 2—3 期。

一、關心俄國革命，早蓄遊俄之願

俄國十月革命引起世界列強的恐慌與敵視。美、英、法、日等國首先選定在俄國遠東、西伯利亞等地區發動進攻。1918 年 4 月 5 日，日軍在海參崴登陸。繼之，謝苗諾夫、鄧尼金等紛紛起兵，攻城掠地，成立政府。蔣介石很早就關心俄國革命。7 月 24 日，蔣介石日記云：

> 西比利亞霍爾瓦斯政府與海參崴政府兩相分離，皆為日本所利用，而置國家於不問，其不步中國之後塵者幾稀矣！[1]

從上引日記可以看出，蔣介石指斥那些投靠日本的白衛軍頭目，認為他們將走上與中國軍閥同樣的賣國道路。1919 年 11 月，蔣介石在遊歷日本期間，得悉反蘇維埃力量所組織的 "西伯利亞政府" 被迫遷離鄂木斯克，攻擊彼得格勒的白衛軍也已被擊退。他高興地在日記中記下這一消息，並且寫了一句："利寧（列寧）政府之地位，為此更加鞏固矣！"[2] 隨後他寫了一篇題為《列國政府對付俄國勞農政府的手段如何》的稿子，投寄在上海出版的《星期評論》。這是一份新文化運動的刊物。不過，蔣的這一嘗試並不成功，文章未被刊出。11

1　《蔣介石日記》(手稿本)，1918 年 7 月 24 日。
2　《蔣介石日記》(手稿本)，1919 年 11 月 5 日。

月 15 日，他從神戶乘輪回國，在船上閱讀《俄國革命記》，在日記中寫下"想望靡已"四字[1]。

　　蔣介石原來羨慕歐美，這一年夏天，還曾有過"籌措費用，遊歷歐美三年"以及"先赴法國，遊歷世界"的想法，不過，很快他就決定遊歷俄國，為此下工夫學習俄文。11 月 27 日，蔣介石日記中開始出現"究俄文"三字。次日，出現"上午，往讀俄文；下午，習俄文"的記載。當時，孫中山也已在觀察和研究俄國的革命道路，決定派人赴俄留學，特別請了一位俄國教師在廖仲愷家裏為革命黨人上俄語課。蔣介石"往讀"的地方應該就是廖宅。蔣介石學俄文堅持了好幾年，一直到 1923 年底，他的日記不斷有類似記載出現。其間，朱執信還為蔣介石講過一次俄語[2]。

　　1919 年 12 月 3 日，蔣介石日記云："復滄白信，研究俄國事情。"滄白，指楊庶堪，四川巴縣人，同盟會會員，辛亥革命重慶起義的領導人，1918 年被孫中山任命為四川省省長。蔣介石在與楊恕堪通信"研究俄國事情"之後，1920 年 1 月 9 日日記又云："下午往□□生處議事，命我以代表名義赴□。"很可能這是孫中山派遣蔣介石訪問俄國的最早記載，可惜由於日記字跡漫漶，不能確定。1920 年 3 月 14 日，蔣介石萌生投身"世界革命"的想法，日記云："革命當不分國界，世界各國如有一國革命能真正成功，則其餘當可迎刃而解。故中國人不必要在中國革命，亦不必望中國革命先成功。只要此志不懈，則必有成功之一日，當先助其革命成功能最速之國而先革之也。"四天以後，戴季陶到蔣介石處，商議赴俄。蔣介石思考之後，覺得廣東局面不佳，赴粵只能"為人作嫁"，"不如往俄，自練志識"[3]。幾天之後，這種想法更加熾烈，日記云："近日看得國事皆非國內所可解決，極思離國他行。"[4] 5 月 26 日晚，蔣介石邀約戴季陶、朱執信、廖仲愷到住處來一起商量，擬於 1 月內啟程，蔣介石和戴季陶各出三千元作為旅費。不過，蔣介石不久即遵孫中山之命，赴福建漳州指揮作戰。7 月 19 日，蔣介石再生赴俄之想。同年 9 月，俄羅斯共產黨阿穆

1　手稿本殘損，此據《蔣介石日記類抄‧文事》補。
2　《蔣介石日記》（手稿本）1920 年 2 月 14 日云："下午，執信來教俄語。"
3　《蔣介石日記》（手稿本），1920 年 3 月 18 日、19 日。
4　《蔣介石日記》（手稿本），1920 年 4 月 26 日。

爾省中國支部書記劉謙到上海會見孫中山，建議聯合中俄革命力量，在新疆集中兵力，打倒中國北方的反動政府。孫中山決定派大元帥府參軍李章達使俄，蔣介石同行。22 日，孫中山打電話給蔣介石，以俄國、四川、廣東三地，讓蔣介石選擇。蔣覺得：去廣東，"則公益大而個人損失不小"；去俄國，"同行者非知交，暫不能行"[1]。蔣選擇去四川，但最後聽廖仲愷的話，去了廣州。

1921 年 1 月 1 日，蔣介石預定當年應做之事四項：其中第一項即是"學俄語，想到俄國去視察一回，實在做一些事業"。最後一項則是到北京去，"研究北京社會的內容，偵察北京附近的地形。還要借著議員的名義，結交幾個新朋友，或者就在北京組織一個新學社，團結狠（很）好同志，否則如有機會，即可以借議員的名義，到俄國去視察一回"[2]。從上述日記可見，蔣介石夢繞魂牽的還是想去俄國考察。

1922 年 9 月，蘇俄代表越飛的軍事隨員格克爾將軍到滬，與孫中山會談。孫中山於 8 月 30 日致函蔣介石，要他從溪口趕來上海，參加會談。9 月 10 日，蔣介石到上海，但第二天就離滬還鄉。12 日，孫中山再次致函蔣介石，要他到上海住十天，詳籌種種。9 月 21 日蔣介石的日記中出現下列八個字："往俄無害，往贛有利。"不過，一直到 10 月 3 日，蔣介石才帶著蔣緯國再次來滬，直奔孫府，"談時局"。他是否與格克爾見過面，日記中沒有留下任何訊息。

二、機會終於來了，出任孫逸仙博士代表團團長

1923 年，機會終於來了。

孫中山一直在努力和蘇俄聯繫，爭取蘇俄支持。1922 年 11 月 21 日，孫中山致函蔣介石稱，肯定他的訪蘇之願。函稱："兄前有志於西圖，我近日在滬，已代兄行之矣。現已大得其要領。"[3] 12 月，孫中山寫信給列寧，告訴他，"本人擬派遣全權代表於近期往莫斯科，與你和其他同志磋商合作事宜，以裨俄中

1 《蔣介石日記》（手稿本），1920 年 9 月 22 日。
2 《蔣介石日記》（手稿本），1921 年 1 月 1 日。
3 《孫中山全集》卷 6，第 616 頁。

兩國的合法利益"[1]。同月，孫中山寫信給蘇俄代表越飛，聲稱自己可以調動大約1 萬人從四川經過甘肅到內蒙古去。控制位於北京西北的進攻路線。他詢問越飛："貴國政府能否通過庫侖支持我？"[2] 同年年底，俄羅斯與烏克蘭等組成蘇維埃社會主義共和國聯盟。1923 年 1 月，孫中山和蘇聯代表越飛在上海會談。孫中山要求蘇聯給予 200 萬金盧布的援助，同時表示願意派遣軍事代表團訪問蘇聯。5 月 1 日，越飛自日本東京轉給孫中山一封蘇聯政府的電報，同意提供 200萬金盧布，並且宣稱，準備提供軍事物資，幫助孫中山在中國北部和西部建立作戰單位，開辦軍校。12 日，孫中山復電越飛，感謝蘇聯的慷慨援助，表示將派代表去莫斯科磋商[3]。5 月 10 日晚，孫中山設宴招待共產國際代表馬林，蔣介石應邀作陪，"研究一切"。12 日，蔣介石日記有 "商議赴歐事宜" 一語，可見，在孫中山的 "聯俄" 計劃裏，蔣介石佔有愈來愈重要的位置。不過，孫中山當時想親自訪問莫斯科。6 月 17 日，孫中山任命蔣為大元帥行營參謀長，但蔣介石因對許崇智及西南各軍不滿，覺得廣東事無可為，於 7 月 12 日，向孫中山辭職返滬。

7 月 13 日，蔣介石在香港致函時任孫中山大本營秘書長的楊庶堪，自述性格特點，說明 "如欲善用弟材，惟有使弟遠離中國社會，在軍事上獨當一方，便宜行事，而無人干預其間，則或有一二成效可收"。函稱："為今之計，捨允我赴歐外，則弟以為無一事是我中正所能辦者。"[4]

此後，蔣介石日記陸續出現下列記載：

> 7 月 23 日："接季新（汪精衛）轉來（廖）仲愷電。"
>
> 7 月 24 日："復季新函。"
>
> 7 月 26 日："上午，往訪季新、煥廷（林業明）兄，決定赴俄之議，於個人設想，則心甚安樂也。"

1　卡爾圖諾娃：《加倫在中國》，中國社會科學出版社 1983 年版，第 17 頁。
2　中共中央黨史研究室：《聯共（布）、共產國際與中國民族解放運動》（1），北京圖書館出版社 1997 年版，第 166 頁。
3　李玉貞主編：《馬林與第一次國共合作》，光明日報出版社 1989 年版，第 174 頁。
4　《與楊庶堪縱談粵局與個人行止》，《"總統" 蔣公思想言論總集‧別錄》，台北中國國民黨中央黨史委員會，第 91 頁。

廖仲愷電今尚未見，顯然，其內容應為通知蔣介石使俄一事。至 7 月 26 日，蔣介石和汪精衛以及國民黨本部財務部長林業明商量之後，"赴俄之議" 就定下來了。多年宿願，即將實現，蔣介石非常高興。這以後，進入籌備階段。蔣介石忙著找人商量，物色成員，閱讀資料，其日記載：

> 7 月 27 日："往訪煥廷，致仲愷電。"
> 7 月 28 日："晚季新、溥泉（張繼）諸兄來，商赴歐事。"
> 7 月 30 日："下午，劍侯（沈定一）、季新、仲輝（邵力子）、煥廷諸同志來談，共宴於小有天。"
> 7 月 31 日："上午與玄廬（沈定一）談天，下午看《新疆遊記》。"
> 8 月 5 日："晚，約會馬林及各同志，商決赴俄事。"

馬林是共產國際代表，荷蘭人，1921 年初由共產國際派來中國，推動組織中國共產黨，促進國共合作。蔣介石在和馬林等商量之後，組織孫逸仙代表團一事最後定案。蔣介石任團長，成員為：

沈定一，浙江蕭山人，中國同盟會會員。辛亥革命後曾任浙江省議會議長。1920 年參與發起組織中國共產黨，成為中共早期黨員，但不久即脫黨。

張太雷，江蘇常州人，代表團中的唯一中共黨員。1921 年在莫斯科擔任共產國際遠東書記處中國科書記，時任青年共產國際執委會委員。

邵元沖，浙江紹興人，中國同盟會會員，曾任孫中山大元帥府機要秘書。1919 年留學美國，後受孫中山之命，考察國民黨海外組織。

王登云，陝西醴泉人，美國留學生，曾任舊金山華文報紙主筆，代表團的英文秘書，瞿秋白視之為"無賴"。中共方面曾企圖阻止王登云參加代表團，未能成功。

次日，蔣介石會見汪精衛。同日，瞿秋白、張太雷來訪，"詳談一切"。下午，蔣介石趕製軍服。三時後，乘船回鄉。到溪口後，整書檢衣，預備啟程。蔣介石自稱其心情悲喜參半。喜的是符合自己儘快脫離"中國污穢社會"，根本解決國事的心願，"前程發軔有望"，悲的是"吾黨在國內缺少人才，苦我黨魁，且對兒女不免戀愛也"[1]。

8 月 14 日，蔣介石回到上海，會見林業明和王登云。其後，蔣介石忙著量衣、照相、看牙。15 日一早，蔣介石寫信向廖仲愷報告，又給交易所同事周駿彥、夫人毛氏的二兄毛懋卿等人寫信，拜託各事。其後，又訪問張太雷和瞿秋白。當晚，汪精衛設宴踐行。午夜，沈定一從紹興匆匆趕來。

快要遠行了，蔣介石面對經國、緯國兩個兒子，自感時有依戀不捨之心，有時甚至背著人流淚，仿佛十二三歲時離開母親出外讀書時一樣。蔣介石對自己的這種心情也有點奇怪。

三、起行赴俄，心繫緯國

8 月 16 日是預定出發的日子，蔣介石 6 時起床，首先給許崇智、楊庶堪、胡漢民、廖仲愷及姚冶誠等人寫信，然後外出拜會汪精衛、張靜江、邵力子諸人。回時已是正午，經國、緯國及陳果夫、陳潔如都到蔣介石的住處大東旅社送行。1 時 15 分，蔣介石、沈定一、張太雷、王登云一行四人登上日輪木神丸。邵元沖當時在歐洲，準備從那裏直接赴俄。2 時正，輪船啟碇。緯國雖不是蔣介石親生，但最受寵愛。蔣介石在船上聽到小兒的聲音，就以為緯國在喊父親，夢中都會驚醒。18 日，船抵青島。入口時，雨霧連連，山色不青，但見港灣污穢，秩序紊亂，除少數苦力外，並不見有一警察及港吏，像似無人管理的自由港。1922 年，王正廷代表北京政府與日本交涉，收回青島，出任青島商埠督辦，被北京政府視為外交重大勝利。如今蔣介石看到其成績不過如斯，徒負虛名，擔心將來收回其他租界時發生困難，深覺可歎。

在船上，蔣介石除寫信，想念緯國外，大部分時間用於閱讀、抄錄《蒙古地志》，為赴蘇後的談判作準備。19 日，船抵大連。上岸後，發覺街道頗似日本的橫濱。華人在大連約七萬人，一切訴訟均聽命日人，連會審公堂都沒有。整個"關東州"，不能設立一座中國學校，不能派一中國官吏，連租界都比不

---

1 《蔣介石日記》（手稿本），1923 年 8 月 6 日、7 日。

上。蔣介石覺得"言之可歎，思之傷心，莫甚於此"[1]。當日 10 時，換乘火車。20 日到長春。一路 700 里，所見所聞，皆是日本勢力，好像進入日本國境一樣。21 日到哈爾濱。24 日，由哈爾濱搭車赴莫斯科。25 日，到達中俄交界地滿洲里。當地居民約有千家，華俄雜處，市況蕭條。蔣介石等一行由俄方代表迎接，換乘汽車過境。所謂國界，不過是一條延長的土壟而已，雙方皆無人監視，可以自由進出。45 分鐘後，到達孟邱夫斯克，重上火車。

8 月 26 日，車抵赤塔。一路山明水秀，森林濃鬱，蔣介石想不到西伯利亞居然有此佳景。27 日，車抵上烏金斯克。蔣介石眺望風景，觀察形勢，覺得地形類似中國南方的山河。他南望蒙古，覺得從此離國日遠，頗有"不勝依依"之感。27 日，車過貝加爾湖，一望無際，風濤如海，被蔣介石視為"佳景"。29 日之後，道路住宅，漸漸整齊，有點歐洲景色了。

曾經和孫中山共同發表宣言的蘇俄代表越飛也在這列車上，由於病重，蔣介石等未能與之相敘。

四、抵達莫斯科，稱蘇聯共產黨是"姐妹黨"

9 月 2 日下午 1 時，蔣介石等一行經過長途旅行之後，抵達莫斯科車站，隨即乘汽車前往招待所。當日，正值莫斯科召開群眾大會，22 萬遊行群眾高舉紅旗前往會場，街道上到處擠滿了人。蔣介石從未見過如此盛大而沸騰的場面，心情也跟著高昂起來，視為生平一大快事。第二天，蔣介石等拜會外交人民委員部東方部部長，會談一小時，商量會見蘇聯人民外交人民委員契切林的日期。蔣介石對會談和受到的接待很滿意，日記云："相見時頗誠懇，皆以同志資格談話，尚未有失言過語之辭，私心亦安。"[2] 9 月 5 日下午 2 時 30 分，蔣介石等會見契切林，談話一時半，由沈定一擔任記錄。蔣介石覺得契切林"語頗誠摯"，自己的談話也很"適中"，"無失當之處"，彼此都覺得"甚為投機"[3]。

---

1 《蔣介石日記》（手稿本），1923 年 8 月 19 日。

2 《蔣介石日記》（手稿本），1923 年 9 月 3 日。

3 《蔣介石日記》（手稿本），1923 年 9 月 5 日。

當天蔣介石就致電汪精衛和林業明，向孫中山報告。

9月7日，蔣介石等會見俄共（布）中央書記魯祖塔克。

"我們是被派到莫斯科來的國民黨代表，來這裏的目的主要是要了解以其中央委員會為代表的俄國共產黨，聽取對我們在中國南方的工作的一些建議，並互相通報情況。"蔣稱。

"我受俄共中央委託，歡迎代表團來訪。國民黨按其精神與俄共（布）非常接近。此外，還有另一些重要情況使中國的勞動群眾同蘇聯接近。無論在中國還是在俄國，兩國人民都主要從事農業生產；蘇聯的領土有幾千俄里與中國的邊界毗連，因此蘇聯人民同中國勞動人民發生聯繫是很自然的。遺憾的是，中蘇兩國勞動人民之間沒有任何接觸，這有礙於加強這種自然的聯繫。代表團的到來是向這個方向邁出的第一步。"魯祖塔克回答。

魯祖塔克的話使蔣介石聽來倍感舒服，他以更為熱情的話語回報魯祖塔克："國民黨一向認為，蘇聯共產黨是自己的姐妹黨。今天，代表團希望聽到對俄國革命的一些最重要的階段、對革命時期所犯的錯誤以及對共產黨在革命進程中的作用和意義的簡單介紹，因為俄國革命的經驗教訓可能對國民黨在中國的工作很有教益。"

魯祖塔克樂於滿足蔣介石的要求，他滔滔不絕地講了兩個小時，談到了俄國實行新經濟政策的原因，共產黨的民族政策，發展工業和組建紅軍等多方面的問題。蔣介石很重視，當日日記稱："其革命成功之點：1. 工人知革命之必要；2. 農人要求共產；3. 准俄國一百五十民族自治，成聯邦制。其革命缺點：1. 工廠充公後無人管理；2. 集中主義過甚，小工廠不應同樣歸國有；3. 分配困難。"對魯祖塔克所談到的蘇聯當時建設情形，蔣介石記錄稱："1. 兒童教育周密；2. 工人皆施軍隊教育；3. 小工廠租給私人。"除了在日記中記下的魯祖塔克的言論大綱外，蔣介石還表示："詳言另錄"，可見他對此次談話的重視。

魯祖塔克向蔣介石等介紹了俄國革命的成功之點與缺點外，提議國民黨代表團和共產國際代表組成專門委員會，討論一些細節問題，並且協調國民黨同俄共（布）中央的行動。魯祖塔克提議，為了雙方的利益，最好有一名國民黨代表常駐莫斯科。蔣介石對魯祖塔克的"盛情的同志式接待"和所介紹的俄國情況表示感謝，聲稱不反對成立委員會和國民黨代表常駐莫斯科。談話至此結束[1]。當天下午，蔣介石等拜會共產國際東方局局長吳廷康（維經斯基）。這是位"中國通"，1920年被派到中國，推動組織中國共產黨，與李大釗、孫中山都有交往。

五、會見紅軍高級領導人，暢談進軍北京計劃

9月9日，蔣介石等再次訪問吳廷康。下午3時，訪問蘇聯革命軍事委員會副主席斯克良斯基和紅軍總司令加米涅夫等。此前，孫中山任命的湖南省長兼湘軍總司令譚延闓一度佔領湖南省會長沙，因此，斯克良斯基首先向代表團祝賀，說："為國民黨而高興，因為我們將國民黨視為戰友。"在互相問候之後，蔣介石向斯克良斯基提出幾項要求：

1. 俄國革命軍事委員會儘量向中國南方多派人，去按紅軍的模式訓練中國軍隊。

2. 向孫逸仙代表團提供了解紅軍的機會。

3. 共同討論中國的軍事作戰計劃。

斯克良斯基答復說：已經向中國南方派去了一些人，需要等一等，看南方軍隊怎樣使用已經抵達的同志。俄國革命軍事委員會並沒有多少了解中國並且懂得漢語的幹部，不可能向中國南方派出大量軍事指揮員。他表示，因為有大約三十名中國人在俄國東方民族共產主義大學學習，所以最好的辦法是在俄國為中國人成立專門的軍事學校。經過交換意見，雙方迅速達成協議：在俄國境內為中國人建立兩所軍事學校：一所高級學校，培養懂俄語的指揮員（不低於營級）30人，校址設在彼得格勒或莫斯科；一所是中級軍校，建在靠近中國的地方，海參崴，或伊爾庫茨克，500人。關於代表團了解紅軍問題，斯克良斯基表示完全可以接受。

談到軍事作戰計劃，蔣介石聲稱：代表團擁有孫逸仙授予的全權。他介紹

1　以上對話，見《聯共（布）、共產國際與中國民族解放運動》（1），第282—283頁。

說：孫逸仙幾乎沒有任何軍事工業，香港距離廣州只有 40 里，英國人阻止向廣州運輸軍事物資，因此，南方軍隊長期裝備不足。而且，香港對孫逸仙軍隊的後方構成嚴重威脅，一旦南方軍隊向北挺進，英國人就會收買附近幾個省的軍隊在後方暴動。此外，外國人在長江流域擁有大型內河艦隊，南方軍隊一接近這個地區，英國和美國的炮艦就會立刻阻止。外國人絕對不會允許南方軍隊打敗吳佩孚。因此，南方軍隊的總參謀部和國民黨的代表團在動身來莫斯科前夕決定，將戰場轉移到中國的西北地區。這是孫中山派出代表團的目的。

蔣介石接著向斯克良斯基和加米涅夫介紹中國的軍事形勢以及孫中山和吳佩孚的力量對比。他建議：在庫侖以南鄰近蒙中邊境地區建立一支孫逸仙的新軍。由招募來的居住在蒙古、滿洲和中國交界地區的中國人，以及由滿洲西部招募來的一部分中國人組成。在這裏按照紅軍的模式組建軍隊。從這裏，也就是從蒙古南部發起第二縱隊的進攻[1]。

斯克良斯基和加米涅夫聽完蔣介石的說明，建議蔣介石用書面形式闡明這項計劃。這次會談進行到當晚 7 時，持續三個多小時。蔣介石覺得斯克良斯基"和藹可親"，參謀長克姆熱夫也熱心幫助中國。他在日記中寫道："俄國人民無論上下大小，比我國人民誠實懇切，令人欣慕，此點各國所不及也，其立國基礎亦本於此乎！"[2]

從 9 月 10 日起，蔣介石開始在招待所起草"作戰計劃"。11 日下午，蔣介石和蘇聯軍事學校管理總部主任彼得羅夫斯基敘談一小時，彼得答應向代表團提供各種學校教材，同時向代表團詳細介紹俄國軍隊中政治委員制度和共產黨組織狀況：每個團部都由黨部派一政治委員常駐，參與團中主要任務；凡有命令，均須經其簽署才能有效；團裏的共產黨員，不論士兵或將校，在團的活動中擔當主幹，凡有困難勤務，皆由其黨組織負責人擔任。12 日上午，蔣介石寫完"作戰計劃"，加進可能是由沈定一起草的"宣傳計劃"，總名為《中國革命的新前景》。13 日，開始起草《致蘇俄負責人員意見書》，14 日寫成。

1　《聯共（布）、共產國際與中國民族解放運動》（1），第 287 頁。
2　《蔣介石日記》（手稿本），1923 年 9 月 9 日。

六、《中國革命的新前景》與《致蘇俄負責人員意見書》

《中國革命的新前景》與《致蘇俄負責人員意見書》是蔣介石親自起草的兩份文件。

《中國革命的新前景》共 18 個部分。在《緒論》部分，蔣介石表示："中國人民不但飽嘗中國國內軍閥暴政的痛苦，並且還備受外國資本主義和帝國主義列強的壓迫，已經下決心要使中國完全徹底革命化，並且實行孫逸仙博士的三民主義：1. 各民族獨立自由；2. 人民自由行使各項政治權利；3. 大工業國有化。"接著，蔣介石開宗明義地提出：

> 從軍事觀點看，我們暫時還不能在外國資本主義的勢力範圍內，在中國東南地區奠定永久的基礎，所以，我們希望在靠近俄國友邦邊境的中國西北地區找一個適當地方，作為我們實行革命計劃，與中國軍閥和外國資本主義、帝國主義列強進行戰鬥的軍事基地。[1]

還在 1921 年 1 月，蔣介石就曾上書孫中山等人，建議 "當以西北為第一根據地"[2]。至《中國革命的新前景》，蔣就作了更充分、明確的闡述。《緒論》以下為《中國目前形勢》、《敵人》、《軍事行動目標》等部分，蔣介石稱："中國的軍閥和由他們組成的北京政府已經向外國資本主義和帝國主義列強徹底投降。""他們正在進行同國民黨截然相反的活動，因為後者不讓他們毀滅中國，正在全力以赴進行公開的或秘密的反對他們的鬥爭。""中國的內戰看起來是內部事務，實際上是國民黨和外國資本主義與帝國主義列強之間的戰爭。"蔣介石接著說明國民黨和中國軍閥之間的實力對比，提出國民黨的敵人是直系軍閥，其主義是 "做外國資本主義和帝國主義列強赤裸裸的傀儡"，其領袖是曹錕和吳佩孚。蔣稱：當時有包括奉系和 "安福系" 在內的十多省正在計劃反對曹、吳，學生和工人的運動，平漢鐵路工人的罷工，已經戳穿吳佩孚的愛國主義口號，中國人民都非常支持孫博士關於成立 "工人隊" 的意見。國民黨的最後目標是北京。

1　New Prospects of the Chinese Revolution、原存俄羅斯現代歷史文獻保管與研究中心。
2　中國第二歷史檔案館：《蔣介石年譜初稿》，檔案出版社 1992 年版，第 54 頁。

第五部分為《兩個擬議中的軍事基地》。第一個在蒙古庫侖，第二個在新疆的烏魯木齊。蔣介石從軍事根據地和軍事目標之間的距離、地理位置、行軍時間、國際關係、戰略等方面將兩者作了詳細比較，認為庫侖比烏魯木齊具有"更多的優越性"。蔣介石建議，在庫侖，從平漢鐵路招募工人和從災區招募農民，以年輕、有覺悟的中國人做軍官，用紅軍的名義進行訓練，兩年以後開始進攻。但是，蔣介石又建議，用烏魯木齊作永久根據地，同俄國合作，幫助東方其他被壓迫民族進行反對資本主義和帝國主義的鬥爭。他說："我主張在這兩個地區同時建立軍隊，在庫侖建立主力部隊，在烏魯木齊建立增援團隊。"

第六部分為《中國的自然特點和它的交通情況》。以下依次為《敵人的兵力》、《敵人如何部署部隊》、《敵人內部情況》、《國民黨的兵力》、《國民黨軍隊情況》、《國民黨和它的敵人的軍事供應及其財政狀況》、《用庫侖做根據地和以北京為目標的軍事準備時間》、《進軍的西翼》、《軍事行動階段》、《擬議中的軍事編制和兵力》、《軍事預算》、《各種籌備組織工作》。

軍事計劃之外，可能由沈定一起草的"宣傳計劃"全名《國民黨的宣傳工作方案》，共 10 條。提出建立上海大學，在上海建立大型出版社、更多的通訊社、擴大上海《民國日報》，在廣州和北京創辦兩種大型報紙，出版一種月刊和一種週刊，成立一個委員會，出版各種不定期的小冊子等。最後提出，《方案》將在聯席會議上討論。

在《致蘇俄負責人員意見書》中，蔣介石對比中俄兩國革命，一個"將陷於絕境"，一個"收效之速，一日千里"，自感有愧於心。《意見書》總結辛亥革命失敗的教訓，認為其原因在於黨魁"注全力於外交與政黨"，未能直接掌握軍事。蔣稱：俄國革命之所以成功，在於革命軍佔領彼得格勒這一政治中心，並且固守不失。辛亥革命之所以失敗，在於未能"直搗北京"，反將全國的政治中心袖手讓與袁世凱，以致中外結合，使北京成為惡勢力中心，根深蒂固。蔣表示："為今之計，中國革命之法，唯有軍事與宣傳雙方工作，同時並進。以實力為剷除現在惡勢力之張本，而以宣傳事業作主義上之根本培養。"蔣介石批評南方的"革命軍隊"已經沒有革命精神，只在"藉革命名義以謀其私人之權利"。他提出："中國惡勢力之根據地，反革命派之大本營以及其一切內亂與外侮之策源地，皆在其政治中心地之北京。如望中國革命之奏效，非先打破此萬惡政治中心地之北京，則革命絕無成功之望。”蔣介石並且認為，要“對列強作戰，打破其在中國的勢力範圍，亦非打破北京不為功”[1]。

《意見書》中，蔣介石還聲稱：無論內亂與外侮之壓力如何強暴，中國革命黨決不當調和派，也決不代表資本階級，革命精神始終如一，只要變更方法，改善環境，三年之內，必有成效可睹。

蔣介石將這兩份檔起草完成後，略感輕鬆。不過，他沒有就此定稿，一直在修改中。

根據魯祖達克的建議，沈定一於 9 月 15 日起草“兩黨聯結文稿”，並且擬於下星期二成立由國民黨代表團和共產國際代表組成的專門委員會。16 日，沈定一完成“草約”，蔣介石又忙著和沈一起研究“條文”[2]。

七、被熱情的紅軍士兵抬了起來，
批評外交人員 “下流無賴”

9 月 16 日，俄國陸軍學校學生舉行畢業典禮，蘇聯中央執委會主席加里寧及紅軍各領導人都出席並發表演說。下午，蔣介石等應邀參加，受到與其他各國出席人員不同的特別招待，這使蔣介石等頗感自豪。17 日，參觀步兵第 144 團。事先，軍事院校管理總局秘書盧果夫斯基向莫斯科軍區司令穆拉托夫等人打好招呼，指示說：有中國共青團團員來訪，舉行歡迎儀式，訪問儘量秘密進行。蔣介石本來是準備穿上全套軍服的，結果，接受俄國人建議，改穿便服。當時，這個團剛剛演習歸來，營房還在修繕，生活尚未進入正軌。蔣介石等參觀了連隊、營房、紅角、號令、修理部、醫務室、俱樂部、圖書室、機槍小隊、廚房、麵包房、俄共支部，並且品嚐了紅軍戰士的食品，了解了每週的食譜。不過俄國人對蔣介石等還是有點警惕，沒有讓他們參觀武器庫。盧果夫斯基在向外交人民委員部的書面彙報時，特別聲明：“我也沒有介紹特別秘密的

---

1 《致蘇俄負責人員意見書》，《籌筆》（一），00001，《蔣中正“總統”檔案》，台北“國史館”藏。
2 《蔣介石日記》（手稿本），1923 年 9 月 16 日。

資料。"[1]

在有 400 名紅軍士兵出席的大會上，蔣介石發表演說，首先稱讚"紅軍是世界上的一支最勇敢、最強大的軍隊"，他接著說：

> 紅軍戰士和指揮員們！你們戰勝了你們國內的帝國主義和資本主義，但你們還沒有消滅世界的資本主義和帝國主義。你們要準備同他們決戰，因為你們要在其他民族的幫助下完成這一事業。請記住，每一個戰士的義務就是犧牲。要時刻準備為你們的事業去犧牲，這就是勝利的保證。

> 我們是革命者，是革命的國民黨黨員，我們是軍人，我們是戰士，我們也準備在同帝國主義和資本主義的鬥爭中犧牲。

蔣介石表示："我們來這裏學習並與你們聯合起來。當我們回到中國人民那裏時，要激發他們的戰鬥力，戰勝中國北方的軍事勢力。"[2]

蔣介石的講話不時被經久不息的掌聲和高昂的《國際歌》樂聲打斷。講話結束時，與會者高喊"烏拉"。蔣介石情緒激動。據俄國人記述："看來，他講話時充滿著強烈而誠摯的感情。他在結束講話時幾乎是在吼，他的雙手在顫抖。"離開軍營時，蔣介石等被紅軍戰士抬起來，輕輕搖擺，一直抬到汽車前。上車後，蔣介石等仍然非常激動，不斷讚美紅軍戰士的"精神"和"熱情"，認為這是他們在其他任何一支軍隊中都沒有見過的。蔣告訴全程陪同的盧果夫斯基說，此行"印象非常好。他為紅軍的'精神'所感動。他們所有人 —— 指揮員和戰士 —— 並不是首長與部下，而像是農民兄弟"[3]。

蔣介石在參觀紅軍第 144 團的表現並不是故意造作。當日，他在日記中有同樣的記載："其軍紀及整理雖不及日本昔日軍隊，然其上下親愛，出於自然，毫無專制氣象。"對於紅軍中的"雙首長制"，即司令員之外，還有一位黨代表，蔣介石也感覺不錯，認為兩者之間分工恰當，"亦無權限之見"。"大約軍事指揮上事務皆歸團長，而政治及智識上事皆歸政黨代表，尤其是精神講話及

---

1 《聯共（布）、共產國際與中國國民革命運動》（1），第 291 頁。
2 《聯共（布）、共產國際與中國國民革命運動》（1），第 292 頁。
3 《聯共（布）、共產國際與中國國民革命運動》（1），第 292—293 頁。

平時除軍事外之事務，皆歸代表也"[1]。

9月19日，蔣介石等參觀步兵第二學校。20日，參觀研究毒氣的軍用化學學校。22日，參觀高級射擊學校，看到了15世紀以來的各種槍支，共約數百種，其中俄造騎兵用機關手槍，可連發35響，輕便非常，給了蔣介石很深印象。他在日記中慨歎道："俄國武器之研究及進步可與歐美各國相等，不比我國之腐敗也。"

初到莫斯科，受到熱情接待，蔣介石的印象是好的，只是覺得物價高。9月8日晚，蔣介石等往前皇家劇院觀劇，聽說正廳票價每人約需5個金盧布，感到莫斯科生活程度不低！14日，蔣介石外出買鞋，定價90金盧布，蔣介石驚詫地叫起來："太貴了！"不過，蔣介石對這些均覺得無所謂，並不十分在意。使他在意的是蘇聯政府工作人員的態度。

9月23日，代表團中唯一的共產黨員張太雷和外交人民委員部的工作人員發生爭論，蔣介石為張太雷幫腔。事後悶悶不樂，認為"其部員之下流無賴，實使人討嫌"[2]。24日，蔣介石仍不能釋懷，日記云："為外交部員無禮怠慢，使人嫌惡，幾欲回國。余之性質，實太狹褊，不能放寬，奈何！"蔣介石早年性格的特點是任性。前些年在孫中山、陳炯明手下工作的時候，常常因與人不合，立刻甩手走人，辭職不幹。這次雖因蘇聯外交人民委員部的工作人員不敬，萌生回國念頭，但是，這畢竟是在外交場合，他還是忍住了。

八、參觀彼得格勒等地，為市況蕭條及海軍士氣擔憂

9月25日晚9時，蔣介石等一行乘火車前往彼得格勒等地參觀。

9月26日下午，參觀冬宮。先參觀博物館，收藏以瓷器、圖畫為多，宮殿的牆壁、柱子，均用紅、白、綠三種大理石為原料。其後參觀冬宮的觀見廳、寢室、書房、餐廳、浴室、會議廳、禮堂等處，或稱為金間，或稱為銀間，或稱為翡翠間，給蔣介石的印象是"鋪陳華麗"。不過，其中最吸引蔣介石的卻

1　《蔣介石日記》（手稿本），1923年9月17日。
2　《蔣介石日記》（手稿本），1923年9月23日。

是展出的俄國革命黨歷史，特別是革命前的艱苦鬥爭與巨大犧牲。蔣介石在日記中寫道："惟其中新設一層，皆述革命黨經過歷史之慘狀，殊令人興感也。"

9月27日，參觀海軍大學及海軍學校。

9月28日參觀海軍博物館。該館陳列彼得大帝以來俄國海軍的發展史，包括人員及艦船模型等。俄國海軍的發展迅速，使蔣介石頗感"驚駭"。同日，乘船遊覽涅瓦河，一直到海口為止，使蔣介石等充分領略了彼得格勒形勢的宏壯。三時後參觀製造潛艇的工廠。第二天，再由彼得格勒乘船，參觀喀琅施塔得軍港，登上"摩拉塔"戰艦及第二號潛水艇。9月30日，參觀大劇院和"伊曬克"教堂。蔣介石一直登上教堂的最上一層，彼得格勒四郊百餘里之內的風景，一一收入眼底。對這一教堂建築的宏大壯麗，蔣介石歎為"實所罕睹"。

10月1日，參觀前皇村，這是歷代沙皇居住的宮殿。蔣介石日記稱："其建築之宏大，裝飾之華麗，誠所謂窮奢極欲。大理石與翡翠之柱壁、地板，不足奇也。"對沙皇尼古拉的宮殿，則認為遠遠超過法國的凡爾賽宮，"世無其比"。歸途中順道訪問一戶人家，受到親切接待。一位既漂亮又熱情的俄羅斯女郎一會兒翩翩起舞，一會兒揮指彈琴，使得一向貪戀女色的蔣介石歎為"誠尤物也"[1]。

從9月26日到10月1日，蔣介石等在彼得格勒參觀、訪問共6天。當時，俄國經濟還處於困難時期，喀琅施塔得軍港兩年前還發生過反對蘇維埃政府的暴動。蔣介石的總印象是："市況凋零，民氣垂喪，皆不如莫斯科之盛，而其海軍人員之氣象，更不良佳，殊堪為蘇俄憂也。"[2]

九、再回莫斯科，向托洛茨基等呈遞《備忘錄》

10月2日上午11時，蔣介石等回到莫斯科，又因為為外交人民委員部的工作人員"弄鬼"生氣，蔣介石覺得自己意志不堅。日記云："寬容大度，包羅萬象，方能成偉大事業。器小如此，奈何！"

---

1 《蔣介石日記》（手稿本），1923年10月1日。
2 《蔣介石日記》（手稿本），1923年10月2日。

還在彼得格勒訪問期間，蔣介石就在起草一份信稿。9月27日日記云：“早起，致函稿成。”28日日記云：“早起修正函稿。”30日日記云：“上午，繕正函稿。”回到莫斯科的當晚，蔣介石將函稿謄錄一遍，大功告成。10月3日，代表團內部為函稿及《中國革命的新前景》發生爭論，只是“稍有齟齬”，情況並不嚴重，但蔣介石卻很不高興，日記云：“交友實難，吾自不慎，有何言也。”10月5日，蔣介石修改《中國革命的新前景》，定名為《孫逸仙代表團關於越飛5月1日東京電中所提建議之備忘錄》。一直到晚上10點才睡。日記云：“同伴參差，蕭然寡欣。交友之難，可歎！”10月6日，蔣介石檢點《函稿》及《備忘錄》，一份送交外交人民委員契切林，一份送交革命軍事委員會托洛茨基、斯克良斯基和加米涅夫。《函稿》目前只有英文打字稿留存下來，現翻譯如下：

親愛的同志：

我們受孫逸仙博士委派，為建立中國國民革命的主要軍事力量，前來討論在中國的西北邊境建立革命的軍事組織的計劃細目。5月1日，蘇維埃政府通過越飛發自東京的電報，答應給我們的領導者以相關援助，對此，我們首先要充分表達感激之情。5月12日，孫博士復電，接受俄國人的建議並陳述說，他將為此投入很大的精力。該電已自廣州電達越飛和達夫謙。有信通知我們，孫博士的回答已經電告莫斯科。

我們受我們黨的領導人的委託，前來和你們討論建議的軍事部分。但是，我們也將利用這一機會，討論建立政治思想戰線的方案，作為成功地執行我們計劃的基礎。俄國同志在此領域有偉大的經驗，因此，我們期待關於我黨宣傳工作的討論將給予我們許多有價值的情報。這些，我們在不遠的將來會需要。

在所附《備忘錄》中，我們已經陳述了這一計劃的兩個方面，但是，我們必須強調，這是我們的特別任務，以達到一項軍事組織的明確決定。它將不僅是中國革命成功的絕對需要，而且會在太平洋地區的鬥爭中有偉大的實際作用。在這一鬥爭中，俄國和中國的革命軍隊將抵抗帝國主義的聯合力量。這一力量，企圖將中國置於他們的控制之下，並且成為蘇俄的真正危險。[1]

1　To Comrade Trotzky, Skliansky & Kameneff. 中國第二歷史檔案館藏。

函末，蔣介石表示希望，儘早與蘇方會見，討論《備忘錄》，以便儘快執行計劃。可以看出，這封信和前述蔣介石寫就的《致蘇俄負責人員意見書》已經大不相同了。

《備忘錄》分《緒論》、《軍事計劃》、《宣傳》、《結論》四大部分，共八千二百餘字[1]。

從筆者見到的部分英文打字稿看，它在篇章結構上作了較大調整，但和《中國革命的新前景》並無很大不同。

十、好壞印象夾雜的蘇俄觀感

蔣介石遞上《備忘錄》後，主要任務完成，就等著俄國人回答，因此日子過得並不緊張。俄國人乘機安排蔣介石等人看戲、看芭蕾舞，參觀莫斯科的工廠、農村和克里姆林宮等處。

10月8日晚，往莫斯科大劇院觀劇。"此劇係俄國各民族各種演劇模型"，大概是一場綜合性晚會，教育人民委員盧那卡爾斯基親自登台演出。蔣介石日記稱："台上印刷機器隨時印布宣傳品，實乃共產主義國之特色也。"[2]

10月25日下午，參觀莫斯科的燈泡製造廠及發電廠，考察廠中的工人俱樂部、教室、音樂補習室、販賣合作社、圖書室、閱報室、膳廳、劇場等地，感到"應有盡有"。對工廠為工人配備"專科教師"以備工人業餘學習，以及職工會與共青團，蔣介石都表示滿意。對工廠舉辦的展覽會，展示廠史及工人狀態，清單說明廠中資本盈虧，供工人觀覽，注重社會科學等做法，蔣介石也都贊成。

10月28日，看芭蕾舞。演員們的精湛舞姿看得蔣介石等人目瞪口呆，歎為觀止。蔣介石日記稱："演劇婦女之活潑動作，無異機械，吾國優伶萬不及也。"

---

1 Memorandum of the Delegation of Dr. Sun Yat Sen with Relation to the Proposal Mentioned in the Telegram of A.A. Joffe Sent from Tokyo May 1. 中國第二歷史檔案館藏。

2 《蔣介石日記》（手稿本），1923 年 10 月 8 日。

10 月 30 日，參觀莫斯科西郊的農村。先進入村蘇維埃，蔣介石覺得類似奉化鄉間的自治會，但制度不同。繼而參觀消費合作社和小學校。小學展覽的是學生自製的工具和自繪圖畫，蔣介石感覺較中國教育為新穎。最後參觀鄉蘇維埃。蔣介石覺得規模較大，司法、行政、立法三權皆出於此，鄉村警察亦出於此。

11 月 1 日，參觀克里姆林宮，正值衛生人民委員報告，蔣介石坐在台下聽了約一小時。克里姆林宮留給蔣介石的印象是建築宏大，但裝潢則比不上彼得格勒的冬宮等處。

11 月 5 日，參觀俄國共產無政府主義者克魯泡特金的故居。

11 月 6 日晚，到莫斯科市蘇維埃，參加慶祝十月革命節紀念大會，聽加米涅夫和布哈林以及當年起義水手、海軍士兵等演說。

11 月 7 日為蘇維埃聯邦共和國 6 週年紀念日。上午 9 時，蔣介石等到紅場參觀閱兵式及群眾遊行。自 11 時起至下午 6 時止，遊行尚未完畢。參加者有軍隊 2 萬，飛機 16 架，炮車 8 門，機關槍車 1 隊。炮車和機關槍車，蔣介石都未見過，充分感到俄國軍械的先進和軍容的威嚴。典禮讓蔣介石看到了俄羅斯人民對政府的擁護。當日，蔣介石在日記中寫道："觀今日之運動，足知蘇維埃政府對於人民已有基礎，殊足以破帝國主義之膽。吾於蘇俄無所間言。"但是，蔣介石仍然覺得，俄國"中級以下人材缺乏，辦事時間延遲不準，緩慢非常，而其高級人員處事或尚感情，是其短處。至於其有否自滿之志，則吾尚未敢斷言也"。

11 月 15 日下午，參觀博物館。

閒暇時，蔣介石自己參觀市場，或者獨自沿著美麗的莫斯科河散步。有一次，蔣介石一個人搭船，順流到莫斯科西南的"不寂之園"去觀光。那裏是莫斯科的最高處，風景優美，蔣介石感到有些像東京的上野公園，但比上野還要美。公園的最西邊是麻雀山，相傳拿破崙到莫斯科後，曾先登此山。蔣介石徘徊於山徑和森林之間，眺望全城，自覺精神爽暢，稱譽此地為"莫斯科第一勝景"。此後，蔣介石又去過三次。

11 月 16 日，拜訪蘇聯中央執行委員會主席加里寧。加里寧給蔣的感覺是

"完全一農民"，"言語誠實，行動自在"。蔣介石和他談起國外大勢，不知所答。蔣介石暗自將加里寧和曾任中國總統的黎元洪比較，覺得黎"狡猾餒弱"，因此轉而讚美加里寧，"誠不愧為勞農專政國之議長也"[1]。

11 月 19 日晚，參觀莫斯科市蘇維埃大會。內容為報告一年來的工作成績：工業已恢復至戰前的 60%；工資比去年增加一倍；新增工人宿舍可容一萬餘人；3 萬失業工人，政府每月津貼每人 8 元。蔣介石日記稱："是其重要報告也。"

11 月 21 日蔣介石訪問越飛。下午，訪問教育人民委員盧那卡爾斯基。盧稱蘇聯的教育方針為：1. 廢除宗教；2. 男女同校；3. 接近實際生涯；4. 學生管理校務；5. 統一教育制度；6. 注重勞工學校；7. 專門學。盧並稱：中央與地方合計，現在常年教育經費約佔國家總預算的 14%，共為一億四千萬元。蔣介石對盧的談話很重視，將其所談比較詳細地記在日記裏，但他還覺得教育預算偏低，"尚不足其預算三分之一也"。

從俄國人那裏，蔣介石得知各地都有共青團組織，蔣介石稱之為"少年共產黨支部"。對"少年共產黨支部"注重培植青年，蔣介石讚美其為"第一優良政策"[2]。蔣介石也了解到，當時的蘇維埃政府，看不起知識份子和商人，"優待農工而輕士商"，這本來是一項"左傾"政策，但蔣介石也贊成，在日記中表示："吾亦無間言也。"[3]

十一、俄國人拒絕在庫侖建立軍事基地，蔣介石大失所望

俄國人長期將蒙古視為其勢力範圍。1911 年，中國發生辛亥革命，沙俄乘機派兵進入蒙古，導演"獨立"。1921 年，蘇俄紅軍為追剿沙俄白衛軍，進佔庫侖，此後即長期不肯撤兵。蔣介石要求在庫侖建立軍事基地，自然不能為俄

---

1 《蔣介石日記》（手稿本），1923 年 11 月 16 日。
2 《蔣介石日記》（手稿本），1923 年 11 月 4 日。
3 同上注。

國人所接受。10 月 18 日契切林約蔣介石往見，但契切林臨時有病，未見。10 月 21 日下午，蔣介石拜會契切林，集中談"蒙古自治問題及根本計劃"。契切林沒有正面回答可否，只籠統地強調"蒙古人怕中國人"，要蔣介石與蘇共領導人商談。26 日，蔣介石致函契切林，反駁說：

> 要知道蒙古人所怕的是現在中國北京政府的軍閥，決不是怕主張民族主義的國民黨，蒙古人惟其有怕的心理，所以急急要求離開怕的環境。這種動作，在國民黨正想把他能夠從自治的途徑上，達到相互間親密協作底目的。如果蘇俄有誠意，即應該使蒙古人免除怕的狀況。須知國民黨所主張的民族主義，不是說各個民族分立，乃是主張在民族精神上做到相互間親愛的協作。所以西北問題正是包括國民黨要做工作的真意，使他們實際解除歷史上所遺傳籠統的怕。[1]

訪蘇前，蔣介石沒有料到事情會如此不順利。發出致契切林函後，蔣介石一整天都心神不佳，悶悶不樂，日記云："可謂缺少經驗，自討其苦也。"[2] 25 日，蔣介石致斯克良斯基一函。28 日，再各致契切林和斯克良斯基一函。這時候，蔣介石已經對他所受到的接待和蘇方的拖延不復表示不耐。11 月 1 日，契切林寫信向季諾維也夫報告，說明蔣介石"已經神經過敏到極點，他認為我們完全不把他看在眼裏"[3]。

蘇聯方面對國民黨的要求遲遲不復，固然由於蒙古問題，同時也由於蘇聯正熱衷於在德國、保加利亞、波蘭等地發動革命，建立"工人代表蘇維埃"。11 月 2 日，托洛茨基致函契切林與斯大林，要求"極其果斷地和堅決地"向國民黨代表團"灌輸"："他們面臨著一個很長的準備時期"，"軍事計劃以及向我們提出的純軍事計劃，要推遲到歐洲局勢明朗和中國完成某些政治準備工作之後。"[4] 11 月 11 日，斯克良斯基和加米涅夫再次與蔣介石等人會談。

當日上午，蔣介石檢出《意見書》，仔細審查，精心作好談話準備。下午見面時，斯克良斯基開門見山，表示不贊成國民黨代表團的計劃："孫逸仙和國

---

1 《蔣介石年譜初稿》，第 137—138 頁。
2 《蔣介石日記》(手稿本)，1923 年 10 月 26 日。
3 《聯共（布）、共產國際與中國國民革命運動》(1)，第 308 頁。
4 《聯共（布）、共產國際與中國國民革命運動》(1)，第 309 頁。

民黨應該集中全力做好政治工作，因為不然的話，在現有條件下的一切軍事行動都將注定要失敗。"他以"十月革命"為例，說明那是"俄國共產黨長期堅持不懈的工作"的結果。他要求國民黨在中國也做同樣的工作，首先全力搞宣傳，辦報紙、雜誌，搞選舉運動，等等。

"孫逸仙同越飛會談以後，國民黨加強了自己的政治活動，但黨認為同時也有必要開展軍事活動。"蔣介石還想盡力一搏，針鋒相對地與斯克良斯基辯論。他接著說明："在俄國，共產黨只有一個敵人，而在中國，地球上的所有國家的帝國主義者都反對中國的革命者，所以，在中國採取軍事行動是必要的。"[1]

斯克良斯基寸步不讓，要國民黨"首先應該把自己的全部注意力用在對工農的工作上"。他說："有必要在近幾年只做政治工作，軍事行動的時機只有當內部條件很有利時才可能出現。"他尖銳地批評蔣介石提出的軍事計劃："發起你們方案中所說的軍事行動，就是事先注定要失敗的風險。"為了不讓蔣介石完全失望，斯克良斯基提出，可以允許"中國同志"到蘇聯軍事學校學習。參謀部學院可以接受3—7人，軍事學校可以接受30—50人。至此，會談已經進行了兩個小時，蔣介石等無話可說了，表示將於11月22日回國，希望再一次會見斯、加二人，並且請他們轉交一封信給革命軍事委員會主席托洛茨基[2]。

在歸途中，張太雷向陪同的俄國人表示："在學習了蘇聯的經驗之後，本代表團應該同意革命軍事委員會的意見。"據這名俄國人事後的彙報，會談前，蔣介石由於神經緊張，過度勞累，一再要求送他去療養院休養兩周，而在與斯克良斯基會談之後卻表示：不要張羅療養院和醫生，自己感覺好多了。這名俄國人由此作出結論說："中國人對同斯克良斯基同志的會見是滿意的。"[3]

事實是，俄國人拒絕了蔣介石的庫侖軍事計劃，蔣介石的內心極為憤懣、失望。當日，他在日記中寫道：

> 無論為個人，為國家，求人不如求己。無論親友、盟人之如何親密，

1　《聯共（布）、共產國際與中國國民革命運動》（1），第 311 頁。原件為俄文，本文引用時對中譯文的口氣略有變動。
2　《聯共（布）、共產國際與中國國民革命運動》（1），第 310—312 頁。
3　《聯共（布）、共產國際與中國國民革命運動》（1），第 312—313 頁。

總不能外乎其本身之利害。而本身之基業，無論大小成敗，皆不能輕視恝置。如欲成功，非由本身做起不可。外力則最不可恃之物也。[1]

11月12日，蔣介石給汪精衛發了電報，又給契切林寫了封信。整天"心緒沉悶"。他想起了當時國內的狀況，更加抑鬱，日記云：世人虛偽，本黨同志，優秀者或死節，或遠離，現在所見者，只有"趨炎附勢，爭權奪利，吹牛拍馬，以公濟私，卑陋惡劣，互相利用挑撥之徒"，其他人則"貪似狼，猛似狗，蠢似豕"。想到這裏，蔣介石在句末重重地寫下了"可歎"二字。

蔣介石又給斯克良斯基和契切林各寫了一封信。

十二、批評蘇俄政府"無信"，察覺斯大林等人"排斥異己"

蔣介石在俄國時間久了，對俄國社會了解漸多。11月24日日記云："俄國中級人才太少，政府往往為其下所蒙蔽，而其輕信、遲緩、自滿，為其切要弊端，遇大事不能深重觀察，專尚客氣。人而無信，尚不能立，況其國乎！少數人種當國，排斥異己，亦其國之一大弊也。吾為之危。"這一段日記前半段批評蘇俄政府"無信"，後半段，批評"少數人種當國，排斥異己"。

1919年7月，蘇俄政府曾由副外交人民委員加拉罕發表對華宣言，宣稱："蘇維埃政府把沙皇政府獨自從中國人民那裏的掠奪的或與日本人、協約國共同掠奪的一切交還給中國人民。"[2] 1920年9月，加拉罕照會北京政府外交部，聲稱："以前俄國歷屆政府同中國訂立的一切條約全部無效，放棄以前奪取中國的一切領土和中國境內的俄國租界，並將沙皇政府和俄國資產階級從中國奪得的一切，都無償地永久歸還中國。"[3] 當時，蒙古問題是中蘇之間的重大糾紛。1923年1月，越飛與孫中山會談時，曾向孫表示，俄國現政府從來不想在外

---

1 《蔣介石日記》（手稿本），1923年11月11日。

2 《蘇俄政府第一次對華宣言》，《中國近代對外關係史資料選輯》下卷，第一分冊，上海人民出版社1977年版，第15—16頁。

3 《蘇俄政府第二次對華宣言》，《中國對外關係史資料選輯》下卷，第一分冊，第18頁。

蒙實施帝國主義政策，也絕無使其脫離中國的目的[1]。1923 年 9 月 16 日，加拉罕到北京談判，專門向報界聲明：蒙古應為中國之一部，俄國決無任何侵併計劃[2]。現在，蘇方堅決拒絕蔣介石在庫侖設立軍事基地的計劃，自然要被蔣視為"無信"。

俄國共產黨從 1921 年起進行"清黨"，至 1922 年 3 月召開聯共（布）第 11 次代表大會前，已經開除了 17 萬黨員，佔全體黨員的 25% 左右。第 11 次黨代表大會上，由於列寧已經病重，出生於格魯吉亞的斯大林當選為總書記，並與季諾維也夫、加米涅夫等人陸續形成"三駕馬車"以至"七人小組"，壟斷蘇聯黨和國家大權，將托洛茨基排除在外。1923 年 4 月，聯共（布）召開第 12 次代表大會，"清黨"仍在進行。同時，斯大林對托洛茨基的鬥爭也漸次進入火熱狀態，開始批判托洛茨基本人和他的擁護者拉狄克和克拉辛等。這些，不能不給蔣介石留下印象。11 月 24 日日記所稱"排斥異己"，顯指斯大林等人。蔣介石認為這是蘇聯的"大弊"，並且聲稱"吾為之危"。

蔣介石晚年回憶說："在蘇俄黨政各方負責諸人之中，其對我國父表示敬重及對中國國民革命表示誠意合作的，除加密熱夫、齊采林（即契切林）是俄羅斯人之外，大抵是猶太人為多，他們都是在帝俄時代亡命歐洲，至一九一七年革命才回俄國的。這一點引起了我特別注意。我以為托洛斯基、季諾維也夫、拉迪克與越飛等，比較關切中國國民黨與俄國共產黨的合作。可是越飛自中國回俄之後，已經失意了。我並且注意到當時列寧臥病如此沉重，而其俄共黨內，以托洛斯基為首要的國際派與史達林（即斯大林）所領導的國內組織派，暗鬥如此激烈，我就非常憂慮他們這樣鬥爭，必於列寧逝世之後，對於中俄合作的關係，更將發生嚴重的影響。"[3] 蔣介石的這一段回憶，可以幫助我們了解他 11 月 24 日的日記。

---

1 《孫越宣言全文與國共聯合》，《外交月報》卷 2 第 1 期。

2 《時報》，1823 年 9 月 19 日。

3 《蘇俄在中國》，《先總統蔣公思想言論總集·專著》，第 29—30 頁。

十三、認真攻讀馬克思著作，
但崇拜孫中山，婉拒加入中共

在蘇聯期間，蔣介石有較多空閒。除了學俄語，讀吳承恩的《西遊記》，學習拉手風琴，彈琵琶外，不少時間都用在閱讀馬克思主義著作上。其日記載：

9月21日下午，看《馬克思學說》。

9月22日下午，看《馬克思學說概要》。

9月24日，看《馬克思學說概要》。日記云："頗覺有趣。上半部看不懂，厭棄欲絕者再。看至下半部，則倦不掩卷，擬重看一遍也。"

9月25日下午，看《經濟學》。

10月3日晚，看《共產黨宣言》。

10月4日上午，看《馬克思學說概要》。下午看《概要》。

10月7日，看《馬克思學說概要》。

10月9日下午，看《馬克思學說概要》。

10月10日下午，看《馬克斯〔思〕學說》之《經濟主義》。日記云："復習第三遍完，尚不能十分了解，甚歎馬克思學說之深奧也。"

10月16日，看《共產黨宣言》。

10月17日，看《共產黨宣言》。

10月18日，上午看《馬克思傳》，下午看《馬克思學說》，"樂而不能懸卷"。

10月20日下午，看《德國社會民主黨史》。

11月1日，看《德國社會民主黨史》。

從上述日記可見，蔣介石這一時期讀馬克思主義著作不僅很積極，很認真，一遍、兩遍、三遍地讀，而且有時還讀得很有興趣，樂不釋手。但是，蔣介石仍然高度崇拜孫中山。

當蔣介石訪問蘇聯之際，蘇聯政府也正派其副外交人民委員加拉罕來華和北京政府談判。9月8日，加拉罕致電孫中山，稱孫為"新俄國的老朋友"，表示希望得到孫的幫助[1]。9月16日孫中山復電加拉罕，其中談到："中俄兩國之真

1　陳錫祺：《孫中山年譜長編》下冊，第1687頁。

實利益使雙方採取一種共同政策，俾吾人得與列強平等相處，及脫離國際帝國主義之政治、經濟的壓迫。"[1] 10 月 9 日，蔣介石從蘇聯報紙上讀到孫中山這一電報，高興地在日記中寫道："今日俄報登載中師復喀拉漢宣言，甚為得體，且有反對帝國資本主義之決心，不勝欣喜。"

10 月 10 日是當時中國的國慶日。從下午起，蔣介石就在預備演講，題目是中國國民黨的歷史。當天晚上，在莫斯科的全體中國學生到蔣介石寓所，共同慶祝"雙十節"。蘇聯外交人民委員部、蘇聯共產黨都派代表前來祝賀。蔣介石講了大概一個半小時，自覺"頗有條理"。接著是演劇、獻技，奏《國際歌》，一直到夜 12 時方散。

大概蔣介石在演說中比較突出地宣揚了孫中山的功績，第二天，蔣介石就聽到批評："有崇拜個人之弊"。當時在俄國的中國學生接受馬克思主義教育，在領袖與群眾的關係上，在孫中山的個人作用上有某些新看法，本是很自然的事，但蔣介石卻不能理解，他聯想到中國國民黨和俄國共產黨內的情況，更增添一層憂慮。日記稱："甚笑中國人自大之心及其願為外人支配而不願尊重國內英雄，此青年之所以能言難行而無一結果也。黨人好尚意氣，重妒嫉，而俄黨下級人員較吾中國更甚，此實為俄黨慮也。"[2]

10 月 13 日，蔣介石到蘇聯外交人民委員部。在那裏讀到孫中山致列寧、托洛茨基和契切林的三封信，其中稱蔣介石為"我的參謀長和密使"，聲稱"蔣將軍要和貴國政府及軍事專家一起提出一項由我的軍隊在北京西北地區進行軍事行動的建議。茲授權蔣將軍代表我全權行事"[3]。蔣介石感受到孫中山的"至誠"，心頭一熱，不覺淚下。孫中山為中國革命奮鬥多年，尚未成功，蔣介石頗為孫中山不平，日記稱："天何不欲至誠之人成功而使其久屈也！"[4] 同日，蔣介石還收到汪精衛、廖仲愷的來信，也都對蔣充滿期待，使處在異國他鄉的蔣介石感到溫暖。10 月 18 日，蔣介石再次接到孫中山手擬長電，又一次受到感動，日記云："中師誠摯之辭，每使人讀之淚下，其非比長於文字者故為此籠絡

1　《孫中山全集》卷 8，中華書局 1986 年版，第 216 頁。
2　《蔣介石日記》（手稿本），1923 年 10 月 11 日。
3　Allen Suess Whiting，*Soviet Policies in China*，Stanford University Press，1968，p.234.
4　《蔣介石日記》（手稿本），1923 年 10 月 13 日。

之語，此其更可貴也。"

其間，曾有人動員蔣介石加入中國共產黨，蔣介石答以"須請命孫先生"。蔣的答復使動員者失望，批評蔣是"個人忠臣"，這一批評又很快為蔣介石得知，大為不滿[1]。到當年 12 月 13 日，蔣介石離開蘇聯回國，見到"留俄同志"致孫中山函稿，其中論及孫中山周圍"忠臣多而同志少"，更使蔣介石"閱之甚駭"。其實，這本是一句要求加強國民黨內民主建設的善意勸告，但蔣介石不能理解。日記云："少年輕躁自滿，詆笑道義，殊為可歎！排人利己之徒，誘引青年，自植勢力，而不顧黨誼，其實決不能自成其勢。夢夢之人，惟有一歎而已。"[2] 這裏所批評的"少年"和"排人利己之徒"，顯指當時的部分年輕的共產黨員，這是蔣介石對中共發生嫌隙的開始。第二年 3 月，蔣介石更致函廖仲愷訴苦說："弟自知個性如此，殊不能免他人之非笑，然而忠臣報君，不失其報國愛民之心，至於漢奸、洋奴，則賣國害民而已也。吾寧願負忠臣卑鄙之名，而不願帶〔戴〕洋奴光榮之銜。"[3]

十四、與共產國際領袖爭論，主張中國革命"兩步走"

蔣介石等到莫斯科後，曾於 10 月中旬通過吳廷康向共產國際提交過一份《關於中國國民運動和黨內狀況》的書面報告。該報告認為：辛亥革命以來，中國的政權一直掌握在軍閥手中，帝國主義列強對中國的經濟剝削日益增強。國民黨的任務是"推翻世界資本主義"。中國的國民革命具有國際性質。《報告》對三民主義提出了新解釋：民族主義意味著"所有民族一律平等"，反對帝國主義，扶助弱小民族。民權主義指每個人都擁有言論、結社、集會、出版等自由，政府必須來自人民，取得人民幫助並為了人民。民生主義就是國家社會主義，所有大工業、所有土地都屬於國家，由國家管理，以便避免私人資本主義的危害。但是，由於現時的經濟條件，中國不可能立即實行共產主義。民生

---

1 《蔣介石年譜初稿》，第 168 頁。
2 《蔣介石日記》（手稿本），1923 年 12 月 13 日。
3 《蔣介石年譜初稿》，第 168 頁。

主義是當前中國"最能接受的經濟制度"。《報告》還提出：國民黨必須進行改組，目前最重要的任務是為宣傳工作尋找政治口號。同時，必須在反帝運動中同蘇維埃俄國合作。這種合作不僅為中國革命帶來好處，也會為世界革命帶來好處[1]。

吳廷康收到國民黨代表團的書面報告後，約蔣介石在適當時刻拜會共產國際主席團，但其時間卻一再延宕，不能確定，蔣介石覺得很失面子，不大高興。11月25日，吳廷康再次相約，而又不定具體時間，蔣介石"憤激不堪，婉言拒其約會"。但吳廷康一再要求，蔣介石勉強答應。當晚7時，蔣介石到共產國際主席團參加共產國際執行委員會，首先會見主席季諾維也夫等人，據蔣介石日記稱："各國共產黨主席皆履會，情形頗佳"。會上，蔣介石發表演說：

> 國民黨代表團是奉國民黨領袖孫逸仙之命派出的，目的是在這裏，在莫斯科這個世界革命的中心，同共產國際的同志們進行坦率的討論。

演說中，蔣介石重點對孫逸仙的民生主義，特別是"兩步走"的設想作了闡釋。他說：

> 民生主義是通向共產主義的第一步。我們認為，對中國革命來說。目前最好政策是，作為第一步，使用"（爭取）獨立的中國"、"人民政府"、"民族主義"之類政治口號。作為第二步，我們將根據共產主義的原則做一些事情。

蔣介石說明，由於當時大多數中國人民不識字，屬於小農階級和小資產階級，因此中國"目前不能進行無產階級革命"，不能使用"共產主義口號"，否則，"就會造成小土地所有者對這些口號的錯誤理解"，"會使他們加入反對派陣營"，"跟隨中國軍閥反對我們"，"會使中國革命不能取得成功"。"所以目前我們的綱領是旨在聯合中國人民的所有人士，以便藉助於統一戰線來取得革命的巨大成功"。接著，蔣介石說明，孫逸仙博士30年前開始革命時，就使用三民主義為口號，人民已經習慣，軍閥也不會特別注意，小農階級和小資產階

---

1 《聯共（布）、共產國際與中國國民革命運動》(1)，第297—302頁。

級也不會反對。

演說中，蔣介石還闡明了國民黨對世界革命的設想："主要基地在俄國"，贊成"俄國同志幫助德國革命取得成功"。他說：

> 國民黨建議，俄國、德國（當然是在德國革命取得成功之後）和中國（在中國革命取得成功之後）組成三大國聯盟來同世界資本主義勢力作鬥爭。藉助於德國人民的科學知識、中國革命的成功、俄國同志的革命精神和該國的農產品，我們將能輕而易舉地取得世界革命的成功，我們將能推翻全世界資本主義制度。

蔣介石展望，三五年之後，中國的國民革命就能成功，一旦取得成功，"我們就開始進行第二階段，即在共產主義口號下展開工作。我們認為，那時，中國人民將更容易實現共產主義"[1]。

蔣介石對他在共產國際執委會上的報告很滿意，日記中自稱，訪蘇以來所作報告、講話，"亦以今日為最從容而有條理也"[2]。演講後，蔣介石接受共產國際執委會總書記科拉羅夫等人的提問並作了答復。季諾維也夫在總結中聲稱，共產國際的中國問題委員會將繼續開會，同國民黨代表團討論，作出決議。

季諾維也夫關心中國國民黨和中國共產黨兩黨之間已經開始的合作，希望國民黨做工作，將兩黨部分成員之間的可能發生的困難和誤解減少到最低程度，要求在中國工人罷工的時候，始終站在工人一邊，積極支持工人鬥爭，並且特別強調，這種支持應該是"認真的和積極的"。季諾維也夫表示，他不能肯定自己得到的消息是否確實——有人對他說，漢口"二七罷工"時期，國民黨的支持不夠"強而有力"，其"冷淡態度使人感到很失望"。他希望，國民黨注意這一點，在工人的所有衝突和發動中，國民黨的支持真正是堅決有力的，以便不給埋怨和抹煞帶來口實。

對國民黨的"三民主義"，季諾維也夫明確表示，"不是共產主義的口號"，要使這些口號"更具體，更明確"。關於"民族主義"，季諾維也夫說：它應該

---

1 《聯共（布）、共產國際與中國國民革命運動》（1），第330—331頁。
2 《蔣介石日記》（手稿本），1923年11月25日。

"不為新的資本家階級、新的資產階級在中國的統治提供可能"，"它不應用中國資本家的統治去取代外國帝國主義的統治"，也"不應導致建立中國一部分居民對另一部分居民的霸權地位"，"不應該導致對生活在中國境內的各民族的壓迫"。關於"民權主義"，季諾維也夫表示，"民權主義在歐洲已是一個反動的口號，民權主義不贊成革命"。在中國，它能否成為"進步口號"，取決於"它能在多大程度上保障居民中的勞動群眾有可能捍衛自己的權利，並把自己的事業推向前進"。關於"民生主義"，季諾維也夫稱，未必有必要詳細討論，如果把它理解為"致力於把勞動群眾，如耕種土地的莊稼人"從賦稅重負等壓迫下解放出來，那就不必反對。但是他明確表示，"這完全不是真正的社會主義"，只是"有可能導致真正的社會主義目標的發展"[1]。

蔣介石表示，原則上同意季諾維也夫的講話，但他強調："我們不是為資產階級而進行革命工作的。""目前我們希望，小資產階級和我們建立反對資本主義和帝國主義的統一戰線。但是，我們並不為它的利益而鬥爭。"

季諾維也夫對蔣介石的回答作了有條件的肯定："當然，共產國際並不認為國民黨是資產階級的政黨。否則我們就不會同這樣的黨打任何交道。我們認為，國民黨是人民的政黨。它代表那些為爭取自己的獨立而鬥爭的民族力量。""國民黨也是革命的政黨。"

會議最後，蔣介石要求共產國際派一些有影響的同志到中國，仔細研究中國局勢，領導國民黨，就中國革命的問題提出建議。季諾維也夫接受蔣介石的建議，答應向中國派出一位負責的代表，並請代表團轉達對中國國民黨，特別是孫逸仙同志的"熱烈的兄弟般的問候"[2]。

11 月 28 日，共產國際主席團發佈《關於中國民族解放運動和國民黨問題的決議》。該決議由布哈林、科拉羅夫、庫西寧、阿姆特爾以及吳廷康組成的委員會起草，共 8 條。它批評國民黨"沒有吸收城鄉廣大勞動群眾參加鬥爭"，把希望寄託於國內"反動派"，建議對三民主義作出新解釋，使之成為"符合時代精神的民族政黨"。

---

1 《聯共（布）、共產國際與中國國民革命運動》（1），第 335—337 頁。
2 以上對話，見《聯共（布）、共產國際與中國國民革命運動》（1），第 337—338 頁。

關於民族主義，《決議》認為，它的含義是："要消滅外國帝國主義的壓迫，也要消滅本國軍閥制度的壓迫"；"不僅要消滅外國資本家的殘酷剝削，而且也要消滅本國資本的殘酷剝削"。決議提出，民族主義對外體現的是"健康的反帝運動的概念"；對內和"同受中國帝國主義壓迫的各少數民族的革命運動進行合作"，公開提出"民族自決"原則，建立"中華聯邦共和國"。

關於民權主義，《決議》認為，應使其有利於勞動群眾，只有那些真正擁護反帝鬥爭綱領的份子和組織才能享有權利和自由，決不能為在中國的幫助外國帝國主義者及其走狗（中國軍閥）的份子和組織享有。

關於民生主義，《決議》認為，應該解釋為把外國工廠、企業、銀行、鐵路和水路交通收歸國有，同時，對中國的民族工業實行"國有化原則"。《決議》認為，不能提出"土地國有化"，只能提出，"消滅大土地所有者和許多中小土地佔有者的制度"，將"土地直接分配給在這塊土地上耕種的勞動者"。

《決議》要求國民黨重視中國工人階級，放手發動其力量，"把全國的解放運動建立在廣大群眾的支持上"，善於運用在華帝國主義的內部矛盾，同工農國家的蘇聯建立統一戰線，同日本的工農解放運動和朝鮮的民族解放運動建立聯繫 [1]。

共產國際的這份決議有正確的部分，也有脫離中國革命實際的部分。蔣介石讀後，在日記中寫道：

> 普〔浮〕泛不實，其自居為世界革命之中心，驕傲虛浮。其領袖徐諾微夫（按，即季諾維也夫 —— 筆者）似有頹唐不振之氣，吾知不久必有第四國際出現，以對待該黨不正之舉也。[2]

下午，蔣介石赴共產國際會見其秘書，"應酬數語，即辭行"。

1 《聯共（布）、共產國際與中國國民革命運動》（1），第 342—345 頁。
2 《蔣介石日記》（手稿本），1923 年 11 月 28 日。

十五、蔣介石認為受到托洛茨基的欺騙，和沈定一差點打起來

托洛茨基是列寧的戰友，十月革命的重要領導者。此時雖然受到斯大林的批判、排斥，但仍然是革命軍事委員會主席。蔣介石到蘇聯後，一直希望見到他。

10 月 16 日，蔣介石致函托洛茨基。

11 月 9 日，蔣介石草擬致托洛茨基函稿。

11 月 18 日晚，改正致托洛茨基函。

11 月 19 日，發致托洛茨基函，大意云："此次負國民黨使命，代表孫先生來此，要求貴政府於本黨所主張西北計劃，力予贊助。華人懷疑俄國侵略蒙古一點，務望注意避免。並即辭行。"[1] 但是，直到 11 月 27 日，托洛茨基才接見孫逸仙博士代表團全體。

托洛茨基表示早就想會見代表團，但由於生病，未能這樣做。現在健康恢復，有可能同蘇聯的朋友 —— 孫逸仙的代表們交談。他說："只要孫逸仙只從事軍事行動，他在中國工人、農民、手工業者和小商業人的眼裏，就會同北方的軍閥張作霖和吳佩孚別無二致。" 他建議 "國民黨的絕大部分注意力應當放到宣傳工作上"，說是 "一份好的報紙，勝於一個好的師團。在目前情況下，一個嚴肅的政治綱領比一個不好的軍團具有更大的意義"。他要求國民黨 "把軍事活動降到必要的最低限度"，"儘快放棄軍事冒險"。對於國民黨提交的備忘錄，托洛茨基明確表示："國民黨可以從自己國家的本土而不是蒙古發起軍事行動。"[2]

蔣介石試圖作最後的爭辯，力圖說明各國帝國主義殘暴地壓制一切革命宣傳，國民黨政治活動困難。但托洛茨基則表示："政治宣傳必須適合於具體情況。報刊上只發表那些根據新聞檢查條件可以發表的東西，告示和傳單可以宣傳自己的觀點。應該有合法的工作和地下的工作。" 托洛茨基的這些話再次堅

---

1 《蔣介石年譜初稿》，第 140 頁。
2 《聯共（布）、共產國際與中國國民革命運動》（1），第 340—341 頁。

決地表明，蘇聯共產黨和政府不支持國民黨在蒙古的軍事計劃。

蔣介石的日記沒有記錄托洛茨基的上述態度，只有簡單的幾行字：「其人慷慨活潑。其言革命黨之要素，忍耐與活動，二者相輔並行而不可一缺也云。余之性質，厭倦與消極，此所以不能成事也。」[1]

會見托洛茨基後，蔣介石很生氣，認為托洛茨基在騙他們。他在代表團內部說：「如果蒙古想獨立，那需要我們承認，需要我們給予他獨立，而不是他自己承認自己。」沈定一反對蔣介石的意見，二人發生口角，差一點打起來。蘇聯外交人民委員部傳說：「中國代表團內部在打仗！」[2]

十六、在抑鬱無聊中歸國

會見托洛茨基的當晚，蔣介石向契切林辭行。28 日下午 3 時，赴外交人民委員部之宴。敘談 3 小時，「凡想說的話，大略各露其端倪，使其自繹」[3]。6 時，送邵元沖登車回德國。在邵元沖到莫斯科以後，蔣、邵已經結為兄弟，交換了蘭譜。臨別時，蔣介石頗有「不盡依依，良友去之何速」之感。當晚，蔣介石與趙世賢談話，「略述此次來俄經過情形，並勉其不使為外人所支配而已」[4]。趙大概是留蘇學生。11 月 18 日，蔣介石與他有過一次談話，認為是「青年有為之士，殊可貴也」。29 日，蔣介石向越飛夫人辭行。下午二時登車。張太雷留在莫斯科，沒有隨蔣介石等歸國。

此次訪蘇之行，蔣介石主要的目的沒有達到，勞而少功，加之與沈定一吵架之後，兩人關係緊張。蔣介石自悔「擇友不良」，見沈心煩，在車上也懶得說話。3 時正，火車開動，蔣介石感到「抑鬱無聊已極」。11 月 30 日，從車上望去，「冰天雪地，一望無際，日色沉沉，慘澹無光」。12 月 1 日，車過一座盛產寶石的城市，蔣介石本想買點寶石玩具，帶給經國、緯國，但因錢不多，只得作罷。8 日，到中國國境，一片平原，只有由東北至西南一帶，有不甚高峻

1　《蔣介石日記》（手稿本），1923 年 11 月 27 日。
2　《聯共（布）、共產國際與中國國民革命運動》（1），第 383 頁。
3　《蔣介石日記》（手稿本），1923 年 11 月 28 日。
4　《蔣介石日記》（手稿本），1923 年 11 月 28 日。

的山脈。蔣介石是軍人，立刻想起北方戰事適合採取攻勢。8 時後到滿洲里。當地長官前來迎接，頗為殷勤。代表團全體均無護照，因事前有電報通知，一律放行。當日到哈爾濱，地方高級長官來接，蔣介石因用的是假名，迴避不見。

12 月 10 日蔣介石到大連，逛老虎灘。12 月 12 日，登"亞拉伯"船。本定下午 4 時啟碇，因裝貨不足，至第二天早晨方開。蔣介石感歎道："日商信用，遠不如前，而船中腐敗形狀，不堪言爾。吾知東邦帝國資本主義之運命不久將盡矣。"[1] 13 日，蔣介石開始在船上寫作《遊俄報告書》。14 日續寫，時作時輟，不寫時便在甲板上與王登云一起跑步。訪蘇 4 個月以來，蔣介石至今才感到心地略暢。日記云："風平浪靜，船位寬暢，亦一樂事也。"14 日，繼續寫作《遊俄報告書》。15 日，船入吳淞口。9 時登岸回家，陳潔如還未起床。

當天下午，蔣介石往訪張靜江後，即登上江天輪，趕回奉化。胡漢民、汪精衛、廖仲愷、林業明、陳果夫諸人都到船上與蔣介石相會，詳敘別情。蔣介石向廖仲愷等人簡要彙報了訪蘇之行，說明俄國人對代表團"很同情"，"他在一些會議上發表了演說，人們把他抬了起來，音樂打斷了他的講話；人們向他說明了與政治工作有關的各種情況，甚至向他講了黨內在中國問題上存在的意見分歧"。蔣概括說："這一切給他留下了很誠懇的印象。""蘇聯有給予支持的真誠願望，問題在於，國民黨人是否充分理解自己的任務。"[2] 此前二日，孫中山在廣州已經啟動了在近代中國具有重大意義的國民黨的改組工作，重新進行黨員登記，委任廖仲愷、譚平山、陳樹人、孫科、楊庶堪等人為臨時中央執行委員，因此大家都勸蔣介石回滬，參加上海地區的黨務改組，但蔣介石執意不從，一心趕回溪口，紀念母親王太夫人的六十冥誕。他只向孫中山捎去一個建議，任命楊庶堪為廣東省省長。回奉化後，蔣介石又將他所寫的《遊俄報告書》寄給孫中山。不過，這份《報告書》至今尚未發現。

1　《蔣介石日記》（手稿本），1923 年 12 月 12 日。日記類抄本中，"東邦"作"東方"。
2　《聯共（布）、共產國際與中國國民革命運動》（1），第 384 頁。

十七、去廣州向孫中山報告，孫認為蔣"過慮"

12 月 16 日早 7 時，蔣介石船抵寧波，僱了頂轎子，兼程趕回溪口。2 時半到家，沒有休息，就趕往母親墓地參拜。當晚就住在新近落成的慈庵中。24 日，又赴祖父母墓地參拜，同時視察亡弟的墳塋。

這邊蔣介石在家鄉省墓，那邊廖仲愷、孫中山急如星火地等待蔣介石彙報。12 月 20 日，在上海的廖仲愷致電蔣介石，告以鮑羅廷有事商量，黃埔軍校急待開辦，要蔣立即乘輪來滬，共同南下。22，廖仲愷、汪精衛、胡漢民聯名致函蔣介石，說明已將蔣的建議向孫中山提出，"待商之事甚多"，要求蔣介石勿因省長問題未決而拖延來滬時間。26 日，胡、廖、汪三人再次致函蔣介石，轉抄楊庶堪復電，中稱："鮑先生日盼兄至，有如望歲，兄若不來，必致失望。"又稱："軍官學校由兄負完全責任辦理，一切條件不得兄提議，無從進行。"[1] 27 日，張靜江也致函蔣介石，認為"似不宜再緩"。28 日，汪精衛轉來孫中山 24 日電報，中稱：

> 兄此行責任至重，望速來粵報告一切，並詳籌中俄合作辦法。台意對於時局、政局有所主張，皆非至粵面談不可，並希約靜江、季陶同來，因有要務欲與商酌也。[2]

同日，廖仲愷也致函蔣介石，說明上海諸人最遲將於 1924 年 1 月 4 日搭船離滬，要求蔣"萬不能再延"。函件以前所未有的語氣責備說："否則事近兒戲，黨務改組後而可乘此惰氣乎！"[3]

儘管眾人一再催促，蔣介石還是在 1924 年 1 月 16 日才到達廣州。4 天後，中國國民黨第一次全國代表大會開幕。24 日，孫中山任命蔣介石為陸軍軍官學校籌備委員長。30 日，孫中山任命楊庶堪為廣東省省長。2 月 3 日，孫中山任命蔣介石為國民黨本部軍事委員會委員。

到廣州後，蔣介石即向孫中山口頭報告訪蘇情形，同時提出對國共合作的

1　《蔣介石年譜初稿》，第 144—145 頁。
2　《蔣介石年譜初稿》，第 144 頁。
3　《蔣介石年譜初稿》，第 145 頁。

意見。孫中山原本支持蔣介石的軍事計劃。1923 年 10 月 9 日，他就向蘇聯派遣來華的顧問鮑羅廷表示："我還等待著我派赴莫斯科的代表所進行的談判的結果。我期待著在莫斯科的這些談判能夠取得豐碩成果。"[1] 蘇俄政府拒絕蔣介石的計劃，孫中山不能沒有失望之感。不過，孫中山認為，"唯一的朋友是蘇聯"，因此，他批評蔣介石 "對於中俄將來的關係，未免顧慮過甚，更不適於當時革命現實的環境"。對國共合作問題，孫中山也認為蔣介石過慮[2]。據蔣介石多年後的回憶，孫說："蘇俄對中國革命，只承認本黨為唯一領導革命的政黨，並力勸其共產黨員加入本黨，服從領導，何況，蘇俄也承認，中國並無實行其共產主義的可能呢！"因此，孫中山決心堅持聯俄容共的決策。

國民黨第一次全國代表大會期間，蔣介石認為參加大會的共產黨員 "挾俄自重"，"本黨黨員盲從共產主義"，於 2 月 21 日向孫中山辭去陸軍軍官學校校長職務，離粵還鄉。3 月 14 日，他致函廖仲愷，將共產黨區分為 "國際共產黨" 與 "俄國共產黨"，又將 "俄國共產黨" 的 "主義" 與 "事實" 分開，表示 "主義" 雖可信，而 "事實" 則不然。信中，蔣介石強烈指責 "俄黨" 對中國的政策，他說："至其對中國之政策，在滿、蒙、回、藏諸部，皆為其蘇維埃之一，而對中國本部未始無染指之意。""彼之所謂國際主義與世界革命者，皆不外西澤之帝國主義，不過改易名稱，使人迷惑於其間而已。所謂俄與英、法、美、日者，以弟視之，其利於本國而損害他國之心，則五十步與百步之分耳。"[3] 蘇聯支持中國革命，有其真誠的一面，蔣介石將其與英、法、美、日並視，稱其為變相的 "撒之帝國主義"，是錯誤的。但是，揆諸歷史，蘇聯在其國家發展中，確有其民族利己主義和民族擴張主義的一面，這也是不爭的事實。

蔣介石對蘇聯和中共的批評並沒有堅持多久，很快，他就以堅決主張聯蘇、聯共的左派姿態出現在中國的政治舞台上。

1　N. Mitarevsky, *World Soviet Plots*, Tientsin Press, 1927.
2　《蘇俄在中國》，《 "總統" 蔣公思想言論總集・專著》，第 32 頁。
3　《蔣介石年譜初稿》，第 167 頁。

從蔣介石日記看他的
早年思想 *

——從向左到向右

* 本文錄自《蔣氏秘檔與蔣介石真相》，重慶出版社 2015 年版；原載《慶祝吳教授相湘九十華誕
論文集》，紐約天外出版社 2002 年版。

這裏所說的蔣介石的早年，指 1919 年到 1926 年，時當 33 歲到 40 歲之間。這一時期，蔣介石追隨孫中山革命，和共產黨合作，是他一生中比較重要的時期。但是，歷史不能割斷，一個人的思想也不能割斷，因此本文的考察範圍將適當下延。

一個人的日記往往最能反映他的內心世界。本文所用資料，以蔣介石留在大陸的日記為主，少數地方則以其他資料參證。

為什麼考察從 1919 年開始呢？因為蔣介石此前的日記僅存片斷，其他已在福建永泰作戰時失落。

一、讀書生活：吸納新潮，崇拜舊學

"五四"以後，新思潮大量湧入，知識份子如飢似渴地閱讀各種新式書報，企圖從中找尋救國真理，蔣介石也不例外。這一時期，他把"研究新思潮"列為自己的學課[1]，自覺地、有計劃地閱讀《新青年》等刊物和社會主義、馬克思主義等方面的書籍，儼然是個思想開通、追求進步的新派人物。

---

[1] 蔣介石 1920 年 1 月 1 日日記云："預定今年學課如下：一、俄語。二、英語。三、哲學……十五、新思潮的研究。"見毛思誠摘錄本《蔣介石日記類抄·文事》，未刊，蔣中正全宗，中國第二歷史檔案館藏，以下均同。

蔣介石閱讀《新青年》始於 1919 年，至 1926 年，在他的日記中不斷出現有關記載。如：

1919 年 12 月 4 日日記云：“看《新青年》。”

1919 年 12 月 5 日日記云：“上下午各看《新青年》雜誌一次。”

1919 年 12 月 10 日日記云：“看（《新青年》）易卜生號。”

1920 年 4 月 9 日日記云：“在船中看《新青年》雜誌。”

1926 年 4 月 21 日日記云：“看《新青年》。”

1926 年 4 月 22 日日記云：“看《新青年》。”

1926 年 5 月 5 日日記云：“看《新青年》。”

“五四”以後，各種新式刊物如雨後春筍，但蔣介石對《新青年》似乎情有獨鍾，除該刊及北京大學羅家倫等編輯的《新潮》外，別的刊物蔣介石很少涉獵。

經濟問題是社會發展和變革的中心問題。從蔣介石日記中可以發現，他曾經用相當多的精力鑽研經濟學的有關問題。如：

1919 年 12 月 8 日日記云：“看孟舍路著《經濟學原論》。”

1919 年 12 月 12 日日記云：“看津村秀松著《國民經濟學原論》。”

1920 年 2 月 6 日日記云：“看《經濟學》，至社會主義章。”

1925 年 3 月 30 日日記云：“看經濟學，如獲至寶。”

1925 年 5 月 4 日日記云：“看《經濟思想史》。以後擬日看《經濟思想史》數十頁。”

在閱讀經濟學有關著作的過程中，蔣介石也偶爾寫下他的感想。1920 年 1 月 16 日日記云：“看經濟學，心思紛亂，以中國商人惡習不除，無企業之可能。”同年 2 月 7 日日記云：“看《經濟學原論》完。津村主張，皆為調和派的論調，其中不能自圓其說者亦只顧滔滔不絕，彼之老實，堪笑亦堪憐也。”

研究經濟學不可能不研究馬克思主義。在這方面蔣介石同樣投入過相當的精力。如：

1923 年 9 月 6 日日記云：“看馬克思經濟學說。”

1923 年 9 月 21 日日記云：“看馬克思學說。”

1923 年 9 月 22 日日記云：“看《馬克思學說概要》。”

1923 年 10 月 3 日日記云：“復看《馬克思學說概要》，下午亦然。”

1923 年 10 月 7 日日記云：“看《馬克思學說概要》。”

1923 年 10 月 9 日日記云：“看《馬克思學說概要》。”

馬克思的經濟學說給蔣介石的第一印象是深奧難讀。據他自述，《馬克思學說概要》的“經濟主義”部分，他讀了三遍，還感到“不能十分了解”。有時，他不得不掩卷而去，但是，讀來讀去，他終於讀出了滋味，甚至讀出了“玄悟”：

1923 年 9 月 24 日日記云：“今日看《馬克思學說概要》完，頗覺有味。上半部看不懂，厭棄而去者再。看至下半部，則多玄悟，手不忍釋矣！”

1923 年 10 月 18 日日記云：“看馬克思學說。下午，復看之。久久領略真味，不忍掩卷。”

看書看到了“不忍掩卷”的程度，說明蔣介石對馬克思主義已經有了相當了解並且相當有感情了。

《共產黨宣言》是馬克思主義學說代表作，對該書，蔣介石也有涉獵。

1923 年 10 月 13 日日記云：“看《共產黨宣言》。”

1923 年 10 月 16 日日記云：“看《共產黨宣言》。”

1923 年 10 月 18 日日記云：“看《共產黨宣言》完。”

從蔣介石日記中，還可以看出，他還多次閱讀《列寧叢書》，印象良好。1925 年 11 月 10 日日記云：“看《列寧叢書》第五種。其言勞農會與赤衛軍之組織與新犧牲之價值，帝國主義破產之原因，甚細密也。”同年 11 月 21 日日記云：“看《列寧叢書》。其言權力與聯合民眾為革命之必要，又言聯合民眾，以友誼的感化與訓練為必要的手段，皆經驗之談也。”

在閱讀馬克思主義著作的過程中，蔣介石接受了某些影響。1925 年 11 月，他準備為黃埔軍校第三期同學錄作序，打算既談人生觀，也談宇宙觀，苦無心得，最後決定重點闡述"精神出自物質，宇宙只有一原"二語，顯然，這是馬克思主義唯物論的基本觀點。不過，這一時期，蔣介石又讀到了《泰戈爾傳》一書，使他又從馬克思主義身邊走開了。同年 11 月 12 日日記云："今日看《泰戈爾傳》二次。泰戈爾以無限與不朽為人生觀之基礎，又以愛與快樂為宇宙活動之意義。列寧以權力與鬥爭為世界革命之手段，一以唯心，一以唯物，以哲學言，則吾重精神也。"這段日記表明：在唯心與唯物的二元對立中，蔣介石選擇了"唯心"；在"愛與快樂"和"權力與鬥爭"的二元對立中，蔣介石選擇了泰戈爾學說。這成為他後來走向基督教，拒絕馬克思的起點。[1]

這一時期，蔣介石也曾深入地研究過德、法、俄諸國的革命史。1923 年，他認真地讀過《德國社會民主黨史》。1926 年，他在閱讀《法國革命史》的過程中發現俄國革命和法國革命之間存在著密切的關係。6 月 9 日日記云："看《法國革命史》，乃知俄國革命之方法、制度，非其新發明，十之八九，皆取法於法國，而改正其經驗也，然而益可寶貴也。"可見，他對俄國革命中的許多做法是持肯定態度的。其後，他認真地閱讀《俄國革命史》一書。6 月 23 日、26 日、27 日、28 日，其日記都有閱讀該書的記載。7 月 21 日，他開始閱讀《俄國共產黨史》。8 月 11 日，他在向衡州進發船中繼續閱讀《俄國革命史》，並且在日記中寫道："甚覺有益也。"[2] 值得注意的是，一直到 1931 年 12 月，他還在閱讀該書。蔣介石後來雖然反蘇反共，但是，在他的統治術中，仍然有不少來自蘇俄的東西。

蔣介石日記中，也常有他閱讀孫中山思想有關著作的記載。如：

> 1923 年 5 月 9 日日記云："看《平均地權論》。"
> 1925 年 1 月 9 日日記云："摘錄《精神教育》'軍人之身'一段，中師之偉大議論足以立懦振疲，使人閱之，氣殊虎虎。可謂觀止矣！"

---

1 蔣介石 1931 年 4 月 14 日日記云："共產主義實為一宗教，亦可謂之馬克思教，以其含有世界性無國界者也。耶穌教亦不講國界，完全以世界為主。蓋凡稱為宗教者必帶有世界性而且皆排擠他教與其他主義而以惟我獨尊者也。其目的則皆在救人，然而其性質則大有區別。馬克思則以物質為主，是形而下之哲學，並以恨人為其思想出發點。其所謂教人者，惟以工人一階級為主。至於後世之今日，則一般共徒越趨越遠，而以卑劣仇殺為其本分，是其純欲挾工人階級利己主義，以物質誘人深入罪惡也。基督教以博愛教世為主義，今日共產黨之惟一大敵，且其精神感化世人自新，故今日反對共產黨者當以聯合基督教共同進行。"
2 《蔣介石日記類抄·文事》，1926 年 8 月 11 日。

1925 年 1 月 16 日日記云："船上看《民生主義》第三講完。晚，回長洲，船中看《民生主義》第四講完。打倒帝國主義，解除人民痛苦，為余一生事業。《三民主義》一書，博大精深，包羅萬有，而其主腦則在此二語也。"

1926 年 7 月 7 日日記云："看《建國方略》……全以經濟為基礎，而以科學方法建設一切，實為建國者必需之學。總理規劃於前，中正繼述於後，中華庶有豸乎？"

1926 年 8 月 8 日日記云："甚矣行易知難之理大矣哉，非總理孰能闡發無遺也。"

從這些記載中，不難看出蔣介石對於孫中山的崇拜心情。這種情況，使他很難聽得進任何對孫中山學說的批評。

"五四"時期許多新潮人物大多對中國傳統文化持強烈批判態度。蔣介石與他們不同，他雖然吸納新思想，卻並不廢棄舊學。從這一時期的蔣介石日記看，他喜讀諸葛亮《前出師表》和文天祥《正氣歌》等，也喜讀《心經》等佛學著作[1]。不過，他最喜讀、常讀的還是曾國藩、胡林翼、左宗棠等人的著作。1921 年 4 月 29 日，他重讀《曾文正公全集》，有"舊友重逢"之感。1923 年 3 月，他讀胡林翼的《宦鄂書牘》，決定"日盡一卷"。比較起來，蔣介石讀新學諸書，常常食而不化，而讀舊學諸書，則如魚得水，常常用以作為立身處世、待人接物的原則，或用以作為治兵、從政的軌範。如：

1922 年 3 月 25 日日記云："看胡文忠集，其言多兵家經驗之談，千古不可磨滅，非知兵者不能言，亦非知兵者不能知其言之深微精確也。"

1922 年 4 月 11 日日記云："胡公之言、德、功三者，皆有可傳，而曾公獨稱其進德之猛，是可知其虛心實力，皆由刻苦砥礪之德育而來，其辦事全在於'賞罰嚴明、知人善任'二語中用工夫……崇拜胡公之心，過於曾公矣！"

1922 年 11 月 4 日日記云："晚，看曾文正公書牘，至《復陸立夫書》，有'事機之轉，其始賴一二人默運於淵深微莫之中，而其後人亦為之和，天亦為之應'。信乎，吾當以一二人者自任也。"

1　蔣介石 1923 年 2 月 3 日日記云："晚，看《心經》，妙悟真諦，以後擬多讀佛書。"

這些地方，可以看出曾國藩、胡林翼等人對蔣介石的深刻影響。

1926 年以後，蔣介石的讀書生活逐漸發生方向性的轉變，即廢棄新學，專讀舊籍。例如，他 1934 年的讀書計劃為：王船山、顧亭林、程氏兄弟、朱子、《資治通鑒》、張居正、王安石、管子、韓子，沒有一本新潮方面的書。這種情況，反映出蔣介石思想的重要變化。

二、民族主義：反對列強侵華

鴉片戰爭以後，中國遭到世界資本帝國主義的侵略，中華民族陷入前所未有的危機，因此，民族主義思想空前發達起來。

蔣介石早年即具有民族主義思想。當時主要內容是反清，宋遺民鄭思肖（所南）的《心史》曾經是他最愛讀的著作[1]。"五四"運動後，蔣介石的民族主義思想逐漸向反帝方向發展。

"五四"運動給了蔣介石以強烈震動。他高度評價中國人民在運動中表現出的鬥爭熱情和愛國精神，視為中華民族復興的希望所在。當年 9 月 24 日日記云："至今尚有國內各代表轕集總統府門首，要求力爭山東各權利。各處抗排日風潮亦未止息。此乃中國國民第一次之示威運動，可謂破天荒之壯舉。吾於是卜吾國民氣未餒，民氣未死，中華民國當有復興之一日也。"1920 年 6 月，蔣介石出資 5000 元，與陳果夫等創立友愛公司，購買上海證券物品交易所的股票。但不久，銀價大落。蔣介石在日記中寫道："金融機關，在外人之手，國人時受壓榨，可歎也。"同年 11 月 8 日，蔣介石遊覽香港，看到英人在當地大規模建設的狀況，慨歎道："中華錦繡河山，自不能治，而讓外人治之，不亦深可歎乎！"

蔣介石不僅反對外人侵佔中國土地，控制中國的經濟命脈，而且反對為洋人服務的洋奴買辦。1920 年 9 月 3 日，往訪張靜江，為車夫所侮辱。下午打電話時，又為"電話手"所梗，蔣介石極為生氣，在日記中寫道："洋奴之可惡，

1　蔣介石 1934 年 6 月 22 日日記云："友人贈我鄭所南先生之《心史》，如逢故友。此史為余少年在倭時最愛讀之書，促進我革命情緒不少也。"

不止於此。凡在租界、公署及洋行、洋宅之寄生蟲，皆可殺也。"蔣介石將車夫、"電話手"等類人視為"洋奴"是錯誤的，但從這段日記中不難看出他對洋場買辦一類人物的憎惡。

1923 年 9 月，蔣介石受孫中山派遣，作為孫逸仙博士代表團團長訪問蘇聯。12 月 2 日乘日輪歸國。日本船主任意更改船期，不守信用，船中腐敗不堪。蔣介石居然由此預言："吾料東邦帝國資本主義之命運，不久將盡矣！"

蔣介石反帝思想的高潮出現於"五卅"運動後。1925 年 6 月 23 日，廣州群眾為支持香港工人大罷工，舉行遊行示威，隊伍經過租界對面的沙基時，英國軍隊悍然開槍射擊。群眾死五十餘人，傷一百七十餘人，形成沙基慘案。事件發生後，蔣介石在日記中寫道："蠢爾英奴，視華人之性命如草芥，肆行芟薙，聞之心腸欲裂，幾不知如何為人矣！自有生以來，震悼未有如今日之甚者。"他自黃埔赴廣州途中，覺得一路景色淒涼，天空變色，努力勉勵自己"毋忘今日之國恥"。自此，他逐日在日記提要欄目中書寫"仇英"標語，總計約近百條，如：

> 英虜皆可殺！
>
> 英仇可忍耶！
>
> 毋忘英番之仇！
>
> 英虜我必殲汝！
>
> 英夷可不滅乎！
>
> 汝忘英虜之仇乎？
>
> 英夷不滅非男兒！
>
> 英番不滅革命不成！
>
> 英番不滅能安枕乎？
>
> 漢有三戶，滅英必漢。
>
> 英虜，我的同志為你殺害！
>
> 英番不滅，國家焉能獨立！
>
> 英夷不滅，焉能解放世界人類！
>
> 一年將匝，英番如故，竊自愧餒弱。
>
> 新年又逾二日，試問對付英夷工作成效如何？

舊曆新年已越一日，英番盤踞如故，思之痛徹骨髓。

英夷氣焰方張，當亟圖最後對付，不可徒幸其國內工黨革命也。

凡此種種，和中國人民當時同仇敵愾的感情是合拍的。

蔣介石把“英虜”、“英夷”看作中國人民的頭號敵人，“英虜”、“英夷”也必欲除蔣介石而後快。1925 年 10 月 19 日蔣介石日記云：“英夷勾通北段，竟以十萬金懸賞購余。”21 日日記云：“英夷忌我益深，而謀我更急矣！”

轟轟烈烈的省港大罷工給了港英當局以沉重打擊。1926 年 3 月下旬，港英當局得到英國政府授權，決定提供 1000 萬元借款，用於改良廣州市政，企圖以此為餌，誘使國民黨人結束罷工。當時，廣州市市長伍朝樞和孫科都有意接受英國條件，遊說蔣介石，爭取支持，但蔣介石卻堅決抵制。4 月 4 日日記云：“梯云來談，欲急於解決罷工問題，以貪英國借款，推其意為英人所利誘，余反對之，並斥其妄。不料哲生為彼所愚，後以余據理駁正，彼亦無異詞。”同年 7 月 21 日，廣州工人糾察隊因英僑拒絕檢驗貨物，扣留其船舶及商人二名，港英當局派兵佔領深圳車站。當日日記云：“蠻番不問情由，佔領我深圳車站，可恥孰甚！”次日日記再云：“得英夷佔領深圳之報，不勝憤慨，乃與鮑顧問磋商應付。”可見，蔣介石的反英並非只是一時熱情。

除英國外，蔣介石對美、法等國也持警惕態度。其日記云：“英番可滅，美、法亦不可玩忽！”對美國外交，更曾嚴厲批判。1926 年 1 月 7 日，蔣介石接見美國新聞記者，“痛詆美國外交政策之錯誤及其基督教之虛偽”。

不過，應該指出的是，儘管蔣介石早年思想中具有激烈的反帝成分，但是，他在北伐期間的行動卻是十分審慎、溫和的。1926 年末至 1927 年初，他多次向日本方面伸出橄欖枝。1 月 2 日，他通過黃郛向日本駐武漢總領事高尾亨表示：“國民黨軍斷不會對租界發難”，“目前只希望對租界組織實行改良（例如給中國人參政權等）便可滿足，並打算採取緩進的、合理的、和平的手段實現這一目的”[1]。同月 25 日，蔣介石接見日本駐九江領事大和久義郎，說明自己奉行的外交方針是：尊重歷來的條約，不採取非常手段和直接行動加以廢除，

1 《高尾致幣原電》，1927 年 1 月 2 日；又，《幣原大臣在樞密院關於中國時局報告綱要》，1927 年 2 月 2 日。均見日本外務省文書，S16154。

一定負責償還外債，充分保護外國企業[1]。同月底，他在廬山會見留日時的老師小室靜時也表示："對於上海租界不欲以武力收回。既佔領杭州、南京等地後，擬即提出收回上海租界之合理的提議。若各國對於此合理的要求不予採納，則更講求他種手段。"[2]這些思想，後來進一步發展為對外妥協政策。

三、社會觀：厭惡舊社會，立志改造中國

蔣介石出身鹽商之家，社會地位不高，又早年喪父，自幼即受土豪劣紳的歧視和壓迫，因此，極不喜歡鄉村士紳階層[3]。1919 年 2 月，他在閩南長泰軍中，憶及往事，勾起宿憤。26 日日記云："吾國紳耆階級不打破，平民終無享樂利之一日也。" 1921 年 10 月，蔣介石在家鄉興辦武嶺學校，受到鄉紳的阻撓，28 日日記云："鄉愿多作梗，周星垣頑舊尤甚，改造鄉事，其難無比。" 又稱："鄉居極感痛苦，事事為俗人掣肘，無改良社會機會。"[4]他甚至發誓：鄉愿不死盡，決不還鄉。

蔣介石也不喜歡商人和資本家。1919 年 10 月 2 日日記云："政客、武人、官僚以外，商人之狡猾勢利，尤為可惡。如不節制資本，則勞動家終無享樂利自由之機會。" 他甚至說："為平民之障礙者，不在官僚與武人，實為商人資本家與地方紳耆。有此種蟊賊扞格其間，以致平民一切力量不能造成，一切意見不能張達。"

蔣介石在上海經營交易所，從事證券與棉紗等物品買賣期間，目睹董事們傾軋、壟斷的黑幕，更增加了他對資本家的厭惡感。1920 年 1 月 24 日日記云："赴開元會議交易所選舉董事。商幫仍不能除把持與專制之惡習，大股份壓迫小股份，大多數壓迫小多數。舞私牟利，壟斷其間。小商人中，雖有達材正士，不能施展一籌，以致中國實業，日趨衰落，安得將此種奸商市儈，一掃而

---

1 《最近中國關係諸問題摘要》卷 2，日本外務省文書，SP166。

2 《蔣介石最近之重要表示》，《台灣民報》，1927 年 3 月 27 日。

3 蔣介石《報國與思親》："其時清政不綱，胥吏勢豪，寅緣為虐。吾家門祚既單，遂為覬覦之的，欺淩脅迫，靡日而寧。" 見《先總統蔣公全集》第 3 冊，台北中國文化大學出版部 1984 年版，第 4185 頁。

4 《蔣介石日記類抄·家庭》，未刊，1921 年 11 月 29 日。

空之，以發榮社會經濟也。"

在受到交易所中"大股份"壓迫的同時，蔣介石也感受到房東的壓迫與欺詐，進一步增加了他對資本家的憎惡。蔣介石同年 12 月 9 日日記云："晚，為房東朱子謙壓迫，心甚憤激，資本家之害人如是。"不僅如此，房東還企圖吞沒蔣妾姚冶誠寄存的交易所單據。同月 22 日，蔣介石日記云："為富不仁，而欲侵人之利，居心何其險毒哉！滬上商人行為類此者，見不一見，亦無足怪，惟恨冶誠之生事耳！"

以交易所的活動為紐帶，蔣介石結識了上海資產階級形形色色的人物。對他們，蔣介石日記常有嚴厲的批評。1921 年 5 月 1 日云："遇盛四及一班無賴，社會之醜劣形態，嫌惡實甚。"1922 年 11 月 28 日云："中國商人，勢利之重，過於官僚，其狡獪狀態，見之疾首。"1923 年 2 月 3 日云："下午又因奸商妒忌，激憤異常，殊非其道。"凡此種種，都表露出蔣介石對資本家和商人的憎惡。

對軍閥，蔣介石在日記中也多所指斥。如：

> 1919 年 8 月 20 日日記云："閱《申報》，知浙江偽督楊善德，已於 12 日病亡，繼其任者為盧永祥。蛇死狐憑，皆為吾黨之敵。"
>
> 1921 年 3 月 27 日日記云："北政府無不倒之理，惟在吾黨能起而應之耳！"
>
> 1922 年 6 月 4 日日記云："黎元洪違法入京，復總統之職。恨手無寸鐵，不能殺盡狐媚之政客、議員，以清時局也。"
>
> 1925 年 12 月 1 日日記云："郭（松齡）宣言討張作霖而戴張學良，可稱滑稽。然如此矛盾，則北方大小軍閥不能不自行瓦解耳。舊時代崩潰之症象，於此益明矣！"
>
> 1926 年 7 月 12 日日記云："余以關稅會議為賣國條件，決意與吳佩孚宣戰，通告中外。"

這些日記表明了蔣介石反對北洋軍閥的鮮明態度與立場。

與憎惡商人、資本家相反，蔣介石對工人有一定同情。

蔣介石對工人接觸不多，對中國工人階級的勞動與生活狀況也了解不多。

1921 年 8 月，蔣介石在鄉監督改建廳屋工程，目睹工人辛勞狀況，有所感動。28 日日記云："工人之辛苦危險，可謂極矣，資本家見之，而不加矜恤，久之必演成階級鬥爭。"10 月 21 日日記繼云："自歎為我一家，而苦彼二十工友，自朝至暮，除用膳外，迄未少休，每日勞動，足有十餘小時。嗚呼！工人何罪，資本家與勢力位者不儉約自持，厚酬若輩，必為神人所共怒。不必問近今世界之潮流如何，試問你自己的良心過得去否！"11 月 6 日日記再云："工人苦，小工更苦。中國力役，只見死亡病傷，無完全生理，言之可勝於邑！工廠法不實行，勞工何所恃以保障也。博愛同仁，改良待遇，有事者亟宜注意焉。"這些地方，顯示出蔣介石願意通過社會改良的途徑改進工人的生活待遇。

　　1925 年 7 月 7 日，蔣介石向國民黨中央軍事委員會提出"革命六大計劃"，其中說："工人為革命中有力之一成分，且對於吾革命前途之難易與成敗，實有莫大之影響。"但是，他的具體建議只有"吾革命政府，宜努力安置為我國犧牲之失業工人"，"利用罷工工人建築道路"等寥寥數語。值得注意的是，他曾提出：對省港罷工工人，可"酌加編制，施以軍事及政治之訓練，以植工人軍之基礎"[1]。不過，這一思想，對蔣介石說來，恰如火星一閃，後來的正式文本就被修改得很模糊了[2]。

　　在北伐進軍途中，蔣介石還同意工人在特殊情形下可以管理工廠。1926 年 9 月 20 日，蔣介石參觀安源煤礦，發現廠主無能，受到日本資本壓制，停工近一年，便提出："乘此廠主放棄權利之時，工人應起而自己管理也。"[3] 不過，蔣介石只同意對工人生活作一定程度的改良，而堅決反對階級鬥爭。還在北伐出師前夕，他就宣佈："階級鬥爭及工農運動的罷工鬥爭，在戰時是破壞敵人的力量和方法，對付敵人是可以的。若是在本黨和政府之下，罷工就算是反革命的行動。"[4] 北伐出師之後，國民革命軍佔領地區的工人運動日漸發展，蔣介石曾發表文告，要求商人不要拒絕工人的"急迫要求"，"早早解決了工潮"，同時

1　《軍事委員會提議案》，《蔣中正"總統"檔案》，以下簡稱蔣中正檔，台北"國史館"藏；參見中國第二歷史檔案館編《蔣介石年譜初稿》，檔案出版社 1992 年版，第 386 頁。

2　《蔣介石年譜初稿》修改為："吾革命政府宜努力安置為國犧牲之失業工人，以解決其困難，並設立兩廣工路局，以為解決之方，兼寓大元帥提倡工兵之至意。"見該書第 386 頁。

3　《蔣介石日記類抄·旅遊》。

4　《戰時工作會議之第三日》，《廣州民國日報》，1916 年 6 月 26 日。

則要求工人集中在"本黨之下","受本黨指揮","非但不應該仇視商人,並且須在可能範圍內急謀諒解"[1]。此後,罷工日漸頻繁,蔣介石仇視工人運動的態度日漸明顯。1927年1月底,他與小室靜談話,一方面聲稱"勞動者地位之向上與幸福之增進,乃吾等之主義,故不能中途而輟",表示不能動用軍隊來"制止勞動者之罷工",但同時又說:"唯勞動者苟有跋扈行為,甚且危及國際關係,亦不能過於放任,彼時或采非常手段,亦未可知。"[2] 這些地方,已經預示了他日後的行動方向。

蔣介石一度認為,中國"不存在大土地佔有制","中國很少發生大土地所有者與農民之間的衝突"[3]。但是,蔣介石的早年日記顯示,他對土地問題還是關心的。1926年2月3日,蔣介石與鮑羅廷談話,鮑主張"以解決土地問題為革命之基礎",蔣介石表示贊成,日記云:"余亦以為然,惟憂無法引起全國大革命耳。"但是,這以後,蔣介石逐漸傾向於北伐期間,暫不提出土地問題[4]。出師前夕,鮑羅廷建議發佈土地政綱,蔣介石不贊成;鮑提議攻克武漢時發佈,蔣還認為太早[5]。不過,他仍然在思考和研究這一問題。同年7月30日,他收到鄧文儀的俄國來信,述及土地問題,日記云:"土地制不外土地國有化(即歸國有)與土地社會化(即歸社會分配),如太平天國制是也。"次日再云:"近日甚思研究土地問題,有一解決土地之法。"8月1日,他在湖南九峰村致電張靜江、譚延闓,要他們和鮑羅廷商量,在國民黨中央設立土地制度委員會,規定詳細辦法,或根據"平均地權"所言,再加細定,"逐條登報,公諸國人參考,且可臨時應用也"[6]。

1926年12月7日,國民黨中央部分人員及鮑羅廷等在廬山開會,討論各地工農運動問題。會議"對工人運動主緩和,對農民運動主積極進行,以為解

---

1 《蔣總司令告武漢工商同胞書》,《廣州民國日報》,1927年1月5日。

2 《蔣介石最近之重要表示》,《台灣民報》,1927年3月27日;參見FO,405,Vol. 252,pp.431—433。

3 《聯共(布)、共產國際與中國國民革命運動》(1),北京圖書館出版社1997年版,第298頁。

4 蔣介石1926年7月23日日記云:"與鮑顧問談革命方略及政治主張,彼以余言為然,而獨不慊於緩提土地問題也。"見《蔣介石日記類抄·黨政》。

5 《中局致北方區信》(1926年8月11日),《中共中央文件選集》(2),第295頁。

6 《革命文獻拓影》北伐時期第6冊,蔣中正檔;又1926年9月12日《共產國際執行委員會遠東局使團關於對廣州政治關係和黨派關係調查結果的報告》稱:"蔣介石重新轉向了社會輿論,他的政治行為又變得更明確了。國民黨中央收到了蔣介石要求起草土地法的建議。"見《聯共(布)、共產國際與中國國民革命運動》(3),北京圖書館出版社1998年版,第477頁。

決土地問題之張本"。蔣介石在會上表示："只要農民問題解決，則工人問題亦可連帶解決也。"[1] 這一時期，蔣介石所率領的北伐軍受到湖南各地農民協會的熱烈歡迎和積極支持，因此，蔣介石對農民運動和農民協會都相當有好感。8月3日日記云："各村人民與農會有迎於十里之外者，殊甚可感。農民協會組織尤為發達，將來革命成功，當是湖南為最有成績。"

民國期間，使用奴婢的現象仍普遍存在。奴婢大多沒有人身自由，受到各種虐待。蔣介石對奴婢有一定同情，主張禁止蓄奴。1918年，蔣介石在福建永泰軍中，聽說陳潔如毒打婢女，很為之不平。1919年3月，又見到鄰婦虐待婢女，較陳潔如尤甚，憤慨地在日記中寫道："中國奴婢制不革除，尚何有於社會平等之可言乎！吾謂欲求人類平等，第一當禁絕蓄奴婢也。"

蔣介石還反對家族觀念。1920年1月27日日記云："家族觀念打不破，家族範圍跳不出，埋沒古今多少英雄。"

以上種種，都表現出蔣介石所受"五四"後新思潮的影響。

出於對舊社會的厭惡，蔣介石有改造中國社會的志向。1919年11月，蔣介石在日本，發現各書坊中社會主義書籍特多。4日日記云："吾知其社會改革必不遠也。以中國人民不識字者之眾，提倡革命，不及十年而得實行，則今日日本人民之智識普及，其改革進程之速，當更未可限量矣！"當時，日本自然主義作家武者小路實篤接受空想社會主義和克魯泡特金的互助論等思想影響，提倡新村主義。蔣介石在日本讀到了《新村記》一書，有所觸動，即萌生"改造本鄉"的念頭[2]。1920年12月，他自覺"矜張自肆，暴躁不堪，對於社會厭惡更甚"。日記云："對於中國社會厭鄙已極，誓必有以改造之。"[3] 這一時期，他對邵元沖等宣稱："中國宜大改革，宜徹底改革。"[4]

早期，蔣介石認為中國缺乏實行共產主義的條件，但對共產主義並不反感。1920年2月2日日記云："某匠包製書廚，欺詐百出，心甚憎惡。中國工人之無道德，無教育如此。對於共產事，甚抱悲觀。非從根本上待其心理上完

1　參見《蔣介石年譜初稿》，第836頁。
2　《蔣介石日記類抄‧文事》，1919年11月22日。
3　《蔣介石日記類抄‧雜俎》，1920年12月11、31日。
4　《蔣介石年譜初稿》，第57頁。

全改革，教育普及之後，斷乎談不到此。" 1923 年蔣介石出使莫斯科時，認為中國革命應分兩個階段，第一階段是實行民族獨立和政治民主，第二階段才是宣傳共產主義，實行"經濟革命"、"社會革命"[1]。1925 年 12 月，他在《陸軍軍官學校第三期同學錄序》中稱："吾為三民主義而死，亦即為共產主義而死"，"三民主義之成功與共產主義之發展，實相為用而不相悖"[2]。云云。衡之以他在日記中表現出來思想，他的上述言論當非完全是違心之言。

四、蘇俄觀

中國的辛亥革命失敗了，而俄國的十月革命卻成功了。這一事實震動了中國不少先進份子，使他們產生了了解俄國、考察俄國的願望。蔣介石也是其中的一個。

還在 1919 年，蔣介石就萌生了赴俄考察的願望。當年 1 月 1 日日記云："今年擬學習俄語，預備赴俄考察一番，將來做些事業。"此後，他即經常研究俄國形勢，注意俄國革命的消息。當年夏，蘇俄紅軍擊敗高爾察克和尤登尼奇的叛亂武裝，蔣介石在日記中欣喜地寫道："列寧政府之地位，更加鞏固矣！"[3]不久，他閱讀《俄國革命記》一書，深受吸引，在日記上寫下了"企仰靡已"四字[4]。這以後，他把俄國革命看成"一個新紀元"，如有人攻擊俄國革命，必與之力爭；如有人攻擊共產黨，必竭力為之辯護[5]。同月下旬，開始學習俄文。自此，日記中不斷出現"往讀俄文"、"習俄文"等記載。有一段時期，還曾向朱執信學習俄語[6]。

1920 年 3 月，蔣介石與戴季陶商議，準備赴俄考察[7]。當時，孫中山正在積

1 蔣介石：《孫逸仙代表團關於越飛 5 月 1 日東京電中所提建議的備忘錄》，英文打字本，中國第二歷史檔案館藏；參見蔣介石在共產國際執委會會議上的報告，《聯共（布）、共產國際與中國國民革命運動》(1)，第 331—333 頁。
2 《蔣介石年譜初稿》，第 468 頁。
3 《蔣介石日記類抄·黨政》，1919 年 11 月 16 日。
4 《蔣介石日記類抄·文事》，1919 年 11 月 16 日。日記手稿本中，"企仰靡已"作"想望靡已"。
5 蔣介石：《中國國民革命和俄國共產黨共產革命的區別》，《新生命》第 2 卷第 5 號。
6 蔣介石 1920 年 2 月 14 日日記云："執信來教俄語。"
7 《蔣介石日記類抄·旅遊》，1920 年 3 月 18 日。

極籌劃討伐盤踞廣東的桂系軍閥，但蔣介石對它的成功可能估計很低，熱衷遊俄。同月3月9日日記云："身不能自立，與世浮沉，友道日乖，國事益棼，與其赴粵作無價值犧牲，不如遊俄自練志識。"此後，蔣介石作了認真的準備，借了路費，計劃與戴季陶、廖仲愷、朱執信等結伴同行。9月7日日記云："與各友談天，以粵軍作戰無望，又想起赴俄考察政治，為徹底解決國是之計。"其後，他多次計劃赴俄，孫中山也有派他的想法，但直到1923年8月，蔣介石才受孫中山任命，作為孫逸仙博士代表團團長赴蘇。

蔣介石到蘇後，陸續會見外交人民委員契切林、革命軍事委員會副主席斯克良斯基、紅軍總司令加米涅夫、全俄中央執行委員會主席加里寧、革命軍事委員會主席托洛茨基等人。蔣介石對他們都印象良好。9月3日、5日，和契切林會見後，在日記中留下了"相見時頗誠懇"、"情態摯懇"、"彼此甚款洽"等記載。9月9日，會見斯克良斯基、加米涅夫後，感到"其人和藹可親"，"亦實心助我者"。11月4日，會見加里寧後，認為其人"完全一農民，語言誠篤"，"比吾國黎元洪之狡猾荏餒，迥然殊異，誠不愧為勞農專政國之議長矣！"

蔣介石對俄國社會狀況也印象良好：

> 9月9日日記云："俄國人民，無論上下大小，皆比我國人誠篤懇摯，令人歆慕，此點各國所不及也。立國之大本，其在斯乎！"
>
> 9月17日日記云："（蘇俄軍隊）上下親愛，出於自然，毫無專制氣味，而政黨代表與其團長亦無權限之見。"
>
> 11月4日日記云："蘇俄各地各所，皆有少年共產黨支部。對於青年，竭意培植。是其第一優良政策。厚農工而薄士商之制度，吾亦無間言矣！"
>
> 11月7日日記云："蘇維埃政府對於人民已有相當基礎，殊足以破帝國主義之膽，吾於蘇俄無敢輕量。"

可見，蔣介石對俄國社會狀況相當滿意。

在訪問過程中，蔣介石對俄國也有不良印象。最初，他覺得蘇俄外交人民委員會和黨部的中、下級工作人員不好，傲慢、缺少服務精神，不守時、不守信。蔣介石在日記中指斥他們"下流無賴"[1]，有幾次，氣得蔣介石要拂袖回國。

在蔣介石日記中也有對蘇聯較為嚴重的批評。10月11日日記云："黨人好尚意氣，爭權利，而俄黨下級人員較吾中國更甚。吾為吾黨哀，並為俄黨慮矣！"11月24日日記云："少數人種集權，排斥異己，以自專恣，亦其國之一大壞象也。吾為之危。"[2] 這些批評，接觸到了蘇聯政治體制中的帶根本性的問題。

使蔣介石最不愉快的是他和共產國際領導人季諾維也夫的會見。11月25日蔣介石參加共產國際執委會會議，發表演說，蔣介石自覺"從容而有條理"，但是，季諾維也夫卻在報告中批評國民黨對京漢鐵路工人罷工態度冷漠，對三民主義評價也不高，聲稱它只是"革命初期的政治口號"，而且特別著重警告："民族主義的內容是中國獨立"，"它不應用中國資本家階級的統治去取代外國帝國主義的統治"[3]。云云。這使蔣介石很不高興，曾在答詞中有所辯解，聲稱"我們不是為資產階級而進行革命工作的"，"目前我們希望，小資產階級（和我們）建立反對資本主義和帝國主義的統一戰線。但是我們並不為它的利益而鬥爭"。28日，共產國際主席團作出《關於中國民族解放運動和國民黨問題的決議》，要求國民黨人"不僅要消滅外國資本的殘酷剝削，而且也要消滅本國資本的殘酷剝削"；又稱："至於中國的民族工業，國有化原則在現在也可適用於它。"[4] 這些，顯然和蔣介石的"兩個階段"的理論相抵觸。同日蔣介石日記云："檢收文件，審查第三國際對吾黨決議文，浮泛不切，其自居為世界革命中心，實太虛驕，而領袖徐維諾夫，似有頹唐不振之氣。吾知不久必有第四國際出現，以對待其不正之舉也。"

蔣介石此行的任務是：1. 討論建立政治思想戰線的方案。2. 爭取蘇俄援助，建立西北基地。為此，蔣介石準備了一份軍事計劃，要求蘇聯在蒙古的庫倫"以俄羅斯紅軍的名義"為國民黨訓練士兵，然後，"以國民黨的革命旗幟

---

1 《蔣介石日記類抄·旅遊》，1923年9月23日。

2 《蔣介石日記類抄·旅遊》，1923年11月24日。

3 《聯共（布）、共產國際與中國國民革命運動》（1），第336頁；參見郭恆鈺《俄共中國革命秘檔（1920—1925）》，台北東大圖書公司1996年版，第75頁。

4 《共產國際有關中國革命的文獻資料》，中國社會科學出版社1981年版，第81—82頁。

領導這支軍隊向南進軍"，進攻北京[1]。10月26日，他致函契切林，說明國民黨人正想盡快通過自治的途徑，實現與蒙古的"親愛協作"，函稱："蒙古人所怕的是中國北京政府的軍閥，決不是怕主張民族主義的國民黨。""如果蘇俄有誠意，即應該使蒙古人免除怕的狀況。"同函並稱："國民黨所主張的民族主義，不是說各個民族分立，乃是主張在民族精神上做到相互間親愛的協作，所以西北問題正是包括國民黨要做的工作的真意。"[2] 11月11日，蔣介石的計劃遭到蘇方的託詞拒絕，這使蔣介石極為不滿，於19日致函托洛茨基，要求俄方注意避免使"華人懷疑俄國侵略蒙古"[3]。27日，托洛茨基接見代表團全體成員，對蔣等表示："蒙古希望獨立。如果你們想同它建立統一戰線，你們應該把它視為兄弟，並說你們不想主宰它。"[4] 蔣大為生氣，回到賓館以後，和沈定一發生口角，差一點打起來。蔣的觀點是："托洛茨基在騙他們"，"如果蒙古想獨立，那需要我們承認，而不是它自己承認自己"[5]。11月28日，蔣介石向蘇聯外交部辭行，日記云："凡心所欲言者，大略露其端倪，使其自玩懌焉。"

在蘇聯期間，蔣介石的不滿大部分埋藏著；回國以後，這種不滿就表露得很強烈了。12月15日，蔣介石回到上海，當日即換船回鄉。孫中山等一再要他赴粵報告，"詳籌中俄合作辦法"[6]，但他只給孫中山寄去了一份遊俄報告，直到次年1月16日，才由滬回粵。3月14日，他致函廖仲愷稱："俄黨殊無誠意可言"，"對中國之惟一方針，乃在造成中國共產黨為其正統"，"其對中國之政策，在滿、蒙、回、藏諸部，皆為其蘇維埃之一，而對中國本部未始無染指之意"，"彼之所謂國際主義與世界革命者，皆不外愷撒之帝國主義，不過改易名稱，使人迷惑於其間而已。所謂俄與英、法、美、日者，以弟視之，其利於本國而損害他國之心，則五十步與百步之分耳"[7]。後來，蔣介石就將英、法、美、日等國稱為"白色帝國主義"，將蘇聯稱為"赤色帝國主義"。

1　蔣介石：《孫逸仙代表團關於越飛5月1日東京電中所提建議的備忘錄》，英文打字本。
2　《蔣介石年譜初稿》，第138頁。
3　《蔣介石年譜初稿》，第137—138、140頁。
4　文件102，《聯共（布）、共產國際與中國國民革命運動》（1），第383頁。
5　同上註。
6　《蔣介石年譜初稿》，第144頁。
7　《蔣介石年譜初稿》，第161頁。

蔣介石赴粵之所以遲遲其行，其主要原因在於不同意孫中山的聯俄政策。對此，蔣介石1931年4月13日日記有所說明："上午，在寓整理舊稿，見十三年春復仲愷函，言蘇俄之居心叵測甚詳，閱之自慰。徒以總理既決心聯俄，不能轉移其方針，乃只有赴粵任事，以圖逐漸補救。與大姐及吾妻喟然歎曰：余當初反共到底，不去廣東任事，則總理亡後，國民黨當為共產黨消滅，中國亦無挽救之望。此冥冥之中，有數存乎？余閱此稿及致精衛最後函稿，則可以無愧於色矣！功罪是非，當待蓋棺定論也。"

在蘇聯期間，蔣介石曾在演說中高度評價孫中山，被留俄的中國共產黨人認為有"崇拜個人"之嫌。同時，還曾有人動員蔣介石加入共產黨，蔣答以"須請命孫先生"，因此，又被譏為"個人忠臣"。這些，也使蔣介石對中共產生了不滿[1]。

1927年1月，蔣介石在和小室靜談話時稱："我不知道俄國援助是出於對革命的理解，還是為了利用我們。"又說："如果日本正確評價我們的主義和鬥爭，我們將樂於和日本攜手。"[2]可見，他在接受"俄國援助"的同時，已經準備拋開俄國，尋找新盟友。

五、左右之間

孫中山在世時，國民黨內部在聯俄、聯共等問題上，即有不同意見。孫中山去世後，迅速形成對立的兩派，通稱左派與右派。

蔣介石最初站在左派方面。1925年11月23日，林森、鄒魯、謝持等在北京西山召開會議，通過《取消共產黨員國民黨黨籍》、《鮑羅廷顧問解僱》等案。12月24日，在上海另立中央。同月下旬，廣東右派組織孫文主義學會的王柏齡等人準備示威回應。28日晚，蔣介石從汪精衛處得到有關消息，當日日

1　蔣介石1923年10月11日日記云："聞有人以余昨日演說，為有崇拜個人之弊。甚矣中國人自大之心，及其願為外人支配，而不願尊重國內領袖，此青年之所以言易行難而一無成就也。"12月13日日記云："閱留俄同志致中師函稿，有忠臣多而同志少一語，甚為駭異。少年淺躁自滿，嘗議道義，殊堪歎憂。吾觀今世，揖人利己之徒，誘引青年，自植勢力，而不顧黨誼，其實決不能成事。夢蒙塵囂，徒見其作偽日拙而已。"

2　FO. 405，Vol. 252，pp. 431—433.

記云："王柏齡糊塗至此，可惡殊甚，嚴電阻止，不知有效否？"

當時，蔣介石反對在軍中形成派別。1926 年 1 月 2 日日記云："下午，對各將士痛誡紛爭派別之惡習，不禁淚下。" 當時，在黃埔軍校中，與孫文主義學會對立的是左派組織中國青年軍人聯合會。2 月 2 日，他約孫文主義學會與青年軍人聯合會兩派幹部開聯席會，限令高級官長退會，同時要求雙方幹事互入兩會，企圖消弭二者之間的界限。4 月，又進一步要求兩派組織同時取消。

"三二〇" 事件後，右派紛紛做蔣介石的工作，企圖爭取他站到自己一邊。4 月 3 日，劉峙、古應芬、伍朝樞三人陸續見蔣，進行遊說。蔣介石日記云："右派徒思利用機會聯結帝國主義以陷黨國，甚可歎也。" 同月 5 日，宋子文向蔣介石反映，廣州右派計擬召開市黨部大會，舉行示威，蔣介石立即函廣州公安局長吳鐵城，加以制止。次日，蔣介石並通電反對西山會議派在上海召開的國民黨第二次全國代表大會，表示 "誓為總理之信徒，不偏不倚，惟革命是從。凡與帝國主義有關係之敗類，有破壞本黨與政府之行動，或障礙我革命之進行，必視其力之所及掃除而廓清之"。

蔣介石反對右派的立場一直持續了很久。北伐期間，樊鍾秀一直在河南南部活動，組織軍事力量，企圖回應北伐。1926 年 8 月，蔣介石聽說居正、謝持有離間樊鍾秀等與北伐軍的打算，憤怒地在日記中寫道："彼等誠反革命矣！"[1] 同年 9 月 16 日，蔣介石會見田桐、周震麟後，在日記中留下了 "其語不堪入耳" 的記載。

不過，由於蔣介石在聯俄、聯共問題上和西山會議派的觀點有相通之處，因此，最終必然會走到一起。1926 年 5 月 22 日日記云："總理責任交給國內青年，願以能奮鬥之青年輻輳國民黨，然而非欲黨員對三民主義疑為不澈底之革命也。如言不澈底，則俄國革命迄今仍未澈底也，不革命一語，為宣佈革命黨員之死刑，聞者無不反對，革命必致破裂。應聯合革命的新舊黨員對外也。" 這段日記，已經喻示著他和西山會議派矛盾的溶解。

---

1 《蔣介石日記類抄・軍務》，1926 年 8 月 21 日。

六、"一個主義，一個黨"

　　蔣介石精心制訂的軍事計劃被俄國人輕易地否定了。他滿懷期望訪問蘇聯，卻沒有得到什麼具體成果。但是，他卻總結出了一條經驗——必須獨立，自主，不受外人支配。

　　蔣介石在訪問蘇聯時，遇到過一個名為趙世賢的中國青年，相談融洽。離開蘇聯時，蔣介石又和這位年輕人作了一次談話："略述此次來俄經過情形，戒其毋為外人支配。"此後，蔣介石即力圖擺脫共產國際和蘇聯對中國革命的控制，並力圖和左派及中共爭奪對中國革命的領導權。1926 年 3 月 8 日，蔣介石與汪精衛商決"大方針"。蔣稱："中國國民革命未完成以前，一切實權皆不宜旁落，而與第三國際必能一致行動，但須不失自動地位。"同月 30 日，又在日記中表示："只要大權不旁落外人之手，則其他事皆可遷就也。前此政府事事聽命於外人，以致陷於被動地位，此非外人攫奪之故，而精衛拱手讓之也。"5 月 21 日日記再云："革命須求自立，不可勉強遷就。世界革命應統一指揮，但各國革命政權仍須獨立，不能以用人行政亦受牽制。"這時，蔣介石孜孜以求的是他能獨立自由地處理中國革命的各種問題。當年 12 月，蔣介石聽說托洛茨基將要出使中國，將希望寄託在他身上，29 日日記云："黨務、政治不能自由設施，則雖勝無異議於敗也，托氏來華，或能改正而本身應具獨立之心也。"

　　蔣介石的蘇聯之行還使他得到了一條經驗，即革命必須由"一黨來專政和專制"。他開始致力於"一個主義、一個黨"的宣傳和努力，並以此為指標，處理國民黨內的左右派紛爭。1926 年 6 月 7 日，他在黃埔軍校發表演講稱："俄國革命所以能夠迅速成功，就是社會民主黨從克倫斯基手裏拿到了政權……什麼東西都由他一黨來定奪，像這樣的革命，才真是可以成功的革命。我們中國要革命，也要一切勢力集中，學俄國革命的辦法，革命非由一黨來專政和專制是不行的。"[1]同月 26 日，他與邵力子談話，強調"革命以集中與統一為惟一要件"[2]。不久，他即派邵力子赴蘇，出席共產國際執委會第七次擴大全會，要求共

1　《廣州民國日報》1926 年 6 月 30 日。
2　《蔣介石日記類抄·黨政》，1926 年 6 月 26 日。

產國際承認中國國民黨是中國革命的領導者。

誰妨礙革命的統一和集中呢？蔣介石覺得是中共。1926 年 3 月 9 日日記云："共產份子在黨內不能公開，即不能相見以誠。辦世界革命之大事而內部份子貌合神離，則未有能成者。" 於是，他的第一步便是限制共產黨的發展。1926 年 5 月 14 日日記云："對共黨提出條件雖苛，然大黨允小黨在黨內活動。無異自取滅亡。" 5 月 16 日，他訪問鮑羅廷，表示 "以兩黨革命，小黨勝於大黨為憂，又以革命不專制不能成功為憂"。5 月 27 日，他在高級訓練班致開學詞，聲稱為 "集中革命勢力"，加入國民黨之共產黨應退出共產黨。6 月 8 日，他明確向鮑羅廷提出："共黨份子在本黨應不跨黨理由。"

由於鮑羅廷等人的抵制，蔣介石要求跨黨共產黨員退出共產黨目的未能實現。此後，蔣介石日記中不滿共產黨發展與活動的記載日增。如：

> 1926 年 7 月 3 日日記云："各處宣傳，多是 CP，心甚不悅。"
> 1926 年 8 月 23 日日記云："閱《嚮導》報，陳獨秀有誹議北伐言論，其用意在減少國民黨信仰，而增進共產黨地位也。"
> 1926 年 8 月 30 日日記云："他黨在內搗亂，必欲使本黨糾紛分裂，可切齒也。"

這樣，他雖然知道 "總理策略既在聯合各階級"，表示 "余不敢違教分裂"[1]，但他最終還是走上了和共產黨 "分裂" 的道路。

蘇俄創立了一黨制和無產階級專政學說，沒有想到，蔣介石即以其人之道，還治其人之身，用以對付共產國際和中共。

七、"我只知道我是革命的"

蔣介石的日記表明：1. 他早年追隨孫中山革命，有一定思想基礎；和共產黨合作，也有一定思想基礎。2. 在若干問題上，早年的蔣介石與共產黨以及國民黨左派之間有一定分歧。這些分歧，屬於革命陣營的內部矛盾，並非革命與

---

1 《蔣介石日記類抄·黨政》，1926 年 5 月 14 日。

反革命的對立。後來在這些分歧基礎上演化為爭取領導權的鬥爭，並進而演化為你死我活的生死鬥爭，是不幸的、令人遺憾的。3. 蔣介石既是一黨專政主義者，也是個人中心主義者。在蔣看來，他自己就是革命的化身、真理的化身，凡與他持不同意見或反對他的人都是"敗類"或"反革命"，都需要加以"制裁"。1927 年 2 月，他在南昌演講稱："我只知道我是革命的，倘使有人要妨礙我的革命，那我就要革他的命。"[1] 這段話，典型地表露出他的個人中心心態。同一時期，他在日記中表示："鮑羅廷固為小人，而一般趨炎附勢，不知黨國為何事者，更可殺也。"[2] 這一段話，是對他上述演講中"革他的命"一語的注腳，不久之後進行的武力"清黨"已經在此埋下了伏筆。

1　上海《民國日報》，1927 年 4 月 16 日。
2　王宇、高塘、正垣編：《困勉記初稿》卷 6，第 3 頁，蔣中正檔。

做「聖賢」還是做「禽獸」*

——蔣介石早年修身中的「天理」與「人欲」之戰

* 本文原題《宋明道學與蔣介石的早年修身》，錄自《蔣氏秘檔與蔣介石真相》，重慶出版社 2018 年版。

儒家學派認為：修身是人生的第一大事，也是各項事業的起點。《大學》有所謂"大學之道，在明明德"的說法，又有所謂"修身、齊家、治國、平天下"的人生程序。到了宋明時代，道學家提出了以"存天理，去人欲"為核心的一系列修身主張，一方面將儒學倫理規範上升到"天理"的高度，一方面則前所未有地細密設計了各種遏制"人欲"的辦法。

　　蔣介石很早就接觸宋明道學，不僅是服膺者，而且是身體力行者。在他的日記裏，有大量修身的記載。從中不僅可以看出他的個人修養歷程和極為隱秘的內心世界，而且可以看出他早年的三重性格特徵：上海洋場的浮浪子弟，道學信徒，追隨孫中山的革命志士。

一、重視修身，按照道學家的要求進行修養

　　蔣介石年輕時沒有受過良好教育，養成了許多壞毛病。1919 年 7 月 24 日，他回憶辛亥革命時的個人經歷，在日記中對自己寫下了"荒淫無度，墮事乖方"[1] 的八字考語。由於這些壞毛病，在相當長的一段時期內，朋友們不大看得起他。1920 年 3 月，戴季陶醉酒，"以狗牛亂罵"，蔣介石一時激動，閃過與

1　"墮事乖方"，日記手稿本中作"辦理無狀"。

戴拚命的念頭，但他旋即冷靜下來，檢討自己，"彼平時以我為惡劣，輕侮我之心理，於此可以推知"，"我豈可不痛自警惕乎！"[1] 一直到 30 年代，蔣介石想起早年種種劣跡，還痛自悔恨。日記云："少年師友不良，德業不講，及至今日，欲正心修身，困知勉行，已失之晚矣！"[2] 又云："余少年未聞君子大道，自修不力"，"迄今悔已難追"[3]。一言之不足，反復言之，當係出於內心，而非泛泛虛語。

為了克服年輕時期形成的這些壞毛病，蔣介石曾以相當精力閱讀道學著作，企圖從中汲取營養。1919 年 5 月 24 日日記云："今日研究性理書，思發憤改過，以自振拔，甚矣不求放心也久矣。"所謂"性理書"，指的就是宋明以來道學家的著作。蔣介石不僅讀，而且選抄對自己進德有用的語錄，寫入日記，甚至作為自己的箴言或座右銘。例如，1919 年，他為自己選擇的箴言是"靜敬澹一"四字，同年 8 月，增改為"精渾澹定，敬庶儉勤"八字。1923 年 1 月 5 日，他模仿道學家的做法，自製銘文："優游涵泳，夷曠空明，曄然自充，悠然自得，此養性之功候也。提綱挈領，析縷分條，先後本末，慎始圖終，此辦事之方法也。"在此之後，他仍然覺得意有未足，又抄錄道學家常說的"修己以嚴，待人以誠，處事以公，學道以專，應戰以一"諸語，作為對自己立身處世的要求。

宋明道學有所謂理學和心學兩派。前者以朱熹為代表，後者以陸九淵、王陽明為代表。蔣介石涉獵過朱熹的著作，例如 1923 年 1 月 4 日日記云："晨興，思良友，竊取乎朱子'從容乎禮法之場，沉潛乎仁義之府'二語以自循省。"可見，他對朱熹的學說有所了解。哲學史上有所謂朱陸異同之爭，或是朱非陸，或是陸非朱，蔣介石對兩派均無所軒輊，日記中也常有讀王陽明著作的記載。如：1926 年 11 月 17 日日記云："車中悶坐，深思看陽明格言。"

在這一方面，他是兼收並蓄的。

宋明以後的道學家中，蔣介石最喜歡曾國藩，很早就用功研習他的著作。1921 年日記云："晚標籤《曾文正公全集》。此書曾經一番用功，甚歡遺失於永

1 《蔣介石日記類抄‧雜俎》，1920 年 3 月 3 日。
2 《蔣介石日記類抄‧文事》，1931 年 1 月 20 日。
3 《蔣介石日記類抄‧學行》，1931 年 1 月 25 日。

泰之役。今得復見，不啻舊友重逢也。"[1]永泰之役，指 1918 年 9 月蔣介石在福建討伐李厚基的一次戰鬥。此戰中，蔣介石中敵緩兵之計，倉促中棄城出走，僅以身免，隨身攜帶的曾國藩著作連同日記等物遺失殆盡。蔣既自稱"此書曾經一番用功"，可見，他在曾著上是下過大功夫的。

1920 年代，蔣介石仍然喜讀曾國藩的著作。1922 年歲首，他曾節錄曾國藩的"嘉言"作為自己的"借鏡"。其內容有："慮忘興釋，念盡境空"；"涵詠體察，瀟灑澹定"；"韜光養晦，忍辱負重"；"以志帥氣，以靜制動"；"事親以得歡心為本，養生以少惱怒為本，立身以不妄言為本，居家以不晏起為本，做官以不愛錢為本，行軍以不擾民為本"；"軍事之要，必有所忍，乃能有所濟；必有所捨，乃能有所全"等。1925 年 1 月 2 日，他又將曾國藩的"懲忿窒欲"、"逆來順受"、"虛心實力"、"存心養性"、"殫精竭力"、"立志安命"等"嘉言"抄在當年日記卷首。可見，他在力圖按曾國藩的訓導立身處世。其後，蔣介石多次在日記中給予曾國藩以高度評價，如：

> 1925 年 1 月 9 日日記云："看曾文正雜著，其文章真是千古。"
> 1925 年 2 月 10 日云："終日在常平站候車看曾文正日記，公以勤、恕、敬三字自勖，可為規範矣。"
> 1926 年 3 月 8 日云："昨今兩日，看曾文正《嘉言抄》，乃知其拂逆之甚，謗毀之來，不一而足。而公勸其弟以咬牙立志，悔字與硬字訣，徐圖自強而已。"

曾國藩之外，蔣介石也很敬佩胡林翼。胡有云："林翼至愚，當不自作聰明；亦惟林翼頗聰明，當不自用其愚。" 1922 年 3 月，蔣介石讀到這段話，不禁悚然歎惜，日記云："乃知我自作聰明，實為至愚之人，以後當知針砭也。"[2]胡集中曾論及"愚公移山"、"精衛銜石"等古代寓言或神話，蔣介石讀後深有所感。日記云："因知成功之難，非一朝一夕之可能也。凡吾今日之事，計須三五年，始得告一段落，豈可意馬心猿，猶豫不決，輕舉妄動，去就隨便乎！以後應不再作回家掃墓之想，想吾母有靈，當亦以此為慰也。"胡集書牘中云：

1 《蔣介石日記類抄・文事》，1921 年 4 月 29 日。
2 《蔣介石日記類抄・文事》，1922 年 3 月 19 日。

"所望有兵柄者，日夜懸一死字於臥榻之旁，知此身之必死則於以求生，或有生機。" 蔣介石讀後特別將它們節錄下來，用以自勵。

道學著作中有《菜根譚》一書，蔣介石也很喜歡。1926 年 3 月 7 日日記云："看《菜根譚》，以毋憂弗逆與不為物役二語為最能動心。"

蔣介石不僅認真讀道學書，而且也真像道學家一樣進行修身。道學家中朱熹一派普遍主張"省、察、克、治"，蔣介石也照此辦理。

> 1919 年 10 月 23 日日記云："從前過惡未蠲，今茲私欲猶熾，進德修業之謂何，而竟顛蹶至此！"
> 1920 年 1 月 17 日日記云："中夜自檢過失，反復不能成寐。"
> 1922 年 10 月 25 日日記云："今日仍有幾過，慎之！"
> 1925 年 2 月 4 日日記云："存養省察工夫，近日未能致力。"
> 1925 年 9 月 8 日日記云："每日作事，自問有無疚心，朝夕以為相惕。"

上述日記表明，蔣介石是經常檢討自己的。

宋明道學家有所謂"功過格"，做了好事，有了好念頭，畫紅圈；做了壞事，有了壞念頭，畫黑圈。蔣介石則專記自己的"過失"，較之道學家還要嚴格。1920 年 1 月 1 日，蔣介石決定自當日起，至第二年 4 月 15 日止，"除按日記事外，必提敘今日某某諸過未改，良知未致（或良知略現），靜敬澹一之功未呈也"。他所警惕的過失有暴戾、躁急、誇妄、頑劣、輕浮、侈誇、貪妒、吝嗇、淫荒、鬱憤、仇恨、機詐、迷惑、客氣、賣智、好闊等 16 種。如果一旦發現有上述過失，就在日記中登錄。因此，他的日記對自己的疵病，常有相當坦率甚至是赤裸的記載。

蔣介石很重視日記在自己修養過程中的作用。毛思誠根據他的指示將日記分類照抄，其中有《學行》一類，蔣介石命毛另抄一本寄給他，"以備常覽"。

蔣介石之所以重視個人修養，不同時期有不同作用。早年是為了做"古來第一聖賢豪傑"[1]。"五四"運動爆發，蔣介石從中看出了中華民族復興的希望，

---

[1] 蔣介石 1931 年 3 月 21 日日記云："晨起，曾憶少年聞人道，古人如孔孟朱王之學，與禹湯文武周公之業，竊自恨前有古人，否則此學此業，由我而發明，由我而創始，豈不壯哉！平日清夜，常興不能做古來第一聖賢豪傑之歎！"

169

他當時在修身上對自己的要求，應是上進、自強的表現。其後，蔣介石投身國民革命，參加廣東革命根據地建設，反映出傳統道學中"民胞物與，宏濟群倫"思想對他的影響[1]。北伐戰爭期間，國共矛盾逐漸尖銳，蔣介石處境困難，他企圖通過修養錘煉自己，應付環境，獲取突破難關的意志和力量[2]。1927 年以後，蔣之地位已定，繼續修養則是為了做"中華民國代表"[3]。

二、戒色

中國古代思想家孟子很早就承認，人有兩種天性：食與色。但是，孟子又主張，人必須遵守道德規範，否則和禽獸就沒有差別。從蔣介石的日記裏可以看出，他好色，但是，同時又努力戒色。為此，他和自己的欲念進行過長達數年的鬥爭。

1919 年 3 月 5 日，蔣介石從福建前線請假回滬，途經香港。8 日日記云："好色為自污自賤之端，戒之慎之！"這一天，他因"見色起意"，在日記中為自己"記過一次"。次日，又勉勵自己要經受花花世界的考驗，在日記中寫道："日讀曾文正書，而未能守其窒欲之箴，在閩不見可欲，故無邪心。今初抵香港，遊思頓起。吾人砥礪德行，乃在繁華之境乎！"

到上海後，蔣介石與戀人介眉相會。4 月 23 日，蔣介石返閩，介眉於清晨 3 時送蔣介石上船，蔣因"船位太髒，不願其偕至廈門"，二人難捨難分，介眉留蔣在滬再住幾天，蔣先是同意，繼而又後悔。日記云："吾領其情，竟與之同歸香巢。事後思之，實無以對吾母與諸友也。"[4]此後的幾天內，蔣介石一面沉湎欲海，一面又力圖自拔。日記云："情思纏綿，苦難解脫，乃以觀書自遣。嗟

1　蔣介石 1925 年 12 月 9 日日記云："一曰慎獨則心安，去人欲存天理。二曰主敬則身強，懍坎險，惕輕健。三曰求人則人悅，民胞物與，宏濟群倫。四曰習勤則神欽，斂精殫慮，困知勉行。"

2　蔣介石 1926 年 8 月 26 日日記云："寸衷鬱結，取《嘉言抄》及《菜根譚》閱之，知天下之長，而吾所處者短，則橫逆困窮之來，當稍忍以待其定，又曰逆來順受、居安思危等條，志為之踔，氣為之振，吾應誓以大無畏精神，作長期奮鬥，以應環境，以破當前難關也。將其計而就之，因其事而導之。"

3　蔣介石 1931 年 1 月 9 日日記云："此時欲修身自立，不可不研究哲學……小子為中華民國之代表，何可妄自菲薄，有負天之所賦、眾之所望耶！"

4　《蔣介石日記類抄·學行》，1919 年 4 月 23 日。

乎！情之累人，古今一轍耳，豈獨余一人哉！"[1] 在反復思想鬥爭後，蔣介石終於決定與介眉斷絕關係。5 月 2 日，介眉用 "吳儂軟語" 致函蔣介石，以終身相許，函云：

> 介石親阿哥呀：照倷說起來，我是只想銅鈿，弗講情義，當我禽獸一樣。倷個閒話說得脫過分哉！為仔正約弗寄拔倷，倷就要搭我斷絕往來。
>
> 我個終身早已告代拔倷哉。不過少一張正約。倘然我死，亦是蔣家門裏個鬼，我活是蔣家個人。[2]

從信中所述分析，介眉的身份屬於青樓女子。蔣有過和介眉辦理正式婚娶手續的打算，但介眉不肯訂立 "正約"（婚約）。蔣批評介眉 "只想銅鈿，弗講情義"，而介眉則自誓，不論死活，都是蔣家人。

蔣介石收到此信後，不為所動，決心以個人志業為重，斬斷情絲。1919 年 5 月 25 日日記云："蝮蛇螫手，則壯士斷腕，所以全生也；不忘介眉，何以勵志立業！" 同年 9 月 27 日，蔣介石自福建回滬。舊地重遊，免不了勾起往事。日記中有幾條記載：

> 10 月 1 日："妓女昵客，熱情冷態，隨金錢為轉移，明昭人覷破此點，則戀愛嚼蠟矣！"
>
> 10 月 2 日："以後禁入花街為狎邪之行。其能乎，請試之！"
>
> 10 月 5 日："其有始終如一結果美滿者又幾何？噫！色即是空，空即是色，世人可以醒悟矣！"
>
> 10 月 7 日："無窮孽障，皆由一愛字演成。"

上述各條，可能都是蔣介石為割斷與介眉的關係而留下的思想鬥爭記錄。從中可見，蔣介石為了擺脫情網，連佛家的 "色空觀念" 都動用了。值得注意的是 10 月 12 日的日記："潛寓季陶處，半避豺狼政府之攫人，半避狐媚妓女之圈術。" 當時，北京政府在抓捕作為革命者的蔣介石，而青樓女子介眉則在尋找 "負心漢" 蔣介石，迫使蔣不得不躲進戴季陶的寓所。

---

1 《蔣介石日記類抄‧學行》，1919 年 4 月 27 日。
2 介眉致蔣介石函，手跡，蔣介石全宗，中國第二歷史檔案館藏。倷，你；寄撥，寄給；告代，交代。

蔣介石謀求與介眉斷絕關係是真誠的，但是，卻並未下決心戒除惡習。10月15日日記云："下午，出外冶遊數次，甚矣，惡習之難改也。"同月30日，蔣介石赴日遊歷，這次，他曾決心管住自己。關於這方面，有下列日記可證：

> 10月30日："自遊日本後，言動不苟，色欲能制，頗堪自喜。"
>
> 11月2日："邇日能自窒欲，是亦一美德也。"
>
> 11月7日："欲立品，先戒色；欲進德，先戒奢；欲救民，先戒私。"

可見，蔣介石的自制最初是有成績的，因此頗為自喜，然而，沒過幾天，蔣介石就無法羈勒心猿意馬了。日記云："色念時起，慮不能制，《書》所謂'人心惟危'者此也。"[1]東晉時梅賾偽造的《古文尚書》中有"人心惟危，道心惟微，惟精惟一，允執厥中"的說法，意思是：人心是危殆的，道心是細微難見的，人必須精細察別，專一保持道心，使行為永遠恰到好處。朱熹等道學家認為這是"堯舜相傳之道"，譽為"十六字心傳"。蔣介石同意"人心惟危"的說法，說明他為自己設立的堤防即將崩潰，"岌岌乎危哉"！果然當日蔣介石對自己稍有放縱，結果是，"討一場沒趣"，自責道："介石！介石！汝何不知遷改，而又自取辱耶！"幾天後，又在日記中寫道："一見之下，又發癡情。何癡人做不怕耶！""先生休矣！"

同年11月19日，蔣介石回到上海，過了一段安靜日子，心猿意馬有所收斂。12月13日日記云："今日冬至節，且住海上繁華之地，而能遊離塵俗，閒居適志，於我固已難矣。因近來心緒甚惡，不知如何為行樂事也。"12月31日歲尾，蔣介石制訂次年計劃，認為"所當致力者，一體育，二自立，三齊家；所當力戒者，一求人，二妄言，三色欲"。他將這一計劃寫在日記中："書此以驗實踐。"[2]看來，這次蔣是決心管住自己了，但是，他的自制力實在太差，於是，1920年第一個月的日記中就留下了大量自制與放縱的記載：

> 1月6日："今日邪心勃發，幸未墮落耳。如再不強制，乃與禽獸奚擇！"

1　《蔣介石日記類抄·學行》，1919年11月4日。

2　《蔣介石日記類抄·學行》，1919年12月31日。

1月14日："晚，外出遊蕩，身份不知墮落於何地！"

1月15日："晚歸，又起邪念，何窒欲之難也！"

1月18日："上午，外出冶遊，又為不規則之行。回寓次，大發脾氣，無中生有，自討煩惱也。"

1月25日："途行頓起邪念。"

可見，這一個月內，蔣介石時而自制，時而放縱，處於"天理"與"人欲"的不斷交戰中。

第一個月如此，第二、第三個月，也仍然如此。

2月29日："戒絕色欲，則《中庸》'尚不愧於屋漏'一語，自能實踐。污我、迷我、醉夢我者惟此而已，安可不自拔哉！"

3月25日："邇日好遊蕩，何法以制之？"

3月27日："晚，又作冶遊，以後夜間無正事，不許出門。"

3月28日："色欲不惟鑠精，而且傷腦，客氣亦由此而起。"

3月30日："邪念時起，狂態如故，客氣亦盛，奈何奈何！"

4月17日："晚，遊思又起，幸未若何！"

6月27日："色念未絕，被累尚不足乎？"

7月2日："抵沈家門，積善堂招待者引余等入私娼之家，其污穢不可耐，即回慈北船中棲宿。"

當年7月3日，蔣介石遇見舊友陳凌民，暢談往事，蔣自覺"往行為人所鄙"，因而談話中常現慚愧之色。這以後，蔣又下了決心，日記中多有自我批判、自我警戒的記錄。8月7日日記云："世間最下流而恥垢者，惟好色一事。如何能打破此關，則茫茫塵海中，無若我之高尚人格者，尚何為眾所鄙之虞！"可見，蔣有保持"高尚人格"的念頭，因此"為眾所鄙"始終是蔣介石心頭的夢魘，迫使他不得不有所檢點。8月9日日記云："吾人為狎邪行，是自入火坑也，焉得不燔死！"23日日記云："午後，神倦假眠，又動邪念。身子虛弱如此，尚不自愛自重乎！"

當時，"吃花酒"是官場、社交場普遍存在的一種惡習，其性質類似於今人所謂"三陪"中的"陪酒"。9月6日，蔣介石"隨友涉足花叢"，遇見舊時相識，遭到冷眼，自感無趣，在日記中提醒自己交朋友要謹慎，否則就會被引入歧途，重蹈覆轍。11 月 6 日蔣介石寄住香港大東旅社，晚，再次參加 "花酒"，感到非常 "無謂"。這些地方，反映出蔣介石思想性格中的上進一面。

1921 年全年，蔣介石繼續處於 "天理" 與 "人欲" 的交戰中，其日記有如下記載：

> 1 月 18 日："我之好名貪色，以一澹字藥之。"
>
> 5 月 12 日："余之性情，邇來又漸趨輕薄矣。奈何弗戒！"
>
> 9 月 10 日："見妹心動，這種心理可醜。此時若不立志奮強，室塞一切欲念，將何以自拔哉！"
>
> 9 月 24 日："欲端品，先戒色；欲除病，先遏欲。色欲不絕，未有能立德、立智、立體者也。避之猶恐若污，奈何甘入下流乎！"
>
> 9 月 25 日："日日言遠色，不特心中有妓，且使目中有妓，是果何為耶？"
>
> 9 月 26 日："晚，心思不定，極想出去遊玩，以現在非行樂之時，即遊亦無興趣。何不專心用功，潛研需要之科學，而乃有獲也。"
>
> 11 月 26 日："欲立業，先立品；欲立品，先立志；欲立志，先絕欲。絕欲則身強神衛，而足以擔當事業矣！"
>
> 12 月 1 日："陪王海觀醫生診治誠病。往遊武嶺，頗動邪思。"
>
> 12 月 8 日："蕩心不絕，何以養身？何以報國？"

道學家主張，一念之萌，必須考察其是 "天理"，還是 "人欲"。倘是 "天理"，則 "敬以存之"；倘是 "人欲"，則 "敬以克之"。上述日記，大都屬於 "敬以克之" 一類。

1922 年，蔣介石繼續 "狠鬥色欲一閃念"。日記有關記述僅兩見。9 月 27 日云："遇豔心不正，記過一次。" 10 月 14 日，重到上海，日記云："前曾默誓除惡人，遠女色，非達目的不回滬。今又入此試驗場矣，試一觀其成績！" 次年，也只有兩次相關記載：3 月 1 日云："近日心放甚矣，盍戒懼來！" 6 日云："出外閒遊，心蕩不可遏。" 兩年中，蔣介石僅在思想中偶有 "邪念" 閃現，並無越軌行為，說明他的修身確有 "成績"。

1925 年，蔣介石在戒色方面繼續保持良好勢態。4 月 6 日日記嚴厲自責云："蕩念殊甚，要此日記何用。如再不戒，尚何以為人乎！"11 日日記云："下午，泛艇海邊浪遊，自覺失體，死生富貴之念自以為能斷絕，獨於此關不能打破，吾以為人生最難克制者，即此一事。"這段日記寫得很含蓄，看來，蔣介石打熬不住，又有某種過失。同年 11 月 16 日晚，蔣介石參加蘇聯顧問舉行的宴會，在一批外國人面前"講述生平經過、惡劣歷史"，對自己的"好色"作了坦率的解剖和批判。

1926 年全年安靜無事，僅 11 月 21 日日記云："見可欲則心邪，軍中哀戚不遑，尚何樂趣之有！"

蔣介石的懺悔不僅見於日記，也見於他的《自述事略》中。例如，他自述辛亥前後的狀況時就自我批判說：

> 當時涉世不深，驕矜自肆，且狎邪自誤，沉迷久之。膚白冷眼相待，而其所部則對余力加排斥，余乃憤而辭職東遊。至今思之，當時實不知自愛，亦不懂人情與世態之炎涼，只與二三宵小，如包、王之流作伴遨遊，故難怪知交者作冷眼觀，亦難怪他人之排余，以人必自侮而後人侮也。且當時驕奢淫逸，亦於此為盡。
>
> 民國元年，同季回滬，以環境未改，仍不改狎邪遊。一年奮發，毀之一旦，仍來自拔也。[1]

膚白，指黃郛，蔣介石的把兄弟。從這份《事略》裏，可見當時蔣眾叛親離，為人所不屑的狀況。本文一題《蔣主席自述小史》，當係中年之作。這時，蔣顯然已經成為"黨國要人"，但他不但不隱諱早年惡跡，反而有意留下相關記載，這是極其不易的。

三、懲忿，對自己的暴怒常常自責、愧悔

蔣介石除"好色"外，性格上的另一個大毛病是動輒易怒，罵人、打人。為了革除這一惡習，蔣介石也進行了多年修養。

1　稿本，蔣介石全宗，中國第二歷史檔案館藏。

《易》經《損卦》云："損，君子以懲忿制欲。"後來的道學家因此將"懲忿"列為修身的重要內容，要求人們控制自己的感情，避免暴怒，也避免惡語傷人及相關行為。蔣介石對此也很重視，日記云："須知修身之道，首重懲忿，其次則窒欲也。"[1]

蔣介石深知自身性情上的弱點。1919 年 1 月 3 日日記云："近日性極暴躁。"同月 7 日，黃定中來談報銷問題，蔣介石"厲斥其非，使人難堪"。事後追悔，蔣介石在日記中寫道："近日驕肆殊甚，而又鄙吝貪妄，如不速改，必為人所誣害矣。戒之！戒之！"幾個月之後，蔣介石接見鄧某，故態復萌，"心懷憤激，怨語謾言，不絕於口"。這樣的情況發生多次，蔣介石"自覺暴戾狠蠻異甚。屢思遏之而不能"，因此，寫了"息心靜氣，凝神和顏"八字以作自我警惕之用，還曾有意閱讀道學著作，用以陶冶性情[2]。

然而，俗話說得好："江山易改，本性難移"。一種弱點如果已經成了性格的一部分，要改掉是頗為艱難的。1919 年 6 月 27 日，蔣介石感歎說："厲色惡聲之加人，終不能改，奈何！"7 月 29 日再次為"會客時言語常帶粗暴之氣"而對自己不滿，在日記中寫下"戒之"二字。但是，蔣介石有時剛剛作了自我檢討，不久就再犯。同年 8 月 5 日，蔣介石與陳其尤談話，談著談著，"忽又作忿恚狀"，蔣深自愧悔，但是當晚繼續談話時，蔣"又作不遜之言"。這使蔣極為苦惱，日記云："如何能使容止若思，言辭安定，其惟養吾浩然之氣乎！"

除了罵人，蔣介石有時還動手。

1919 年 10 月 1 日，蔣介石訪問居正，受到人力車夫侮辱，不覺怒氣勃發。居正家人與車夫辯論，發生毆打，蔣介石見狀，忿不可遏，上前幫力，自然，蔣介石不是車夫的對手，反而吃虧。接著，又"闖入人家住宅，毀傷器具"。蔣介石自知理屈，他想起 1917 年在張靜江門前毆打車夫，被辱受傷一事，真是與此同一情景。當日日記云："與小人爭閒氣，竟至逞蠻角鬥，自愚實不值得。余之忍耐性，絕無長進，奈何！"

蔣介石打車夫畢竟只是個別情況，更多的是打傭人。1920 年 12 月，蔣介

1　《蔣介石日記類抄・文事》，1925 年 4 月 1 日。
2　蔣介石 1925 年 8 月 15 日日記云："近日性躁如此，應讀性理之書以陶冶之。"

石在船中與戴季陶閒談，戴批評蔣"性氣暴躁"，蔣聲稱"余亦自知其過而終不能改"，認為要杜絕此病，只能不帶"奴子"，躬親各種勞役。

1921年4月，蔣介石因事與夫人毛氏衝突，二人"對打"，蔣介石決定與其離婚。4日，蔣介石寫信給毛氏的胞兄毛懋卿，"縷訴與其妹決裂情形及主張離婚理由"。正在此時，發現毛氏尚未出門，又將毛氏"咒詛"一通。當日，蔣在日記中自責說："吾之罪戾上通於天矣！何以為子，何以為人！以後對母親及家庭間，總須不出惡聲。無論對內對外，憤慨無以之際，不伸手毆人，誓守之終身，以贖昨日餘孽也。"然而，自責歸自責，蔣介石仍然時發暴性。見之於日記者有下列記載，試為分類。

（一）打罵傭人、侍衛、下級

1921年4月7日："叱嚇下人，暴性又發，不守口不罵人之誓，記過一次。"

1925年2月21日："自誤飲水，遷怒下人，逞蠻毆打，尚有人道乎！記過一次。"

1925年2月22日："吾勉為莊敬寬和，以藥輕浮暴戾之病，則德可進，世可處也。叫人不應，有頃始至，又逞蠻根，日日自悔而不能改之，所謂克己者，如斯而已乎！"

1925年3月4日："肆口漫罵，自失體統，幾不成其為長官，記大過一次。"

1925年10月5日："昨夜十時到黃埔，閽者弛臥，鼾聲達門外，久叫始應，又動手打人。記大過一次。"

1925年10月1日："為傭人蠢笨，事事不如意，又起暴戾躁急，如此將奈之何！""暴戾極矣，動手打人，記大過一次。"

1926年1月5日："腦脹耳鳴，心煩慮亂，對傭人時加呵斥，即此一事，已成吾終身痼疾矣！"

（二）辱罵同事、同僚

1921年10月22日："慶華、穎甫先後就談，又發暴性，犯不著也。"

1922年2月25日："下午，回八桂廳，對禮卿發脾氣，自知形態不雅。"

1926年1月13日："茂如來會，以其心術不正，敗壞校風，憤恨之余，大加面斥，毋乃太甚乎！"

1926 年 8 月 1 日："動手打人，蠻狠自逞，毫無耐力，甚至誤毆幕友，暴行至此極矣！"

（三）對象不明

1925 年 3 月 3 日："欲為蓋世之人物，不可不自深其學養。近日常多很〔狠〕屬憤狷，而無靜默沉雄氣象，其何以幾及之也？"

1925 年 3 月 5 日："昨夜罵人太甚，幾使夢魂有愧。今日在途懊悔不已。平日宅心忠厚，自揣差近長者，而一至接物，竟常有此惡態，尚何學養可言乎！"

1925 年 10 月 7 日："今日暴性勃發，幾視國人皆為可殺。"

以上三種情況中，不論哪一種，蔣介石都知道自己不對，因此事後對自己也多所責備。他也曾設法改正，例如立誓作到"四不"，即"口不罵人，手不打人，言不憤激，氣不囂張"；又立誓做到"四定"，即"體定、心定、氣定、神定"；還曾提出"三要"，即"謹言、修容、靜坐"，但是，收效不大，暴躁狠蠻，幾乎成為他的終身"痼疾"。

四、戒客氣，警惕虛驕

蔣介石日記中常見"戒客氣"的記載。所謂客氣，指的是一種虛驕之氣。《宋書·顏延之傳》稱："雖心智薄劣，而高自比擬。客氣虛張，曾無愧悔。"因此，宋明時代的道學家也將"戒客氣"作為修養要求。

根據現有資料，蔣介石批評自己的虛驕之氣始於 1919 年。當年 2 月 4 日，蔣介石出席許崇智的晚宴，席間，蔣介石"客氣與虛榮心並起，妄談孫先生事"，當日即懊悔無已，在日記中自責，認為自己的言談"不覺自暴其誇鄙，為人所嗤鼻矣"。同年，他自感人才難得，檢討原因，認為自己"性近暴慢，常以盛氣淩人，而無休休有容之襟度"，所以有才之人不易為己所用[1]。

此後，蔣介石即將"客氣"作為自己修養中的大敵之一，稱之為"凶德"。

1　《蔣介石日記類抄·學行》，1919 年 8 月 26 日。

1919 年 9 月 9 日日記云："言多客氣，為人所鄙，良用慚咎。謹其言，慎其行，自強其志，不徇外為人，立身之本也。"同年 11 月 24 日日記云："近日思想漸趨平實，欲改就社會上做一番事業，奈私利心、野心、客氣終不能消除何！"

蔣介石認為："客氣"的表現之一是"言語輕肆，舉動浮躁"，針鋒相對地提出："吾守吾拙，無忤於人"[1]。表現之二是氣質漲浮，行為佻達，說話太多，因此提出：多言不如少言，有言不如無言，能言不如不能言。日記稱："人之是非好惡，己之愛憎取捨，默會於心，斯得之矣，何以言為哉！"

1923 年 7 月 16 日，蔣介石清晨醒來，自省差誤，認為自己"為人所嫌棄者乃在戲語太多，為人所妒忌者，乃在驕氣太甚，而其病根皆起於輕浮二字"，因此，要求自身今後要"謹然自持，謙和接物"。他表示："寧為人笑我道學，而不願人目我為狂且也。"

五、戒名利諸欲

道學家既反對縱情聲色，也反對沉溺名利，視之為"膠漆盆"，要人們通過修養，從中滾脫出來。南宋淳熙八年（1181），陸九淵到朱熹的白鹿洞書院講學。陸的講題是《論語》中的"君子喻於義，小人喻於利"二語。他說："今人讀書便是為利。如取解後又要得官，得官後又要改官，自少至老，自頂至踵，無非為利。"朱熹對他的這段講詞非常欣賞，認為"切中學者深微隱痼之病"。

蔣介石早年修身時，也很注意戒名利諸欲。1919 年，他作《四言箴》自勵："主靜主敬，求仁學恕，寡欲祛私，含垢明恥"，明確地要求自己"寡欲"。6 月 24 日日記云："今日餒怯有餘，謹慎不足，終是名利患失之心太重，能於敬、澹二字上用功一番，庶有裨益乎？"

蔣介石這裏所說的"敬"，指的是敬於所事；"澹"，指的是"澹"於所欲。蔣介石要求自己將事業放在首位，而不汲汲於求名求利。這一層意思，他在 1920 年 2 月的一則日記中表述得更清楚："事業可以充滿欲望，欲望足以敗壞

---

1 《蔣介石日記類抄·學行》，1922 年 1 月 23 日。

各種事業，不先建立各種事業，而務謀饜足欲望，是捨本而逐末也。"

多欲必貪。蔣介石既要求自己"寡欲"，因此，特別注意戒"貪"，保持廉潔。1921 年，蔣介石因葬母等原因，花銷較大，欠下一批債務。次年 9 月，孫中山命他去福建執行軍務，蔣乘機寫信給張靜江，要求張轉請孫中山為他報銷部分債務。寫信之前，蔣矛盾重重，思想鬥爭劇烈，日記云："今日為企圖經濟，躊躇半日。貪與恥，義與利四字，不能並行而不悖，而為我所當辨。如能以恥字戰勝貪字，此心超然於利義之外，豈不廉潔清高乎！一身之榮辱生死，皆為意中事，安有顧慮餘地乎！" 1923 年 7 月，蔣日記有云："戲言未成，貪念又萌，有何德業可言！" 可見，像他努力戒色一樣，對"貪念"，也是力圖遏制的。

蔣介石長期生活於上海的十里洋場，習染既久，難免沾上奢侈、揮霍一類毛病。1920 年歲末，蔣介石檢點賬目，發現全年花費已達七八千元之譜，頓覺驚心，嚴厲自責說："奢侈無度，遊墮日增，而品學一無進步，所謂勤、廉、謙、謹四者，毫不注意實行，道德一落千丈，不可救藥矣！" 1925 年 4 月，他到上海的大新、先施兩家著名的百貨公司選購物品，自以為"奢侈"，在日記中提醒自己："逸樂漸生，急宜防慮。" 同年 5 月，自覺"心志漸趨安逸，美食貪樂，日即於腐化"，曾嚴厲自責："將何以模範部下，而對已死諸同志也？"

道學家大都要求人們生活淡泊，甘於"咬菜根"一類清苦生活。上述日記表明，蔣介石在這一方面同樣受到道學的影響。

在道學家的修養要求裏，寡欲，不只是寡於物質生活，也包括求名一類精神生活內容。在這一方面，蔣早年對自己也有所要求。1925 年 1 月 22 日日記云："好名之念太重，一聞蜚語，即覺自餒，是不能以革命主義為中心，而以浮世毀譽為轉轂，豈得謂知本者乎！"

六、尊"誠"，重視形貌

誠是中國古代哲學的重要範疇，原意為信實無欺或真實無妄，後來被視為道德修養的準則和境界。《禮記·中庸》說："誠者天之道也，誠之者人之道也。"將"誠"視為天的根本屬性,要求人們努力求誠。在《中庸》有關思想的基礎上,《大學》進一步將"誠意"作為治國、齊家、修身、正心的根本。自此之後,道學家無不尊誠、尚誠。北宋的周敦頤將"誠"說成"聖人之本",要求人們經過"懲忿窒欲,遷善改過"之後,回歸"誠"的境界。

蔣介石深受道學影響,自然,他在早年也尊誠、尚誠。1922 年 11 月 20 日日記云:"率屬以誠為主,我誠則詐者亦誠意矣!"這裏,"誠"被蔣介石視作一種馭下之道。1923 年 5 月 4 日日記云:"凡事不可用陰謀詭計,且弄巧易成拙,啟人不信任之端。"這裏"誠"被蔣介石作為處理人際關係的準則。1924 年 5 月 3 日日記云:"機心未絕,足墮信義與人格。"這裏,"誠"才被蔣介石作為一種道德修養準則。

然而,政治鬥爭講究手段、計謀與權術,即所謂縱橫捭闔,不可能和"誠"的要求契合無間。1926 年以後,"誠"字就少見於蔣的日記了。

道學家不僅提出了諸多內心修養方面的要求,而且在人的形體外貌方面也有許多規範。朱熹寫過一篇《敬齋箴》,要求人們"正其衣冠,尊其瞻視"。在這方面,蔣介石也是身體力行者。1925 年 2 月 11 日日記云:"蒞團部時履不正,為屬下窺見,陡覺慚汗。"近年來出現若干影視作品,其中的蔣介石形象大多衣冠端正,這是符合蔣的性格的。

七、中世紀的修養方法

道學形成於宋明時代,它是中國封建社會後期的統治思想,也是中國儒學發展的一個特殊階段。其總體作用在於將傳統的儒學倫理規範哲學化,以便進一步強化其教化作用,藉以整飭人心,調節社會矛盾,鞏固既定社會秩序。但是,其中也包含著若干合理因素。

蔣介石少年頑劣,時代的激流將他推進了中國民主革命的大潮:留學日本,歸國革命,追隨孫中山。這樣,蔣介石早年就具備了兩重性格:既是上海洋場的浮浪子弟,又是革命志士,兩種性格相互矛盾而又長期共存。可以看出,在他登上政治舞台的漫長過程中,道學曾促使他勵志修身,克服了浮浪子弟的某些劣根性。但是，這也使他比較拘守傳統文化，未能在接受新文化、新思潮方面邁出更大的步伐，也未能使他在中國近代日益複雜的社會生活中，辨潮流，識方向，作出正確抉擇。

中世紀的修養方法無法完全適應近、現代的社會生活，這是自然的。

中山艦事件之謎 *

——第一次國共合作的拐點

* 本文錄自《蔣氏秘檔與蔣介石真相》，重慶出版社 2018 年版；原載《歷史研究》1988 年第 2 期。

1926 年 3 月 20 日在廣州發生的中山艦事件，撲朔迷離，它的許多疑團至今尚未解開。本文擬探討這一事件發生前後的真實過程，以進一步揭開中山艦事件之謎。

一、"三二〇"之前蔣介石的心理狀態

中山艦事件後，蔣介石曾多次談到有關經過，但是，他吞吞吐吐，欲言又止。6 月 28 日，他在孫中山紀念週上演說稱："若要三月二十日這事情完全明白的時候，要等到我死了，拿我的日記和給各位同志答復質問的信，才可以公開出來。那時一切公案，自然可以大白於天下了。"[1] 現在，我們就根據所能見到的蔣介石這一時期的日記及有關信件、資料，對它進行一次考察。

根據日記、信件等資料，自 1926 年 1 月起，蔣介石和蘇俄軍事顧問團團長季山嘉以及汪精衛之間的矛盾急劇尖銳。先是表現在北伐問題上，後又表現在黃埔軍校和王懋功第二師的經費增減問題上。

1925 年末，蔣介石從汕頭啟程回廣州，參加國民黨第二次全國代表大會，

---

1 《黃埔潮》第 2 期。

主張立即北伐。12 月 28 日日記云："預定明年 8 月克復武漢。"[1] 1926 年 1 月 4 日，他在國民政府春酌中發表演說："從敵人內部情形看去，崩潰一天快似一天。本黨今年再加努力，可以將軍閥一概打倒，直到北京。"[2] 兩天後，他在向大會所作的軍事報告中又聲稱："再用些精神，積極整頓，本黨的力量就不難統一中國"，"我們的政府已經確實有了力量來向外發展了"[3]。季山嘉反對蔣介石立即北伐的主張。他在黃埔軍校會議上以及在和蔣介石的個別談話中，都明確表示過自己的意見。這些意見，從顧問團寫給蘇聯駐華使館的報告中可以知其梗概。該報告認為："國民黨中央缺乏團結和穩定。它的成員中包含著各種各樣的成分，經常搖擺不定"；又說："軍隊缺乏完善的政治組織，將領們個人仍然擁有很大的權力。在有利的情況下，他們中的部分人可能反叛政府，並且在國民黨右翼的政治口號下，聯合人口中的不滿成分。另一方面，國民革命軍何時才能對北軍保持技術上的優勢還很難說。當然，革命軍的失敗將給予廣州內部的反革命以良機。"[4] 文件未署名，但季山嘉身為顧問團團長，報告顯然代表了他的意見。據此可知，季山嘉和顧問們認為，由於政治、軍事等方面的條件還不成熟，因此，北伐應該從緩。然而，蔣介石容不得反對意見，二人的裂痕由此肇端。

但是，這一時期，蔣介石與季山嘉之間的關係還未徹底破裂。1 月中旬，奉、直軍閥在華北夾攻馮玉祥的國民軍。為此，季山嘉提出兩項建議：1. 由海道出兵往天津，援助國民軍；2. 蔣介石親赴北方練兵。其地點，據說是在海參崴。[5] 對於這兩項建議，汪精衛贊成，蔣介石最初也同意。1 月 20 日日記云："往訪季山嘉將軍，商運兵往天津援助事。" 28 日日記又云："往訪季山嘉顧問，研究北方軍事、政治進行。余實決心在北方覓得一革命根據〔地〕，其發展效力必大於南方十倍也。" 然而，蔣介石很快就改變了態度。2 月 6 日，軍事委員會會議議決黃埔軍校經費 30 萬元，王懋功第二師經費 12 萬元。7 日，軍校

1 《蔣介石日記類抄・軍務》，中國第二歷史檔案館藏，以下均同。
2 《廣州民國日報》，1926 年 1 月 7 日。
3 《中國國民黨第二次全國代表大會日刊》第 18 號，1926 年 1 月 9 日。
4 Documment 22, Wilbur and How, *Document on Communism Nationalism and Soviet Advisers China (1918–1927)*, New York, Columbia University, 1956, p. 246.
5 參見《包惠僧回憶錄》，人民出版社 1983 年版，第 202 頁。

經費減至 27 萬元，王懋功第二師的經費則增至 15 萬元。此事引起蔣介石的疑忌，懷疑是季山嘉起了作用[1]。當日，蔣介石和季山嘉進行了一次談話。從有關資料看，季山嘉擔心中國革命重蹈土耳其的覆轍，對國民革命軍軍官的素質表示不滿，對蔣介石也有委婉的批評。蔣介石"意頗鬱鬱"，抱怨蘇俄顧問"傾信不專"，在日記中說："往訪季山嘉顧問，談政局與軍隊組織，語多規諷，而其疑懼我之心，亦昭然若揭。"季山嘉覺察到了蔣介石的不滿，曾於事後即向汪精衛表示："我等俄國同志，若非十二分信服蔣校長，則我等斷不致不遠萬里而來，既來之後，除了幫助蔣校長，再無別種希望。"又稱："至於其他一切商榷，我等既意存幫助，則當知無不言，言無不盡，此正由十二分信服，故如此直言不隱。若蔣校長以為照此即是傾信不專，則無異禁我等不可直言矣。"[2]季山嘉的這一態度，柔中有剛，一方面表示"信服"蔣校長，"幫助"蔣校長，另一方面又毫不妥協地聲明，在有不同意見時應該"直言不隱"。汪精衛隨即於 8 日致函蔣介石，將季山嘉的上述表態原原本本地告訴了他。蔣介石的直接反應是，決定辭去一切軍職。8 日，蔣介石表示不就軍事總監一職；9 日，呈請辭去軍事委員會委員及廣州衛戍司令職務，並草擬通電稿。11 日日記提出有兩條路可走，一條是"積極進行，衝破難關"，一條是"消極下去，減輕責任，以為下野地步"，並云："蘇俄同事，疑忌我，侮弄我，或非其本懷，然亦何為而然？"13 日，日記中突然有了準備赴俄的記載："如求進步，必須積極，否則往莫斯科一遊，觀察蘇聯情況，以資借鏡。"

在蔣介石與季山嘉的矛盾中，汪精衛支持季山嘉。國民黨第二次全國代表大會期間，蔣介石提出北伐問題，汪精衛曾表示同意，並開始準備經費，但不久轉而贊同季山嘉的意見。"二大"未就北伐問題做出任何決定。2 月 8 日，汪精衛在向蔣介石轉述季山嘉態度的信函中，又盛讚季山嘉"說話時，一種光明誠懇之態度，令銘十分感動"，要蔣介石創造條件，使季山嘉等能夠"暢所欲言，了無忌諱，了無隔閡"[3]。對於蔣介石的辭職，汪精衛則一再挽留，2 月 9 日

1　蔣介石：《復汪精衛書》，稿本，1926 年 4 月 9 日，蔣介石全宗，中國第二歷史檔案館藏，以下均同。

2　汪精衛：《致蔣介石書》，原件，1926 年 2 月 8 日。

3　同上注。

函云：“廣州衛戍司令職，弟實不宜辭，是否因經費無著？此層銘昨夜曾想及，故今晨致弟一電，請開預算單。”[1] 12 日再致一函云：“以後弟無論辭何職，乞先明以告我。如因兄糊塗，致弟辦事困難，則兄必不吝改過。”[2] 14 日，汪精衛並親訪蔣介石，從上午一直談到晚上，勸他打消辭意[3]。但是，蔣介石毫不動心。19 日，蔣介石向汪精衛正式提出“赴俄休養”一事。當日日記云：“余決意赴俄休養，研究革命政理，以近來環境惡劣，有加無已，而各方懷疑漸集，積怨叢生，部下思想不能一致，個人意向亦難確定，而安樂非可與共，劬勞訖（迄）可小休。綜此數因，不得不離粵遠遊也。”同日，季山嘉到蔣介石寓所訪問，談話中，蔣介石透露了“赴俄”的意圖，並且觀察季山嘉的反應，於日記中寫下了“狀似不安”四字。大約在此期間，蔣介石擬派邵力子赴北京，請鮑羅廷回粵。隨後又致電鮑羅廷，要求撤換季山嘉。

2 月 22 日晚，蔣介石應邀參加蘇聯顧問的宴會。席上，蔣自感有人“嫌”他。23 日，原代理軍校教育長、第二十師師長王柏齡見蔣，說有人詆毀他。蔣介石將這兩件事聯繫起來，疑慮重重。23 日日記云：“聞茂如言，人毀我，昨夜又見人嫌我。”2 月 24 日，國民政府成立兩廣統一委員會，任命汪精衛、蔣介石、譚延闓、朱培德、李濟深、白崇禧為委員，將廣西軍隊改編為第八軍、第九軍，以李宗仁、黃紹竑為軍長。此事進一步引起蔣介石的疑忌，他認為廣東有 6 個軍，照次序，廣西軍隊應為第七、第八軍。但是，現在卻將第七軍的建制空下來，必然是季山嘉企圖動員王懋功背叛自己，然後任命他為第七軍軍長[4]。於是，蔣介石於 26 日以迅雷不及掩耳的手段將王懋功扣留，任命自己的親信劉峙為第二師師長。當日日記云：“此人（指王 —— 筆者）狡悍惡劣，惟利是視”，“其用心險惡不可問，外人不察，思利用以倒我”，“故決心驅除之”。次日，將王押送赴滬。

王懋功政治上接近汪精衛，王部是汪可以掌握的一支武裝力量。蔣介石驅

1　汪精衛：《致蔣介石書》，原件，1926 年 2 月 9 日。
2　汪精衛：《致蔣介石書》，原件，1926 年 2 月 12 日。
3　《蔣介石日記類抄·軍務》。
4　蔣介石：《復汪精衛書》，1926 年 4 月 9 日；參見蔣介石《晚宴退出第一軍黨代表及 CP 官長並講經過情形》，《民國十五年以前之蔣介石先生》，第八編二，第 40—42 頁。

王之後，覺得心頭一塊石頭落了地。當日在日記中得意地寫道："凡事應認明其原因與要點。要點一破，則一切糾紛不解自決。一月以來，心境時刻戰兢，至此稍獲安定，然而險危極矣。"他找到汪精衛，聲言季山嘉"專橫矛盾，如不免除，不惟黨國有害，且必牽動中俄邦交"；又稱："如不准我辭職，就應令季山嘉回俄。"下午，季山嘉在和汪精衛議事時，表示將辭去顧問職務。蔣介石在日記中對此稱："不知其尚有何作用也？"

　　儘管蔣介石在驅除王懋功問題上取得了勝利，但仍然疑慮重重，覺得自己處於極為危險的境地。3月5日日記云："單槍匹馬，前虎後狼，孤孽顛危，此吾今日之環境也。"3月7日，劉峙、鄧演達二人告訴蔣介石，有人以油印傳單分送各處，企圖掀起"反蔣"運動，這更增加了蔣介石的危險感，覺得有人在陷害他，企圖把他搞掉。3月10日日記云："近日反蔣運動傳單不一，疑我、謗我、忌我、誣我、排我、害我者亦漸明顯，遇此拂逆精神打劫，而心志益堅矣。"這時，蔣介石和季山嘉的矛盾更形尖銳，以致於公然"反臉"[1]。12日，季山嘉向他"極陳北伐之不利"，蔣則"力辟其謬妄"[2]。原先，蔣曾同意季山嘉由海路運兵往天津的計劃，此時卻認為這是"打消北伐根本之計"，與孫中山的"北伐"之志完全"相反"[3]。對於季山嘉勸他往北方練兵的建議，更認為是心懷回測，是有意設法使他離開廣東，"以失軍中之重心，減少吾黨之勢力"[4]。"赴俄休養"本來是蔣介石自己提出的，而當汪精衛為了緩解他和季山嘉的矛盾，同意這一要求，惟其"速行"[5]時，蔣介石卻又恐懼起來。3月14日，蔣介石和汪精衛談話後，在日記中寫道："頃聆季新言，有諷余離粵意，其受讒已深，無法自解，可奈何！"3月15日日記云："憂患疑懼已極，自悔用人不能察言觀色，竟困於垓心〔下〕，天下事不可為矣！"這一時期，他和秘書陳立夫的赴俄護照也得到批准[6]，就使他更加惶惶然了。

1　蔣介石：《復汪精衛書》，1926年4月9日。
2　《民國十五年以前之蔣介石先生》，第八編一，第77—78頁。
3　蔣介石：《復汪精衛書》，1926年4月9日；參見蔣介石《晚宴退出第一軍黨代表及CP官長並講經過情形》，《民國十五年以前之蔣介石先生》，第八編二，第40—42頁。
4　同上注。
5　同上注。
6　蔣介石對曾擴情等人口述。見曾擴情《蔣介石盜取政權和蓄謀反共的內幕》，全國政協文史資料未刊稿；參見陳肇英《八十自述》，《中華民國史事紀要》，1926年3月20日，台北版。

正是在這種狀態下，右派乘虛而入，利用蔣介石多疑的心理，製造謠言和事端，以進一步挑起蔣介石和汪精衛、季山嘉以及共產黨人之間的矛盾。

二、中山艦調動經過

要揭開中山艦事件之謎，還必須查清中山艦調動經過。

根據黃埔軍校管理科交通股股員黎時雍的報告，事件的開始是這樣的："18日午後 6 時半，孔主任因外洋定安火輪被匪搶劫，飭趙科長速派巡艦一隻，運衛兵 16 名前往保護。職奉令後，時因本校無船可開，即由電話請駐省辦事處派船以應急需，其電話係由王股員學臣接。"[1] 孔主任，指黃埔軍校校長辦公廳主任孔慶叡。趙科長，指黃埔軍校管理科科長趙錦雯。定安輪是由上海到廣州的商輪，因船員與匪串通，在海上被劫，停泊於黃埔上游[2]。根據黎時雍的上述報告，可知當時調艦的目的在於保護商輪，最初並沒有打算向李之龍管轄的海軍局要艦，更沒有指定中山艦開動，所求者不過"巡艦"（巡邏艇）一隻，衛兵 16 名而已。只是由於黃埔軍校"無船可開"，才由黎時雍自作主張，向黃埔軍校駐省辦事處，請求"速派船來，以應急需"。

駐省辦事處接電話的是交通股股員王學臣。他事後的陳述是："3 月 18 日午後 6 時 30 分，接駐校交通股黎股員時雍電話云：因本晚由上海開來定安商輪已被土匪搶劫。現泊黃埔魚珠上游。奉孔主任諭，派衛兵 16 名，巡艦一隻，前往該輪附近保護，以免再被土匪搶劫。職因此時接電話聽不明了，係奉何人之諭，但有飭趙科長限本夜調巡洋艦一二艘以備巡查之用。職當即報告歐陽股長⋯⋯想情係教育長之諭，故此請歐陽股長向海軍局交涉。"[3] 歐陽股長，指黃埔軍校管理科交通股股長兼駐省辦事處主任歐陽鍾。根據上述報告可知，向海軍局要艦的是王學臣，所謂鄧演達"教育長之諭"則是因為電話聽不清，"想情"之故。至於艦隻規模，也因"想情"之故，由"巡艦"而上升為"巡洋艦一二

1　《交通股員黎時雍報告》，原件，1926 年 3 月 24 日，中國第二歷史檔案館藏，以下所引各原件，均同。
2　參見《廣州民國日報》，1926 年 4 月 12、19 日。
3　《交通股王學臣報告》，原件，1926 年 3 月 26 日。

艘"了。

歐陽鍾得到王學臣的報告後，即親赴海軍局交涉。當時，海軍局代局長李之龍因公外出，由作戰科科長鄒毅面允即派艦隻一二艘前往黃埔，聽候差遣。此後，據歐陽鍾自稱，他"於是即返辦事處"[1]。而據海軍局的《值日官日記》則稱："因李代局長電話不通，無從請示辦法，故即著傳令帶同該員面見李代局長，面商一切。"[2] 又據李之龍夫人報告：當夜，有三人到李之龍家，因李仍不在，由李之龍夫人接待，"中有一身肥大者"聲稱："奉蔣校長命令，有緊急之事，派戰鬥艦兩艘開赴黃埔，聽候蔣校長調遣"，同時又交下作戰科鄒科長一函，中稱：已通知寶璧艦預備前往，其餘一艘，只有中山、自由兩艦可派，請由此兩艦決定一艘。李之龍歸來閱信後，即去對門和自由艦艦長謝崇堅商量，因自由艦新從海南回省，機件稍有損壞，李之龍決定派中山艦前往，當即下令給該艦代理艦長章臣桐。[3] 同夜 10 時餘，黃埔軍校校長辦公廳秘書季方接到歐陽鍾電話，據稱：向海軍局交涉之兵艦，本晚可先來一艘（即寶璧艦），約夜 12 時到埔，請囑各步哨不要誤會。季方當即詢問因何事故調艦，抑奉何人之命交涉，答稱：係由本校黎股員時雍電話囑咐，請保護商輪之用。[4]

19 日晨 6 時，寶璧艦出口。7 時，中山艦出口。同日晨，海軍局參謀廳作戰科科長鄒毅要求歐陽鍾補辦調艦公函，歐陽鍾照辦。此函現存，內稱："頃接黎股員電話云：奉教育長諭，轉奉校長命，著即通知海軍局迅速派兵艦兩艘開赴黃埔，聽候差遣。等因奉此，相應通知貴局迅速派兵艦兩艘為要。"中山艦於上午 9 時開抵黃埔後，代理艦長章臣桐即到軍校報到，由季方委派副官黃珍吾代見。章出示李之龍命令，略稱：派中山艦火急開往黃埔，歸蔣校長調遣。該艦長來校，乃為請示任務；並稱：若無十分重要事情，則命其回省，另換一小艦來候用。黃珍吾當即報告鄧演達，鄧謂並無調艦來黃埔之事，但他"公事頗忙"，命黃轉知該艦長聽候命令[5]。

---

1 《歐陽鍾報告》，原件，1926 年 3 月 23 日。
2 抄件，中國第二歷史檔案館藏。
3 《李之龍夫人報告》，原件，1926 年 3 月 31 日。
4 《季方報告》，原件，1926 年 3 月 24 日。
5 《黃珍吾報告》，原件，1926 年 3 月 24 日。

當時，以聯共（布）中央委員布勃諾夫為團長的蘇聯使團正在廣州考察。中山艦停泊黃埔期間，海軍局作戰科鄒科長告訴李之龍，因俄國考察團要參觀中山艦，俄顧問詢問中山艦在省河否？李之龍即用電話請示蔣介石，告以俄國考察團參觀，可否調中山艦返省，得到蔣介石同意，然後李之龍便電調中山艦回省[1]。

中山艦的調動經過大體如上。這一經過至少可以說明以下幾點：

1. 中山艦駛往黃埔並非李之龍"矯令"，它與汪精衛、季山嘉無關，也與共產黨無關。多年來，蔣介石和國民黨部分人士一直大肆宣傳的所謂"陰謀"說顯然不能成立。

2. 蔣介石沒有直接給海軍局或李之龍下達過調艦命令。因此，所謂蔣介石下令調艦而又反誣李之龍"矯令"說也不能成立。

3. 中途加碼，"矯"蔣介石之令的是歐陽鍾。他明明去了李之龍家裏，卻在事後隱匿有關情節；他在海軍局和李之龍夫人面前聲稱"奉蔣校長命令"調艦，而在給作為校長辦公廳秘書的季方的電話裏，卻只能如實陳述；在給海軍局的公函裏，他清楚地寫著要求"迅速派兵艦兩艘"，而在事後所寫的報告和供詞中，又謊稱只是"請其速派巡艦一二艘"[2]，有意含糊其詞。因此，歐陽鍾是中山艦事件的一個重要干係人物。此人是江西宜黃人，1925 年 5 月任軍校代理輜重隊長，不久改任少校教官，其後又改任管理科交通股股長兼軍校駐省辦事處主任。他是孫文主義學會骨幹、海軍軍官學校副校長歐陽格之姪[3]。了解了他的這一身份，將有助於揭開中山艦事件之謎。

1　《李之龍供詞》，原件。

2　《歐陽鍾報告》；又，《歐陽鍾供詞》，原件，1926 年 3 月 31 日。

3　季方在關於"中山艦事件"一文中回憶說："在那年 3 月 18 日夜晚，有一艘來自上海的商船，於虎門駛過來遭到水盜的劫持後，即駛來軍校要求緝查保護。當時由管理處（軍校的後勤機構）的歐陽格（科長級幹部，孫文主義學會份子）用校長的名義打電話給海軍局，要調兩艘炮艦到黃埔軍校來。"見《黃埔軍校回憶錄專輯》，廣東人民出版社 1982 年版，第 34—35 頁。這裏所說的管理科的科長級幹部歐陽格係管理科交通股股長歐陽鍾的誤記。此點筆者曾函詢季方同志，蒙季方之女李明相告，可以訂正。

三、蔣介石的最初反應和“三二〇”之後的日記

據蔣介石自述：3 月 19 日上午，“有一同志”在和蔣介石見面時曾問：“你今天黃埔去不去？”蔣答：“今天我要去的。”二人分別之後，到 9 點、10 點時，“那同志”又打電話來問：“黃埔什麼時候去？”如此一連問過三次。蔣介石覺得有點“稀奇”了：“為什麼那同志，今天總是急急的來問我去不去呢？”便答復道：“我今天去不去還不一定。”蔣介石所說的“有一同志”，他當時表示名字“不能宣佈”，但實際上指的是汪精衛。到下午 1 點鐘的時候，蔣介石又接到李之龍的電話，請求將中山艦調回省城，預備給俄國參觀團參觀。蔣介石當即表示：“我沒有要你開去，你要開回來，就開回來好了，何必問我做什麼呢？”此後，蔣介石愈益感到事情蹊蹺：“為什麼既沒有我的命令要中山艦開去，而他要開回來為什麼又要來問我？”“中山艦到了黃埔，因為我不在黃埔，在省裏，他就開回來省城。這究竟是什麼一回事。”[1] 當日，蔣介石有這樣一段日記：“上午，準備回汕休養，而乃對方設法陷害，必欲使我無地容身，思之怒髮衝冠。下午五時，行至半途，自忖為何必欲微行，予人以口實，氣骨安在？故決回東山，犧牲個人一切以救黨國也，否則國魂銷盡矣。終夜議事。四時詣經理處，下令鎮壓中山艦陰謀，以其欲擺佈陷我也。”蔣介石的這一段日記提出了一個重要事實，就是，他在判斷所謂“擺佈陷我”的陰謀之後，最初的反應是離開廣州，退到他所掌握的東征軍總指揮部所在地汕頭。已經行至半途了，才決定返回，對中山艦採取鎮壓措施。蔣介石的這一段記載，證以陳肇英、陳立夫、王柏齡等人的回憶，當是事實。陳肇英時任虎門要塞司令，他在《八十自述》中回憶說：3 月 19 日，蔣介石專使密邀陳肇英、徐桴（第一軍經理處處長）、歐陽格三人籌商對策。“當時蔣校長顧慮共產黨在黃埔軍校內，擁有相當勢力，且駐省城滇軍朱培德部，又有共黨朱德統率之大隊兵力[2]，且獲有海軍的支持，頗非易與，主張先退潮、汕，徐圖規復。我則主張出其不意，先發制人，並請命令可靠海軍，集中廣九車站待變，以防萬一。初時蔣校長頗

1　蔣介石：《晚宴退出第一軍黨代表及 CP 官長並講經過情形》，《民國十五年以前之蔣介石先生》，第八編二，第 45—46 頁。
2　此說誤，當時朱德尚在莫斯科。

為躊躇，且已購妥開往汕頭之日輪＇廬山丸＇艙位。迨車抵長堤附近，蔣校長考慮至再後，終覺放棄行動，後果殊難把握，亟命原車馳回東山官邸，重行商討，終於採納我的建議，佈置反擊"[1]。陳立夫則稱："汪先生謀害蔣先生"，"蔣先生發覺了這個陰謀，很灰心，要辭職，要出亡"。19日那天，檢點行李，帶他坐了汽車到天字碼頭，預備乘船走上海。在車上，他勸蔣先生幹，"有兵在手上為什麼不幹？"[2]又稱："昔秦始皇不惜焚書坑儒，以成帝業。當機立斷，時不可失。退讓與妥協，必貽後悔。"[3]汽車到了碼頭，"蔣先生幡然下決心，重復回到家中發動三月二十日之變"[4]。陳肇英和陳立夫的回憶在回汕頭或去上海上雖有差異，但在蔣介石一度準備離開廣州這一點上卻和蔣介石的日記完全一致。這說明蔣介石當時確實相信有一個"擺佈"、"陷害"他的陰謀，否則，他是不必在自己的親信面前演出這一場戲的。

關於此，還可以在蔣介石"三二〇"之後的日記和其他資料中得到證明。

20日晨，根據蔣介石命令，採取了一系列措施：全城戒嚴；逮捕李之龍等共產黨員50餘人；佔領中山艦；包圍省港罷工委員會，收繳工人糾察隊的槍械。與此同時，蘇俄顧問也受到監視，衛隊槍械被繳。21日，汪精衛致函國民黨中央委員會請病假，聲稱"甫一起坐，則眩暈不支，迫不得已，只得請假療治"，所有各項職務均請暫時派人署理[5]。當日傍晚，蔣介石去探視汪精衛，日記云："傍晚，訪季新兄病。觀其怒氣勃然，感情衝動，不可一世。甚矣，政治勢力之惡劣，使人無道義之可言也。"

22日，國民黨中央委員會在汪精衛寓所召集臨時特別會議。會議上，汪精衛對蔣介石擅自行動表示了不滿，會議決定："工作上意見不同之蘇俄同志暫行離去"；"汪主席患病，應予暫時休假"；"李之龍受特種嫌疑，應即查辦"[6]。會

---

1 轉引自《中華民國史事紀要》，1926年3月20日。

2 陳公博：《苦笑錄》，香港大學亞洲研究中心1980年版，第75頁；參閱陳立夫：《北伐前余曾協助蔣公作了一次歷史性的重要決定》，台北《傳記文學》第41卷第3期。

3 文心珏：《國共合作與國共分離的回憶》，湖南政協文史資料未刊稿。作者在"三二〇"事件後，曾親自聽陳立夫講述有關經過。

4 陳公博：《苦笑錄》，第75頁；參閱陳立夫：《北伐前余曾協助蔣公作了一次歷史性的重要決定》，台北《傳記文學》第41卷第3期。

5 《時報》，1926年3月30日。

6 《中國國民黨第二屆中央執行委員會政治委員會會議記錄》，油印件。

後，汪精衛即隱居不知去向。25 日，蔣介石日記云："四時後回省，與子文兄商議覓精衛行蹤不可得。後得其致靜江兄一書，謂余疑他、厭他，是以不再負政治之責任。彼之心跡可以知矣。為人不可有虧心事也。"此後數日內，蔣介石日記充斥了對汪精衛的指責。

3 月 26 日日記云："政治生活全是權謀，至於道義則不可復問矣。精衛如果避而不出，則其陷害之計，昭然若揭矣，可不寒心！"

3 月 28 日日記云："某兄始以利用王懋功背叛不成，繼以利用教育長陷害又不成，毀壞余之名節，離間各軍感情，鼓動空氣，謂余欲滅某黨，欲叛政府。嗚呼！抹煞余之事業，余所不計，而其抹煞總理人格，消滅總理系統，叛黨賣國，一至於此，可不痛乎！"

4 月 7 日日記云："接精衛兄函，似有急急出來之意，乃知其尚欲為某派所利用，不惜斷送黨國也。嗚呼！是何居心歟！"

蔣介石的這些日記表明，他當時確實認為，"擺佈"、"陷害"他的陰謀的核心人物是汪精衛。4 月 20 日，蔣介石在演說中聲稱："有人說，季山嘉陰謀，預定是日待我由省城乘船回黃埔途中，想要劫我到中山艦上，強逼我去海參崴的話，我也不能完全相信，不過有這樣一回事就是了。"[1] 話雖然說得有點游移，但卻道出了他的心病。

汪精衛於政治委員會臨時特別會議之後隱居不出，據陳璧君說，一是為了"療病"，一是為了讓蔣介石"反省一切"[2]。但蔣介石除了裝模作樣地給軍事委員會寫過一個呈子，自請處分外，並無什麼像樣的"反省"行為。其間，汪精衛讀到了蔣介石致朱培德的一封信，信中，蔣介石毫不掩飾地表露了他對汪精衛的疑忌，於是汪精衛決定出國。3 月 31 日汪精衛致函蔣介石，內稱："今弟既厭銘，不願與共事，銘當引去。銘之引去，出於自願，非強迫也。"[3] 蔣介石於 4 月 9 日復函云："譬有人欲去弟以為快者，或有陷弟以為得計者，而兄將如之何？"又稱："以弟之心推之，知兄必無負弟之意，然以上述之事實證之，

1 《晚宴退出第一軍黨代表及 CP 官長並講經過情形》，《民國十五年以前之蔣介石先生》，第八編二，第 46 頁。
2 陳璧君：《致介兄同志書》，原件，1926 年 4 月 1 日。
3 汪精衛：《致蔣介石書》，原件，1926 年 3 月 31 日。

其果弟為人間乎？抑兄早為人間乎？其果弟疑兄而厭兄乎？抑吾兄疑弟而厭弟乎？"[1] 這封信也說明了蔣介石當時認為，汪精衛受人離間，懷疑並厭棄自己，和其日記是一致的。

此外，還可以考察一下蔣介石這一時期的精神狀態。3 月 20 日下午，何香凝曾去見蔣介石，質問他究竟想幹什麼，派軍隊到處戒嚴，並且包圍罷工委員會，是不是發了瘋，還是想投降帝國主義？據記載，蔣介石"竟像小孩子般伏在寫字檯上哭了"[2]。陽翰笙也回憶說，當他代表入伍生部到黃埔開會，見蔣介石"形容憔悴，面色枯黃"，作報告時講到"情況複雜，本校長處境困難時，竟然哭起來了"[3]。鄧演達也因為蔣介石"神色沮喪"，甚至關照季方："要當心校長，怕他自殺。"[4] 這種精神狀態，從蔣介石認為自己處於被"擺佈"、"陷害"的角度去分析，也許易於理解。

儘管蔣介石內心對汪精衛恨之入骨，但是，汪精衛當時是國民政府主席、國民革命軍總黨代表，公認的孫中山事業的繼承人，蔣介石這時還不具備徹底倒汪的條件。於是，一方面，他不得不在公眾面前透露某些情節，以說明有人企圖陷害他；另一方面，卻又不能全盤托出他的懷疑。其所以吞吞吐吐，欲言又止，要人們在他死後看日記者，蓋為此也。

四、西山會議派與廣州孫文主義學會的"把戲"

據陳公博說，鄒魯在 1930 年曾告訴他：當時，西山會議派謀劃"拆散廣州的局面"，"使共產黨和蔣分家"，鄒魯等"在外邊想方法"，伍朝樞"在裏頭想辦法"，於是，由伍朝樞出面，"玩"了下面這樣一個"小把戲"：有一天，伍朝樞請俄國領事吃飯，跟著第二天便請蔣介石的左右吃飯。席間，伍朝樞裝著不經意的樣子說：昨夜我請俄國領事食飯，他告訴我蔣先生將於最近期內往莫

1　蔣介石：《復汪精衛書》，1926 年 4 月 9 日。
2　陳孚木：《國民黨三大秘案之一》，連載之七，《熱風》第 74 期，香港創墾出版社 1956 年版，發表時署名浮海。
3　《風雨五十年》，人民文學出版社 1986 年版，第 105 頁。
4　季方：《我所接觸到的蔣介石》，《文史資料選輯》第 73 輯，第 98 頁。

斯科，你們知道蔣先生打算什麼時候起程呢？事後，蔣介石迅速得到了報告，他懷疑"共產黨要幹他"，或者汪精衛要"趕他"，曾經兩次向汪精衛試探，表示於統一東江南路之後，極端疲乏，想去莫斯科作短暫休息。一可以和俄國當局接頭，二可以多得些軍事知識。在第二次試探時，得到汪精衛的同意。自此，蔣介石即自信判斷不錯。他更提出第三步試探，希望陳璧君和曾仲鳴陪他出國。陳璧君是個好事之徒，天天催蔣介石動身。碰巧俄國有一條船來，並且請蔣介石參觀，聽說當日蔣介石要拉汪精衛同去，而汪因已參觀過，沒有答應，於是蔣便以為這條船是預備在他參觀時扣留他直送莫斯科的了。因此決定反共反汪。"這是三月二十日之變的真相"。[1]

這段記載說明了伍朝樞在挑起蔣介石疑懼心理過程中的作用。應該說，陳公博沒有捏造鄒魯談話的必要。但是，我們還必須結合其他材料加以驗證。

1. 這一段話的核心是蔣介石懷疑共產黨和汪精衛要"幹他"或"趕他"，以自請"赴俄休養"作試探，得到汪精衛同意，便進一步增強了他的懷疑。此點和前引蔣介石日記大體一致。

2. 陳孚木在《國民黨三大秘案》一文中說：其時，伍朝樞知道有一艘裝載軍械送給黃埔軍校的俄國商船，不久會到廣州，便編造"故事"說："蘇聯從蔣介石與俄顧問季山嘉的不和諧，判定蔣是反革命份子，已得汪精衛的同意，不日以運贈軍械為名，派遣一只商船來廣州，即將強擄蔣介石去莫斯科受訓。""他把這'故事'作為很機要秘密的消息，通傳給在上海西山會議派中央的許崇智、鄒魯等幾個廣東人，很快便傳到蔣介石在滬的親密朋友如戴季陶、張靜江、陳果夫等幾個人耳朵裏了。"[2] 陳孚木的這一段記載認定伍朝樞是編造謠言的主要人物，謠言的核心情節是利用俄船強擄蔣介石去莫斯科，伍並將這一謠言通傳給在上海的西山會議派。凡此種種，均可與鄒魯對陳公博所述相印證。陳孚木當時是國民政府監察委員，曾任《廣州民國日報》的總編輯，和國民黨上層人物廣有聯繫。他看過中山艦事件製造者歐陽格 1927 年寫的有關回憶

1　陳公博：《苦笑錄》，第 77—78 頁。
2　陳孚木：《國民黨三大秘案之一》，連載之三，《熱風》第 70 期。

稿[1]，所述自然具有相當的可靠性。

3. 1926 年 4 月 1 日，柳亞子致柳無忌函云："反動派陷害共產派是確實的，李之龍是一個共產派的軍人（屬於青年軍人聯合會的），而蔣部下很有孫文主義學會的人在那裏搗鬼，他們製造一個假命令，叫李把中山艦開到黃埔去，一方面對蔣說，李要請你到莫斯科去了，蔣大怒，即下令捕李。"柳亞子所述的核心情節是，有人造謠，以李之龍將劫蔣"去莫斯科"，煽動蔣介石反共，此點和鄒魯、陳孚木所述基本一致。柳亞子是國民黨元老，各方面交遊頗廣，他的這一段話不會沒有來歷。同函中，柳亞子又說："在兩星期前，沈玄廬（定一）告訴陳望道，廣州不出十日，必有大變，所以反動派的陰謀是和上海通氣的。"[2]沈定一是西山會議派的重要人物，當時在上海。如果他不了解伍朝樞"玩的小把戲"，是不會作出"廣州不出十日，必有大變"的判斷的。6 月 4 日，陳獨秀在給蔣介石的一封信裏也說："先生要知道當時右派正在上海召集全國大會，和廣東孫會互相策應，聲勢赫赫。三月二十日前，他們已得意揚言，廣州即有大變發生。先生試想他們要做什麼？"[3]這些材料，都可以反證陳孚木所述：伍朝樞曾將他編造的故事，通傳給在上海的西山會議派中央。

4. 鄧演達曾告訴季方，蔣介石之所以"倉皇失措"，是因為"得到密報"："共產黨利用其海軍局長李之龍的關係，將中山艦露械升火，與黃埔鄧演達聯合行動，圖謀不軌。"[4]此說雖未提到伍朝樞，但在指出蔣介石"得到密報"這一點上，仍有可資參證之處。

從 1926 年 1 月起，西山會議派的鄒魯等人就在廣州和香港散佈謠言。第一次說李濟深陰謀倒蔣，廣州併發現以四軍名義指蔣為吳佩孚第二，想做大軍閥

1　據陳孚木敘述，歐陽格的回憶寫於 1927 年"四一二"政變之後，想乘"清黨"之機出版表功，曾請陳看過。後來送呈蔣介石，蔣約略一翻閱，臉色一沉，罵他道："嚇！你懂什麼？有許多問題你哪裏知道，這種小冊子可以出版的嗎？把稿子留下來！"說著把稿本向抽屜內一丟，硬把這稿子沒收了。見陳孚木《國民黨三大秘案之一》，連載之十八，《熱風》第 85 期。

2　《柳亞子文集・書信輯錄》，上海人民出版社 1985 年版，第 70 頁。

3　《給蔣介石的一封信》，《嚮導》第 155 期。

4　季方：《白首憶當年》，《縱橫》1985 年第 2 期。原文未說明消息來源，承季明女士相告，係季方直接得之鄧演達者。當時，中山艦事件的製造者們確曾企圖將鄧演達牽連在內。季方回憶說：3 月 20 日晚，新任中山艦艦長歐陽格曾將中山艦開到黃埔，要求鄧到艦上去商量要事。季方、嚴重、張治中等怕有陰謀，勸鄧不要上當，鄧因此託故未去（見《白首憶當年》）。關於此，陳肇英回憶說：當時曾由他和歐陽格"具函請軍校的重要共黨份子來艦談話，而後予以扣押或驅逐出校"。見其所著《八十自述》。

的傳單；第二次說第一軍要繳四軍的械；第三次說，二、三、四、五各軍與海軍聯合倒蔣；第四次說，蔣介石對俄械分配於各軍不滿，將驅逐俄顧問全體回國；第五次說，蔣介石倒汪[1]。如此等等。很顯然，散佈這些謠言的目的在於製造廣東國民政府內部的不和，煽起蔣介石心中疑忌的火焰。事實上，它們也確實起了作用。這一點，前引蔣介石日記已有充分的證明。蔣介石之所以在那樣一個特定時刻對中山艦採取鎮壓措施，應該說，西山會議派和伍朝樞的謠言起了重要作用。

當然，鄒魯把中山艦事件完全說成是西山會議派和伍朝樞的"功勞"也並不全面。其中還有柳亞子、陳獨秀所指出的廣州孫文主義學會的作用。廣州孫文主義學會發端於1925年6月的中山學會，其核心人物為王柏齡、賀衷寒、潘佑強。這一組織成立後，即與西山會議派相勾結，陰謀反對國共合作。其間的聯絡人就是時任國府委員、兼任廣州市市政委員會委員長的伍朝樞。李之龍說："這種組織（指廣州孫文主義學會 —— 筆者注）在廣州的主要工作，最初是對抗青年軍人聯合會，其後經伍朝樞、吳鐵城之介紹，遂與西山會議派結合，遂受其利用而擴大為倒汪、排共、仇俄之陰謀。"[2]"他們在廣州發難，領過了上海偽第二次全國代表大會數萬元之運動費，陳肇英領了一萬五千元，歐陽格領了五千元。"[3]中山艦事件發生前，廣州孫文主義學會份子異常活躍。王柏齡很早就到處散佈汪精衛反蔣[4]。2月22日，蔣介石日記中有王柏齡進讒的記載。3月17日早晨，王柏齡在黃埔軍校內又散佈說："共產黨在製造叛亂，陰謀策動海軍局武裝政變。"[5]王柏齡並在他的部隊內，對連以上軍官訓話，要他們"枕戈待旦"，消滅共產黨的陰謀。當日，蔣介石在日記中寫道："上午議事。所受苦痛，至不能說，不忍說，是非夢想所能及者。政治生活至此，何異以佛入地獄耶！"顯然，蔣介石的這段日記和王柏齡的謠言之間有著某種聯繫。正是在這一狀況下，作為孫文主義學會成員之一的歐陽鍾出面假傳蔣介石命令，

1　李之龍：《汪主席被迫離職之原因、經過與影響》，漢口中央人民俱樂部印發；參見《鄒魯、胡毅生秘密到港》，《廣州民國日報》，1926年3月16日。
2　茅盾：《我走過的道路》，人民文學出版社1981年版，第305頁。
3　李之龍：《汪主席被迫離職的原因、經過與影響》。
4　《包惠僧回憶錄》，第204頁。
5　馬文車：《中山艦事件的內幕》，《文史資料選輯》第45輯。

誘使李之龍出動艦隻，以便和王柏齡的謠言相印證。他的活動是整個陰謀的組成部分。關於此點，如果我們將幾個有關回憶錄綜合起來考察，就可以真相大白。陳孚木寫道："那時伍朝樞所說的俄國商船已經到達，起卸軍械之後，停在黃埔江面。一連幾天，沒有什麼動靜。於是，王柏齡便與歐陽格商量，決定'設計誘使中山艦異動'。"[1]章臣桐寫道："在三月十八那一天，歐陽格打電話給黃埔軍校駐省辦事處的副官歐陽鍾（歐陽格之姪），叫他用辦事處的名義向海軍局要一隻得力兵艦開往黃埔，說是校長要的。所謂得力的兵艦，即暗指中山艦而言。"在章臣桐接到李之龍命令，上艦升火試笛之後，"歐陽格就在蔣的面前報告說：'中山艦已出動，正在開往黃埔，聽說共產黨要搶黃埔的軍火'。"[2]自由艦艦長謝崇堅也有類似回憶。他說："三月十八日歐陽格偵知中山艦上發生混亂，戒備不嚴，有機可乘，密令歐陽鍾偽稱接到校本部電話，通知海軍局立派一艘得力軍艦，駛往黃埔聽用。據說十九日上午中山艦在東堤起錨後，孫文主義學會份子立即向蔣介石控告，說海軍李之龍異動，已出動中山艦要逮捕校長，奪取軍火。"[3]這就很清楚了：歐陽格與王柏齡定計之後，一面唆使歐陽鍾矯令，一面向蔣介石謊報，其結果便演出了震驚中外的"三二〇"的一幕。

中共很快就對孫文主義學會在中山艦事件中的作用有所了解。當年5月，上海區委主席團開會，有人報告說："中山艦問題，純由孫文主義學會的挑撥而成。"[4]多年以後，王柏齡曾得意地說："中山艦云者，煙幕也，非真歷史也，而其收功之總樞，我敢說，是孫文主義學會。"[5]這不啻是自我招供。

---

1 陳孚木：《國民黨三大秘案之一》，連載之十八，《熱風》第 85 期。

2 《中山艦事件》，《上海文史資料》第 8 輯。

3 《中山艦事件親歷記》，《上海文史資料》第 19 輯。關於歐陽格謊報共產黨要"搶黃埔的軍火"一事，還可從蔣介石當時的活動中得到佐證。據民生艦艦長舒宗鎏及黃埔軍校軍械處長鄧士章回憶，3 月 19 日（原文誤記為 3 月 18 日），他們曾接到"緊急通知"，要把黃埔庫存的軍火迅速裝上民生艦，計三八式步槍 1 萬支，俄式重機槍 200 挺，裝好後停泊於新洲海面。事後，蔣介石並登艦檢查，對舒宗鎏說："沒有我的命令，不許把軍火交給任何人。"見覃異之《記舒宗鎏等談中山艦事件》，《文史資料選輯》第 2 輯。如果沒有歐陽格的謊報，蔣介石是不會這樣將軍火搬來搬去，折騰一氣的。

4 《上海區委主席團會議記錄——報告政局、黨的策略及內部組織問題》。

5 《黃埔創始之回憶》，《黃埔季刊》卷 1 第 3 期。

五、偶然中的必然

就蔣介石誤信伍朝樞、歐陽格等人的謠言來說，"三二〇"事件有其偶然性；但是，就當時國民黨內左、右派的激烈鬥爭和蔣介石的思想狀況來說，又有其必然性。

孫中山逝世後，國民黨內的左、右派力量都有所發展。1926 年 1 月召開的國民黨第二次全國代表大會是左派的勝利。會議代表 228 人，共產黨員和國民黨左派 168 人，中派 65 人，右派僅佔 45 人。吳玉章任大會秘書長，實際上主持會議。會議通過的宣言進一步闡明了聯俄、聯共、扶助農工的三大政策，堅持了"一大"的革命精神。會議選出的中央執監委員中，共產黨員佔 7 人，國民黨左派佔 15 人。在隨後建立的國民黨中央秘書處、組織部、宣傳部、農民部中，都由共產黨員擔任領導工作。與此同時，國民革命軍中大約已有 1000 餘名共產黨員。一軍、二軍、三軍、四軍、六軍的政治部主任都由共產黨人擔任。一軍 3 個師的黨代表，有兩個是共產黨員。9 個團的黨代表中，7 個是共產黨員。此外，中國共產黨在廣東的群眾基礎也大為加強。當時，有組織的工人隊伍 10 餘萬，農會會員 60 餘萬，其中工人武裝糾察隊 2000 餘人，農民自衛軍 3 萬餘人。

蘇俄顧問團這一時期也加強了自己的地位和影響。顧問團向蘇俄駐華使館報告說："總參謀部是軍事委員會的專門組織。羅加喬夫，我們的軍事指揮者（團長助理）實際上擔當總參謀長"；又說："我們的顧問事實上是所有這些部門的頭頭，只不過在職務上被稱為這些部門首領的顧問。（1925 年）12 月末，我們的顧問甚至佔有海軍局長（斯米爾諾夫）和空軍局長（列米）的官方位置。"該報告又稱："現存的國民黨是我們建立起來的。它的計劃、章程、工作都是在我們的政治指導下按照俄國共產黨的標準制訂的，只不過使它適合中國國情罷了。直到最近，黨和政府一直得到我們的政治指導者的周密的指導，到目前為止，還不曾有過這樣的情況，當我們提出一項建議時，不為政府所接受和實行。"[1]

　　汪精衛也表現為前所未有的左傾。據張國燾回憶：他"一切事多與鮑羅廷商談"[2]。第二次全國代表大會舉行前夕，莫斯科來了一個很長的報告，內容為反對帝國主義，汪精衛還沒有讀完就說內容很好，可作大會宣言的資料。在會議召開期間，汪精衛多次強調共產派與非共產派在歷次戰役中，熱血流在一起，凝結成一塊，早已不分彼此。既能為同一目的而死，更可為同一目的而生存下去。[3]在選舉中央委員以前，他預擬了一份名單和中共商量，其中左派以及和汪有關係的人佔多數[4]。1926年2月1日，他在中執會常委會會議上，提議任命周恩來為第一軍副黨代表，李富春為第二軍副黨代表，朱克靖為第三軍副黨代表。5日，又提議請毛澤東代理宣傳部長。[5]2月22日，他在紀念蘇俄紅軍成立八週年聯歡會上，繼季山嘉之後發表演說，聲稱："吾人對於如師如友而助我的俄同志，真不知如何表示其感激之情，惟有鏤之心中而已。"[6]對於孫文主義學會和青年軍人聯合會之間的衝突，他也鮮明地左袒，曾命令王懋功"嚴厲制止"孫文主義學會的遊行[7]。3月初旬，他又召集兩會會員訓話，激烈地批判孫文主義學會的反共傾向，曾稱："土耳其革命成功，乃殺共產黨；中國革命未成，又欲殺共產黨乎！"[8]

　　國民黨右派不能容忍共產黨力量的發展和蘇俄顧問影響的增強，不能容忍汪精衛的左傾。西山會議派稱："現在的國民政府，名義上是本黨統治的，事實上是被共產黨利用的。"又稱："俄人鮑羅廷操縱一切"，"軍政大權已完全在俄人掌握之中"。蔣介石雖然因依靠蘇俄供應軍械而仍然主張聯俄，對共產黨也時而表現出願意合作的姿態，但在內心裏，卻早已滋生出強烈的不滿。3月8日日記云："上午與季新兄商決大方針。余以為中國國民革命未成以前，一切實

1　Document 22, Wilbur and How, *Document on Communism Nationalism and Soviet Advisers in China (1918–1927)*, pp. 245–247.
2　《張國燾回憶錄》第2冊，現代史料編刊社1980年版，第82頁。
3　《張國燾回憶錄》第2冊，第82—83頁。
4　《張國燾回憶錄》第2冊，第85頁。
5　《中國國民黨中執會常委會會議錄》，《中國國民黨第一、二次全國代表大會會議史料》，江蘇古籍出版社1986年版，第464—465、471頁。
6　《廣州民國日報》，1926年2月24日。
7　王懋功：《致張靜江書》，1926年3月7日，原件，中國第二歷史檔案館藏。
8　轉引自蔣介石《復汪精衛書》，1926年4月9日。

權皆不宜旁落，而與第三國際必能一致行動，但須不失自動地位也。"9日日記云："吾辭職，已認我軍事處置失其自動能力，而陷於被動地位者一也；又共產份子在黨內活動不能公開，即不能相見以誠，辦世界革命之大事而內部份子貌合神離，則未有能成者二也。"4月9日，蔣介石在復汪精衛函中也說："自第二次全國代表大會以來，黨務、政治，事事陷於被動，弟無時不抱悲觀，軍事且無絲毫自動之餘地。"這一切都說明了蔣介石和左派力量爭奪領導權的鬥爭必不可免，即使沒有右派的造謠和挑撥，蔣介石遲早也會製造出另一個事件來的。

中山艦事件之後 *

* 本文錄自《蔣氏秘檔與蔣介石真相》，重慶出版社 2015 年版；原載《歷史研究》1992 年第 5 期。

中山艦事件之後，汪精衛為何突然隱匿，既而悄然出走？蔣介石為何一路順風，掌握了國民黨和軍隊的最高權力？在制訂對蔣妥協、退讓政策的過程中，蘇聯顧問的意見如何？中共中央起了何種作用？凡此等等，史學界都還不完全清楚。本文將試圖回答這些問題。

一、"反蔣聯盟"的流產與汪精衛負氣出走

1926 年 6 月 3 日，蘇聯駐華使館武官處代理武官謝福林（СейФуиин）[1] 有一份寫給莫斯科的報告，彙報中山艦事件之後的廣州形勢。該報告一開始就說明，它以鮑羅廷同年 5 月底的一份報告為基礎，因此，這是一份極為重要的文件。該報告在敘述蔣介石要求限制共產黨的情況後說：

> 這樣，我們面臨著兩種選擇：1. 接受蔣的要求，以避免一場災難，否則，它將必然來到。2. 採取類似汪精衛在 "三二〇" 期間為應付局勢，而已為我們認為是不適當的措施，即組成反蔣聯盟，依靠聯盟的壓力，迫使蔣不屈服於國民黨中反共派的要求。（古比雪夫同志支持這一理論）

---

1 謝福林，真名阿利別爾特·拉賓（Альберт Лапин），1916 年參加俄國共產黨，1917 年參加紅軍，其後畢業於軍事學院。1925 年來華，先後在張家口、開封兩地的馮玉祥軍中任顧問。1926 年 4 月調任蘇聯駐華使館武官處代理武官。

據此可知，"三二〇"期間，汪精衛曾組成反蔣聯盟，企圖採取措施，對蔣施加壓力。汪精衛的這一做法得到蘇聯顧問古比雪夫（按即季山嘉）的支持，但遭到"我們"蘇方的反對，被認為"不適當"。

該報告又說：

> 許多人相信，關於國共關係的決議並不能促使右派轉變，蔣將被迫反對右派。例如，鮑羅廷發現，儘管蔣知道汪在"三二〇"及其後參加了反蔣聯盟，但他仍然能使蔣相信，有必要讓汪參加 5 月 29 日的會議，討論北伐問題。汪已去巴黎的說法純係謠傳。[1]

這裏，再次提到"反蔣聯盟"，並明確指出，蔣知道這一事實。看來，研究中山艦事件以後的歷史，首先要揭示"反蔣聯盟"的真相。

在"三二〇"事件期間，蔣介石擅自行動，宣佈戒嚴，逮捕李之龍等共產黨人，包圍蘇聯顧問住宅等做法引起了普遍不滿；作為黨政軍領袖的汪精衛更為憤慨。據陳公博回憶，20 日晨，第二軍軍長譚延闓和第三軍軍長朱培德二人見汪，汪稱："我是國府主席，又是軍事委員會主席，介石這樣舉動，事前一點也不通知我，這不是造反嗎？"並稱："我在黨有我的地位和歷史，並不是蔣介石能反對掉的。"[2] 當時，譚、朱決定見蔣，問他想什麼和要什麼。他們要求陳公博通知第二軍副軍長魯滌平和第三軍參謀長黃實，"囑咐軍人準備，以備萬一之變"。其後，汪又詢問來訪的第四軍軍長李濟深："你們能立刻到軍隊去嗎？"[3] 汪提這一問題，說明他有了調動軍隊的念頭。

譚延闓、朱培德會見蔣介石的情況，據謝華回憶，譚曾經說了下面一段話："總理逝世才一年，骨頭還沒有冷，你幹什麼呢？國共合作是總理生前的主張，遺囑也說要聯俄、聯共、扶助農工，你現在的行動，總理的在天之靈能允許嗎？"[4] 譚的原話未必是這樣說的，但謝華當時是譚部政治工作人員，此段話必有一定根據。綜合考察譚延闓當時的態度，他對蔣提出質問是可能的。

1　Document 52, Wlibur and How, *Missionaries of Revolution*, Harvard Press, 1989, pp. 718–719.

2　陳公博：《苦笑錄》，第 37—38 頁。

3　同上註。

4　《大革命的一點經歷》，《謝華集》，湖南人民出版社 1989 年版，第 302 頁。

同日，宋子文、李濟深、鄧演達先後來到蘇聯顧問團住址，表示對蔣介石的不滿；譚延闓、朱培德繼至，稱蔣介石為“反革命”，提議“嚴厲反蔣之法”。蘇聯顧問團並得知，汪精衛雖正抱病昏臥，但也稱蔣的舉動為“反革命”。顧問團的印象是：“全體皆對蔣表示反對。”[1]

譚延闓、朱培德提議的“嚴厲反蔣之法”，有關文獻沒有說明內容，但是，在蔣介石已經動用武力的情況下，只能是以武力對付武力。據親歷者的回憶，譚延闓曾飭令準備專車，擬赴韶關調兵（當時第二軍駐紮北江一帶）[2]。周恩來也回憶說：“這時，譚延闓、程潛、李濟深都對蔣不滿”，“各軍都想同蔣介石幹一下”[3]。還有人回憶，聽說汪精衛當時曾主張，“二、三、四、五、六軍聯合起來，給我打這未經黨代表副署、擅調軍隊、自由行動的反革命蔣介石”[4]。譚延闓處事一向以沉穩圓滑著稱，他跑到蘇聯顧問團去提議“嚴厲反蔣之法”，並準備去韶關調兵，如果不是出於汪精衛的授意或同意，這是不能想像的。

3月20日這天，中共廣東區委負責人陳延年以及毛澤東、周恩來等人也曾到蘇聯顧問住址，提議對蔣介石採取強硬態度。毛澤東並提出，動員所有在廣東的國民黨中央執、監委員，秘密到肇慶集中，依靠駐防當地的葉挺獨立團的力量，爭取第二、三、四、五、六各軍的力量，開會通電討蔣，指責他違反黨紀國法，必須嚴辦，削其兵權，開除黨籍[5]。有關資料說明，譚延闓曾經找過毛澤東，向他提出反擊蔣介石的主張。譚延闓此舉，也可能出於汪精衛的授意或同意。

至此，謝福林報告所稱汪精衛組織的“反蔣聯盟”的輪廓就大體清晰了——它是在蔣介石已經動作的情況下，為“應付局勢”，企圖聯絡第二、三、四等軍的力量（也許還包括共產黨人），進行反擊。

然而，“反蔣聯盟”很快就胎死腹中。儘管專車已經備就，譚延闓卻突然中止了韶關之行。

1　斯切潘諾夫報告，《蘇聯陰謀文證彙編·廣東事項類》，第34頁。

2　方鼎英：《補敘中山艦事件》，全國政協文史資料未刊稿；文心玨：《國共合作與國共分離的回憶》，湖南政協文史資料未刊稿。

3　《關於一九二四至二六年黨對國民黨的關係》，《周恩來選集》（上），人民出版社1980年版，第120頁。

4　方鼎英：《補敘中山艦事件》；文心玨：《國共合作與國共分離的回憶》。

5　茅盾：《我走過的道路》，人民文學出版社1981年版，第307頁。

21 日傍晚，蔣介石以探病為名訪問汪精衛，只見汪"怒氣勃勃，感情衝動，不可一世"[1]。但是，23 日，汪精衛就像泄了氣的皮球一樣，"遷地就醫"，不知所去。

這些情況之所以發生，就在於蘇方認為汪精衛的"反蔣聯盟"及其措施"不適當"，主張並實行妥協、退讓。儘管季山嘉支持汪精衛，但是，他對於用兵和與蔣介石破裂都還有顧慮[2]，而且，當時在廣州，有比季山嘉地位更高的聯共中央委員、紅軍政治部主任、蘇聯考察團團長布勃諾夫在。

20 日下午，蔣介石根據季山嘉的要求，撤去了對顧問團的包圍。隨後，季山嘉派助手、軍事顧問團副團長鄂利金（Ольгин）[3] 去蔣介石處。鄂利金對蔣"稍加責言"，蔣則"百方道歉"[4]。這以後，布勃諾夫親自出馬，偕鄂利金再赴蔣介石處，商談以後問題。蔣提出俄國顧問"許多錯誤"，應允次日上午至布勃諾夫處再議。21 日，蔣介石爽約未至，顧問團得到消息稱：蔣介石"不願同俄國顧問共事"[5]。當日，蘇方在廣州人員會議，認為"廣州市內力量對比對國民政府不利，省內力量對比對國民政府有利，需要贏得時間，而要贏得時間就要作出讓步"，因此，決定"盡量設法留住蔣介石並爭取恢復他同汪精衛的友誼"。[6] 為此，會議決定撤去軍事顧問團團長季山嘉、副團長鄂利金及顧問羅加喬夫的職務，派索洛維也夫以蘇聯駐廣州領事館參議名義與蔣介石磋商。22 日，索洛維也夫會見蔣介石，詢問：係對人問題，抑對俄問題？蔣答：對人。索洛維也夫稱：只得此語，此心大安，今日可令季山嘉、羅加喬夫各重要顧問回國。[7] 同日上午 10 時，國民黨中央政治委員會開會，索洛維也夫列席。會上，汪精衛雖仍對蔣介石擅自行動表示不滿，但由於蘇方已經作出撤換季山嘉等人的決定，退讓、妥協的局面已經形成，汪精衛已無可奈何。因此，會議決定：1. 工作上意見不

---

1 《蔣介石日記類抄・黨政》，1926 年 3 月 21 日。

2 周恩來 1943 年 11 月 27 日在中共中央政治局會議上發言稱："我在富春家遇見毛（澤東），問各軍力量，主張反擊。我聽了毛的話，找季山嘉，他說：不能破裂。"

3 鄂利金，真名拉茲貢（И. Я. Разгон），來華之前曾任軍事學院副院長。

4 斯切潘諾夫報告，《蘇聯陰謀文證彙編・廣東事項類》，第 34 頁。

5 文件 31，《聯共（布）、共產國際與中國國民革命運動》（3），第 177 頁。

6 文件 30、31，《聯共（布）、共產國際與中國國民革命運動》（3），第 171、177 頁。

7 《民國十五年以前之蔣介石先生》，第八編二，第 83 頁。羅加喬夫（В. П. Рогачев），1924 年來華，1925 年 7 月任參謀團主任。同時決定調回蘇聯的還有拉茲貢。

同的蘇聯同志暫行離去，另聘其他為顧問；2. 汪主席患病應予暫時休假；3. 李之龍受特種嫌疑，應即查辦。[1] 這樣，蔣介石的行動就得到了承認，政治上又贏了一個回合。會後，汪精衛就隱匿不見，失蹤了。

王若飛在作黨史報告時曾經指出過："三二〇"事件後否定反擊蔣介石計劃的是布勃諾夫[2]；顯然，主持蘇方人員會議，決定撤換季山嘉、羅加喬夫等重要顧問職務並令其回國的也只能是布勃諾夫。他於當年 2 月率領考察團來到中國，負責調查並研究中國革命的有關問題，顯然只有他才能作出上述重大決定。

汪精衛當時以蘇聯為靠山，和季山嘉又一直保持著密切的關係。現在，面對蔣介石的進攻，蘇方不僅不支持自己反擊，反而向蔣介石低頭，撤換季山嘉等人，汪精衛如何不生氣？失去靠山，他就無所作為。於是，先之以決定隱匿，繼之以決定出走。值得指出的是，儘管他於 5 月 9 日已經離開廣州，轉赴法國，但鮑羅廷對此卻毫無所知，還在期望爭取他和蔣介石一起會談，討論北伐問題。這只能說明，他對蘇方既失望，又憤懣，心頭有一口難平之氣，因此，不告而別了。

二、蘇方的妥協邏輯及其 "利用蔣介石" 的政策

布勃諾夫決定對蔣介石妥協、退讓，有他自己的邏輯。在他看來，"三二〇"事件是由 "軍事工作和總的政治領導方面的嚴重錯誤引起的"，這表現在：1. 不善於預見國民政府內部的衝突及其在軍隊中的反映。2. 過高地估計了廣州領導的力量和團結一致。3. 未能及早揭露和消除軍事工作中重大的冒進做法。4. 參謀部、軍需部、政治部的集中管理進行得太快，沒有考慮到中國將領們的心理和習慣。5. 將領們受到過分的監督。他說："中國將軍們脖子上戴著五個套，這就是參謀部、軍需部、政治部、黨代表和顧問。"[3] 他提出，顧問在任何情況下都不應該越權，不應該承擔任何直接領導軍隊的職責，任何過火行為都

1　《中國國民黨第二屆中央執行委員會政治委員會會議錄》，油印件。

2　《中共黨史革命史論集》，中共中央黨校出版社 1982 年版，第 112 頁。

3　切列潘諾夫：《中國國民革命軍的北伐》，中國社會科學出版社 1981 年版，第 374 頁。

將嚇跑大資產階級，引起小資產階級動搖、復活軍閥主義、加劇左右翼矛盾等嚴重後果，從而激起反共浪潮。

不能認為布勃諾夫的分析完全沒有道理。蘇聯顧問在幫助中國革命的過程中確實有缺點。例如，顧問將中國共產黨、共青團以至於國民黨一概視為自己的"政治領導"之下的組織，經常包辦代替國民黨和國民政府的工作。1925 年 7 月 1 日，鮑羅廷、加倫、羅加喬夫、切列潘諾夫、斯切潘諾夫、列米等顧問召開軍事會議，除決定向國民革命軍各軍派出顧問外，居然決定由顧問直接出任軍職。例如，由羅加喬夫任軍務處長兼總參謀長，由切列薩多夫任軍務處副處長兼副總參謀長，楚巴廖瓦任軍務處通信調查部主任，郭密任總司令部政務處處長，馬瑪也夫任軍務處情報科科長等。[1] 顧問團的一份報告說：

> 參謀團是軍事委員會的專門機構。我們的軍事指揮者（團長助理，按，指羅加喬夫 —— 筆者）的正式位置是總參謀長顧問，但他實際上擔任總參謀長……當時下列部門從屬於參謀團：作戰與情報局（包括通訊服務）、管理與檢查局、軍需局、海軍局……我們作為指導者被稱為這些部門首長的顧問，但事實上是這些部門的頭頭。12 月末，我們甚至佔有海軍局局長（按，指斯米爾諾夫）和空軍局長（按，指列米）的官方位置。不過，一有機會，他們必須再次成為顧問。因為我們作為指導者佔有官方位置政治上不方便，再次成為顧問不會絲毫有損於我們的影響。[2]

顯然，越俎代庖，或顧問權勢過大都會引起國民黨人，特別是軍官的反感。

1925 年 11 月 1 日，季山嘉代替加倫出任華南軍事顧問團團長。季山嘉的作風、性格和鮑羅廷、加倫都有明顯的不同。他上任之後，大刀闊斧地致力於加強軍隊的集中管理。顧問切列潘諾夫回憶說：

> 接替加倫任南方政府總顧問的季山嘉（古比雪夫）就比較直來直去，他錯誤地認為，南方軍隊中的轉折時期已經過去，現在該是轉向嚴格集中，並使軍隊具有明確任務、劃一組織和統一紀律，服從於中央軍事機構

---

1 《蘇聯陰謀文證彙編》，卷首影印俄文原件及中譯件。

2 Document 26, Wilbur and How, *Missionaries of Revolution*, pp. 602–603.

的時候了。[1]

軍隊必須有統一的指揮和高度的組織性、紀律性，季山嘉的做法本無可非議，但是，急於求成，方式簡單粗暴也必將引起國民黨人和軍官的反感。在這一過程中，他和力圖掌握軍權的蔣介石之間的矛盾也必將加劇。王若飛說：季山嘉"不以同志態度對待國民黨，以自己為統帥，引起了國民黨很多不滿"[2]，指的就是這方面的問題。

糾正缺點、錯誤以及某些急躁、冒進的做法都是必要的，但是，蔣介石在中山艦事件中的作為，主要是為了打擊蘇聯顧問和中國共產黨人，打擊汪精衛，和左派力量爭奪領導權，布勃諾夫看不到這一點，其決策的錯誤就是必然的了。

3月24日，布勃諾夫使團離開廣州，蔣介石到布勃諾夫住處送行。據稱，在長達兩個多小時的談話中，蔣介石"表面上很誠懇，想為自己辯解並對3月20日事件作出解釋"。這一情況加強了蘇聯顧問們的印象："蔣介石能夠留在國民政府內，也應該留在國民政府內，蔣介石能夠同我們共事，也將會同我們共事。"[3]

季山嘉被撤職後，於3月24日隨同布勃諾夫等一起回國，接替他的職務的是斯切潘諾夫，蔣介石稱之為史顧問[4]。

"史顧問"同意布勃諾夫對中山艦事件的分析，但他又增加了兩條：1. 關於帝國主義問題、農民問題、共產主義問題，在軍隊中的激烈宣傳不盡適當；2. 中國共產黨在黨務及軍隊宣傳中，"不知盡力於組織國民黨，默為轉移，只知以鮮明的擴充共產黨為工作之總方針，欲在各處完全把持一切指揮之權。"[5] 中山艦事件後，蔣介石於3月23日以"事前未及報告，專擅之罪，誠不敢辭"為

1 切列潘諾夫：《中國國民革命軍的北伐》，第306頁。該報告現已全文公佈，參見文件30，《聯共（布）、共產國際與中國國民革命運動》(3)，第169頁。
2 《中共黨史革命史論集》，第112頁。
3 文件31，《聯共（布）、共產國際與中國國民革命運動》(3)，第177頁。
4 斯切潘諾夫（В. А. Степанов），參加過第一次世界大戰和俄國國內戰爭，工農紅軍軍事學院畢業。1924年10月來華，在黃埔軍校工作，曾任蔣介石及第一軍顧問，參加過兩次東征之役。
5 斯切潘諾夫報告，《蘇聯陰謀文證彙編·廣東事項類》，第35—36頁。

理由，自請從嚴處分。4月2日，拘留在事件中起了惡劣作用的歐陽格。[1]這些，又使得斯切潘諾夫感到，蔣介石"似又略向左派演進"[2]。他對蔣介石的思想和性格進行了分析，認為"蔣氏具有革命思想，遠在其他軍閥之上"，又認為蔣"喜尊榮，好權力，幻想為中國英雄"。因此，他決定"利用蔣介石"，其策略是：1. 對蔣灌注一小部分之革命主義，並以左派之勇敢勢力包圍之，使蔣擺脫右派的影響，成為左派。2. 滿足蔣的"喜尊榮"的欲望，協助其取得"比較現時更為偉大之權力與實力"，其具體位置為國民革命軍總司令。他說："就喜歡權勢而論，蔣氏將來或就總司令之職，足以滿足其尊榮欲望。"為此，他指示顧問們要"處處迎合其意，與以讓步"。[3]

在對中共的批評上，尼洛夫[4]比斯切潘諾夫更為激烈。他說："當初共產黨人於工作時只知利用國民黨，在其覆翼之下擴大己黨之力量，公然攫取國民黨之最高管理機關及軍隊中之政治機關，包辦工農運動，以此引起國民黨大多數之不滿。"基於上述認識，他主張召開國共兩黨中央委員會聯席會議，規定相互工作的程序；在現時，應先開預備會，"以安慰蔣介石為最近之目的"。他並提出，將共產黨全體名單送交各高級長官，共產黨在軍隊中完全公開。[5]

布勃諾夫的妥協、退讓還只涉及蘇聯顧問，而斯切潘諾夫等人的妥協、退讓則涉及中國共產黨的全部工作；後來陳獨秀提出，在對國民黨的關係上，要"辦而不包，退而不出"，顯然受到斯切潘諾夫等人意見的影響。至於"處處迎合其意"，協助蔣取得"更為偉大之權力與實力"等做法，乃是一種愚蠢的權術。

4月16日，在國民黨中央黨部和國民政府聯席會上，蔣介石被選為軍事委員會主席，隨即採取行動反對右派。17日，與孫文主義學會幹部談話，要求取消學會。23日，與張靜江、譚延闓、李濟深、宋子文及斯切潘諾夫等密議，決定免去吳鐵城的廣州公安局局長職務。次日，命左派李章達帶兵就任公安局

---

1 《蔣介石日記類抄·黨政》（1926年4月2日）云："靜江、子文兄來談，適值歐陽格艦隊司令被拘留，以歐陽聯合右派，不利於其黨也。"
2 斯切潘諾夫報告，《蘇聯陰謀文證彙編·廣東事項類》，第38頁。
3 斯切潘諾夫報告，《蘇聯陰謀文證彙編·廣東事項類》，第36—38頁。
4 尼洛夫，真名薩赫諾夫斯基（Сахновский），參加過俄國國內戰爭，工農紅軍軍事學院畢業。1924年來華，先後在第四軍及第一軍任顧問。1926年曾北上向布勃諾夫考察團報告。
5 斯切播諾夫報告，《蘇聯陰謀文證彙編·廣東事項類》，第40—41頁。

長。蔣介石的這些做法使蘇聯顧問感到，他們"利用蔣介石"的策略是正確的。

在相當長的時期內，斯大林和共產國際對蔣介石都缺乏正確的了解和分析。中山艦事件前不久，共產國際第六次執委會將蔣介石選為主席團的名譽委員[1]；中山艦事件之後，聯共（布）中央決定對蔣介石作"有條件的妥協"[2]；一直到"四一二"政變前夕，斯大林還主張對蔣介石"利用到底"[3]。顯然，布勃諾夫、斯切潘諾夫及其後的鮑羅廷都不過是這一政策的執行者而已。

三、中共中央試圖改變對蔣策略與鮑羅廷的否決

中山艦事件的發生，不僅對在廣州的蘇聯顧問是晴天霹靂，對在上海的以陳獨秀為代表的中共中央來說，也同樣如此。

中共中央曾企圖從莫斯科得到指導，但是，莫斯科方面遲遲沒有消息。3月末，布勃諾夫等在歸國途中經過上海。這樣，中共中央才從布勃諾夫處得知詳細情況。4月3日，《嚮導》所發表的伊文諾夫斯基對該刊記者的談話實際上就是布勃諾夫對中共中央的談話。自然，在他的影響下，只能根據既定方針依樣畫葫蘆。同日，陳獨秀發表文章，認為由於帝國主義和軍閥的強大，中國的革命勢力必須統一起來，文章宣稱："蔣介石是中國民族運動中的一塊柱石"，共產黨人決不會陰謀去推翻他[4]。這篇文章是中山艦事件後中共黨人的一個有權威性的表態，反映出中共中央當時對形勢的認識與對策。中共中央隨即決定，"維持汪蔣合作的局面，繼續對蔣採取友好的態度，並糾正廣州同志們的一些拖延未解決的左傾錯誤"。同時，又決定派張國燾趕赴廣州，查明事實真相，執行這一妥協政策。[5] 張國燾到廣州後，即召開廣東區委緊急會議，傳達中共中央的妥協政策，要求一致遵行。他完全同意蘇聯顧問對蔣介石思想性格的分析以及"利用蔣介石"的策略。斯切潘諾夫在報告中曾說："關於蔣介石之個性，

---

1 費爾南多·克勞丁：《共產國際·史達林與中國革命》，求實出版社 1982 年版，第 2 頁。
2 格魯寧：《論三·二○事件後中國共產黨的策略問題》，轉引自賈比才等《中國革命與蘇聯顧問》，中國社會科學出版社 1981 年版，第 146 頁。
3 伊羅生：《中國革命史》，嚮導書局 1947 年版，第 84 頁。
4 《中國革命勢力的統一政策與廣州事變》，《嚮導》第 148 期。
5 張國燾：《我的回憶》第 2 冊，香港現代史料編刊社 1980 年版，第 99—105 頁。

余與中國共產黨及中央委員會會長等觀察略同。"又說:"中國共產黨亦同具此眼光,而完全贊成此種根本政策。中國共產黨中央委員會主席謂彼離去上海之前,中央委員會亦有此種決議,以為無論如何,必須利用蔣介石。"[1] 這裏所說的從上海來的中國共產黨的"會長"或"主席",當均指張國燾。

然而,在張國燾離開上海之後,中共中央於 4 月中旬收到陳延年的報告,決定改變妥協、退讓政策,採取一項新的政策,其要點為:1. 盡力團結國民黨左派,以便對抗蔣介石,並孤立他;2. 在物質上和人力上加強國民革命軍二、六兩軍及其他左派隊伍,以便於必要時打擊蔣介石;3. 盡可能擴充葉挺的部隊、省港罷工委員會指揮下的糾察隊和各地的農民武裝,使其成為革命的基本隊伍[2]。中共中央並決定在廣州成立特別委員會,其人選為彭述之、張國燾、譚平山、陳延年、周恩來、張太雷,以彭述之為書記。4 月末,彭述之受命前往廣州,和鮑羅廷面商上述計劃。前引謝福林報告所稱兩種選擇之一:"採取類似汪精衛在'三二〇'期間為應付局勢,而已為我們認為是不適當的措施,即組成反蔣聯盟,依靠聯盟的壓力,迫使蔣不屈服於國民黨中反共派的要求"云云,顯指中共中央的這一新的政策。

彭述之到達廣州後,即成立特委機關,召開會議,傳達中共中央的新政策,結果,遭到剛剛回到廣州的鮑羅廷的強烈反對。

1926 年 2 月,鮑羅廷以"奉召回國述職"為由,向廣州國民政府請假,離開中國南方。同月 15 日,鮑羅廷在北京向布勃諾夫等彙報了廣東革命根據地的情況。中山艦事件發生後,他取消返國計劃,經張家口、庫倫,轉道海參崴,在那裏和自莫斯科來的胡漢民等會合,於 4 月 29 日一起回到廣州。

鮑羅廷回到廣州之後,即面臨著所謂"右派政變"問題。

據謝福林向莫斯科的報告:"三二〇"之後,右派認為蔣介石向右轉了,企圖靠近蔣。但是,在 4 月 20 日蔣解除吳鐵城的職務之後,右派認為,蔣不可能投入自己的懷抱,因此,開始接近李濟深和其他各色廣州將軍們。李濟深曾

1 《蘇聯陰謀文證彙編‧廣東事項類》,第 36、38 頁。
2 彭述之:《評張國燾〈我的回憶〉》,香港前衛出版社 1957 年版,第 5—6 頁。參見《彭述之選集》卷 1,香港十月書屋 1986 年版,第 72 頁;《蘇聯陰謀文證彙編‧廣東事項類》,第 36、38 頁。

有可能被爭取過去，但在胡漢民回國之後，右派便將胡看作自己的頭目和組織者。報告說：

> 右派利用汪精衛不在的機會，沒有通知國民政府，計劃為胡漢民的到來舉行精心安排的慶祝典禮，向其致敬。他們甚至準備為他建立一座凱旋門，並且舉行示威以支持胡漢民成為政府首領。胡在報紙上發表了一項宣言，同時向國民政府提出了一份報告。他的報告和宣言表明，他不想和我們合作。他秘密地會見了伍朝樞、孫科、吳鐵城、古應芬等和其他反動派，並且使李濟深、陳銘樞和其他廣州將軍們站到自己一邊。他告訴蔣，鮑羅廷將開始解決三·二〇事件，慫恿蔣逮捕鮑羅廷，試圖在左派內部製造分裂。[1]

謝福林的報告並稱：右派正在散佈共產黨即將"共產"的謠言，並且正在煽動銀行家和商人罷市，結果，很多人到銀行提款、擠兌，極大地擾亂了政府的財政。報告特別提到，5月7日，青年軍人聯合會和孫文主義學會兩派分別組織示威，孫文主義學會的潘佑強和楊引之被打得半死。最後，黃埔軍校的指揮官們要求蔣介石採取行動，從國民黨中清除共產黨成員。5月16日，第一軍、第二師和黃埔學生舉行了反共示威。謝福林的報告係根據鮑羅廷的報告寫成，顯然，上述內容反映的是鮑羅廷對廣州形勢的了解和分析。

鮑羅廷回到廣州之際，蔣介石頗為惴惴，擔心在汪精衛問題上產生"糾葛"[2]。4月30日，蔣介石開始與鮑羅廷"商議黨爭，交換意見"，發現鮑尚有"猜忌之點"[3]。但是，在最初的試探之後，蔣介石就迅速提出，要求限制共產黨人在國民黨內的職務，鮑羅廷由於感到一場右派政變迫在眉睫，決心以向蔣介石讓步為代價，換取他對右派的鎮壓。他對彭述之說："在當前局勢異常危險的威脅下，只有成立一個革命的獨裁，像法蘭西大革命中的羅貝斯比爾的革命獨裁一樣，才能打破右派反革命的陰謀，替革命開闢一條出路。"[4]鮑羅廷認為，蔣介

1　文件 52，Wilbur and How, *Missionaries of Revolution*, pp. 717–718。

2　《蔣介石日記類抄·黨政》，1926 年 4 月 26 日。

3　《蔣介石日記類抄·黨政》，1926 年 4 月 30 日。

4　彭述之：《評張國燾〈我的回憶〉》，第 8 頁。關於鮑、彭之間的分歧，彭述之手稿《蔣介石的"三月二十日政變"》有詳盡的敘述，見彭述之檔，美國胡佛檔案館藏。

石有很嚴重的缺點，但在現時的國民黨人中，沒有人能像他有力量、有決心，足以打擊右派的反革命陰謀。為了打開當前極度危險的僵局，不得不對蔣作最大限度的讓步。前引謝福林報告所稱，"接受蔣的要求，以避免一場災難"，與鮑羅廷對彭述之所說的話，精神完全一致。當時，中國共產黨還處在幼年時期，還不懂得也無力實行獨立自主的原則，時在廣州的趙世炎表示："我們應當信任鮑羅廷同志，接受他的主張，由他負責去實行。"隨後，鮑羅廷指示陳延年召開幹部特別會議。會上，鮑羅廷一再強調維持國共合作的必要，為了合作，必須向蔣介石妥協。會議在沒有進行討論的情況下表決接受了鮑羅廷的主張[1]。三年以後，陳獨秀回憶說："我們主張準備獨立的軍事勢力和蔣介石對抗，特派彭述之同志代表中央到廣州和國際代表面商計劃，國際代表不贊成，並且還繼續極力武裝蔣介石，極力主張我們應將所有的力量擁護蔣介石的軍事獨裁來鞏固廣州國民政府和進行北伐。我們要求把供應蔣介石、李濟深等的槍械勻出五千支武裝廣東農民，國際代表說：'武裝農民不能去打陳炯明和北伐，而且要惹起國民黨的疑忌及農民反抗國民黨。'"[2]以上所云，應是事實。陳、彭二人由於意見被否定，便轉而主張退出國民黨，改取黨外合作。

可以看出，中山艦事件之後，在制訂和執行對蔣妥協、退讓政策的過程中，起決定作用的是共產國際和蘇聯方面，以陳獨秀為代表的中共中央不應該是主要的責任者。

四、"黨務整理案"的通過與蔣介石掌握最高權力

從 5 月 12 日起，蔣介石即與鮑羅廷商談"黨務整理辦法"。鮑羅廷表示過不同意見，但"態度極為緩和"，凡蔣介石所提主張，都接受了[3]。14 日，蔣對鮑說："對共產黨提出條件雖苛，然大黨允許小黨在黨內活動，無異自取滅亡，余心實不願提此亡黨條件，但總理策略既在聯合各階級，故余不願違教分裂也。"

1　彭述之：《評張國燾〈我的回憶〉》，第 9—10 頁。
2　《告全黨同志書》。
3　蔣介石：《蘇俄在中國》，《先總統蔣公全集》第 1 冊，第 293 頁。

這段話，表面上聲稱遵從孫中山遺教，而實際上認為孫中山的"容共"將導致國民黨"亡黨"。對於這一段本應反駁的話，鮑羅廷"默然"[1]。15 日，國民黨召開二屆二中全會，蔣介石提出旨在限制共產黨的《國民黨與共產黨協議事項》。會上，委員們"相顧驚惶"，蔣介石也自覺"言之太過，終日不安，精神恍惚異常。"[2] 16 日，蔣介石再晤鮑羅廷，聲稱："余甚以兩黨革命，小黨勝於大黨為憂；又以革命不專制不能成功為憂；又以本黨黨員消極抵制共產而不能積極奮發自強為憂。"[3]

據說，鮑羅廷"頗感動"云。17 日，《國民黨與共產黨協議事項》作為《整理黨務第二決議案》通過。至 20 日，會議共通過《整理黨務決議案》四件。

國民黨二屆二中全會期間，中共黨團曾討論對"黨務整理辦法"的態度。彭述之引經據典地說明不能接受，但提不出具體辦法。反復討論，毫無結果。最後，張國燾"用了非常不正派的辦法要大家接受"[4]。

根據謝福林的報告，鮑羅廷對蔣介石的讓步共三條：1. 共產黨員不能擔任國民黨中央黨部的部長；2. 將在國民黨中的共產黨員名單交給國民黨中央執行委員會主席；3. 不允許國民黨員參加共產黨[5]。在二屆二中全會通過的整理黨務決議案中，這些內容都包括進去了。此外還增加了共產黨員在國民黨高級黨部任執行委員時，其人數不得超過總數的 1/3 等規定。至此，蔣介石的限共要求全部得到滿足。會議並根據孫科的提議，規定以後國民黨完全信任蔣介石為"革命重心"[6]。從中山艦事件以來，蔣介石步步進攻，至此可謂贏得了全盤勝利。

中山艦事件後，在廣州的蘇聯顧問墨辛向中共提出，廣州是國民革命取得了勝利的地區，執政的是國民黨，其主要任務是進一步爭取國民革命在全國的勝利，因此，"在這種情況下，國共之間的任何爭鬥都會削弱和分裂國民革命運動的力量，並會使廣東省內外國民革命運動的進一步發展成為泡影"[7]。4 月

1　《蔣介石日記類抄·黨政》，1926 年 5 月 14 日。
2　《蔣介石日記類抄·黨政》，1926 年 5 月 15 日。
3　《蔣介石日記類抄·黨政》，1926 年 5 月 16 日。
4　周恩來：《關於一九二四至二六年黨對國民黨的關係》，《周恩來選集》（上），第 123 頁。
5　文件 52，Wilbur and How，*Missionaries of Revolution*，p. 719。
6　《蔣介石日記類抄·黨政》，1926 年 5 月 17 日。
7　文件 41，《聯共（布）、共產國際與中國國民革命運動》（3），第 212 頁。

24 日，聯共中央拒絕了托洛茨基和季諾維也夫提出的共產黨人退出國民黨的建議，認為必須實行讓共產黨人留在國民黨內的方針，同時要在內部組織上向國民黨左派作出讓步，重新安排人員[1]。5 月 17 日，布勃諾夫使團向聯共中央提出的總結報告說："對於中國革命運動來說，主要危險是'左'的危險。工人階級和中國共產黨應當竭盡全力在資產階級民族革命過程中保證這場革命取得徹底的勝利和有進一步發展的可能性，然而無論如何不應在目前承擔直接領導國民革命的任務。"[2] 鮑羅廷和張國燾的讓步顯然與上述情況有關。

鮑羅廷指望以讓步換取對右派的鎮壓，蔣介石在這方面給了鮑羅廷以某種滿足。

5 月 8 日，蔣介石拒絕和胡漢民會談，迫使胡於次日離開廣州[3]。30 日，逮捕吳鐵城。同日，通過張靜江和孫科、伍朝樞商量，希望孫科充當黨政代表赴俄與共產國際接洽，伍朝樞暫時離粵[4]。鮑羅廷覺得自己的策略成功了，興致勃勃地致函加拉罕稱："中央全會關於共產黨人的決議使右派蒙受了比共產黨人更大的損失"，"右派被置於極其不利的局面"，"他們被剝奪了用來反對我們的主要的和很方便的武器"[5]。同時，他又向莫斯科報告："右派受到了嚴重的打擊，不得不放棄他們的陰謀"，"城市變得很平靜，所有的商會都在以很大的努力向國民黨政府表達忠誠"[6]。作為對蔣介石的回報，鮑羅廷又竭力動員蔣介石出任國民革命軍總司令一職。在蔣"惶愧力辭"的時候，鮑羅廷居然以去就力爭，聲言如蔣不就總司令一職，他自己就要辭去總顧問一職[7]。

6 月 4 日，國民黨中央黨部任命蔣介石為總司令。在此前後，他還被任命為國民黨中央組織部長、軍人部長、國民政府委員和中央常務委員會主席等職。鮑羅廷終於使斯切潘諾夫的策略成為現實，滿足蔣的"喜尊榮心"，協助蔣取得"比較現時更為偉大之權力與實力"。可以說，沒有蘇聯方面的"利用"

---

1 文件 47，《聯共（布）、共產國際與中國國民革命運動》(3)，第 236—237 頁。
2 文件 52，《聯共（布）、共產國際與中國國民革命運動》(3)，第 249 頁。
3 文件 52，Wilbur and How，*Missionaries of Revolution*，p.719。
4 《邵元沖日記》，1926 年 5 月 30 日，上海人民出版社 1990 年版。
5 文件 55，《聯共（布）、共產國際與中國國民革命運動》(3)，第 273 頁。
6 文件 52，Wilbur and How，*Missionaries of Revolution*，p.719。
7 《蔣介石日記類抄·軍務》，1926 年 6 月 3 日。

政策，蔣介石在取得最高權力的過程中不會那樣順利。

1926 年 4、5 月間，廣州的形勢確實相當嚴峻。謝福林報告所述胡漢民企圖離間蔣介石和鮑羅廷之間的關係[1]，右派準備舉行歡迎胡漢民的遊行[2]，要求胡漢民出任國民政府主席[3]，謠言蜂起，金融緊張，左右派公開衝突等情況，都是事實。吳鐵城、馬超俊、古應芬等人並曾有一個計劃，準備以突擊檢查的辦法逮捕在廣州的全部共產黨人[4]。吳鐵城的被捕使這一計劃破產，從而消弭了危險，但是，通過旨在限共的“整理黨務決議案”，將蔣介石捧上總司令和中央常務委員會主席的寶座，使他掌握至關緊要的軍權和黨權，中國革命的形勢就更加嚴峻了。

自鄒魯、林森等於 1925 年 1 月在北京召開西山會議，隨後又在上海另立中央，召開對立的第二次全國代表大會後，共產國際、蘇聯顧問、中共中央都把和這一個右派集團作鬥爭看成主要任務，完全忽視了革命陣營中正在發展的新右派。1926 年 4 月 3 日，陳獨秀發表文章說，“現在所謂新右派，還非常模糊幼稚”[5]，正是這一忽視的明證。

五、蔣介石提出一黨專政理論與新的反共要求

根據整理黨務案，譚平山、林伯渠、毛澤東等辭去了國民黨中央組織部、農民部、宣傳部部長或代理部長的職務，並且，各省、市黨部均將陸續改組，但是，蔣介石不以此為滿足，又超出整理黨務案的範圍，進一步要求共產黨人承認國民黨的領導地位，同時要求參加國民黨的共產黨員退出共產黨。

還在 4 月上旬，蔣介石就聲稱，國民革命軍以三民主義為主義，只能以三民主義者為幹部，因此，共產主義份子應暫時退出軍隊[6]。同月 20 日，他在宴請退出第一軍的共產黨人時發表講話，聲稱：“一個團體裏面有兩個主義，這個團

1　《蔣介石日記類抄‧黨政》（1926 年 4 月 30 日）云：“下午與展堂兄談天，其言近挑撥，多不實，心甚疑之。”
2　《各界歡迎胡展堂先生大會籌備會啟事》，《廣州民國日報》1926 年 5 月 10、11 日。
3　《胡漢民抵粵後情形》，《申報》1926 年 5 月 12 日。
4　郭廷以等：《馬超俊第六次訪問談話記錄》，1961 年 8 月 29 日，未刊，美國哥倫比亞大學珍本和手稿圖書館藏；參見馬超俊《吳鐵城先生和我》，《吳鐵城回憶錄》，台北三民書局 1971 年版，第 172 頁。
5　《國民黨左派之過去、現在及將來》，《嚮導》第 148 期。
6　《民國十五年以前之蔣介石先生》，第八編二，第 8 頁。

體一定不會成功"[1]，企圖進一步提出反共要求。不過，限於時機，他的話講得比較含蓄。二屆二中全會後，他覺得時機成熟，便直言不諱了。5月27日，他對由退出軍隊的共產黨人組成的高級訓練班講話，宣稱"領導中國國民革命的是中國國民黨"，"革命是非專政不行的，一定要一個主義、一個黨來專政的"[2]。6月7日，他在黃埔軍校發表演講稱："一國有兩個革命黨，這個革命也一定不能成功"；"中國要革命，也要一切勢力集中，學俄國革命的辦法，革命非由一黨來專政和專制是不行的"。他並稱："如果一黨中間，有另外的一個小黨的黨員在裏面活動，一班黨員便起了猜忌懷疑之心，由這猜忌懷疑便發生一種恐慌，由這恐慌便生出衝突，由這衝突使自己的勢力互相殘殺，同歸於盡。"因此，他要求共產黨作出"暫時犧牲"，以便輔助國民黨強大起來。他說："一方面主張世界革命統一。中國革命要受第三國際的指導；一方面，中國革命是中國國民黨來領導中國各階級革命，要請中國國民黨裏的共產黨同志，暫時退出共產黨，純粹做一個中國國民黨的黨員。"[3]次日，他向鮑羅廷明確提出："共產份子在本黨應不跨黨。"[4]同年8月，他派邵力子代表國民黨赴莫斯科參加共產國際執委第七次全會，要求國際接納國民黨，同時命邵轉達：承認共產國際是世界革命的領導，但共產國際應承認國民黨是中國革命的領導，共產黨實際上是不需要的[5]。

聯合共產黨共同致力於中國革命是孫中山經過深思熟慮之後的決策，採取共產黨人加入國民黨的"黨內合作"形式更是孫中山的選擇。蔣介石關於共產黨人退出國民黨的要求完全違背孫中山的決策，他的"由一黨來專政和專制"的理論更明確地暴露了他反對以至取消共產黨的用心。但是，這一切都未能引起鮑羅廷的重視。相反，他卻繼續鼓吹"絕對團結"。6月16日，他在黃埔軍校演講稱："絕對團結，於革命方有希望。現在四面八方都是敵人，各派一定要聯合起來，共同去打倒敵人。敵人既推倒之後，方再討論革命的原理。"[6]7月

1 《民國十五年以前之蔣介石先生》，第八編二，第44頁。
2 《民國十五年以前之蔣介石先生》，第八編二，第74—75頁。
3 《廣州民國日報》，1926年6月26—30日。
4 《民國十五年以前之蔣介石先生》，第八編二，第79頁。
5 А. Б. 列茲尼科夫：《共產國際與中國共產黨》，《國外中國近代史研究》（11），中國社會科學出版社1988年版，第339—340頁；邵力子：《出使蘇聯的回憶》、《文史資料選輯》第60輯，第184—185頁。
6 《鮑顧問演詞》，《廣州民國日報》，1926年6月17日。

20 日，他又在蔣介石就任國民革命軍總司令的宴會上發表演講，號召"在蔣同志之下，共同前進，打倒敵人"[1]。結果是，敵人尚未打倒，蔣介石就動手打倒共產黨了。

中共中央注意到了蔣介石"一個主義"之類的言論。6 月 4 日，陳獨秀發表致蔣介石的公開信，說明國民黨是各階級合作的黨，而不是單純一階級的黨，所以"共信"之外，也應該有各階級的"別信"；除了共同主義之外，也還有各階級各別需要所構成的各別主義之存在[2]。7 月 12 日至 18 日，中共中央在上海召開擴大會議，提出"與資產階級爭國民運動的指導"，"保證無產階級政黨爭取國民革命的領導權"[3]，表示出和蔣介石抗爭的意味。但是，這一時期，中共中央也制訂不出正確對待蔣介石的方針。在陳獨秀等人心目中，蔣介石還是中派，還要"愛護"、"扶助"，"使之左傾"。自然，基於這種認識，只能回應鮑羅廷的號召，"在蔣同志之下，共同前進"了。

六、共產黨人失去了最好的一次機會

中山艦事件後，蔣介石道義上處於劣勢，軍事上只掌握第一軍的部分力量，實力處於下風。如果在這個時候組成反蔣聯盟，對蔣介石的進攻採取堅決的回擊，那麼，勝利者顯然是左派。然而，蘇聯考察團和蘇聯顧問計不出此，一再對蔣妥協、退讓，並幫助蔣達到了他當時可能達到的權力高峰。及至蔣介石率領重兵開始北伐後，鮑羅廷等才慢慢感覺失策，於是先有迎汪運動，後有提高黨權運動，目的都在於奪回蔣介石已經取得的權力。但是，文鬥敵不過武鬥，黨權敵不過軍權。直到 1927 年"四一二"政變前夕，武漢政府才下決心利用程潛第六軍的力量逮捕蔣介石，然而，那時候，蔣介石重兵在握，豈是輕易能夠就範的呢！

在中山艦事件之後，共產黨人失去了最好的一次機會。

1　《蔣總司令就職後宴會盛況》，上海《民國日報》，1926 年 9 月 20 日。

2　《嚮導》第 157 期。

3　《中國共產黨與國民黨關係決議案》，《中共中央文件選集》(2)，中共中央黨校出版社 1989 年版，第 176 頁。

邵力子出使共產國際與
國共兩黨爭奪領導權 *

* 本文錄自《找尋真實的蔣介石：蔣介石日記解讀》（2），華文出版社 2010 年版；原載台北《近代中國》第 142 期，2001 年 4 月。

1926 年 11 月，共產國際執行委員會召開第七次擴大全會，中國共產黨、中國國民黨分別派譚平山、邵力子出席。譚於 1920 年發起組織中國社會主義青年團，在中共黨內歷任中央局委員、中央駐粵委員、廣東區委書記等要職。國民黨改組後，他出席國民黨 "一大"，任國民黨中央常務委員兼組織部長。1925 年被中共中央局任命為駐國民黨中央黨團書記。邵是老同盟會會員，長期主持上海《民國日報》。1919 年參加中國國民黨，次年參加中國共產黨上海發起組。1925 年到廣州，深得蔣介石的信任，先後擔任黃埔軍校秘書長、政治部副主任、主任等職。1926 年中山艦事件後，蔣介石要求邵力子退出共產黨，邵不願[1]。當時，蔣介石正在考慮和共產國際的關係、中國革命總計劃、北伐準備等問題，曾召見邵力子，討論 "統一與集中" 對於革命的重要性[2]。不久，邵力子被蔣任命為國民革命軍總司令部秘書長。北伐開始後，蔣命邵作為國民黨代表赴莫斯科出席共產國際執委會擴大全會。到上海時，中共中央召開歡送會，要邵以純粹國民黨員的身份赴蘇，邵因而退出中共[3]。

　　邵力子到達莫斯科後，先後向共產國際執委會提出 "書面報告" 及 "補充

1　《上海區委召開 "民校" 黨團擴大會議記錄》（1926 年 7 月 11 日）載："蔣要許多同志退出 C. P.，他們都不情願。蔣要邵退出，他說，我本掛名，現如退出，人就說我為飯碗問題，所以不願退出。"

2　蔣介石 1926 年 6 月 12 日日記云："擬於此數日內，將第三國際問題、中國革命總計劃及出征前後之準備三者確定大綱也。" 又 6 月 26 日日記云："晚在東山寓次與力子談革命以集中與統一為惟一要件，而其基礎則在下級士兵也。"

3　邵力子：《出使蘇聯的回憶》，《文史資料選輯》第 60 輯，中華書局 1979 年版，第 184 頁。

報告"各一份，並曾在共產國際執委會第七次擴大全會上作過兩次演講。此外，還曾會見斯大林。在"書面報告"中，邵力子聲稱："國民黨及其領袖蔣介石同志（他是中央常務委員會主席）派我到莫斯科這裏來，為的是取得共產國際對於解決中國國民革命過程中出現的一些極其重要的問題的指導。"[1] 檢閱俄羅斯新近公佈的檔案及相關文獻資料，可以證明，邵力子所說並非虛言。對於這些"重要的問題"，蔣介石極為重視，曾準備撇開北伐軍務，親到莫斯科談判[2]。

一、要求在國民黨和共產國際之間互派代表

1925 年 9 月，胡漢民奉命訪蘇。次年初，國民黨進一步左傾。2 月 13 日，胡受命作為國民黨代表致函設在莫斯科的共產國際，聲稱中國國民黨力求由國民革命過渡到社會主義革命，要求共產國際接納國民黨加入共產國際[3]。同月 17 日，共產國際執行委員會第六次擴大全會開幕，胡漢民致辭，熱烈讚揚共產國際是革命的大本營和總司令部，聲稱中國革命是世界革命的一部分，孫中山的學說與馬克思列寧主義在根本問題上一致，政權應由工農掌握[4]。但是，當時的共產國際執行委員會主席季諾維也夫只承認國民黨是"同情黨"[5]。18 日，聯共（布）政治局會議討論胡漢民代表國民黨所提出的要求，作出了否定的決議。幾天後，共產國際主席團復函國民黨中央，措辭委婉地表示：國民黨是共產國際在全世界同帝國主義作鬥爭的直接盟友，作為同情黨正式加入共產國際自然不會遇到什麼反對意見，但是，"目前的時機不適合"，那樣做，"只會促使帝國主義竭力動員反革命力量"，"建立反華統一戰線"，"給中國人民爭取獨立的鬥爭造成困難"。函件表示，如果國民黨中央堅持，可以將這一問題提交共產

1　《邵力子給共產國際執行委員會的報告》，《聯共（布）、共產國際與中國國民革命運動》（3），第 507 頁。

2　1926 年 11 月蔣介石致邵力子電云："別後未接來書，中亦無暇奉言，所商之事有無結果？此間甚忙，請兄事畢速回。中如來俄，莫當局之意如何？請復。"見蔣中正檔，《籌筆》，00170，台北"國史館"藏，下同。

3　《胡漢民就接納國民黨加入共產國際問題致共產國際執行委員會書提要》，《聯共（布）共產國際與中國國民革命運動》（3），第 91—92 頁。

4　《東方各革命黨致賀詞》，《共產國際有關中國革命的文獻資料》第 1 輯，第 115—116 頁。

5　《出席共產國際執行委員會第六次全會的聯共（布）代表團核心小組會議第 1 號記錄》，《聯共（布）、共產國際與中國國民革命運動》（3），第 149 頁。

國際第六次世界代表大會討論[1]。

同年 9 月，邵力子到達莫斯科後，即會見共產國際領導人，遞交 "書面報告"，代表蔣介石向共產國際提出希望，其中之一是：國民黨應同共產國際建立更密切的聯繫。在國共兩黨代表會議上邀請共產國際的代表作為會議的顧問參加。蔣應許，國民黨將經常地向共產國際派去自己的代表，或者為了保持聯繫派駐共產國際常任代表；請共產國際派更多的人員來中國。事後，邵力子曾將和共產國際領導人見面及會談的情況電告蔣介石[2]。11 月 22 日，共產國際執行委員會第七次擴大全會舉行開幕式，邵力子代表中國國民黨致辭。他熱烈讚揚共產國際是 "世界革命的司令部"："它團結著全世界無產階級和殖民地國家的被壓迫人民，領導著他們為擺脫資產階級的壓迫和帝國主義的剝削而進行鬥爭。"邵在敘述了在孫中山領導下改組國民黨，與中國共產黨結成統一戰線的歷史後聲稱："國民黨必將取得成就，這是因為它正確地把中國革命看作是世界革命的組成部分，因此，也就可以指望得到共產國際和全世界無產階級的全面支持。"[3]

三天後，邵力子趁熱打鐵，致函共產國際執行委員會，聲稱儘管國民黨加入共產國際的時機尚未到來，但國民黨左派的領袖和同志們 "不能滿足於得到革命者純道義上的同情"，"比任何時候都更需要共產國際的領導"。信件強調："國民黨從來沒有忘記工農的利益，從來沒有同反革命派實行妥協"；同時聲稱，北伐之後，被壓迫群眾的權力已在增長。信件建議：共產國際和國民黨之間互派代表。共產國際駐國民黨中央委員會的代表應當在所有黨的事務和革命策略問題上給黨以忠告和指導。國民黨駐莫斯科的代表應當參加國際革命的工作[4]。當年 2 月，國民黨通過胡漢民提出的要求被拒，前事不遠，邵力子不得不降低要求，後退一步。

據邵力子回憶，離開中國前，蔣介石曾面囑他向斯大林轉達：要第三國際直接領導中國國民黨，不要通過中國共產黨。邵當時反駁說："共產黨是第三國

---

1 《共產國際執行委員會主席團給國民黨中央委員會的信》，《聯共（布）、共產國際與中國國民革命運動》（3），第 152—153 頁。

2 邵電未見，蔣介石曾於當年 11 月 23 日復電云："到俄後與第三國際談話之電已接閱。近況如何？請兄速回裏助一切，中甚苦也。" 見蔣中正檔，《籌筆》，00172。

3 《共產國際有關中國革命的文獻資料》第 1 輯，第 144 頁。

4 《邵力子給共產國際執行委員會的信》，《聯共（布）、共產國際與中國國民革命運動》（3），第 636—638 頁。

際的直接組成分子啊！”但蔣堅持己見。後來在會見斯大林時，邵只說了前半句：希望第三國際加強對國民黨的領導[1]。

二、確定國民黨的反帝、反軍閥策略

在很長時期內，國民黨不曾提出過鮮明的反對帝國主義的綱領。對此，中國共產黨早有不滿。1922 年 6 月，中共在肯定當時中國各政黨中，“只有國民黨比較是革命的民主派，比較是真的民主派”的同時，就曾指出：“他們的黨內往往有不一致的行動及對外有親近一派帝國主義的傾向。”[2] 1924 年初，鮑羅廷更尖刻地批評說：“國民黨不是反帝的”，“它缺乏足夠的民族主義色彩，缺乏徹底的反帝精神”，甚至說：“他們的所有‘著作’的一條紅線，就是完全向外國人奴顏婢膝，巴結討好。”[3] 對於孫中山，鮑羅廷也毫不客氣。他批評孫“總是不去尋求同帝國主義的鬥爭，而是尋求同帝國主義妥協”。

比較起來，中共的反帝態度要堅決、明確得多。還在 1922 年 6 月，中共就曾一針見血地指出，帝國主義是中國軍閥的支持者。其目的是“造成他們在中國的特殊勢力”，“延長中國的內亂，使中國永遠不能發展實業，永遠為消費國家，永遠為他們的市場”[4]。1923 年 11 月，中共決定幫助國民黨：“矯正其政治觀念，根據三民主義中之民族主義，促其做反帝國主義的宣傳及行動。”中共當時認為：“反帝國主義的運動，在中國國民運動中，比反軍閥運動更為切要，在軍閥與帝國主義有衝突時，吾人得助軍閥以抗外人，斷不可借外力以倒軍閥。”[5]

在蘇聯和中共的影響下，國民黨的反帝主張日益明確。國民黨“一大”宣言提出：“蓋民族主義對於任何階級，其意義皆不外免除帝國主義之侵略。”“故民族解放之鬥爭，對於多數之民眾，其目標皆不外於反帝國主義而已。”[6] 到了 1926 年 1 月的國民黨“二大”，其宣言就將“打倒帝國主義”列為“國民革命

1　《出使蘇聯的回憶》，《文史資料選輯》第 60 輯，第 184—185 頁。
2　《中共中央文件選集》（1），第 37 頁。
3　《鮑羅廷的箚記和通報》，《聯共（布）、共產國際與中國國民革命運動》（1），第 421、423、429 頁。
4　《中國共產黨對於時局的主張》，《中共中央文件選集》（1），第 35 頁。
5　《國民運動進行計畫決議案》，《中共中央文件選集》（1），第 200 頁。
6　榮孟源主編：《中國國民黨歷次代表大會及中央全會資料》上，光明日報出版社 1985 年版，第 16 頁。

之第一工作"。這樣，"反帝"鬥爭的重要性就被提升到了前所未有的高度，國共兩黨也就在這一問題上充分取得共識。北伐進軍期間，兩黨及其群眾在南方半個中國齊聲同唱"打倒列強"歌，就是這一新的認識在音樂上的體現。

邵力子在提交共產國際的"書面報告"中沒有像此前一樣充分闡述開展反帝鬥爭的必要，而是強調提出："中國國民革命應當利用各帝國主義列強之間的矛盾。"他說："各帝國主義者都同樣地仇視反帝運動，但是它們利益的矛盾使它們不可能組成統一戰線。"又說："領導人民大眾進行反帝鬥爭的國民黨不可能提出'反對一般帝國主義'以外的口號問題，但是，在國民黨國民政府的對外政策中，不可能不對各種不同的帝國主義集團加以區別。"邵力子以省港大罷工及其後的形勢為例，說明英國保守黨內閣有過武力干涉廣州的設想，但因迫於英國工人階級壓力和其他列強的反對而作罷。邵力子認為，日本和美國當時尚未和廣州國民政府發生衝突，法國也希望延緩中國的革命浪潮。因此，中國革命應當對各種不同的帝國主義集團加以區別，對英國以外的其他列強採取和平政策；"即使對英國，'在公正的條件下'，國民政府也準備採取和平政策，以便讓英國勞動人民明白，反英鬥爭是保守黨實行的對華政策的結果，並通過這種辦法來加強英國工人階級的反戰立場"。當年 7 月，廣州國民政府和港英當局曾就結束省港大罷工一事進行談判，邵力子就此表示："這決不意味著，國民黨在帝國主義面前退卻，而是希望同它達成和平的協議。這只是必要的策略讓步。"[1]

譚平山在論述同一問題時明顯和邵力子有所不同。譚承認，外國資本家之間、帝國主義國家之間有矛盾，但他強調的是必須堅決、徹底地進行反帝鬥爭。11 月 22 日，譚平山在全會開幕式上發言，表示擁護共產國際對帝國主義的分析，即帝國主義的穩定是相對的、不牢固的，它是垂死的，"到處建立更加殘酷、更加野蠻的制度，這樣一來，也就加速了世界革命的進程，加速了自己的滅亡"[2]。譚平山認為，當時的中國革命已從"五四"時期的"聯合美帝、反對日帝的純資產階級運動，發展成為聯合世界無產階級反對帝國主義的民族革

---

1 《聯共（布）、共產國際與中國國民革命運動》（3），第 508—509 頁。
2 《共產國際有關中國革命的文獻資料》第 1 輯，第 144 頁。

命運動"。中國革命的任務是"徹底擺脫帝國主義","把外國帝國主義從中國驅逐出去"。他說:"由於帝國主義國家的無產階級同本國資產階級的鬥爭,由於殖民地人民的民族解放運動,帝國主義終將被打倒。"[1]

在對國內軍閥的策略上,邵力子、譚平山之間也存在著微妙的差異。

邵力子在"書面報告"中首先聲稱:國民黨"二大"以後,國民政府接連不斷收到居民要求立即向北進軍的電報,國民軍的處境又很危險,自從蔣介石在第三次全國勞動大會和廣東省第二次農民代表大會作了報告以後,北伐的必要性就為全體國民黨員及工人、農民所理解。邵力子這樣說,是為了反駁此前陳獨秀在《嚮導》上對北伐所作的批評。邵力子接著提出:"考慮到自南向北進軍可能導致北方軍閥結成聯盟,國民黨在這次北伐中只提出'自衛'和'反對吳佩孚'的口號。對張作霖和孫傳芳不僅不去觸動他們,而且還同他們進行相應的談判。"當時,蔣介石在蘇聯顧問加倫的幫助下,確定對北洋軍閥採取"各個擊破"方針,軍中的口號是:"打倒吳佩孚,妥協孫傳芳,不理張作霖。"北伐開始後不久,蔣介石就派人到南京與孫傳芳會談,要他接受廣東國民政府委派,共同反對吳佩孚。同時,又派人與張作霖談判,要張停止對吳、孫兩派軍閥的援助。邵力子的報告所傳達的正是蔣介石的上述策略思想。但是,譚平山的報告強調的卻是:"完全消滅半封建的軍閥制度,建立統一的革命政權。"[2]譚的報告雖然也提到了中國"半封建軍閥"的分化,如吳佩孚軍隊的分化、孫傳芳軍隊的崩潰、張作霖和張宗昌之間的矛盾,等等,卻完全沒有涉及"區別對待"或"各個擊破"一類問題。

邵力子和譚平山的這種微妙差異同樣反映出國共兩黨對軍閥態度上的不同。

孫中山在革命鬥爭中,曾長期利用一派軍閥以反對另一派軍閥。對此,共產國際早就指示中共:"我們應當在國民黨內部竭力反對孫中山與軍閥的軍事勾結,這些軍閥是敵視蘇俄的外國資本的代理人,而蘇俄則不僅是西歐無產階級的盟友,而且也是東方被壓迫民族的盟友。這種勾結有可能使國民黨的運動蛻化成一個軍閥反對另一個軍閥的鬥爭,從而不可避免地不僅要導致民族陣線的

1　《共產國際有關中國革命的文獻資料》第 1 輯,第 172、178、196 頁。
2　《共產國際有關中國革命的文獻資料》第 1 輯,第 172 頁。

徹底瓦解，而且要導致工人組織和共產黨的信譽掃地。"[1] 1924 年 9 月，屬於皖系的浙江軍閥盧永祥和屬於直系的軍閥齊燮元之間爆發戰爭。孫中山和皖系、奉系之間結有三角同盟，共同反對直系的曹錕、吳佩孚政權，因而自然支持盧永祥，並且企圖乘機興師北伐，直搗北京。同月 10 日，中共中央就發表通告稱："此次江浙戰爭，顯然是軍閥爭奪地盤與國際帝國主義操縱中國政治之一種表現；無論對於參加戰爭之任何方，若有人為偏袒之言動，都是犧牲人民利益來助宰制勢力張目。"通告表示："人民對任何軍閥戰爭不能存絲毫希望，可希望解救中國的惟有國民革命。"[2] 譚平山在共產國際執委會上不談對軍閥的分化、利用等一類問題，顯然與中共的上述態度有關。

在"書面報告"中，邵力子向共產國際提出的希望之二是，"明確制定我上面所談到的對待各個帝國主義集團和軍閥派系的策略，並要求共產黨接受統一的行動綱領"[3]。顯然，這是在要求共產國際確認國民黨的反帝、反軍閥策略，並將中共的行動納入這一統一的"綱領"中去。

三、闡明國民黨的農工政策

在書面報告中，邵力子聲稱"國民黨在一大以後就開始特別重視工農運動，同情國民黨的工人和農民越來越多。這種現象特別表現在廣東省，在政府同工農組織的合作中。"他彙報說：廣東省已經有 66 個縣組成農民協會，會員超過 60 萬人。又彙報說：國民黨和國民政府正在修訂《勞動法典》，用以維護工人工會的權益。關於土地問題，邵力子特別說明：蔣介石曾就土地問題和鮑羅廷長談，就改善農民狀況有過協議，準備在必要和適當的時候公佈。

譚平山的書面報告有一節專談農民問題，涉及組織農民運動、土地、實行最低的土地稅、制止農村高利貸、農村統一戰線、武裝農民等多方面的問題。譚批評國民黨的最近宣言："有一個'只有進行革命，土地才能歸農民'的口

1　《共產國際執行委員會給中國共產黨第三次代表大會的指示》，《共產國際有關中國革命的文獻資料》第 1 輯，第 80 頁。
2　《中央通告第十七號》，《中共中央文件選集》(1)，第 285 頁。
3　《聯共（布）、共產國際與中國國民革命運動》(3)，第 515 頁。

號，這是一句空話。"他表示："我們這方面應該進行廣泛的宣傳，爭取無條件地滿足農民的要求。"但是，譚平山提出的實際措施還是"實行最低的土地稅"和減租百分之二十五等方案[1]。

布哈林不滿意譚平山的書面報告，於會議第二天的講話中嚴厲地批評了中國共產黨。他說："雖然中國共產黨的路線總的來說是正確的，但它所犯的主要錯誤就在於，黨對農民問題注意得不夠，過分畏懼農民運動的開展，在國民黨佔領區進行土地改革不夠堅決。"[2] 26 日，譚平山發言，承認布哈林所批評的錯誤，表示將以"布哈林的觀點"作為"解決中國對農民的策略的問題的出發點"[3]。29 日，譚在《關於中國情況的報告》中說："大地主階級是中國軍閥制度的基礎。為了徹底消滅半封建的軍閥制度，我們應該解決土地問題。"[4] 12 月 2 日，他進一步表示："中國土地問題比以往任何時候都更為尖銳，若不及時加以解決，就不能保證民族革命的勝利。"他提出的具體辦法有：在國民革命軍佔領的地方，沒收廟宇土地，沒收公開反對革命政權的買辦軍閥和大地主的財產等。他並在會上向國民黨公開呼籲："儘快地滿足農民群眾的要求。"[5] 12 月 15 日，譚平山代表中國委員會發言，聲稱："這個問題的原則牢固地確定了，即土地應該屬於農民。"可以看出，譚平山的調子在逐漸升高。

在布哈林的批評面前，邵力子仍然堅持原來的立場。11 月 30 日，邵力子發言，聲稱孫中山的三民主義就是社會主義，孫中山和布哈林所設想的中國革命前途是一致的；邵同時聲稱：國民黨在民族革命以後，力圖避免"在中國形成資產階級統治"；國民黨已是"群眾的黨"，"現在公開地切實地保護工農的利益"。在談到土地問題時，邵力子說："蔣介石同志在他對國民黨黨員的講話中指出，如果不能正確地解決農民的土地問題，那中國革命是不可想像的。"在講了上述事例後，邵力子鄭重聲明："國民黨對土地問題是極其重視的。"但是，邵力子也委婉地表達了國民黨不準備立即接受激進土地綱領的立場。他

---

1 《譚平山提出的關於中國問題的書面報告》，《聯共（布）、共產國際與中國國民革命運動》（1），第 191—192 頁。
2 《布哈林的報告》，《共產國際有關中國革命的文獻資料》第 1 輯。
3 《討論布哈林和庫西寧的報告》，《共產國際有關中國革命的文獻資料》第 1 輯，第 166 頁。
4 《共產國際有關中國革命的文獻資料》第 1 輯，第 174 頁。
5 《共產國際有關中國革命的文獻資料》第 1 輯，第 250—251 頁。

說："怎樣在中國實現土地改革呢？我認為，全會必將就這個問題給我們指示和確定總的路線。但必須注意，任何有關土地改革的建議，都應符合當前的實際情況。"[1]

中國革命黨人和共產國際之間在土地問題上的分歧由來已久。孫中山早年主張"平均地權"，但其實質是通過調節稅收來剝奪地主對土地的壟斷，為近代工商業的發展創造條件，並不涉及農民的土地要求。對此，鮑羅廷曾批評為"小資產階級的改良"[2]。1923 年 5 月，共產國際指示中共"三大"：在中國進行民族革命建立反帝戰線之際，必須同時進行土地革命，吸引農民，其核心內容為：沒收地主土地，沒收寺廟土地，無償分配給農民。但是，此後召開的中共"三大"和"四大"都沒有採納上述意見。1924 年 1 月，毛澤東還曾明確提出："只要我們還不確信我們在農村擁有強有力的基層組織，只要我們在很長時期內沒有進行宣傳，我們就不能下決心採取激進的步驟反對較富裕的土地所有者。"[3]同樣，共產國際對國民黨的遊說也未見顯著成效。1923 年 11 月，鮑羅廷和廖仲愷起草過一份土地法令，但孫中山不同意立即公佈，"建議先同農民聯繫，傾聽他們的呼聲"，同時，"培養一些幹部，以便在土地法令頒佈之時，能有人向農民宣傳和說明"[4]。國民黨"一大"以後，孫中山提出了"耕者有其田"的主張。他在和蘇聯顧問弗蘭克私下談話時並說："我決心將所有現在掌握在地主（出租土地的人）手裏的土地交給農民掌握和所有。"這當然比較接近於共產國際的土地革命思想，但孫中山又認為，必須在成立了農民協會並將農民武裝起來之後，才有條件實行。他說："在當前組織農民協會的形勢下，進行任何反對地主的宣傳都是策略性的錯誤，因為那樣做會使地主在農民之前先組織起來。"[5]此後，國民黨的各種決議並未按共產國際的要求列入土地革命，因此，布哈林

1　《共產國際有關中國革命的文獻資料》第 1 輯，第 243—244 頁。
2　《聯共（布）、共產國際與中國國民革命運動》（1），第 425 頁。
3　《聯共（布）、共產國際與中國國民革命運動》（1），第 470 頁。
4　俄羅斯現代史文獻保管與研究中心，全宗 514，目錄 1，案卷 50，第 113—114 頁。
5　《就中國農民問題與孫逸仙和廖仲愷的談話》，《聯共（布）、共產國際與中國國民革命運動》（1），第 515—516 頁。孫中山在和鮑羅廷談話時也表述過近似的意見。他說："土地改革是必要的，但我們不能貫徹執行，因為我們的農民沒有文化，沒有組織起來，在我們和農民之間有豪紳，如果我們頒佈法令，那麼這個法令會首先落到豪紳手裏（如果法令能傳到農村的話），豪紳就會利用法令來反對我們，並且他們不僅把軍閥也把農民組織起來反對我們。因此首先應當著手組織農民。"見《鮑羅廷在聯共（布）中央政治局使團會議上的報告》，載《聯共（布）、共產國際與中國國民革命運動》（3），第 128 頁。

在共產國際執委會第六次全會上對中共的批評實際上也是指向國民黨的。

四、調整國共關係，
要求共產國際承認國民黨對中國革命的領導權

邵力子"書面報告"的重點是"關於黨"。在這一部分中，邵力子準確地復述了蔣介石當年6月初在黃埔軍校演講時提出的觀點："革命取得勝利的基本條件是統一的領導和統一的意志。中國革命是世界革命的一部分。中國革命也和世界革命一樣需要統一。共產國際是世界革命的領導。因此，國民黨應是中國革命的領導。"[1] 報告中，邵力子同時傳達了蔣介石對中國共產黨的看法："共產黨是無產階級的政黨。他不可能也不應該限制它的發展。然而在統一戰線中，它（共產黨）應當承認領導中國革命的國民黨是領導者，並採取措施避免產生致使統一戰線削弱國民革命力量的各種麻煩和分歧。"報告中，邵力子還傳達了蔣介石對共產國際的要求：1. 與共產國際建立更加密切的聯繫。在國共兩黨代表會議上邀請共產國際的代表作為顧問參加；請求共產國際對中國革命運動的各種問題給予指導；經常向共產國際派出代表或派駐常任代表；請共產國際派更多人員來到中國。2. 明確制訂報告中談到的對待各個帝國主義集團和軍閥派系的策略，並要求共產黨接受統一的行動綱領。3. 請在如何統一中國的革命陣線，加強和鞏固國民黨，進一步改善國共在聯合鬥爭時的相互關係等問題上給予指導。

繼"書面報告"之後，邵力子又提出"補充報告"，闡述在國共合作中發生的摩擦和分歧，指責中國共產黨人沒有領會共產黨人加入國民黨後應承擔的基本任務。報告強調："統一戰線方式不是兩黨站在一條線上的聯合方式，而是共產黨人加入國民黨的一種方式。""在目前的社會條件下只能進行國民革命。而這一革命的領袖應當是國民黨。"[2]

邵力子的"補充報告"提出，共產黨人應該執行兩項根本任務：加強和擴

1　《聯共（布）、共產國際與中國國民革命運動》（3），第514—515頁。

2　《聯共（布）、共產國際與中國國民革命運動》（3），第521—522頁。

大國民黨；幫助和加強國民黨左派。報告批評了"部分年輕共產黨人"中存在的情況：1. 在工農群眾中說：國民黨是資產階級或小資產階級政黨，是動搖的政黨，將來會壓迫工農；2. 竭力把國民黨的年輕左派吸收到共產黨組織中去，結果是國民黨內幾乎沒有純粹的國民黨左派。報告希望：共產黨"千方百計地努力擴大和發展國民黨左派，加強它在國民革命運動中的領導地位"；不要在軍隊中建立秘密組織；在對各個帝國主義集團和軍閥派系的具體策略上和國民黨採取一致行動；對（國民黨）在軍事和政治建設中出現的錯誤，共產黨人先要友好地提出，在拒絕接受的情況下才進行公開批評。

邵力子的要求和譚平山在會議上提出的主張，正好互相頂牛。

在"書面報告"中，譚平山形象地說明中國革命有如兩架賽車競爭，一架是資產階級駕駛的，一架是無產階級駕駛的。誰超過對方，誰就頭一個達到目的。他說："無產階級與資產階級之間由於爭奪革命的領導權問題而展開競賽，很久以前就已經開始了。但是，只有現在才到了決賽時刻。"[1] 11 月 29 日，譚平山發言，分析中國革命的兩種發展可能：其一，中國的無產階級和全世界無產階級一起完成徹底的革命；其二，中國新興的資產階級從無產階級手中奪去革命的領導權，並在帝國主義的幫助下建立中國的資本主義。他說："中國無產階級在中國革命中的領導權還沒有足夠的保證。中國無產階級還處於必須與資產階級爭奪民族革命領導權的階段。"[2] 自然，譚平山所說"無產階級領導權"就是中國共產黨的領導權。

中國共產黨對於領導權的認識有一個發展過程。"一大"時，中共決定"對現有其他政黨，應採取獨立的攻擊的政策"。"只維護無產階級的利益，不同其他黨派建立任何聯繫[3]。在這種情況下，自然不存在領導權問題。中共"二大"克服了"一大"所表現的關門主義和孤立主義傾向，會議提出，"共產黨應該出來聯合全國革新黨派，組織民主的聯合戰線"[4]。

要成立聯合戰線，就必然有一個誰來領導的問題，但是，會議沒有就此提

---

1 《共產國際有關中國革命的文獻資料》第 1 輯，第 176 頁。
2 《共產國際有關中國革命的文獻資料》第 1 輯，第 173 頁。
3 《中國共產黨第一個決議》，《中共中央文件選集》(1)，第 8 頁。
4 《關於"民主的聯合戰線"的決議案》，《中共中央文件選集》(1)，第 66 頁。

出看法。其後，中共中央西湖特別會議決定進一步推進民主聯合戰線，討論了共產國際代表提出的共產黨員以個人身份加入國民黨的問題，也還是沒有研究領導權問題。

領導權問題最早見於高君宇、蔡和森、瞿秋白等個別共產黨員的文章中[1]。1923 年 5 月，共產國際明確指示中共"三大"：領導權應當歸於工人階級的政黨[2]。但是，"三大"沒有考慮共產國際的這一意見，在決定共產黨員以個人名義加入國民黨時，卻在宣言中表示："中國國民黨應該是國民革命之中心勢力，更應該立在國民革命之領袖地位。"[3]當年 11 月，中共三屆一中全會提出："我們須努力站在國民黨中心地位"，這可算領導權思想的萌芽，但決議馬上就補充說，"事實上不可能時，斷不宜強行之"，可見決心並未下定[4]。1924 年 1 月，李大釗在國民黨"一大"發言，高度評價國民黨的革命性，他說："我們環顧國中，有歷史、有主義、有領袖的革命黨，只有國民黨；只有國民黨可以造成一個偉大而普遍的國民革命，能負解放民族、恢復民權、奠定民生的重任，所以毅然投入本黨來。"他強調革命力量應"集中於一黨"，宣稱接受孫中山的指揮。他說："光是革命派的聯合戰線，力量還是不夠用，所以要投入本黨中，簡直編成一個隊伍，在本黨總理指揮之下，在本黨整齊紀律之下，以同一的步驟，為國民革命的奮鬥！"李大釗並稱："我們加入本黨是來接受本黨的政綱，不是強本黨接受共產黨的黨綱。"[5]顯然，中共中央當時還沒有考慮到：一旦孫中山逝世後怎麼辦？一旦兩黨發生政見分歧時怎麼辦？

1　1922 年 9 月高君宇在《嚮導》回答問題時說："在國民革命當中，無產階級是要佔個主要地位。"1923 年 1 月，蔡和森在《外力・中流階級和國民黨》中提出："從舊的歷史看來，領導中流階級向國民運動走的有中華國民黨；從新近的歷史看來，領導工農階級向國民運動聯合戰線走的有中國共產黨。"1923 年 2 月，瞿秋白在《現代勞資戰爭與革命》一文中提出："務使最易組織最有戰鬥力之無產階級在一切舊社會的運動中，取得指導者的地位，在無產階級中，則共產黨取得指導者的地位。"同年 5 月，瞿在《新青年之新宣言》中提出："即使資產階級的革命亦非勞動階級為之指導，不能成就；何況資產階級其勢必半途而輟，失節自賣，真正的解放中國，終究是勞動階級的事業。""無產階級在社會關係之中，自然處於革命領袖的地位。"9 月瞿秋白在《自民權主義至社會主義》一文中提出："資產階級性的革命卻須無產階級領導方能勝利。"
2　《中共中央文件選集》（1），第 586 頁。
3　《中共中央文件選集》（1），第 165 頁。類似的思想也見於會議通過的《關於國民運動及國民黨問題決議案》。
4　《中共中央文件選集》（1），第 201 頁。鮑羅廷對這一決議的回憶是："會議指出，全體同志儘管應該在國民黨內竭盡全力為自己爭取領導權，但必須通過合情合理的途徑，不得暴露自己的意圖。"見《鮑羅廷的箚記和通報》，《聯共（布）、共產國際與中國國民革命運動》（1），第 442 頁。
5　《李大釗文集》卷 4，人民出版社 1999 年版，第 369—370 頁。

國民黨"一大"後，國共兩黨部分黨員之間的分歧日漸顯露，無產階級領導權問題遂逐漸受到中共中央注意。1924 年 7 月 1 日，李大釗在共產國際第五次代表大會上報告說："中國共產黨的力量不大。它的戰線很長，因為它同時領導著工人運動和民族運動。"[1] 同月 21 日，由陳獨秀、毛澤東簽署的《中央通告》提出，須努力獲得或維持"指揮工人農民學生市民各團體的實權"[2]。1925 年 1 月召開的中共"四大"提出："中國民族革命運動，必須最革命的無產階級有力的參加，並且取得領導的地位，才能夠得到勝利。"[3] 這就對領導權問題作了極其清晰的表述。會議對國民黨的評價和"三大"有了顯著差別，稱其為"中國民族運動中一個重要工具，然亦僅僅是一個重要工具"。會議同時提出和國民黨的"爭鬥"問題。宣言稱："我們固然要幫助國民黨在實際運動上在組織上發展，同時也不可忘了在國民黨中的爭鬥：反帝國主義的政治爭鬥，農工階級的經濟爭鬥。"宣言表示："對於國民黨政治上妥協政策，尤其是不利於工人農民的行動，我們必須暴露其錯誤，號召工人農民起來反抗。"[4] 其後，中共中央關於領導權問題的認識不斷加強，如 1925 年 10 月中共中央擴大執行委員會就提出："中國共產黨是無產階級的指導者，是民族解放運動的領袖的指導者，應當指示群眾以前進的道路。"[5] 至此，在民主革命中必須保證無產階級的領導權已成為中共的普遍認識。但是，如何取得這種領導權呢？中共中央提出了多種辦法：與左派建立密切的聯盟，竭力贊助左派和右派鬥爭；控制中派；在國民黨勢力所在地，到處擴大共產黨，"積極的跑到政治舞台上去，到處實行我們自己的思想鬥爭和策略"[6]；其他辦法還有：拉住小資產階級，促進資產階級革命化等等。至 1926 年 7 月，中共中央擴大會議遂形成了比較全面的意見。會議通過的《中國共產黨與國民黨關係問題的決議案》提出："一方面我們的黨應當更加加緊在政治上表現自己的獨立，確立自己在工人中及多數農民中的勢力，取得革命化的一般民眾中的政治影響；別方面組織這些小資產階級的革命潮流而集

1　《共產國際有關中國革命的文獻資料》第 1 輯，第 92 頁。當時，李大釗化名琴華。
2　《中央通告第 15 號》，《中共中央文件選集》(1)，第 283 頁。
3　《中共中央文件選集》(1)，第 333 頁。
4　《中共中央文件選集》(1)，第 339—340 頁。
5　《中共中央文件選集》(1)，第 468 頁。
6　《中國共產黨與中國國民黨決議案》，《中共中央文件選集》(1)，第 489 頁。

合之於國民黨，以充實其左翼，更加以無產階級及農民的群眾革命力量影響國民黨——這樣去和左派國民黨結合強大的鬥爭聯盟，以與資產階級爭國民運動的指導。如此才能保證無產階級政黨爭取國民革命的領導權。"[1]

然而，當時兩黨聯盟的方式是黨內合作，共產黨員以個人身份加入國民黨。如何在這一特定格式中，既掌握領導權，又保證兩黨繼續合作，這是個很難解決的問題；在蔣介石集黨、政、軍大權於一身，又針鋒相對地提出國民黨的領導權問題之後，這個問題就更難解決了。

五、可以解決和無法解決的問題

共產國際第七次全會在一片歡呼聲中閉幕了。邵力子受蔣介石之囑提出的"重要問題"有的解決了，有的沒有解決，有的則在舊的格式、框架下根本無法解決。

關於和共產國際互派代表問題。1927年1月6日，共產國際主席團決定原則上接受國民黨向共產國際主席團派駐代表的建議，交主席團小委員會討論並解決手續上的問題[2]。譚平山認為，當初胡漢民代表國民黨申請加入共產國際時動機就不純，一是為了提高自己在國民黨內的威信，一是為了削弱共產黨在群眾中的影響，因此，他對共產國際主席團的決定持懷疑態度。1月7日，譚平山在主席團會議上表示，他原則上贊成國民黨作為同情黨向主席團派駐代表，但他同時聲明，這一建議只是幾個國民黨員提出的，其他人不知道，國民黨中央也沒有接受這一建議。他要求政治書記處再作研究[3]。1月10日，索洛維耶夫致函共產國際主席團小委員會，聲稱主席團會議已原則上通過和國民黨互派代表的決定，決定將國民黨代表列為有發言權的共產國際主席團成員，要求小委員會致電鮑羅廷，確認邵力子的委託書，或另派代表[4]。11日，小委員會決

---

1 《中共中央文件選集》（2），第175—176頁。

2 《共產國際主席團會議記錄》，《聯共（布）、共產國際與中國國民革命運動》（4），第60頁。

3 《譚平山和拉斯科爾尼科夫在共產國際執行委員會主席團會議上就國民黨向共產國際執行委員會主席團派駐代表問題的發言記錄》，《聯共（布）、共產國際與中國國民革命運動》（4），第61—62頁。

4 《聯共（布）、共產國際與中國國民革命運動》（4），第63頁。

定致電鮑羅廷與共產國際駐中國的代表維經斯基，將上述決定通知他們，要他們了解國民黨中央是否討論過，邵是否已被授權等問題，待收到復電後再議。此後，邵力子即以國民黨代表的身份繼續留在莫斯科，但是，共產國際擔心向國民黨派駐代表就等於接納國民黨，始終沒有向國民黨派駐自己的代表。一直拖到 4 月 7 日，維經斯基等才在漢口致電共產國際執委會政治書記處，建議由共產國際駐中國共產黨的代表兼任駐國民黨的代表並參加國民黨的一切領導機關。[1]

邵力子留蘇期間，共產國際遠東書記處還曾決定："不反對吸收邵力子同志在共產黨員同志的監督和領導下參加農民國際的工作。"[2] 又決定報請政治局批准，由庫西寧、拉斯科爾尼科夫、索洛維耶夫、蔡和森、邵力子等人組成國民黨問題常設會議。但是，此會未被批准成立。[3]

關於確定國民黨的反帝、反軍閥策略問題。當時，蘇聯共產黨正醉心於推行"世界革命"，因此，籠罩共產國際執委會第七次全會的是一片強烈的反帝氣氛。在全會所作的決議中，雖然也有"應利用各帝國主義集團間的矛盾"一類的片言隻語，但它更強調的是"從根本上打擊在中國的帝國主義勢力"。全會不僅要求廢除對華不平等條約，撤除外國租界，而且要求打擊"帝國主義勢力的經濟基礎"，要求中國國民政府將屬於外國資本的鐵路、租讓公司、工廠、礦山、銀行和企業一概收歸國有。[4] 在這一情況下，自然不會考慮國民黨人所提出的對列強實行區別對待的策略，相反，卻常常擔心他們會和列強勾結。直到1927 年 4 月，武漢國民政府處於極端困難時，鮑羅廷才決定實行外交上的"政策調整"，分離英、日，區別外國政府以及資本家集團中的軍人派和工商業資本派、財政資本派與商業資本派，但已為時過晚了。[5]

中國軍閥林立。為了打擊一派軍閥，在某些條件下可以和另一派軍閥結成

1 《聯共（布）、共產國際與中國國民革命運動》（4），第176頁。
2 《共產國際執行委員會遠東書記處會議第 5 號記錄》，《聯共（布）、共產國際與中國國民革命運動》（4），第101頁。
3 《共產國際執行委員會遠東書記處會議記錄》，《共產國際執行委員會政治書記處會議第 9 號記錄》，《聯共（布）、共產國際與中國國民革命運動》（4），第102、115頁。
4 《關於中國形勢問題的決議》，《共產國際有關中國革命的文獻資料》第 1 輯，第 284 頁。
5 參閱拙作《中華民國史》第 2 編卷 5，中華書局 1996 年版，第 463、531 頁。

臨時聯盟。這一點，共產國際、聯共（布）中央、中共都是認可的。例如聯共（布）中央政治局就肯定："廣州同張作霖進行談判是合適的，同時提醒廣州防止捲入與廣州政府的資源和力量不相適應的軍事行動的危險。"[1] 中共也贊成"聯奉"。中共上海區委負責人羅亦農就曾表示："北伐軍戰線太長很危險。""要看國民政府的政治手腕如何？能否拉住奉軍。""在政治全盤觀察，聯奉是必要的。"[2]

關於土地革命。共產國際極為重視中國革命中的土地問題。在《關於中國形勢問題的決議》中，共產國際提出："中國民族革命運動的發展，重點是土地革命。"共產國際並嚴重脫離實際地要求中國革命黨人"進行連續性的徹底改革，以實現土地國有化"。針對部分中共黨人擔心開展土地革命會影響統一戰線的顧慮，共產國際在決議中特寫了下面一段話："懼怕資產階級中某一部分勢力會不堅決、不真誠地合作，而拒絕在民族解放運動的綱領裏把土地革命問題提到顯著地位，這是不對的。這不是無產階級的革命策略。"[3] 自然，這些主張也是對於邵力子在會上所述主張的明確否定。

在共產國際行動執委會和主席團成員中，印度人羅易強烈主張在中國推行土地革命。全會《關於中國形勢問題的決議》就是由他起草的。1927 年 1 月，羅易被作為共產國際的代表派往中國，譚平山同行。共產國際此舉顯然是為了促進中國的土地革命。在共產國際擴大全會的影響下，原先主張暫緩進行土地革命的中共黨人和部分國民黨左派迅速改變看法。1927 年 4 月，武漢國民黨中央成立由國共兩黨成員組成的土地委員會，制訂解決中國土地問題的方案。該會從 4 月初開始工作，經過一個多月時間，形成《解決土地問題決議案》。在表決時，林祖涵、吳玉章兩位共產黨員贊成通過而不公佈，徐謙、宋慶齡、陳友仁以及孫科、汪精衛等人都不舉手，只好決定暫時保留。但是，這時候，湘、鄂、贛部分地區的農民運動已經從減租減息躍向重新分配土地了。

關於領導權。共產國際《關於中國形勢問題的決議》將中國革命分為三個

---

1 《聯共（布）政治局會議第 53 號（特字第 44 號）記錄》，《聯共（布）、共產國際與中國國民革命運動》（3），第 505 頁。
2 《上海區委特別會議記錄》，1926 年 9 月 14 日。
3 《共產國際有關中國革命的文獻資料》第 1 輯，第 276、280、284 頁。

階段。第一階段，民族資產階級和資產階級知識份子是最重要的動力。第二階段，工人階級在中國舞台上出現，與農民、城市小資產階級，部分地也同資產階級聯合起來。決議認為，中國革命即將向第三階段過渡，"運動的基本力量將是革命性更強的聯盟——無產階級、農民階級和城市小資產階級的聯盟，把大部分大資產階級排除在外"，"無產階級越來越明顯地成為運動的領導者"[1]。蔣介石通過邵力子要求共產國際承認中國國民黨是中國革命的領導者，《決議》的這一段話雖然不是對蔣的直接回答，但卻是堅決而明確的否定。

　　雙方都要求領導權，但領導權只能屬於一方。在兩不相下而又別無其他途徑可以解決的情況下，這種對領導權的爭奪必然會導致統一戰線破裂，進而導致血與火的衝突。但是，共產國際對此卻缺乏清醒的認識。《關於中國形勢問題的決議》稱："無產階級應該作出選擇：是同資產階級中的大部分勢力維持聯合，還是進一步鞏固自己同農民的聯盟"[2]，這實際上是在要求從統一戰線中甩掉中國"資產階級的大部分"，但是，在另一方面，共產國際又力圖拉住蔣介石，維繫原來的統一戰線框架。1927 年 3 月，發生英美炮艦轟擊南京事件，邵力子以國民黨代表身份致函共產國際主席團，表示"要在世界革命戰線上共同努力，打倒共同的敵人——國際帝國資本主義"[3]。這時，已處於國共分裂前夜，形勢日益嚴重，共產國際執委會主席團卻在復邵力子函中稱："堅信國民黨將保持團結一致，外國帝國主義者、軍閥以及中國勞動人民的其他敵人都無法分裂高舉民族解放旗幟的偉大的黨。"[4] 不久，邵力子因蔣介石電催[5]，準備束裝歸國，斯大林、李可夫、伏羅希洛夫竟分別託邵將自己的照片贈與蔣介石，以示親善！[6]

1　《共產國際有關中國革命的文獻資料》第 1 輯，第 277 頁。
2　《共產國際有關中國革命的文獻資料》第 1 輯，第 280 頁。
3　《聯共（布）、共產國際與中國國民革命運動》(4)，第 158 頁。
4　《聯共（布）、共產國際與中國國民革命運動》(4)，第 175 頁。
5　蔣介石：《致嘉倫將軍轉吳定康電》，蔣中正檔，《籌筆》，00459。
6　《邵力子給索洛維耶夫的信》，《聯共（布）、共產國際與中國國民革命運動》(4)，第 214 頁。

六、尾聲

　　1927 年 3 月，聯共（布）中央政治局獲悉，蔣介石曾向共產國際執委會表示，願意會見在中國的共產國際執委會代表團。政治局認為這一會見是有必要的，打算派維經斯基去上海，與蔣介石聯繫，並防止他採取"極端行動"[1]。共產國際駐中國代表團收到指示後，未能及時作出決定，直到羅易得悉蔣介石決定在南京召集國民黨中央全會，才於 4 月 12 日致電蔣介石，建議他放棄計劃，參加武漢方面召集的會議。電稱："我們建議您遵守協議，把黨內一切有爭議問題提交中央委員會全會來解決並服從全會的決定。如果您接受這一忠告，我們將願意訪問南京，以便和您本人討論一切重大問題。共產國際將盡可能幫助建立一切革命力量的反帝統一戰線。"[2] 但是，這一天，上海的"清黨"行動已經開始了。同月 22 日，蔣介石復電羅易，指責武漢國民黨左派，電稱："國民黨黨內問題，關係本黨之存亡，實非尋常糾紛之可比，最近種種事實已經證明破壞國民革命聯合戰線責任之誰屬，而在武漢一方把持我黨黨權之人有不能辭其咎者。"蔣批評羅易"只聽見一方面人的話，未嘗知其真相"，聲稱南京會議係當年 3 月汪精衛在上海會議時所決定，"事非由我而起，我亦無權打消也"[3]。蔣介石和共產國際的關係自此終結。

　　邵力子歸國前，斯大林已經得到蔣介石解除上海工人糾察隊的消息。他笑著對邵力子說："如果蔣介石真的解除了工人自衛隊的武裝，我卻把自己的照片送給他，工人們會怎樣看我？" 4 月 23 日，邵力子在海參崴得知確訊，便將照片退回斯大林等人。他表示："不能充當反革命的武器"，回國後將經上海去武漢。函稱："達成妥協的希望已經破滅，我很擔心帝國主義者可能進行干涉，希望共產國際和各國同志號召全世界革命者阻止這種干涉。"[4]

1　《聯共（布）中央政治局會議第 92 號（特字第 70 號）記錄》，《聯共（布），共產國際與中國國民革命運動》（4），第 156 頁。
2　《羅易給蔣介石的電報》，《聯共（布）、共產國際與中國國民革命運動》（4），第 182—183 頁。
3　《致漢口第三國際代表路伊君》，《革命文獻拓影》，北伐時期第 13 冊，蔣中正檔。
4　《邵力子給索洛維耶夫的信》、《皮亞特尼茨給史達林的信》，《聯共（布）、共產國際與中國國民革命運動》（4），第 214—215 頁。

返國後，邵力子在上海住了幾天，到南京見蔣介石，蔣仍要邵當秘書長，邵稱："我不能再當秘書長，不離開你就是了。但希望停止殺戮青年，並不要叫我寫關於反共的文字。"[1]

1　邵力子：《出使蘇聯的回憶》，《文史資料選輯》第 60 輯，第 85 頁。

蔣介石與前期北伐戰爭的戰略、策略 *

* 本文錄自《蔣氏秘檔與蔣介石真相》，重慶出版社 2015 年版；原載《歷史研究》1995 年第 2 期。

戰爭是一門高超的軍事指揮藝術，既需要正確的戰略，也需要正確的政治策略與之配合。1926 年至 1927 年的前期北伐戰爭是在蘇聯和共產國際援助下由國共兩黨聯合進行的，其戰略、策略的制訂者有蔣介石、鮑羅廷、加倫、張靜江、譚延闓、陳獨秀等人。本文將著重考察這一時期蔣介石在制訂和執行有關戰略、策略中的作用，藉以推進對北伐戰爭和蔣介石其人的研究。

一、關於北伐時機

發動戰爭必須選擇恰當的時機。這一選擇的正確與否，常常影響戰爭的勝負以至結局。

1925 年 12 月第二次東征結束後，蔣介石即有意於北伐，設想在次年 8 月克復武漢，年內打到北京。1926 年 1 月 4 日，他發表演說稱："去年可以統一廣東，今年即不難統一中國。"[1] 6 日，他在國民黨第二次全國代表大會上作軍事報告，樂觀地宣佈："國民革命的成功，當不在遠。"[2] 2 月 24 日，他向廣東國民政府提出，早定北伐大計。

---

1 中國第二歷史檔案館編：《蔣介石年譜初稿》，檔案出版社 1992 年版，第 503 頁。
2 《中國民黨第二次全代大日刊》第 18 號，1926 年 1 月 9 日。

在北伐時機上，蔣介石和蘇聯軍事顧問團、蘇共中央、鮑羅廷以及陳獨秀等人的意見相抵觸。1926年初，蘇聯軍事顧問團即向蘇聯駐華使館報告，認為：國民黨中央缺乏團結和穩定，成員複雜，經常搖擺；軍隊缺乏完善的政治組織，將領權力過大，部分人可能反叛政府[1]。3月25日，蘇共中央政治局決議，廣東政府應該竭其全力進行土地改革、財政改革、行政改革和政治改革，動員廣大人民參加政治生活，加強自衛能力。決議明確聲稱："在現時期，應當著重拋棄任何軍事討伐的念頭，一般說來，應當拋棄任何足以惹起帝國主義軍事干涉的行動。"[2] 此後，蘇共中央政治局多次作出類似決定，如4月1日決議云："廣州（政府）不應佔領廣州地區以外的目標，而應在現階段把注意力集中在內部工作。"4月15日決議強調上述指示"應當不折不扣地執行"[3]。共產國際遠東書記處也於4月27日決議："致函中共中央，說明目前提出廣州進攻的問題無論從政治角度還是從宣傳角度來說都是錯誤的。" 參加會議的中共黨員蔡和森並建議，由共產國際致函中國方面，"批評廣州政府提出的關於組織北伐的建議"[4]。直到5月6日，蘇共中央的口氣才有所鬆動，同意派遣一支規模不大的部隊去保衛湖南，但不久就再度嚴厲起來，要求在廣東的中共成員堅決譴責廣州政府"在目前進行北伐或準備北伐"[5]。

鮑羅廷積極貫徹蘇共中央和共產國際的上述決議，他在中共廣東區委會議上力陳必須進行充分的準備，以保證北伐的結局有利於革命。5月1日，他和蔣介石進行了一次長達4小時的談話，對北伐多所爭執。但是，蔣介石堅持己見，爭論以鮑羅廷的妥協告終。

蔣介石的主張得到部分中國將領的擁護。當年3月18日，軍事委員會即議決進行北伐準備。同月30日，馮玉祥的代表馬伯援到達廣東，表示國民軍願

1　"Report on the National Revolution Army and the Kuomintang, Early 1926", C.M. Wilbur and How, *Missionaries of Revolution*, Harvard University Press, 1989, pp.613–614.
2　"Problems of Our Policy with respect to China and Japan", *Leon Trotsky on China*, Monad Press, New York, 1976, pp.107–108.
3　《聯共（布）、共產國際與中國國民革命》（3），第191、203頁。
4　《聯共（布）、共產國際與中國國民革命運動》（3），第228、230頁。
5　《聯共（布）、共產國際與中國國民革命運動》（3），第241、268頁。此後，類似的意見存在了很久，如，6月21日，共產國際遠東局俄國代表團會議稱："在廣州內部業已形成的形勢下舉行北伐是有害的。"維經斯基甚至肯定："依我看，北伐必然遭到失敗。"見《聯共（布）、共產國際與中國國民革命運動》（3），第307、309頁。

與國民黨合作，希望集中革命力量，向長江發展。此事加強了國民政府和國民革命軍將領的決心。4月3日，蔣介石向國民黨中央建議："整軍肅黨，準期北伐"。建議書分析國民軍退出京津以後的形勢，認為"以後列強在華，對於北方國民軍處置既畢之後，其必轉移視線，注全力於兩廣革命根據地無疑，且其期限，不出於三月至半年內也"[1]。他提出，在三個月內，即在國民軍未被消滅，吳佩孚的勢力尚未十分充足之際，出兵北伐。其時，江西方本仁的代表蔣作賓也到達廣州，聲稱國民政府倘能於近期北伐，江西可不勞而獲。4月16日，政治委員會與軍事委員會舉行聯席會議，議決由蔣介石、朱培德、李濟深三人籌擬北伐準備計劃，由宋子文籌辦軍餉。同月20日，赴湘聯絡唐生智的陳銘樞、白崇禧回粵，向軍事委員會報告，聯絡成功："將來實行協同出師北伐，當受事半功倍之效。"[2]這些，使原來對北伐持謹慎態度的將領也樂觀起來。在李濟深、陳銘樞、李宗仁等人的一再催請下，軍事委員會於5月29日會議決定，命第七軍刻期出發援湘，北伐大計遂決。

儘管北伐已經見之於實際行動，但是，國民革命陣營內部的意見仍然並不一致。

1926年2月，中共中央北京特別會議曾議決，當時的第一責任是"從各方面準備廣東政府的北伐"[3]。但是，也有部分共產黨人認為，南方革命陣營暴露出來的問題很多，首先要積聚北伐的實力，不可輕於冒險嘗試。兩種意見並存的結果是搖擺不定。6月下旬，派赴廣州調查中山艦事件真相的張國燾、彭述之回到上海，中共中央一度傾向於進行北伐，認為只有這樣，才是使廣州"擺脫內外威脅的唯一出路"[4]。然而沒過幾天，中共中央的態度又大幅度改變。7月7日，陳獨秀在《嚮導》發表文章，認為北伐只是討伐北洋軍閥的一種軍事行動，不能代表中國民族革命的全部意義。他說："若其中夾雜有投機的軍人政客個人權位欲的活動，即有相當的成功也是軍事投機之勝利，而不是革命的勝利。"文章認為，北伐時機尚未成熟，當前的問題是防禦吳佩孚南伐，防禦反赤軍擾

1　《蔣校長建議中央請整軍肅黨準期北伐》，《蔣介石年譜》，第554頁。
2　《赴湘代表陳銘樞、白崇禧回粵》，《申報》，1926年4月28日。
3　《國民黨工作問題》，《中共中央文件選集》（2），中共中央黨校出版社1989年版，第60頁。
4　文件63、64，《聯共（布）、共產國際與中國國民革命》（3），第317、321頁。

害廣東，防禦廣東內部買辦、土豪、官僚右派回應反赤[1]。在隨後召開的中共中央擴大會議上，陳獨秀的主張得到大多數人的支持，通過了相應的決議，認為廣東國民政府出兵，只能是"防禦反赤軍攻入湘粵的防禦戰，而不是真正革命勢力充實的徹底北伐"[2]。9 月 13 日，陳獨秀又在答辯文章中說明，北伐成熟的標準一為"在內須有堅固的民眾基礎"，"在外須有和敵人對抗的實力"。文章特別提出，當時孫中山的擁護農工利益、聯俄、聯共政策，"都幾乎推翻了"，"這樣來革命，其結果怎樣呢！"[3]

中山艦事件後，蔣介石已經牢固地掌握了領導權，中共的權力、活動受到限制，在這一情況下北伐，不能確保其結局有利於工農，因此，從這一意義上說，北伐的時機尚未成熟，陳獨秀關於倉促北伐的危險有一定見地。但是，1926 年上半年，吳佩孚正集中力量在北方進攻國民軍，無力南顧；湖南實力派唐生智又驅逐趙恆惕，倒向廣州國民政府，因此，這一時機對保證北伐的軍事勝利又是有利的。後來的事實也證明了這一點。

二、各個擊破與遠交近攻

北伐前，中國存在著吳佩孚、孫傳芳、張作霖三大軍閥集團。同時，在西南、東南、西北、中原等地還存在著若干軍閥小集團。這些集團既彼此爭鬥，又在一定條件下相互勾結。如何利用矛盾，因勢利導，分化聯絡，確定打擊的先後主次，是北伐出師必須首先解決的問題。

從 1926 年初起，蔣介石就在考慮北伐戰略問題。1 月 11 日日記云："先統一西南，聯絡東南，然後直出武漢為上乎？或統一湖南，然後聯絡西南、東南而後再進規中原為上乎？抑或先平東南，聯絡西南而後長驅中原乎？殊難決定也。"[4]最初，他傾向於同時攻佔湖南和江西，但加倫將軍則主張各個擊破，先

1　《論國民政府之北伐》，《嚮導》第 161 期。
2　《中國共產黨對於時局的主張》，《嚮導》第 163 期。《中央政治報告》，《中共中央文件選集》（2），第 153 頁。
3　《嚮導》第 171 期。
4　《蔣介石日記類抄·軍務》。

取兩湖。6月21日，軍事委員會接受加倫提出的北伐計劃[1]。7月1日，蔣介石下達北伐部隊動員令，宣佈其進軍計劃為"先定三湘，規復武漢，進而與我友軍國民軍會師，以期統一中國，復興民族"[2]。隨令頒發《集中湖南計劃》，規定以第七軍李宗仁部、第八軍唐生智部、第四軍陳可鈺部進攻長沙，以第二軍譚延闓部、第三軍朱培德部、第六軍程潛部防備江西。這就表明，蔣介石接受了加倫的"各個擊破"戰略。

根據"各個擊破"戰略，北伐的首攻目標是吳佩孚。為了與這一戰略相配合，蔣介石和廣州國民政府又採取遠交近攻策略。

對孫傳芳，蔣介石和國民政府最初企圖"收撫"，承認其地位，與之共同夾擊吳佩孚；後來則企圖使之保持中立。

孫傳芳與吳佩孚同為直系。1925年10月，孫自任浙、蘇、皖、閩、贛五省聯軍總司令，旋又被吳佩孚委任為江蘇都督。浙、蘇等省是中國的富庶之區。孫傳芳雖有進一步擴張地盤的野心，但最為重視的是保持現有勢力範圍。他就任五省聯軍總司令後，即多次派人赴粵"修好"。北伐出師前夕，孫傳芳派人向蔣表示，如能答應不進攻江蘇與浙江，則孫軍不反對國民革命軍佔領江西；在國民革命軍佔領漢口後，孫傳芳可以參加未來的政府[3]。北伐開始後，孫傳芳改變主意，向蔣介石提出，希望不用北伐字樣，不侵犯福建與江西。蔣介石則要求孫傳芳擺脫和吳佩孚的關係，倒向粵方，並以承認孫的"五省總司令"地位相許[4]。8月，蔣介石指令駐滬代表何成濬和孫傳芳接洽，要求孫有確切表示，或提出加入國民政府的具體條件[5]。8月下旬，何孫在南京會談。何成濬提出：由廣州政府委派孫傳芳為東南五省首領，要求孫軍自江西西進，會同國民革命軍夾擊湖北，會師武漢。孫傳芳則要求國民革命軍退出湖南，將湖南作為南北緩衝地帶[6]。會談中，孫傳芳表示，贊同國民黨的三民主義，但堅決反對共

1　切列潘諾夫：《中國國民革命軍的北伐》，中國社會科學出版社1981年版，第416—417頁。關於軍事委員會的開會日期則據《民國十五年以前之蔣介石先生》，第八編二，第88頁。
2　《民國十五年以前之蔣介石先生》，第八編三，第1頁。
3　文件76，《聯共（布）、共產國際與中國國民革命運動》（3），第364頁。
4　《民國十五年前之蔣介石先生》，第八編三，第77頁。
5　《蔣介石致何雪竹電》，1926年8月18日，台北《近代中國》第23期，1987年6月30日版。
6　《何成濬致譚延闓密函》，1926年9月4日，中國第二歷史檔案館藏；《粵蔣代表何成濬之談話》，《申報》，1926年9月4日；何成濬：《八十回憶》，《近代中國》第23期。

產主義，對何成濬的具體意見則始終不答復[1]。9月初，張群再次赴寧談判。孫傳芳表示，不能接受國民政府的任命，但又同時聲稱：願保持和平與中立。孫的左右手楊文愷則提出辦法三條，其內容為：在現下不犯入其轄境；將來與廣東國民政府立於對等地位，商量收拾全局；粵方"須表明非共產"等[2]。自然，這些條件，廣東國民政府也不能接受。

湘贛互為犄角。北伐軍的作戰特點是長驅直進，奪取大城市，自然，不能不顧慮側翼的安全。7月11日，北伐軍克復長沙。24日，唐生智在長沙召集第四、第七、第八各軍將領會議，研究下期作戰計劃。唐生智、李宗仁主張同時進攻鄂、贛，第七軍第二路指揮官胡宗鐸則主張迅速進取武漢，對江西暫取監視態度[3]。會議結果，通過了唐、李主張[4]。8月5日，蔣介石在湘南郴州與加倫、白崇禧等會議，研究唐、李送來的意見書。加倫顧慮到武昌時會遇到帝國主義的阻礙，主張多加兵力，先攻武漢，對江西暫取守勢，蔣介石贊成加倫的意見[5]。會議決定，以第一、第四、第六、第七、第八軍擔任洞庭湖以東之線，為主攻，以第十軍擔任洞庭湖以西之線，為助攻，僅以少數兵力監視贛西[6]。12日，蔣介石抵達長沙，當晚即召開有加倫、白崇禧、唐生智、李宗仁、鄧演達、朱培德、陳可鈺和黔軍袁祖銘的代表等20多人參加的軍事會議，研究下一步行動方案。會上，蔣介石重提攻鄂、攻贛先後問題，徵求與會者意見。會議經過反復討論，決定仍依出師前原定方案進行[7]。蔣孫之間的談判雖然未能取得成效，但它延緩了孫傳芳援助吳佩孚的軍事行動；在湘鄂戰場未取得決定性勝利之前，對江西取守勢，也保證了北伐軍得以集中兵力，首先擊潰吳佩孚軍閥集團。

對於張作霖，國民政府和蔣介石採取"聯盟"政策，力圖離間奉系和吳佩孚、孫傳芳的關係。

1　《粵蔣代表何成濬之談話》，《申報》，1926年9月4日。
2　《何成濬致譚延闓密函》，1926年9月7日，中國第二歷史檔案館藏。
3　陳訓正：《國民革命軍戰史初稿》第1輯卷2第1編第四章。
4　國民革命軍總司令部參謀處：《北伐陣中日記》，1926年8月2日，《近代稗海》第14輯，四川人民出版社1988年版，第45頁。
5　《蔣介石日記類抄·軍務》，1926年8月5日。
6　《北伐陣中日記》，1926年8月6日，《近代稗海》第14輯，第64頁。
7　陳訓正：《國民革命軍戰史初稿》第1輯卷2第1編第四章。

1926 年 7 月，國民黨北京政治分會的李大釗、李石曾等通過葉恭綽等人與張學良交涉，要求奉方斷絕對吳佩孚的軍火接濟，並在廣東國民政府和奉系之間建立反對吳佩孚的聯盟[1]。同時，譚延闓也派奉軍總參議楊宇霆的同學楊丙赴奉聯絡[2]。1922 年至 1924 年期間，孫中山曾和張作霖、段祺瑞等締結反直同盟，楊丙到奉後重提舊事，希望建立新的聯盟。楊對張作霖表示："兩家事實，原無衝突，三角同盟，久有聯絡"，"此番用兵之原因，只全在吳一人"[3]。奉方同意：與國民政府之間 "互以實力（兵力彈械）相助，並規定切實聯絡辦法"；在孫傳芳出兵援贛的情況下，奉系出兵攻取南京；政治問題，如五權憲法、國民會議本是孫中山主張，有協商地步；雙方用對等協商方式或各派專使負責討論方案，由雙方當局簽字。但是奉方提出的條件則很苛刻：（一）湘、鄂、浙、川、滇、黔、兩廣，統由西南悉心支配，及設法收拾聯絡，蘇、皖及黃河流域，統由東北支配，負責收拾。（二）未來選舉，正屬北，副及第一期國務總理屬西南，委員則尚待商。這就是說，奉系要與國民政府分治中國，並由張作霖任總統。奉方提出的其他條件的還有：外交背影，互相設法自行疏遠，免使由內戰而牽動為國際大戰；黨治行之西南，北方暫難辦到[4]。

8 月 17 日，張靜江、譚延闓派蔣作賓赴奉，動員張作霖設法阻止吳佩孚率兵南下，同時合作討孫，其條件為：南京讓與奉系，安徽作為緩衝地，雙方各派代表數人協商政治問題[5]。9 月 18 日，蔣作賓抵達瀋陽，與奉方談判。奉系和吳佩孚、孫傳芳雖有共同的 "反赤" 關係，但吳、孫的失敗有利於奉系的擴張，因此，奉系同意和廣東國民政府聯合。談判中，奉方表示：（一）決不援吳，聽吳自滅；（二）決不援孫，雖王（占元）、靳（云鵬）等坐此要求，亦不過為口頭之敷衍。現已令張宗昌赴魯，相機出動，無論如何，不使孫全部力量對北伐軍作戰；（三）以後政治結合，俟孫解決後再商量。奉方再三表示，對於三民主義、五權憲法，絕不反對[6]。同月，蔣作賓派湯蔭棠攜帶致譚延闓密函南歸，

1　《陸山致畏公（譚延闓）密函》，張靜江全宗，中國第二歷史檔案館藏。

2　楊丙與楊宇霆同為日本士官學校學生。

3　《楊丙致譚延闓密函》，張靜江全宗。

4　《楊丙寄來件》，《革命文獻拓影》，北伐時期第 5 冊，蔣中正檔。

5　《張靜江、譚延闓致蔣介石函》，北伐時期第 5 冊，蔣中正檔。

6　《蔣作賓致蔣介石函》，北伐時期第 5 冊，蔣中正檔。

內稱："此行已得圓滿結果。"[1] 下旬，蔣作賓南歸，攜回楊宇霆、張作霖致張靜江、蔣介石、譚延闓等人函件，其中，張作霖追述奉粵合作歷史，聲稱"時事益棘，非得海內二、三豪傑出而合力挽救，不足以奠國本"[2]。張、譚等接信後認為："中國混亂已久，不可失此惟一之良機"，建議於"最短時間成立具體協議，解決大局"[3]。鮑羅廷也同意張、譚的意見。一時間，廣東國民政府與奉系的關係似乎再次熱烈起來[4]。

蔣介石支持和奉系結盟。當年8月，國民黨宣傳品中出現"打倒張作霖"字樣，蔣介石立即致電糾正："中央議決，此次獨對吳攻擊，而不與張。今本部兼言張逆，殊違中央方針。"[5] 10月中旬，蔣介石估計江西戰事即將結束，準備制訂向長江下游進軍，徹底消滅孫傳芳集團的計劃。他希望奉系出兵，夾擊孫傳芳。同月16日，蔣介石致電張靜江、譚延闓，要他們詢問奉方"究能何時出兵入蘇"，電稱："應催奉方從速對南京出兵，並表明此間非殲除孫傳芳決不終止，望其同時夾擊，則收效更速。"[6] 12月7日，蔣介石、鮑羅廷、徐謙、宋子文、孫科等在廬山會議，決定"消滅孫傳芳，聯絡張作霖"[7]。16日，蔣介石接楊丙函，得悉奉方"毅然與革命軍為敵"的情況，估計與奉方的大戰即將爆發。但是，為了首先消滅孫傳芳集團，蔣介石仍然希望與奉方緩和。18日，蔣介石致電鮑羅廷，同意在奉方"有重要人員來商，或有緩和希望"時，派孫科、蔣作賓赴奉[8]。

中共中央在10月份才得知國民政府和和奉系的談判情況，當時奉方提出的條件已進一步發展為：1. 承認張作霖為總統，取消國民政府；2. 粵、貴、川、

---

1 譚延闓手抄：《蔣作賓致譚延闓函》，張靜江全宗。
2 《楊宇霆致張靜江等函》，手跡，張靜江全宗。
3 《張靜江、譚延闓致李石曾等電》，《革命文獻拓影》，北伐時期第5冊，蔣中正檔。
4 廣東國民政府和奉系的談判進行得很秘密，但還是有所泄露。9月21日，張宗昌、韓麟春、張學良聯名致電張作霖："頃聞蔣介石處派代表蔣作賓到奉，商洽一切，倘為他方所聞，不免滋生誤會，搖動大局。如該代表到奉時，務乞嚴密拿辦，立予槍斃，以表示我方堅決不撓。"23日，張作霖復電，聲稱確有蔣作賓來奉之說，"當即注意，久未來見，詳細調查，聞已潛行離奉。想知我方對彼意思不良，不敢來見也"。張作霖要張宗昌將此意轉告孫傳芳，以安其心。見遼寧省檔案館編：《奉系軍閥密電》第3冊，《民國十五年以前之蔣介石先生》，中華書局1987年版，第128—129頁。
5 《蔣介石致軍人部曾秘書電》，《革命文獻拓影》，北伐時期第5冊，蔣中正檔。
6 《民國十五年以前之蔣介石先生》，第八編五，第65頁。
7 《民國十五年以前之蔣介石先生》，第八編七，第18頁。
8 《蔣介石致宋子文轉鮑羅廷電》，蔣中正檔；參見《民國十五年前之蔣介石先生》，第八編七，第43、52頁。

黔、湘、鄂、閩、贛、浙、滇等 10 省歸粵，蘇、皖歸奉；3. 川、滇由蔣介石自由解決，馮玉祥、吳佩孚由奉方自由解決[1]。這些條件較之楊丙正式傳遞回來的條件還要苛刻，因此，中共中央認為"十分奸險，絕無容納之餘地"，主張一面拖延時間，一面調兵入贛，迅速解決孫傳芳之後再與奉系談判。後來又建議：1. 在奉系勢力之下，各地一切政治設施，奉張均可自由為之，即張要做總統也不反對；2. 奉方如不進攻國民軍與國民政府，國民政府也不反奉。3. 江蘇、安徽地盤歸屬問題，視哪方面的軍隊先取為斷。如奉方先取，可以屬於奉方[2]。

當時，奉系正積極向南擴張，企圖從孫傳芳、吳佩孚、靳云鶚等人的手中搶奪江、浙、河南等地，因此，也想與國民革命軍"緩和"。約在 1927 年 1 月間，楊宇霆邀李石曾會晤，聲稱："奉軍即入河南，解決吳、靳各部"，表示在佔領武勝關後將與北伐軍議和。楊並約李石曾與他同伴出京，轉赴南方主持和議[3]。與此同時，日本方面也出面勸說國民政府與奉方實行南北分治。李大釗表示，國民政府方面"極欲與奉方謀和平"，但是，他對奉方的和平誠意表示懷疑，詢問日方"對奉天有沒有把握使之不對南作戰"？[4]

由於奉方胃口太大，要求太高，通過多管道進行的對奉談判最終都沒有結果。1927 年 3 月，李石曾曾說："奉系軍閥楊宇霆要與我們妥協，五六個月來派人來說話，也非止一次，但是條件終是做不到一路。我同守常君商量，有時大家都發笑。我屢次不願理它了，倒是守常君幾次囑我與他委蛇。守常以為我們打仗，勝負未可定，把奉天和緩住了，亦很好。"[5]

儘管與奉方的談判沒有達成協議，但是，張作霖也沒有給予吳佩孚以實際援助。口頭上，張作霖信誓旦旦，一再對吳佩孚表示，要共同討赤，合作到底，並保證提供吳所急需的 100 萬發子彈，實際上，卻一再"延宕"、"敷衍"，吳佩孚連一粒子彈都沒有得到[6]。1927 年春，張作霖又不顧吳佩孚的強烈反對，

---

1 《中共中央文件選集》（2），中共中央黨校出版社 1989 年版，第 419、478 頁。

2 《中共中央文件選集》，第 408、419—420 頁。

3 《中華民國史檔案資料彙編》第 4 輯，江蘇古籍出版社 1986 年版，第 1024 頁。

4 《中華民國史檔案資料彙編》第 4 輯，第 1031 頁。

5 《廣州民國日報》，1927 年 3 月 25 日。

6 《于國翰致張學良電稿》，1926 年 10 月 1 日；參見《張景惠等復何恩溥電稿》，1926 年 10 月 11 日，《奉系軍閥密電》第 3 冊，中華書局 1987 年版，第 108、109 頁。

毅然派兵南下，強佔了吳佩孚恃以再起的根據地河南。

國民革命軍出師時，兵力約 10 萬餘人，實際作戰兵力僅有 5 萬人[1]。三大軍閥集團的聯合力量遠遠超過國民革命軍，如果彼此聯合，國民革命軍將難以應付。根據情況，利用矛盾，遠交近攻，將消滅三大軍閥集團的任務分解為幾個階段，在打擊第一階段的敵人時，暫時與第二、第三階段的敵人聯盟，以利於各個擊破，這一戰略是正確的。

三、保護側背，轉戰江西

按照北伐出師前的決策，第一步是打下武漢，第二步是進取河南，與馮玉祥的國民軍會師；關於江西，在蔣介石和鮑羅廷之間有過討論，但未作出正式決定。當時，蔣介石認為佔領江西，對前方、後方都有利；鮑羅廷贊成蔣的意見，認為如不佔領江西，戰線就過於狹窄，不能防禦各方面的進攻[2]。8 月 27 日，國民革命軍佔領汀泗橋，蔣介石即部署進攻江西。

當日，蔣介石電告程潛，決於 9 月 1 日對江西實行攻擊。29 日，蔣介石決定親自指揮江西戰事。31 日，北伐軍擊潰吳軍主力，佔領賀勝橋。同日，蔣介石和加倫商量。加倫當時在攻克武漢後是進取河南還是回兵江西問題上方針未定，處於矛盾狀態[3]。其顧慮是：如果 "取江西，必與孫傳芳衝突，同時英帝國主義為維持其長江勢力，亦必出力幫助孫傳芳"；"如果放棄江西，一直進攻吳佩孚，先聯絡樊鍾秀取得河南，再同國民軍聯絡，拋棄長江下游，只向內地發展，這樣做固然有這樣做的好處，但是，戰線太長，江西、福建都可以從側面進攻，很有後顧之憂，對於軍事上也有不利的地方"[4]。儘管如此，蔣介石決心已下[5]。9 月 2 日，命第二軍魯滌平部、第三軍朱培德部、第六軍程潛部協同動作，三天後進攻。

1　秦孝儀：《蔣公 "總統" 大事長編初稿》卷 2，台北中國國民黨中央黨史委員會 1978 年版，第 233 頁。
2　文件 76，《聯共（布）、共產國際與中國國民革命運動》（3），第 364 頁。
3　《中央局報告》，《中共中央政治報告選輯》，第 68 頁。
4　《中共中央文件選集》（2），第 336 頁。
5　《蔣介石日記類抄·軍務》。

這一決策的改變主要由於孫傳芳態度的變化。北伐軍向湖南進軍後，孫傳芳一面與廣東國民政府談判，討價還價，一面坐山觀虎鬥，準備在北伐軍與吳佩孚兩敗俱傷的時候，出而收漁人之利。8 月中旬，孫傳芳覺得形勢有利，又經楊文愷等勸說，決定出兵援贛[1]。同月下旬，孫部 10 餘萬人陸續到達贛北。月底，孫傳芳任命盧香亭為援贛軍總司令，同時下達進攻計劃：以皖軍王普部為第一軍，進攻通山、岳州；以蘇軍為第二、第三軍，進攻平江、瀏陽；以贛軍鄧如琢部進攻醴陵、株洲；同時命閩南周蔭人部進攻廣東潮州、梅縣[2]。這樣，不僅廣東革命根據地受到威脅，而且進攻武漢的國民革命軍的側背也處於孫軍的攻擊目標之中。孫軍隨時可以截斷北伐軍和廣東的聯繫，使之處於首尾不能相顧的局面。

其二是和唐生智的矛盾。長沙軍事會議後，第八軍的實力迅速擴充。由唐生智指揮主力第四、第七、第八軍奪取武漢的局面已經形成。這一路節節勝利，出現了 "武昌指日可下" 的形勢，蔣介石急於另闢戰場並迅速取勝，以提高自己的威望。8 月 29 日蔣介石日記云："余決心親督江西之戰，以避名位"，正是這一心情的曲折表現[3]。其後，在進攻武昌過程中，蔣介石和唐生智的矛盾進一步發展，以至不能相容的地步。9 月 8 日蔣介石日記云："接孟瀟總指揮函，其意不願余在武昌，甚明也。" 14 日日記云："余決離鄂赴贛，不再為馮婦矣，否則人格掃地殆盡。"[4] 這樣，他終於在 17 日離開湖北前線，並於 19 日到達江西萍鄉，開始指揮江西軍事。

為了鬆懈孫傳芳的作戰意志，指揮江西軍事期間，蔣介石一面部署進攻，一面繼續與孫傳芳談判。孫傳芳曾提出，雙方於 10 月 3 日停戰，恢復原狀。同月 14 日，蔣介石復電孫傳芳代表葛敬恩等，要求孫先行確定撤退援贛軍隊日期，同時邀請江浙和平代表蔣尊簋、魏炯諸人到前方面商。23 日，葛敬恩、魏炯在奉新會見蔣介石，聲稱孫傳芳 "可放棄閩、贛，惟須保江、浙、皖，暗中

1　《何豐林致張作霖電》，《奉系軍閥密電》第 3 冊，第 96 頁。
2　《孫傳芳世電》，《申報》，1926 年 9 月 19 日；參見《民國十五年以前之蔣介石先生》，第八編四，第 19 頁。
3　《蔣介石日記類抄·軍務》。
4　《孫傳芳世電》，《申報》，1926 年 9 月 19 日；參見《民國十五年以前之蔣介石先生》，第八編四，第 19 頁。

結約，共同對奉，商妥後，即由贛撤兵"[1]。加倫主張"表面答應，實則準備總攻擊"。蔣介石與鄧演達商量之後提出：1. 浙江歸國民革命軍；2. 江蘇、安徽作為孫傳芳的勢力範圍，但應允許國民黨自由宣傳；3. 孫傳芳撤退援贛之兵前一日為停戰之期[2]。28 日，蔣尊簋自南昌抵達蔣介石行營所在地高安，表示只要保持孫傳芳的五省總司令的頭銜，其餘皆可商量。蔣介石堅持要求孫傳芳首先確定撤兵日期，限於 11 月 1 日前答復[3]。至期，孫傳芳沒有回答，戰事再起。11 月 8 日，北伐軍攻入南昌。11 月 9 日，江西戰役結束。至此，孫傳芳的第一、第二、第三方面軍殲滅殆盡。孫傳芳率殘軍逃往長江下游。

蔣介石率軍入贛，改變了原定計劃，但是，這一改變有其戰略需要。由於吳佩孚的主力大部已在賀勝橋被擊潰，另一部分被包圍於武昌城內，因此，這一改變沒有影響戰爭局勢。

四、圍城強攻的教訓

戰爭是兩軍軍力的較量，著重點在於消滅敵人的有生力量。戰爭中當然也要攻城掠地，但那應該是消滅敵人有生力量的結果。在敵人的有生力量還很強大，或者在條件還不具備時勉強攻城，都必然損兵折將，導致失敗以至慘敗。

北伐戰爭中，蔣介石有過兩次圍城強攻，導致失敗的教訓。一次是 1926 年 9 月至 10 月的武昌攻城戰。9 月 2 日，北伐軍第一軍第二師、第四軍、第七軍等開始進攻武昌。武昌城垣高大，易守難攻，進攻未能奏效。9 月 3 日，蔣介石偕白崇禧、加倫等人到洪山麓視察。蔣介石自恃有東征時惠州攻城的經驗，決定第二天拂曉，由第一軍第二師"帶頭衝鋒"，各軍"跟著衝上去"[4]。第一軍第二師是蔣介石的嫡系，出師以後一直作為預備隊。蔣介石此舉，意在讓自己的嫡系取得頭功。當日，召集各將領緊急會議。唐生智對第一軍第二師的戰鬥

1 《特立同志由漢口來信》，《中央政治通訊》第 10 期，1926 年 11 月 3 日。
2 《蔣介石日記類抄‧軍務》，1926 年 10 月 24 日。參見《蔣介石致張靜江、譚延闓電》，《民國十五年前之前蔣介石先生》，第八編五，第 109 頁、117 頁。
3 《蔣介石日記類抄‧軍務》，1926 年 10 月 29 日。
4 唐生智：《從辛亥革命到北伐戰爭》，《文史資料選輯》總 103 輯，第 177 頁。

力已喪失信心，堅決要求蔣介石將該師調離前線，蔣介石認為唐"以下淩上"，是一種不能忍受的"奇辱"[1]。他訓斥第二師師長劉峙說："如不爭氣，不能見人！但使光榮得以維持，雖積屍迭城，亦所不恤！"[2] 5 日淩晨，蔣介石頒發第二次攻城計劃，指示各將領"肉搏猛衝"[3]。各軍奮勇隊多次衝到城下，都被城上守軍的密集火力擊退。劉峙唯恐其他部隊已攻城得手，為搶奪頭功，竟通報稱，第二師第六團已攻進城內[4]。第四、第七軍得訊後，調動預備隊再次進攻，結果又付出許多傷亡。當日上午，蔣介石得到第二師入城消息，信以為真，非常高興。後從白崇禧處得知，消息不確，"愁急不知所為"[5]。

北伐軍兩次攻擊武昌失利，傷亡 2000 餘人。9 月 5 日，蔣介石和李宗仁、陳可鈺等到前線視察後，也感到硬攻無望。6 日，蔣介石和各軍將領會議，決定以少數兵力在城外對敵保持警戒，主力撤到城外較遠的地區集結整頓。15日，北伐軍發佈封鎖令，禁絕武昌城內外的一切水陸交通，實行長期圍困。至10 月 10 日，吳軍發生內變，北伐軍攻入城內，歷時 46 天的武昌攻城戰勝利結束。

第二次是 1926 年 9 月和 10 月的南昌攻城戰。

蔣介石決定進軍江西後，北伐軍迅速佔領萍鄉、贛州、修水等地。在勝利的鼓舞下，蔣介石於 9 月 12 日電令朱培德，要求他從速督軍，"猛進南昌"[6]。當時，敵軍主力正在樟樹佈防，與北伐軍第二、第三軍相持，南昌城內守敵很少，第六軍軍長程潛變更原定攻擊德安和塗家埠的計劃，於 9 月 19 日奇襲南昌得手。其後，敵軍迅速由南北兩面來攻。程潛感到孤城難守，下令撤離，旋即陷入包圍，結果，第六軍受到巨大損失。

10 月 9 日，蔣介石以自湖北調來的第一軍第二師為主力，會同第二軍、第三軍，第二次進攻南昌，守敵退入城內固守。12 日，蔣介石趕到南昌，與白崇禧、魯滌平會商。白崇禧反對圍城硬攻，但蔣介石求勝心切，親往北門第二師

1　《蔣介石日記類抄・軍務》，1926 年 9 月 4 日。
2　唐生智：《從辛亥革命到北伐戰爭》，《文史資料選輯》總 103 輯，第 177 頁。
3　《民國十五年以前之蔣介石先生》，第八編四，第 15 頁。
4　《周士第回憶錄》，人民出版社 1979 年版，第 80 頁。
5　《蔣介石日記類抄・軍務》。
6　《民國十年以前之蔣介石先生》，第八編四，第 29 頁。

陣地，決定夜半爬城。當夜，第二師正在作攻城準備之際，敵軍敢死隊從城下水閘中破關而出，襲擊攻城部隊。時值黑夜，不辨虛實，第二師秩序大亂。白崇禧下令全軍沿贛江東岸南撤，由事先搭好的浮橋渡江，退往西岸[1]。此役，蔣介石自感指揮無方，既煩惱，又緊張，"終夜奔走，未遑休息"[2]。混戰中，部隊及裝備受到很大損失。13日，蔣介石下令撤圍。他在日記中悔恨地寫道："因余之疏忽鹵莽，致茲失敗，罪莫大此，當自殺以謝黨國。"不過，他並沒有執行的意思，自己又補寫了一句："且觀後效如何。"[3]

再攻南昌的失利使蔣介石冷靜了下來。10月14日，他通知各軍，暫取守勢。他一面決定調第四軍及賀耀祖的獨立第二師來贛；一面與白崇禧、加倫重訂計劃，準備第三次進攻。10月下旬，日本軍事專家稱："孫軍精銳在沿南潯路，南昌只少數軍隊利用堅城而守，因此，九江、南昌得以相互策應；南軍不先向沿南潯路擊破孫軍精銳以斷九江、南昌間之交通，而突然集大兵於南昌城下，久攻而疲，後援不繼，敵人則由南潯路更番來援，甚易活動，因此，'攻城'是南軍失策之一"云云[4]。中共中央隨即將日本專家的意見轉告加倫，加倫、蔣介石等採納了這一意見。

鑒於孫軍主力集中在南潯路九江、德安、建昌、塗家埠等地，得交通之便，可以及時轉移兵力，相互增援，因此，第三次進攻以截斷南潯路，殲滅孫軍主力為主，而不急於奪取南昌。11月1日，總攻開始，南潯線及南昌郊外的孫軍一一被擊潰，南昌成了孤城，守軍不戰而降。

關於蔣介石進攻江西之役的經驗，中共中央在有關檔中總結說：蔣介石作戰"注意攻城而不先擊破敵人在南潯路之主力軍，故犧牲極大，北伐軍幾有覆滅趨勢，幸而挽救得快，尚能轉敗為勝。"[5]

---

1 《李宗仁回憶錄》，第409頁。
2 《蔣介石日記類抄·軍務》，1926年10月12日。
3 《蔣介石日記類抄·軍務》，1926年10月13日。
4 《中共中央文件選集》（2），第410頁。
5 《中共中央文件選集》（2），第482頁。

五、順流而下，繼續追殲

江西之戰結束後，北伐軍的進軍方向再次成為國民革命陣營內部爭論的焦點。

加倫、鮑羅廷等反對向長江下游進軍，其原因，一是不願和帝國主義列強發生直接衝突；一是擔心蔣介石脫離革命[1]。中共中央贊同加倫等人的意見，主張為便於北伐軍專力向北方發展，可以設法使長江下游地區的各軍閥"分頭獨立"，"成為紛亂局面"，令"帝國主義無法為一致的對付"[2]。後來又曾主張守住武勝關以南，不輕易與孫傳芳開釁，也不輕易進入河南，而以主要力量統一西南，準備進攻奉系的軍力[3]。11月8日，蔣介石與加倫商量向長江下游進軍問題，加倫認為：繼續向安徽、江蘇前進，不僅"現在不是時候，並且危險"。加倫建議：利用夏超、周鳳岐等地方武裝佔領浙江，使江蘇、安徽成為緩衝地[4]。11月9日，中共中央與共產國際遠東局討論，決定改變攻克江西後不再東下的意見，贊成蔣介石向長江下游進軍，完全消滅孫傳芳的勢力，"至於前進至浙江、安徽為止，抑直到江蘇，則應視北伐軍的實力及奉軍南下的遲速而定"[5]。

北伐開始以後，蔣介石集黨權、軍權於一身，鮑羅廷和中共中央逐漸感到扶持和向蔣介石妥協的失策，力求削弱蔣介石的權力，於是有迎汪運動的展開，企圖以蔣汪合作代替蔣介石的個人專權。自此，蔣介石即產生與左派分家，另立門戶，分庭抗禮的想法。1926年12月遷都之爭發生後，蔣介石的這種想法更為強烈，向長江下游另謀發展的計劃也就日漸具體了。

1927年1月1日至7日，國民革命軍總司令部在南昌召開軍務善後會議。會上，蔣介石提出向長江下游進軍問題。鄧演達認為此舉是蔣介石"欲在東南別開局面的政治問題"，因此持反對態度。加倫也表示："用兵東南實在毫無把握，我也不知怎樣計劃才好！"[6]但由於蔣介石的堅持，會議決定對河南吳佩孚

1　參見文件76，《聯共（布）、共產國際與中國國民革命運動》（3），第364頁；文件201、268，《聯共（布）、共產國際與中國國民革命運動》（4），第227、494頁。

2　《上海區委主席團會議記錄》，《上海工人三次武裝起義研究》，知識出版社版1987年版，第150頁。

3　《中央局報告》（1926年9月20日），《中共中央文件選集》（2），第336—337頁。

4　《加同志報告》，中央檔案館編《北伐戰爭（資料選輯）》，中共中央黨校出版社1981年版，第28—29頁。

5　《對於目前時局的幾個問題》，《中共中央文件選集》（2），第441頁。

6　《中央》半月刊，1927年6月15日。

部暫取守勢，對浙江、江蘇、安徽的孫傳芳等部取攻勢。

　　會議同時決定：將北伐軍分編為東路軍、中路軍和西路軍三個作戰序列。東路軍自閩贛入浙，佔領浙江，進取上海，夾攻南京。中路軍一部由贛東北進取南京，一部由鄂東北進取安慶、合肥，側擊津浦路敵軍。會議期間，蔣介石將有關部署電告何應欽："閩平後應即以全力入浙，一俟浙局統一，再圖蘇皖，暫以劃江而守，以待時局之變遷。總之，上海不得，則長江形勢閉塞，而海內外交通亦難自如，故南京與皖南亦應急謀收復。"[1] 該電的值得注意之點是蔣介石關於北伐的階段性設想："河南不得，則中原難定，西北軍不能與我聯絡，閻錫山亦不能表示態度。閻已派代表正式聲明，一俟我軍入豫，或至津浦路，彼必回應也。中意如此，佔河南，南得南京，晉必回應，則奉軍危，不出關而不可得。否則攻守亦得自如，北伐乃可告一段落。" 蔣介石的這一設想可能與他政治上準備與左派攤牌有關。

　　江西之戰中，孫傳芳的主力受到了巨大打擊。但是，孫部在長江下游仍保有相當力量，而且，孫部的再生力量很強，經過一段時期，其戰鬥力即會得到恢復。北伐軍沿京漢路北伐，孫傳芳部仍可向江西、湖北發動進攻，從而斬斷北伐軍的南北聯繫。因而，蔣介石在江西戰役之後，趁熱打鐵，向長江下游進軍，除了其政治上的目的外，從戰略方面考察，可以追殲孫傳芳軍閥集團，不使其有喘息修整、捲土重來的時間。中共中央從反對到改取支持態度，正是基於後一方面的考慮。

六、不為遙制

　　戰爭中的形勢瞬息萬變，很難拘守某一既定的程序和方案。最高統帥既須有原則性，又須有靈活性，特別是賦予下級統帥以一定的靈活性。因此，當下級統帥遠離主戰場，獨立作戰時，不為遙制歷來是兵家重視的一條原則。

　　9 月初，在福建的周蔭人接受孫傳芳指示，宣佈就任五省聯軍第四方面軍

1　《蔣介石致何應欽電》，《革命文獻拓影》，北伐時期第 5 冊，蔣中正檔。

總司令，積極企圖進擾粵邊，進而進攻廣州。當時，國民革命軍駐防潮州、梅縣一帶的軍隊，僅有第一軍第三師、第十四師、獨立第四師等部，計槍 6000 支，炮 8 門，而周蔭人所屬張毅等部則有槍 3 萬餘支，機槍 60 餘挺，炮 20 餘門[1]。雙方力量懸殊，因此，蔣介石確定作戰方案時，力主穩健，要求採取攻勢防禦，不可急切進攻。9 月 13 日，蔣介石致電何應欽，指示其對周蔭人聲明："如閩不派兵侵粵與贛，則閩、粵仍敦睦誼。"[2] 但是，何應欽則認為，由於北伐軍在鄂、贛節節勝利，周軍士氣已餒，又多為北方人，不善山戰，更兼竭力搜括，閩民恨之入骨，因此，致電蔣介石，詳細羅列周軍弱點，要求率師入閩作戰。何的要求得到蔣介石同意，福建戰役於是開始[3]。

北伐戰爭以軍事打擊為主，但是，也注重對敵軍的策反。由於國共兩方的共同工作，周部曹萬順、杜起云兩旅於 10 月 8 日在粵北蕉嶺起義。接著，何應欽又在閩、粵交界的永定、鬆口取得勝利。15 日，蔣介石電任何應欽為東路軍總指揮，指示何乘勝平定閩南。19 日，蔣介石再電何應欽，告以和加倫研究結果，"如我力能勝張毅，則速進取，否則暫守邊境，以待贛局發展"，但蔣介石表示，相信以第一軍之力，"必能勝周克閩，新開東南之局"[4]。20 日，三電何應欽，認為"此刻對閩作戰，我已處於主動地位"，要求何"相機處理"[5]。當時，蔣介石正專注於江西戰場，不可能深入地研究福建的情況並指揮作戰，因此，只能要求何應欽"相機處理"。何應欽接電後，即積極部署，發兵入閩。周蔭人部兵敗如山倒。12 月 3 日，東路軍收復福州。

浙江之役與福建之役類似，也是不為遙制的成功戰例。

1926 年 12 月 11 日，浙軍第三師周鳳岐部在衢州起義，奉命進攻富陽，掩護東路軍主力進入浙江。當時，東路軍主力還在福建，周鳳岐部作戰失利，孫軍浙江總司令孟昭月進逼衢州。東路軍入浙部隊分電何應欽及蔣介石，要求迅速增援。何應欽電告白崇禧稱，在不得已時，可以退守浙、贛邊境仙霞嶺之

1　《國民革命軍東路軍戰史記略》，武漢印書館 1930 年版，第 19 頁。
2　《民國十五年以前之蔣介石先生》，第八編四，第 32 頁。
3　《國民革命軍東路戰史紀略》，第 21—22 頁。
4　《民國十五年以前之蔣介石先生》，第八編五，第 92 頁。
5　《民國十五年以前之蔣介石先生》，第 98 頁。

線，待本部主力到達後，再採取攻勢。1927 年 1 月 20 日，白崇禧到達衢州，召集各將領會議。與會者一致認為：衢州無險可守，為使東路軍安全集中，必須佔領嚴州以西地區。如等待閩中部隊，不免坐失良機。會議期間，蔣介石來電告知：皖南陳調元、王普已表示與我合作，側背威脅減輕，盡可全力對付當面之敵[1]。蔣介石還表示：衢州為戰略要點，戰守由白崇禧自決，不加遙制。白崇禧獲得"自決"權後，即決定轉守為攻[2]。2 月 16 日，擊敗孟昭月部。17 日，收復杭州。白崇禧僅用了約 20 天時間，即佔領整個浙江。孟部的被打垮，使孫傳芳聯合奉魯軍，以浙江為基地實行反攻的計劃徹底粉碎，為北伐軍進攻江蘇、安徽，奪取上海、南京，創造了有利條件。

在中國近代史上，北伐戰爭是一場勝利的革命戰爭。其所以勝利，原因很多，既和戰爭的性質、人心向背、國共合作以國際國內環境有關，也和戰略、策略的運用得當有關。這一方面的歷史經驗，是近代中國軍事史的重要內容之一。

1　《北伐簡史》，台北正中書局 1968 年版，第 105 頁。
2　賈廷詩等：《白崇禧先生訪問回憶錄》，台北"中央研究院"近代史研究所 1985 年版，第 843 頁。

蔣介石與北伐時期的
江西戰場 *

* 本文錄自《找尋真實的蔣介石：蔣介石日記解讀》（2），重慶出版社 2018 年版；原載《中共黨史研究》1989 年第 5 期。

江西戰場是北伐時期的三大戰場之一。它由作為國民革命軍總司令的蔣介石親自指揮，其對手是直系軍閥的後起頭目孫傳芳。研究這一戰場上的兩軍作戰史，不僅有助於了解蔣介石其人及其軍事活動，而且也有助於了解北伐戰爭，獲得軍事史上的某些經驗。

一、孫傳芳出師援贛

　　江蘇、浙江、安徽、江西、福建向為富庶之區，孫傳芳於 1925 年 11 月成為五省聯軍總司令後，便提出“保境安民”口號，一以杜外人覬覦，保住到口的肥肉，二以迎合東南資產階級的願望。還在北伐軍入湘前，孫傳芳就聲明：“人不犯我，我絕不犯人”，“如貪婪竊發，抉我藩籬”，“亦惟有率我五省之師旅，以遏制之而已”。[1] 1926 年北伐軍入湘後，孫傳芳又於 6 月 12 日召開軍事會議，宣佈“無論何方軍事，均主以消極眼光應付之”，“不加入任何漩渦”[2]。吳佩孚曾派人到寧，要求孫傳芳援湘，但孫不願意為吳火中取栗，他企圖坐山觀虎鬥，在兩敗俱傷後佔領兩湖，坐收漁人之利。7 月 27 日，孫傳芳接見國聞社記

1　《孫傳芳抵滬後之通電》，《廣州民國日報》，1926 年 5 月 13 日。
2　《孫傳芳又開軍事會議》，《廣州民國日報》，1926 年 6 月 26 日。

者時，以一副悲天憫人的姿態說：“迴圈無已之戰爭，國人孰不痛心？天下無可以殺盡百姓之英雄，是以平日持論，治軍必先愛民。”又說：“目下情形，南方實嚴重於北方”，“最好將北方之事，完全交奉方主持”，吳佩孚“克日南來，對付湘粵”[1]。28 日，孫傳芳命親信，時任北洋政府農商總長的楊文愷赴長辛店，向吳佩孚進言。但吳佩孚正忙於指揮南口之戰，完成包圍國民軍的計劃，無意立即南下。他要求孫“特別設法”，使“討赤軍內部之團結”臻於“圓滿”，對湖南戰事，則請孫“多為幫忙”，“量力予以相當之接濟”。[2] 對此，孫傳芳的答復是，“無力遙顧湘戰”[3]，他仍然要求吳佩孚“督飭各軍，迅掃西北之敵”，然後“回師南下，坐鎮長江”。[4] 當北伐軍節節前進之際，孫傳芳卻在南京優哉遊哉地修明禮樂。8 月 6 日，舉行投壺新儀，聲稱：“吾國以禮樂為文化之精神，今欲發揚文化，非以修明禮樂不可。”[5] 同時，又組織修訂禮制會，聘請章太炎、沈彭年、姚文枏、汪東等一批名流為會員，以章太炎為會長。孫傳芳稱：“此次舉行投壺典禮，看似迂闊，實則君子禮讓之爭，足以感人心而易末俗。”[6]

當時，江浙地區正在掀起和平運動。參加這一運動的社會成分很複雜。部分紳商既害怕國民革命軍進入東南，也反對孫傳芳出師援助吳佩孚。中國國民黨、中國共產黨在江浙地區的組織及其影響下的進步力量則企圖以此牽制孫傳芳出兵，爭取民眾同情。[7] 8 月初，蘇州、無錫、武進、鎮江、淮陰以及上海縣的商會會長聯名致電孫傳芳，對所謂“援湘”準備表示驚疑。電文稱：“興無名之師，何如以不戰服人？懲異端之攻，何如以自強不息！”電文要求孫傳芳“熟籌全局，慎於一發”。[8] 隨後，南京部分紳士和法團領袖連袂會見孫傳芳，要求他“力顧五省保境安民宣言，勿率入湘、粵戰爭漩渦”。[9] 11 日，上海全蘇公會召開特別大會，議決七項，其要者為：1. 電致孫傳芳，贊成“消極的增防”；

1 《孫傳芳在南京發表之談話》，《晨報》，1926 年 8 月 1 日。
2 《楊文愷將出京赴寧》，《申報》，1926 年 8 月 1 日 9 版。
3 《孫傳芳仍持保境安民態度》，《申報》，1926 年 8 月 6 日 4 版。
4 《孫傳芳致吳電之真相》，《申報》，1926 年 8 月 4 日 7 版。
5 《孫傳芳提倡之投壺新儀》，《申報》，1926 年 8 月 2 日 9 版。
6 《江蘇修訂禮制會成立紀詳》，《申報》，1926 年 8 月 12 日 9 版。
7 張曙時、侯紹裘：《江蘇最近政治、黨務簡單報告》（油印本）；韓覺民：《上海特別市黨部報告》（油印本）。
8 《各商會關於時局通電》，《申報》，1926 年 8 月 9 日 13 版。
9 《南京快信》，《申報》，1926 年 8 月 12 日 9 版。

2. 警告北伐軍總司令部，請其嚴飭所部，絕對不得越閩、贛省境一步；3. 通電本省及浙、閩、皖、贛四省各團體，一致運動和平；4. 聯絡上海各法團，共作和平運動；5. 通電全國軍事當局，請停止戰爭，共謀國是；6. 發表和平宣言。[1] 9月8日，全浙公會常務董事會召開緊急會議，公推蔣尊簋、殷汝驪、沈田莘三人赴寧，向孫傳芳請願。[2] 13日，又決定派蔣尊簋、魏炯（伯楨）二人赴漢口，和蔣介石接洽。[3] 其後，江蘇派出袁觀瀾、黃炎培、趙正平，福建派出方聲濤、史家麟，安徽派出許世英、王龍亭，江西派出徐鶴仙等人，參加和平運動。一時間，各種名目的和平組織紛紛湧現。有一個名為"五省和平祈禱會"的組織，甚至致電張天師，邀請他蒞滬"設壇釀醮"。[4]

進步力量企圖以和平運動牽制孫傳芳出兵，乖巧的孫傳芳則將和平的口號接過來，作為阻攔北伐軍的口實。8月11日，他復電各商會，聲稱："逞能肆態，馳騁角逐，以較一日之勝負，殘民、蠹財、溺國，芳雖愚，絕不為也。"他表示："金革之聲頻驚，不能不稍事整備，俾固疆圉。"[5] 9月10日，他在會見全浙公會代表時說："破壞和平，在蔣不在我"，"我始終以和平為懷，只須蔣中正將入贛境之部隊完全退出，我決不追趕一步"。[6] 20日，孫傳芳會見江蘇、上海和平代表時又進一步提出三項條件：1. 撤退入贛黨軍，停止湘鄂戰爭；2. 組織內閣，各方自由推戴人選，取決多數；3. 召集南北和平會議，劃分軍區，勻配財權。[7]

儘管孫傳芳故作從容，高談和平，但是，北伐軍的進軍腳步畢竟不能使他平靜，特別使他繫念的是勢力範圍之內的江西。早在7月上旬，就傳出他要派安徽混成旅長王普率部援贛。不過，由於江西總司令鄧如琢拒絕，王普迄未接到動員命令。[8] 鄧雖然是五省聯軍成員，但始終依違於吳佩孚、孫傳芳之間，並

1 《各團體運動和平》，《申報》，1926年8月12日13版。

2 《全浙公會請孫蔣維持和平》，《申報》，1926年9月9日13版。

3 《全浙公會奔走和平昨訊》，《申報》，1926年9月14日9版。

4 《各公團呼籲和平》，《申報》，1926年9月5日15版。

5 《孫傳芳復各商會電》，《申報》，1926年8月13日13版。

6 《全浙公會奔走和平之趨勢》，《申報》，1926年9月12日。

7 《南京和平會議消息》，《申報》，1926年9月22日6版。

8 《何成濬致譚延闓密函》，1926年8月6日，中國第二歷史檔案館藏。參見《蕪湖快信》，《申報》，1926年8月12日9版。

非孫的嫡系，不願輕易讓別人插足境內。7 月 31 日，孫傳芳在南京召開五省軍事會議，決定合力對粵。會後，孫傳芳即調兵遣將，部署援贛。自 8 月 17 日起，謝鴻勳的第四師、楊震東的第七混成旅、孟昭月的第十混成旅陸續出發。19 日，孫傳芳通電本省各部隊各機關：此舉純系防禦性質，"我軍此後行動，仍本素日宗旨，堅守疆界，禁暴息爭"。[1] 20 日，謝鴻勳部抵達九江，由鄧如琢指定，以贛北修水、銅鼓兩縣為駐紮地點。其後，陸續到達贛境的孫軍有盧香亭第二師、周鳳岐第三師、鄭俊彥第十師、彭德銓第六混成旅等，共五師八旅約十餘萬人。月底，孫傳芳任命原浙江總司令、第二師師長盧香亭為援贛軍總司令，同時下達援贛進攻計劃：以皖軍王普部為第一軍，進攻通山、岳州；以蘇軍為第二、第三軍，進攻平江、瀏陽；以鄧如琢部進攻醴陵、株洲；同時命閩南周蔭人部進攻廣東潮州、梅縣。[2] 9 月 2 日，吳佩孚所派告急使者趙恆惕到寧，孫傳芳爽快地表示："即日電令各軍火速出發，實行進攻湘、粵。唇亡齒寒，智者皆知。"[3] 由於兩湖軍事節節失利，吳佩孚心急火燎地盼望孫傳芳出兵，至此算是得到了一個滿意的答復。

二、孫蔣談判與孫張結盟

孫傳芳的援贛部隊雖然出發了，但他仍然在觀察風色，一面和蔣介石的代表頻頻談判，一面和張作霖、張宗昌結盟。

孫傳芳和廣東國民政府之間早有聯繫。1925 年 12 月，孫傳芳曾派王季文為代表到粵會見蔣介石。[4] 次年 2 月、5 月，孫兩次派人赴粵與廣東國民政府"修好"。7 月，孫傳芳派人赴滬，和粵方代表商洽，並致電蔣介石，希望不用北伐字樣，不侵犯閩贛。[5] 8 月 12 日，蔣介石致電孫傳芳，要求他不受吳佩孚"偽命"，並稱，"對於全國軍人，力求團結"，"志同道合，直可聯為一體"，倘孫

---

1 《江蘇援贛之先聲》，《申報》，1926 年 8 月 21 日 10 版。

2 《孫軍第一目標在瀏陽》，《晨報》，1926 年 9 月 7 日 2 版。

3 《孫傳芳世電》，見《蔣中正致孫傳芳電附錄》，《申報》，1926 年 9 月 19 日；參見《民國十五年以前之蔣介石先生》第 17 冊，第 19 頁。

4 《蔣介石日記類鈔·軍務》，1926 年 2 月 3 日。

5 《蘇粵代表會晤》，《晨報》，1926 年 8 月 1 日 2 版。

傳芳能"順應革命潮流",則可代為向政府請求,承認孫傳芳為五省總司令。[1] 8月,孫傳芳派人到湘,和蔣介石聯繫,同時運動唐生智,以湖南地盤為條件,誘使唐"拒絕革命軍"。[2] 蔣介石估計孫傳芳的內部發生變化,指令駐滬代表何成濬和孫傳芳接洽,"於此倒吳之時,須要孫有確切表示,或加入國民政府應有其具體條件也"。[3] 何成濬與孫傳芳原係日本陸軍士官學校的同學,二人於8月下旬在南京進行了兩次會談。第一次,何成濬提出:1. 由廣州政府委派孫傳芳為東南五省首領,保持五省治安;2. 孫傳芳與革命軍一致動作,革命軍自湖南北上,孫軍自江西西進,雙方夾擊湖北,會師武漢。孫傳芳提出:國民革命軍應停戰並退出湖南,"湘交湘人自理,作緩衝地"。對此,何成濬表示:"停戰未始不可,但必須吳軍退出鄂境,以兩湖作緩衝地方能商議。"[4] 第二次,孫傳芳要求國民革命軍在嶽州停止前進,"以和平手段處置國事"。何成濬則要求孫傳芳先促吳佩孚下野,"擔保吳不復在政治上活動;在嶽停止一節,亦可商議"。[5] 會談中,孫傳芳只表示,"國民黨之三民主義,亦表贊同,惟共產主義深所反對"。[6] 對何成濬的具體意見則始終不答復。9月初,張群再次赴寧。孫傳芳強烈地表示,不能接受國民政府任命,但又同時聲稱:"保持和平,不投入漩渦。"[7] 孫的左右手楊文愷則提出辦法三條,要求張群轉達蔣介石,其內容為:在現下不犯入其轄境,將來與廣東國民政府立於對等地位,"商量收拾全局";粵方"須表明非共產"等。[8]

除派代表磋商外,孫傳芳、蔣介石等人之間的函電聯繫也很頻繁,彼此都要求對方撤退。9月6日,孫傳芳致電譚延闓、蔣介石等,聲稱粵軍進攻江西萍鄉,"傳芳已命我軍後退百里,請粵軍亦迅速撤退,以免誤會"。[9] 7日,再

---

1 《民國十五年以前之蔣介石先生》。
2 《蔣介石日記類鈔‧軍務》,1926年8月17日。
3 《蔣介石致何雪竹電》,1926年8月18日,台灣《近代中國》第23期,1987年6月30日出版。
4 《何成濬致譚延闓密函》,1926年9月4日,中國第二歷史檔案館藏;《粵蔣代表何成濬之談話》,《申報》,1926年9月4日13版;何成濬:《八十回憶》,《近代中國》第23期。
5 同上注。
6 《粵蔣代表何成濬之談話》,《申報》,1926年9月4日13版。
7 《何成濬致譚延闓密函》,1926年9月7日,中國第二歷史檔案館藏。
8 同上注。
9 《東南局面將有大發展》,《晨報》,1926年9月9日2版。

電限 24 小時退回粵境。[1] 蔣介石則於 9 月 10 復電孫傳芳，建議由原江西軍務督辦、國民政府新委任的江西宣慰使兼第十一軍軍長方本仁主持贛政。[2] 13 日，再電孫傳芳，聲言"執事以保境安民為職志，應速撤退駐贛各軍"。[3] 此後，蔣介石一直堅持要孫傳芳以此點來表示"誠意"，並稱："本軍決不擴大戰區，即使佔領了江西，亦可如前議歸還。"[4] 談判一直若斷若續。

孫傳芳和張作霖、張宗昌之間長期存在仇隙，不久前還是生死冤家。他在出兵援贛之際，不能不調整關係，以免後門失火。

8 月 16 日，五省聯軍訓練總監王占元由天津到達濟南；9 月 7 日，到達南京。王占元南行的任務是動員孫傳芳與張作霖拋卻前嫌，合作援吳。8 日，孫傳芳致電張作霖，表示"備悉我公懇懇關垂之意"，"今赤焰梟張，勢將燎原"，"願追隨左右，共挽頹局"。[5] 9 日，張作霖復電："東南半壁，全賴我兄支柱"，"弟但知大局為重，微嫌小隙，早付東流"。[6] 在王占元南行之後，提倡大北洋主義的靳云鵬也於 11 日接踵而至。靳於 8 日到奉，參與軍事會議，對張作霖說："黨軍既以北伐為名，在勢必不止於長江，彼方行步步為營之策，得湘、鄂即窺豫贛，得長江安能保其不窺河北？"[7] 靳建議聯孫制蔣。當時，張宗昌也在奉，經靳勸說後表示："馨遠若能斷然出兵打蔣介石，山東有一兵一卒走入江蘇，算我姓張的不夠朋友！"[8] 靳、孫會談結果，孫傳芳表示，將親率 13 萬大軍進駐江西。11 日，孫傳芳致電張宗昌稱："效帥忠勇奮鬥，肝膽照人，請聯合出兵，共同討赤"，"傳芳誠意與奉魯合作，此心可質天日。"[9] 14 日，靳云鵬、王占元聯翩到濟，轉達孫傳芳的"合作"之意，請奉魯軍速由京漢路進攻武漢，孫方將由贛進攻黨軍側面，同時保證孫軍在蘇魯交界不駐重兵。[10] 當日晚，張宗昌即派潘復、文和、吳家元三人為代表赴寧會見孫傳芳，潘復表示："效帥為直接

1　《南京孫傳芳通電》，《申報》，1926 年 9 月 9 日 6 版。
2　《蔣介石致孫傳芳電》，《晨報》，1926 年 9 月 17 日 2 版。
3　《駁復孫傳芳陽電》，《民國十五年以前之蔣介石先生》，第八編。
4　《蔣介石復張群書》，《申報》，1926 年 9 月 22 日 9 版。
5　《孫傳芳聯張討蔣電》，《申報》，1926 年 9 月 12 日 4 版。
6　《奉張電孫表示合作》，《申報》，1926 年 9 月 13 日 4 版。
7　《奉寧對南軍事之結合》，《申報》，1926 年 9 月 17 日 6 版。
8　同上注。
9　《奉魯蘇聯合對粵之形勢》，《申報》，1926 年 9 月 15 日 4 版。
10　同上注。

（截）了當之人，非爾虞我詐者可比"，"一俟蘇魯妥協，即行出兵"。[1] 16 日夜，雙方協議：江蘇徐州、山東兗州雙方駐兵不過一旅；遇必要時，魯軍得假道徐州隴海東站入豫，但徐州以南五省勢力圈之軍事，魯方決不干預。[2]

經過王占元、靳云鵬的斡旋，蘇孫、魯張、奉張之間的聯盟初具雛形。9 月 19 日，張作霖派人赴寧答謝，攜帶共同出兵計劃及解決內閣方案，徵求孫傳芳意見。同日，楊文愷等赴濟，代表孫傳芳和張宗昌交換了蘭譜。[3] 20 日，匆匆返寧報命。

在和張作霖、張宗昌結盟的同時，孫傳芳還於 9 月 14 日派出密使會見英國駐滬領事，以"中國的安全岌岌可危""英國利益同樣受到威脅"為理由，要求英國給以任何形式的合作。密使表示，"只要能消滅布爾什維克的威脅"，孫傳芳準備冒奉軍賴在長江一帶，以及被指責向外國人出賣祖國的風險。[4] 15 日，英國公使麻克類向外交部建議，由駐滬領事向孫傳芳保證，視孫軍與廣州軍隊作戰情形，予以"最適當、最有效的援助"。[5] 但是，英國政府對沉浮變幻的中國軍閥不放心，擔心孫傳芳的失敗會使英國的處境"更為難堪"，[6] 因此仍持觀望態度。

儘管如此，楊文愷的濟南之行，在一定程度上消除了孫傳芳的後顧之憂。21 日晨，孫傳芳乘江新輪赴贛。在船上，他發表談話說："予此次出師，抱定三愛主義，曰愛國，曰愛民，曰愛敵。""誓本此旨，為此次作戰主義。大局定後，即以三愛為我黨之黨綱。"[7] 到九江後，即以江新輪為總部，指揮江西戰事。同時命皖軍陳調元部駐紮於湖北武穴，準備上窺武漢。

三、蔣介石決策進軍江西與程潛首攻南昌

北伐最初的戰略是各個擊破，集中力量首攻吳佩孚，因此軍中有"打倒吳

1　《孫傳芳出發有待》，《申報》，1926 年 9 月 18 日 9 版。

2　《蘇魯合作問題》，《申報》，1926 年 9 月 20 日 4 版。

3　《楊文愷、張學良先後抵濟》，《申報》，1926 年 9 月 20 日 4 版。

4　Sir, R. Macleay to Sir Austen Chamberlain, No. 374, Tel, September 15, 1926, Fo405/252A, p. 218.

5　同上注。

6　Sir W. Tyrrell to Sir R. Macleary, No. 269, Most Secret, Tel, September 27, 1926, Fo405/252A, p. 223.

7　《孫傳芳三愛主義》，《晨報》，1926 年 9 月 27 日 2 版。

佩孚，妥協孫傳芳，放棄張作霖”的口號。8 月 5 日，蔣介石與蘇聯軍事顧問加倫討論攻鄂攻贛戰略，加倫主張先攻武漢，“對贛暫取守勢”，蔣介石贊同加倫的意見。[1] 12 日，長沙軍事會議再度肯定了在攻克武漢後乘勝入贛的方針，決定以第二、第三、第六各軍監視江西，防禦後方。但會後不久，蔣介石即企圖改變這一決定，提前入贛。14 日，電告何應欽、賴世璜、譚道源第二期作戰計劃：對江西暫取“攻勢防禦”，如偵知敵有向我攻擊之企圖時，即以第二、第三軍進佔萍鄉，並相機進取南昌、九江，同時，以南雄第五師及贛東獨立第一師協同攻取贛州，進佔吉安。[2] 26 日，再電何應欽，聲稱“武漢或不日可下”，催促賴世璜速佔贛州。[3] 27 日，電告程潛，我軍決於 9 月 1 日，對江西實行攻擊，先取贛州。[4] 29 日，蔣介石決定親自指揮江西戰事，並於 31 日和加倫商量，加倫當時在攻克武漢後是進取河南還是回兵江西問題上方針未定，[5] 因此有猶豫之意，但蔣介石則決心已下。[6] 9 月 1 日，決定攻贛計劃。2 日，他下達了二、三、六軍協同動作，三天後進攻的命令。

這一決策的改變是由多方面的原因造成的。其一是孫傳芳的出師援贛。孫軍謝鴻勳師、楊鎮東旅入贛後，即向贛西北的武寧、修水一帶進軍，其目的在於進擾瀏陽、平江、通城等地，威脅國民革命軍的側背，阻止其進取武漢。為此，蔣介石會同朱培德制訂了一項迎戰計劃，以第二、第三軍入贛，進攻萍鄉、萬載、袁州等地，在將該地區之敵撲滅後，以必要兵力協同第六軍夾擊修水方面孫軍。[7]

其二是和唐生智矛盾的進一步發展。蔣介石入湘以後，即與唐生智不和，其日記稱：“入湘以來，為其當道懷疑抱恐，拒之不得，迎又不願。”[8] 這裏所說的“當道”，即指唐生智。長沙軍事會議後，由唐生智指揮主力第四、第七、第八軍奪取武漢的局面已經形成。這一路節節勝利。8 月 22 日克嶽州，27 日克汀

---

1 《蔣介石日記類鈔・軍務》，1926 年 8 月 5 日；參見《北伐陣中日記》（油印本），1926 年 8 月 6 日。

2 《民國十五年以前之蔣介石先生》，第八編三，第 89 頁。

3 《民國十五年以前之蔣介石先生》，第八編三，第 130 頁、第 133 頁。

4 《民國十五年以前之蔣介石先生》，第八編三，第 130 頁、第 133 頁。

5 《中央局報告》，《中共中央政治報告選輯》，中共中央黨校出版社 1981 年版，第 68 頁。

6 《蔣介石日記類鈔・軍務》，1926 年 8 月 31 日。

7 《民國十五年以前之蔣介石先生》，第八編四，第 8 頁。

8 《蔣介石日記類鈔・軍務》，1926 年 8 月月 7 日，1926 年 8 月 29 日。

泗橋，出現了"武昌指日可下"的形勢，蔣介石急於另闢戰場並迅速取勝，以提高自己的威望。他 29 日的日記說"余決心親督江西之戰，以避名位"，[1] 正是這一心情的曲折表現。

其三是對共產黨人和國民黨左派的猜忌。這一方面，他的日記多有記載。8月 20 日云："得粵電，知後方有迎汪之謀，代行者亦有此意，或另有他圖，以為倒蔣之伏線。"[2] 同月 23 日云："閱《嚮導報》，陳獨秀有誹議北伐言論，其用意在減少國民黨信仰，而增進共產黨地位也。此後入於四面楚歌之境，惟有奮鬥自強耳。"[3] 這種情況，也增強了他另圖表現的決心。

當時，第二、第三軍集中醴陵，第六軍集中通城，為了加強力量，蔣介石並調第一軍第一師至瀏陽，為總預備隊。9月 2 日，蔣介石電告程潛，在他本人未入贛以前，第六軍暫歸朱培德指揮。[4] 5 日，國民革命軍開始進攻。鄧如琢本來和孫傳芳有矛盾，又新遭父喪，曾於 8 月 20 日致電吳佩孚、孫傳芳辭職，吳、孫不允，孫並授以第一方面軍司令之職，於是鄧便"墨経"出師。他採取誘敵深入策略，節節撤退，[5] 國民革命軍進展迅速。9 月 6 日，第二、第三軍佔領萍鄉。7 日，新近歸附北伐軍的賴世璜部及第二軍第五師譚道源部收復贛州。11 日，第六軍佔領修水。在勝利的鼓舞下，蔣介石急匆匆地於 12 日電令朱培德，要求他從速督軍，"猛進南昌"[6]。由於敵軍主力正在樟樹佈防，與第二、第三軍相持，南昌城內只有鄧如琢的騎兵團和少數警察部隊，不過 600 人左右，因此，程潛決定變更原定攻擊德安和塗家埠的計劃，搶在朱培德之前奇襲南昌。蘇聯顧問康奇茨勸他等一等，與朱培德協調行動。[7] 但程潛本來和朱培德有矛盾，不願受其指揮。[8] 他聽從總參議楊傑的建議，命令第十九師等部星夜兼程前進，搶先佔領南昌。[9]

1　《蔣介石日記類鈔‧軍務》，1926 年 8 月月 7 日，1926 年 8 月 29 日。

2　《蔣介石日記類鈔‧軍務》，1926 年 8 月 20 日。

3　《蔣介石日記類鈔‧軍務》，1926 年 8 月 23 日。

4　《民國十五年以前之蔣介石先生》，第八編四，第 9 頁。

5　參見《孫傳芳魚電》，《申報》1926 年 9 月 9 日 4 版；《浙中所得盧香亭捷電》，《申報》，1926 年 9 月 28 日 4 版。

6　《民國十五年以前之蔣介石先生》，第八編四，第 29 頁。

7　切列潘諾夫：《中國國民革命軍的北伐》，中譯本第 478 頁。

8　蔣介石 1926 年 9 月 5 日日記云："少頃，程潛又來辭職，以不願受益之指揮，且入他人妻菲（斐）耳。"

9　吳宗泰：《國民革命軍第六軍參加北伐及其被解體經過》，《廣東文史資料》第 31 輯，第 184 頁。

9 月 19 日，第十九師便衣隊 200 餘人潛入南昌城內，在工人、學生和省長公署警備隊的回應下，向鄧如琢的騎兵團發動攻擊。同時，五十六團張軫部爆破惠民門，進入市區。南昌警備司令劉煥臣、省長李定魁聞訊後越牆逃跑。

南昌既克，程潛在凱歌齊奏中躍馬入城，受到市民熱烈歡迎。22 日，召開群眾大會，到會 1 萬餘人。第六軍政治部李世璋在會上宣講了北伐軍的政策，對人民的支持表示感謝。江西群眾也登台發言，控訴軍閥、官僚的罪行。當時，正值中秋前兩天，市民殺豬宰羊，抬著月餅勞軍。中秋之夜政治部派出宣傳隊，掛起煤油燈在街頭演出，南昌城出現了前所未有的動人場景。

繼第十九師之後，指揮總預備隊的王柏齡也率領第一軍第一師部分人員進入南昌，同時向總部報功。朱培德指揮的第二軍、第三軍本已離南昌不遠，因聽說南昌已下，便勒兵不前，在原地休息了一天。[1] 這樣十九師便成了深入敵巢的孤軍。

按程潛原計劃，當第十九師奇襲南昌之際，王柏齡所率第一軍第一師王俊部應向城西南潯鐵路上的牛行車站急進，奪取該站，向北警戒；第十七師應向城南靠近贛江西岸的生米街急進，並由該處渡江，向南警戒。但直至 20 日晚，第一師僅有兩營到達。次日，進攻牛行站，守敵為維持交通線，頑強抵抗。第一師因為中山艦事件後即將共產黨人排斥出去，戰鬥力不強，幾乎無法支持，靠了第六軍第十七師、第十九師的支援，至 22 日才逐漸得手。[2]

鄧如琢獲悉南昌失守，即由豐城向師。盧香亭也命鄭俊彥率第十師及楊賡和獨立旅約兩萬人，由九江南下馳援。[3] 孫軍以優勢的兵力、火力反撲。王柏齡在進入南昌後，就到妓院作樂，軍中無主。[4] 程潛感到孤城難守，下令撤離南昌。23 日晨，第十九師在萬河一帶被鄧如琢部包圍。經苦戰，24 日突圍，渡過贛江。25 日，在萬壽宮附近收容殘部。其間，王柏齡及一軍黨代表繆斌不知去

1　方之中：《回憶北伐─南昌之役》，《天津文史資料》第 14 輯，第 46 頁；李世璋：《關於北伐前後的第六軍》，《江西文史資料選輯》第 2 輯，第 4 頁；切列潘諾夫：《中國國民革命軍的北伐》，中譯本第 479 頁；《中央局報告》（十、十一月），《中共中央政治報告選輯》，第 108 頁。

2　程潛對蔣介石的報告，見陳訓正：《國民革命軍戰史初稿》上卷，第 175 頁。

3　馬葆珩：《孫傳芳五省聯軍的形成和消滅》，《北洋軍閥史料選輯》下冊，第 309 頁。

4　《李宗仁回憶錄》，廣西師範大學出版社 2005 年版，第 408 頁；韓梅村：《第一次國內革命戰爭片斷回憶》，《江西文史資料選輯》第 2 輯，第 35 頁；吳宗泰：《國民革命軍第六軍參加北伐及其被解體經過》，《廣東文史資料》第 31 輯，第 186 頁。

向，程潛因失去部隊掩護，只好疏散隨員，剃鬚化裝，靠了江西老表的領路，才得以擺脫敵人。事後，白崇禧譏笑程潛的這次遭遇為"曹孟德潼關遇馬超"。[1] 此次戰鬥，第六軍第十七師、第十九師、第一軍第一師損失了大部分兵力。

孤軍深入向為兵家大忌。程潛首攻南昌失利，其原因即在於此。

鄧如琢軍入城後，閉城大搶三日，任意殺人，以殺取樂。因為學生曾歡迎北伐軍入城，所以凡學生裝打扮者，均有性命之憂。據記載，"數齡小兒，亦被其砍作多塊，滿掛街衢。"[2] 南昌一時陷入了白色恐怖中。

四、蔣介石入贛與再攻南昌

蔣介石於 9 月 19 日到達江西萍鄉。此前，他雖然早就下了親自指揮贛戰的決心，但還是於 9 月 3 日到了武昌城下。在進攻武昌過程中，他的嫡系部隊第二師的腐敗暴露得更加明顯，他本人和趾高氣揚的唐生智之間的矛盾也到了不能相容的地步。4 日蔣介石日記云："最恨以下淩上，使人難堪，如此奇辱，豈能忍受乎？"8 日日記云："接孟瀟總指揮函，其意不願余在武昌，甚明也。"他自悔不能早出江西，將武漢交給唐生智。14 日日記云："余決離鄂向贛，不再為馮婦矣，否則人格掃地殆盡。"[3] 這樣，他終於在 17 日離開湖北前線。25 日，指令李宗仁率第七軍由鄂東南的興國乘虛猛攻九江，斷敵歸路，並設法與程潛取得聯繫。[4]

但李部遵命進入贛境後，卻不知六軍去向。李宗仁感到，如繼續向九江進軍，將處於敵人重重包圍中。他決定改變戰略，捨棄九江，移師南向，找尋六軍。蘇聯顧問馬邁耶夫堅決反對，聲言"在蘇聯，指揮官如擅改作戰計劃或不聽命令，是犯死罪的"，但李宗仁執意不變。結果，在箬溪與孫軍謝鴻勳部相遇。9 月 30 日，李宗仁下令全軍出擊，鏖戰近一日，謝軍全線崩潰。李部俘獲

1 《李宗仁回憶錄》，第 408 頁。
2 《平贛右翼軍總指揮部政治部行軍通訊》，《廣州民國日報》，1926 年 11 月 9 日。
3 《蔣介石日記類鈔·軍務》。
4 《民國十五年以前之蔣介石先生》，第八編四，第 86 頁。

2000 餘人，[1] 謝鴻勳受重傷，不久在上海死去。[2] 謝本人是孫傳芳的心腹，謝部是孫傳芳的精銳，此役為國民革命軍入贛後的第一個大勝仗。10 月 3 日，第七軍乘勝進攻德安。德安位於南潯路中心，是敵人補給要站，有重兵駐守，且構築有堅固工事，經激戰後於當日攻克。

第三軍自第六軍退出南昌後，即駐紮於萬壽宮附近。朱培德與程潛等會議決定，各軍後退，誘敵前進，相機聚殲。[3] 9 月 30 日，孫軍第二方面軍鄭俊彥部 1 萬餘人挾南昌戰勝餘威，向第三軍陣地進攻。朱培德以第七師王均部任正面防禦，以第八師朱世貴部迂迴敵後，攻擊側背，並以預備隊第九師作為增援力量，激戰至 10 月 2 日，佔領萬壽宮。孫軍江西總司令鄧如琢由於近在樟樹，坐視不救，被孫傳芳於 10 月 3 日撤職，以鄭俊彥繼任。[4]

第七軍、第三軍先後告捷，蔣介石估計殲滅孫軍約過半數，便於 10 月中旬，以自己的嫡系第一軍第二師為主力，會同第二軍、第三軍，第二次進攻南昌。

第二軍原處贛江西岸，與駐守樟樹的鄧如琢部隔江對峙。9 月底，各部陸續渡江。30 日，蔣介石親赴清江督師。10 月 5 日，第一軍第二師佔領樟樹。[5] 6 日，佔領豐城。9 日，第一軍第二師與第二軍五、六兩師到達南昌城下，線軍退入城內固守，使守城部隊達到五六千人之數。為了使北伐軍在城外失去進攻屏障，岳思寅、唐福山、張鳳岐等賞洋兩萬元，命令工兵營在城外縱火，延燒了兩天。惠民門、廣潤門、章江門、德勝門外不少繁華地區成為焦土，名勝滕王閣也在這次大火中被毀。12 日晨，國民革命軍各師同時開始攻擊，第六師各團並組成了以共產黨員為骨幹的奮勇隊架梯登城，[6] 守軍憑藉城防固守，進攻受挫。同日，蔣介石趕到南昌，與白崇禧、魯滌平會商。南昌城垣堅固，白崇禧反對圍城硬攻，但蔣介石求勝心切，親往北門第二師陣地，決定夜 12 時爬城。

當夜，第二師第六團正在作攻城準備之際，敵軍敢死隊從城下水閘中破關

1 《李宗仁回憶錄》，第 392—396 頁。
2 《謝鴻勳昨晨傷重逝世》，《申報》，1926 年 10 月 17 日 13 版。
3 雄鷙：《平贛後翼部指揮部行軍通訊》，《廣州民國日報》，1926 年 11 月 6 日。
4 《本館要電》，《申報》，1926 年 10 月 5 日 3 版。
5 《第二師劉師長報告》，《北伐陣中日記》（油印本），1926 年 10 月 8 日。
6 肖勁光：《北伐紀實》，《歷史研究》1984 年第 3 期，第 179 頁。

而出，襲擊攻城部隊。時值黑夜，不辨虛實，第六團秩序大亂。蔣介石幾次抓住白崇禧的手問："怎麼辦？怎麼辦？"白崇禧事先已在贛江上游搭了兩座浮橋，便下令全軍沿贛江東岸南撤，由浮橋渡江，退往西岸。[1] 蔣介石自感指揮無方，既煩惱，又緊張，"終夜奔走，未遑寧息"。[2] 混戰中，第二師第五團團長文志文等陣亡，部隊及裝備受到很大損失。13 日，蔣介石下令撤圍。他在日記中寫道："因余之疏忽鹵莽，致茲失敗，罪莫大焉，當自殺以謝黨國；且觀後效如何。"[3] 在損兵折將的嚴酷現實面前，蔣介石多少表現了一點自我責備的意思。

蔣介石進攻南昌失利，孫軍小勝。10 月 15 日，孫傳芳在九江的聯軍總部參謀處通電云："據俘虜及百姓均稱，蔣中正在南昌附近受傷甚重，聞係子彈中其腹部，因而致亡。俄人鮑羅廷、加倫等亦受傷，均抱頭鼠竄而去云云。"[4] 緊接著孫傳芳、吳佩孚等紛紛通電慶賀，聲稱"佇看樓蘭將滅，痛飲黃龍"，他們忘記了這條消息只是"俘虜及百姓均稱"，並未核實，就急急忙忙地宣傳起來了。[5]

五、三攻南昌與江西戰場的勝利

再攻南昌的失利使蔣介石冷靜了下來。10 月 14 日，他通知各軍暫取守勢，同時，決定調在兩湖戰場上屢建功勳的第四軍及賀耀祖的獨立第二師來贛。

這時，蔣介石的威望更為降低。唐生智多次向蘇聯顧問鐵羅尼表示："蔣介石太累了，他不可能在江西完成任何事情，最好還是休息，假如我來指揮，將不僅奪取江西，南京也不在話下。"[6] 10 月中旬，加倫親赴武漢求援，說明江西戰場的失敗將威脅湖南、廣東，北伐甚至可能因此垮台。[7] 中國共產黨人也極力

1　《李宗仁回憶錄》，第 409 頁。
2　《蔣介石日記類鈔・軍務》，1926 年 10 月 11 日。
3　《蔣介石日記類鈔・軍務》，1926 年 10 月 13 日。
4　《孫軍總部捷報》，《晨報》1926 年 10 月 19 日。
5　參見拙作《北伐中蔣介石負傷身死的風傳》，《團結報》1988 年 2 月 2 日。
6　Document 44, Wilbur and How, *Document on Communism Nationalism and soviet Adviers in China*, Columbia University Press, 1956, p. 415.
7　《張國燾回憶錄》，現代史料編刊社 1980 年版，第 153 頁。

向各方陳說利害，希望他們放棄目前的小衝突，迅速集中力量消滅孫傳芳。[1] 結果圓滿。20 日，第四軍第十二師張發奎部自武昌乘輪東下。蔣介石得到有關消息後"如獲至寶"。[2]

第二次進攻南昌失利之際，第七軍又在贛北打了一次勝仗。攻克德安後不久，孫傳芳命盧香亭等以重兵反攻。第七軍因補給中斷，並探悉敵人有包圍之勢，為避免腹背受敵，於 10 月 7 日退至箬溪休整。孫軍第八混成旅旅長顏景宗因此被升為第六方面軍司令。12 日，李宗仁在王家鋪一帶發現皖軍陳調元部。陳部依山佈守，七軍自下仰攻，進展艱難。李宗仁考察地形後，改取中央突破，反撲兩側辦法，又經第一師增援，於次日攻克王家鋪。

第七軍入贛後，進攻孫軍側翼，三戰連捷，對於江西戰場形勢的轉變，有很大作用。後來，陳調元曾表示佩服，稱之為"鋼軍"。[3]

除王家鋪之役外，江西戰事一時處於沉寂狀態。

早在國民革命軍第一次進攻南昌失利之後，孫傳芳便提出雙方於 10 月 3 日停戰，恢復原狀。10 月 14 日，蔣介石復電孫傳芳代表葛敬恩、徐培根，要求孫傳芳先行確定撤退援贛軍隊日期，同時邀請江浙和平代表蔣尊簋、史家麟、趙正平、魏炯諸人到前方面商。23 日，葛敬恩、魏炯在奉新會見蔣介石，聲稱孫傳芳"可放棄閩贛，惟須保江、浙、皖，暗中結約，共同對奉，商妥後，即由贛撤兵"。[4] 加倫主張"表面答應，實則準備總攻擊"。蔣介石與鄧演達商量之後提出：1. 浙江歸國民革命軍；2. 江蘇、安徽作為孫傳芳的勢力範圍，但應允許國民黨自由宣傳；3. 孫傳芳撤退援贛之兵前一日為停戰之期。[5]

28 日，蔣尊簋自南昌抵達蔣介石行營所在地高安，表示只要保持孫傳芳的五省總司令的頭銜，其余皆可商量。蔣介石答以孫傳芳確定撤兵之期再言其他，限於 11 月 1 日前用無線電話答復。[6] 11 月 1 日，蔣介石讀到蔣方震復葛敬

1 《中央局報告》（十、十一月份），《中共中央政治報告選輯》，第 109 頁。
2 《民國十五年以前之蔣介石先生》第 18 冊，第 92 頁。
3 《白崇禧先生訪問記錄》下冊，第 820 頁。
4 《特立同志由漢口來信》，《中央政治信訊》第 10 期。
5 《蔣介石日記類鈔·軍務》，1926 年 10 月 23 日。參見蔣介石致張靜江、譚延闓電，《民國十五年以前之蔣介石先生》第 18 冊，第 109、117 頁。
6 《蔣介石日記類鈔·軍務》，1926 年 10 月 29 日，1926 年 11 月 1 日。

恩函。當時，蔣方震正在孫傳芳軍中參贊軍事，蔣介石對他的態度極為不滿，在日記中寫道："敷衍油滑，是誠軍閥走狗不若矣，其人之肉不足食也。"[1]

同日，戰事再起。

國民革命軍自放棄南昌後，主力集結於南潯路以西地區整頓，同時，白崇禧、加倫、蔣介石等積極制訂計劃，準備第三次進攻。

鑒於孫軍主力集中在南潯路九江、德安、建昌、塗家埠等地，得交通之便，可以及時轉移兵力，相互增援，因此，第三次進攻以截斷南潯路，殲滅孫軍主力為主，而不急於奪取南昌。在兵力配備上則分為三路：1. 右翼軍，由第二、第三軍等組成，朱培德指揮。其中又分左、右縱隊。2. 中央軍，由第六軍組成。3. 左翼軍，由第七軍及新近調贛的第四軍與獨立第二師等組成。此外，另設總預備隊，由第一軍的第一、二師及炮兵團組成，劉峙任指揮。總攻擊時間定為 11 月 1 日拂曉前。10 月 20 日，由第十四軍組成的右翼軍右縱隊攻克撫州。30 日，蔣介石下令各軍將士，"務將孫之勢力迅速撲滅"，"寧為玉碎，毋為瓦全，能為最後之犧牲，始博最後之勝利"。[2] 11 月 2 日，第二軍第四、五兩師從東、南兩面進逼南昌郊區，陳兵城下。

右翼軍左縱隊以蛟橋為進攻目標。11 月 3 日，第二軍第六師和第三軍第七師、第八師等聯合攻佔該地。4 日，圍攻瀛上、牛行，孫軍自樂化來援。5 日，第三軍左翼陣地動搖，蔣介石命補充第四團警衛團加入戰線，仍感不足，又致函程潛、劉峙，調第二師增援，加倫認為不必要。在加倫的鎮定面前，蔣介石"甚慚自信力薄弱"。[3] 果然不出加倫所料，陣地迅速穩固下來。據蘇聯顧問回憶，當時，"蔣介石焦躁不安，知道對他來說成敗在此一舉，一旦失利，他的整個前程就將成為泡影。蔣介石三番五次地當著總軍事顧問的面，真正地大發歇斯底里，搓手，哭泣，喊著'一切都完了'，說要開槍自殺。布留赫爾（指加倫——筆者）每次都是好不容易才讓這位神經脆弱的總司令平靜下來"。[4] 7 日，右翼軍佔領瀛上、牛行，切斷了南昌地區孫軍的陸上主要退路。

---

1 《蔣介石日記類鈔·軍務》，1926 年 10 月 29 日，1926 年 11 月 1 日。
2 《民國十五年以前之蔣介石先生》，第八編五，第 141 頁。
3 《蔣介石日記類鈔·軍務》，1926 年 11 月 5 日。
4 阿基莫娃：《中國大革命見聞》，中國社會科學出版社 1985 年版，第 204—205 頁。

中央軍以樂化為進攻目標。11月3日，佔領蘆坑車站，並將鐵道破壞。4日，蔣介石致電張發奎、李宗仁等，指出塗家埠為敵軍主力所在，要求他們迅速南下，與第六軍一起夾擊孫軍。當晚，第六軍在總預備隊第一、第二兩師與炮兵團支援下，佔領樂化。[1] 隨即分東西兩路向塗家埠攻擊前進。5日晚，第六軍與南下的第七軍聯合攻佔塗家埠。殘敵向鄱陽湖畔的吳城潰退。6日，第二師追擊至吳城。

　　左翼軍以德安、塗家端口為進攻目標。11月2日，第七軍西路逼近德安，與孫軍第六方面軍的3000餘人發生激戰，佔領該城。同日，獨立第二師賀耀祖部在德安北部的馬回嶺與孫軍交火，馬回嶺駐有重兵，戰況劇烈。在第四軍第十二師張發奎部及第七軍第一旅增援下，於3日佔領馬回嶺。4日，孫傳芳乘決川艦赴武穴，意在促使陳調元進攻武漢，以解九江之危。但陳按兵不動，孫又返航九江。[2] 5日，賀師乘勝北上，佔領九江、瑞昌。孫軍見敗局已定，失去鬥志，只圖逃竄。孫傳芳見不可收拾，6日，鼓輪東下，返回南京。周鳳岐部不戰退回浙江，陳調元、王普部退回安徽。

　　至此，南潯線及南昌城郊的孫軍已全部被擊潰，城內僅餘唐福山等殘部兩三千人。他們表示要歸方本仁收編，企圖遷延時間。11月7日，蔣介石至南昌車站與朱培德商量監視城內敵人計劃。8日，下令攻城，城內殘敵投降，退出城外。革命軍入城後，"民眾歡騰，往日蕭條寂寞景象陡變為熱鬧市場，男女老幼，擁擠道途，爭相瞻仰革命軍旗幟之飄搖"。[3] 同日，白崇禧率領由第二、第三、第七各軍組成的追擊部隊進至滁槎以東的漢口附近，將準備沿鄱陽湖岸東逃的孫軍主力截住，孫軍主帥鄭俊彥隻身逃走，下轄旅長王良田、李彥青、楊賡和派使者請降。[4]

　　11月9日，蔣介石進入南昌，江西戰役勝利結束。此次戰役，殲滅了孫傳

1　關於佔領蘆坑和樂化的時間，《六軍參加江西戰爭記》認為分別在11月4日與5日，見中央檔案館編《北伐戰爭》第15頁。按：此說誤，本文所述，據《呈報攻克蘆坑、李莊、樂化作戰經過狀況文》（歐振華：《北伐行軍日記》，第69—70頁，1931）及蔣介石致李宗仁、白崇禧電（《民國十五年以前之蔣介石先生》第19冊，第7頁）。

2　楊文愷：《孫傳芳的一生》，《天津文史資料》第2輯，第91頁。

3　《朱培德電》，《廣州民國日報》，1926年12月9日6版。

4　《白崇禧先生訪問記錄》上冊，第43—44頁；下冊，第828—829頁。

芳的大部分精銳部隊，據朱培德電稱，僅 7、8、9 三日，右翼軍即繳獲敵槍 3 萬餘支，各種大炮 20 餘門，機關槍 30 餘挺，俘獲師長唐福山、岳思寅、張鳳岐 3 名，團長以下官兵 5 萬人。左翼軍、中央軍在建昌、吳城方面繳槍 2 萬餘支，機關槍 20 餘挺，大炮數門，俘虜 2 萬人。[1] 至此，孫傳芳的第一、第二、第三方面軍殲滅殆盡。但是，國民革命軍也付出了沉重代價，官兵傷亡約達 1.5 萬人。

江西戰場最初失利的重要原因在於蔣介石急於顯露自己，在敵人還保有強大兵力時就企圖迅速奪取中心城市南昌，結果遭到挫敗。其後，不得不增調驍勇善戰的第七軍與第四軍，同時改變戰略方針，首先致力於截斷交通線，擊潰孫軍主力，形成對中心城市的包圍態勢，這才取得了勝利。

江西戰場的勝利沉重地打擊了直系軍閥勢力，使北伐軍據有的廣東、湖南、湖北得到屏障，這是有利於革命形勢的發展的。同時，它也挽救了岌岌可危的蔣介石的軍事威信，使他有了一塊立足之地，成為不久以後同國民黨左派進行遷都之爭的“資本”。在北伐過程中，鮑羅廷、加倫和中國共產黨人曾企圖在取得武漢後，出兵河南，而蔣介石則力圖向長江中下游進軍，以便取得江浙資產階級的援助和帝國主義的支持，公開反共，建立新的軍事獨裁統治。江西戰役勝利以後，蔣介石的這一反共意圖就更加不可逆轉，並在複雜的歷史合力作用下最終得以實現。

---

1 《朱培德電》，《廣州民國日報》，1926 年 12 月 9 日 6 版。

北伐時期左派力量與蔣介石的矛盾及鬥爭 *

* 本文錄自《蔣氏秘檔與蔣介石真相》，重慶出版社 2015 年版；原載《中共黨史研究》1990 年第 1 期。

中山艦事件後，汪精衛被迫"請假"離國，蔣介石在國民黨二屆二中全會上提出限制共產黨人的整理黨務案，逐步掌握了黨權、政權和軍權。其後，中共為了奪取革命領導權，曾和國民黨中的左派人士團結合作，同蔣介石進行過幾次鬥爭，取得一定勝利，奪回了大部分黨權和政權，但是，由於未曾觸動蔣介石的軍權，最終還是失敗了。

一、迎汪復職

　　孫中山逝世後，汪精衛是國民黨左派的領袖。中山艦事件後不久，在廣州的蘇聯顧問就在內部文件中提出，"要使汪精衛復職"，讓汪、蔣聯合並團結起來[1]。但是，迎汪復職的口號卻是由國民黨左派之口提出來的。

　　1926 年 5 月 25 日，彭澤民在國民黨中央常務委員會上提議："汪精衛同志病仍未愈，本會應去函慰問，並申述本會熱望其早日銷假視事。"[2] 隨後，江蘇、安徽、湖北、廣西等區黨部陸續通電，要求汪精衛銷假視事，主持北伐大

1　文件 41，《聯共（布）、共產國際與中國國民革命運動》(3)，第 211 頁。
2　中國第二歷史檔案館編：《中國國民黨第一、二次全國代表大會史料》(上)，江蘇古籍出版社 1986 年版，第 549 頁。

計；于右任、經亨頤等並電請中央催促[1]。7月9日，蔣介石就任國民革命軍總司令，國民黨左派的迎汪要求更為迫切。8月初，國民黨中央接到汪精衛7月16日的信函，汪表示，辭去在政治委員會、國民政府委員會、軍事委員會中所任各職，"銷假以後，或在粵，或在別處為黨服務"[2]。何香凝主張藉此請汪復職。8月10日，她在中常會第47次會上臨時動議："現在請汪主席銷假者既函電紛馳，中央應分別答復及將原函電轉汪主席。"[3]次日，吳玉章由滬到粵，何香凝一見面就哭道："現在是跟北洋軍閥決戰的最後關頭了；可是國民黨內部情形這樣糟，怎麼辦？一個人專橫跋扈，鬧得大家三心二意，這次戰爭怎麼打下去，國民黨怎能不垮台？"[4]自此，二人即不斷聯絡左派，商量對策。

最初，國民黨左派計劃在攻克武漢後召開國民黨三大或臨時代表會議，實現迎汪打算。9月，確定召開中央及各省區聯席會議。為此，顧孟餘自願聯絡北方左派，吳玉章親到長江一帶活動。他們制定了兩項宣傳原則：1. 說明本黨現狀及3月20日事變真相；2. 口號為"鞏固本黨左派與C.P. 諒解合作"與"恢復黨權，擁汪復職"。但中共中央認為："第一項太利〔厲〕害了"，怕刺激蔣，要求"含渾一點"[5]。

蔣介石很早就認為，他和汪精衛之間"兩雄不能並立"[6]，因此，對迎汪復職疑懼不安，在二屆二中全會閉幕式上，蔣介石故作姿態地表示過："汪精衛、胡漢民兩同志，我們大家必要請他倆出來，尤其是汪先生，我們必須請他趕速銷假，主持黨務。"[7]但實際上他強烈反對汪精衛回國復職。1926年8月20日，他從廣東來電中得悉迎汪情況，認為其目的在"倒蔣"[8]。21日，中央軍校全體黨員電請汪精衛銷假："黨國無人主持，即黃埔軍校同志，亦如孺子之離慈母，彷徨歧路，莫決南針。"[9]這對蔣介石刺激很大。他在日記中寫道："從中必有人操縱，

1 《中國國民黨第一、二次全國代表大會史料》（上），第575—600頁。
2 《廣州民國日報》，1926年8月5日。
3 《中國國民黨第一、二次全國代表大會史料》（上），第635頁。
4 《吳玉章回憶錄》，中國青年出版社1978年版，第136頁。
5 《中央對於國民黨十月一日擴大會議的意見》，《中共中央文件選集》（2），第321頁。
6 《上海區委召開"民校"黨團擴大會議記錄》，1926年8月7日。
7 《民國十五年以前之蔣介石先生》，第八編二，第71頁。
8 《蔣介石日記類抄‧軍務》，1926年8月25日。
9 《廣州民國日報》，1926年8月23日。

決非大多數之真意，自吾有生以來，鬱結愁悶，未有甚於今日也。"[1] 由此，他進一步增加了對共產黨的憎恨，日記說："他黨在內搗亂，必欲使本黨糾紛、分裂，可切齒也。"[2] 但是，這一時期，他因嫡系部隊作戰不力和進攻武昌受挫，受到唐生智的輕視和排擠，正處於困境，對共產黨還不便強硬。

9月中旬，蔣介石派胡公冕到上海會見陳獨秀，聲稱汪精衛回來，將被小軍閥利用和他搗亂，分散國民革命的勢力[3]。蔣介石這裏所指的"小軍閥"，顯然包括唐生智在內。蔣介石擔心，汪回來，會受到唐生智等人的擁戴，成為他政治上的勁敵。蔣介石要求中共維持他的總司令地位，並要脅說："汪回則彼決不能留。"[4] 9月16日，中共中央與共產國際遠東局開會討論迎汪問題。會議認為：廣東政府自中派當權以來，縱容官僚、駐防軍及土豪劣紳摧殘農會，殺戮農民，包庇工賊，打擊左派學生，苛取商民捐稅，迫切需要從政治上恢復左派的指導權。目前有三條路可走：1. 迎汪倒蔣；2. 汪蔣合作；3. 使蔣成為左派，執行左派政策。但現正處於北伐期間，走第一條路太危險，繼蔣而起的李濟深、唐生智可能比蔣還右；走第三條路有很多困難；走第二條路比較適宜[5]。會後，陳獨秀對胡公冕表示：汪回有三種好處。第一，使國民政府增加得力負責人，擴大局面；第二，新起來的小軍閥與蔣之間的衝突，有汪可以和緩一些；第三，張靜江在粵的腐敗政治，汪回可望整頓。陳獨秀並稱：中共只是在以下三個條件下贊成汪回：1. 汪蔣合作，不是迎汪倒蔣；2. 仍維持蔣之軍事首領地位，愈加充實、擴大蔣之實力，作更遠大之發展；3. 不主張推翻整理黨務案。[6] 由於蔣介石邀請吳廷康赴鄂，9月21日，中共中央與吳廷康會議，研究如何在汪、蔣、唐之間進行權力分配以避免衝突[7]。會後，吳廷康即與張國燾赴鄂。但二人趕到時，蔣介石已經赴江西指揮作戰。27日，加倫勸蔣介石請汪"出任黨政"首領[8]。在蘇聯顧問中，蔣介石比較相信加倫，因此中共中央和共產國際的

---

1 《蔣介石日記類抄·軍務》，1926年8月25日。
2 《蔣介石日記類抄·軍務》，1926年8月30日。
3 《中央給廣東信——汪蔣問題的最後決定》，《中共中央文件選集》(2)，第325頁。
4 《中央最近對於我們的要求》，《中央政治通訊》第3期，1926年9月15日。
5 《中央致粵區的信——制訂左派政綱，促成汪蔣合作》，《中共中央文件選集》(2)，第315—316頁。
6 《中央給廣東信——汪蔣問題的最後決定》，《中共中央文件選集》(2)，第325—326頁。
7 《中共中央文件選集》(2)，第327頁。
8 《蔣介石日記類抄·軍務》，1926年9月27日。

意見常常通過加倫轉達。兩天後，蔣介石接到了汪精衛的來信，其中心意思是解釋中山艦事件，聲明“前事無嫌”[1]。10 月 3 日，蔣介石發出迎汪電報。內稱：“本黨使命前途，非兄與弟共同一致，始終無間，則難望有成。兄放棄一切，置弟不顧，累弟獨為其難於此。兄可敝屣尊榮，豈能放棄責任與道義乎？”[2] 該電表示，特請張靜江、李石曾二人前往勸駕，希望汪精衛“與之偕來，肩負艱巨”。從電報字面看，確能給人一種情意誠摯的感覺，但是，張靜江長期癱瘓，怎麼能遠涉重洋向汪精衛勸駕呢！

迎汪是為了抑蔣，但是，汪精衛其人，華而不實，脆而不堅，投機善變，並不是同蔣介石抗衡的理想人物。當年 9 月 12 日，共產國際遠東局派到廣東進行調查的使團曾經提出：汪精衛是“典型小資產階級和相當脆弱的政治家”，對他不應作過於樂觀的評價[3]。但遺憾的是，直到 1927 年下半年，國民黨左派和共產黨人才痛苦地認識到這一點。

二、國民黨中央及各省區聯席會議

1926 年 9 月，國民黨中央政治會議決定召開中央及各省區聯席會議之後，曾經成立過一個議案起草委員會，成員為譚延闓、孫科、李濟深、甘乃光、徐謙、鮑羅廷、顧孟餘等 7 人。從 9 月 14 日起至 29 日止，共開過 6 次會。其間，左派曾擬提出統一黨的領導機關案，將中常會、中政會合併，另選 13 人組織政治委員會，它可以包括左、中、右三派，但主席及秘書必須是左派。左派的意圖很清楚，即罷免蔣介石的中央常務委員會主席和張靜江的代理主席職務。對此，張靜江表示，這次大會不能提到主席問題，不能反對蔣做主席，聲言“請汪復職”，“不啻擁汪倒蔣，余誓以去就爭”。[4] 會下，他又以“前方戰事緊張”為理由，對鮑羅廷說：“要蔣先生辭去黨政，無異反對中國革命，我們請

1 《蔣介石日記類抄·軍務》，1926 年 9 月 29 日。
2 《民國十五年以前之蔣介石先生》，第八編五，第 5 頁。
3 文件 94，《聯共（布）、共產國際與中國國民革命運動》（3），第 477—478 頁。
4 《中國國民黨歷次代表大會及中央全會資料》（上），第 300 頁。

你做顧問，並不希望你這樣做的。"[1] 在張靜江的逼人氣勢面前，左派決定退讓，結果，提案委員會未能提出該案。

聯席會議全名為中央委員、各省區、各特別市、海外各總支部代表聯席會議，於 10 月 15 日至 28 日召開，出席中央委員 34 人，各省區黨部代表 52 人。由於中共中央會前指示各地組織"多派可靠、贊助汪的代表去出席"，"實在不得已再派我們同志去"[2]，因此，會上共產黨人佔 1/4，左派佔 1/4 強，另有一些半左派，中派和右派僅佔 1/4。會議主要討論了下列問題：

（一）國民政府發展案。9 月 9 日，蔣介石曾致函張靜江、譚延闓，內稱："武昌克後，中正即須入贛督戰，武漢為政治中心，務請政府常務委員先來主持一切，應付大局。"[3] 18 日，再電張、譚，聲稱："中正離鄂以後，武漢政治恐不易辦，非由政府委員及中央委員先來數人，其權恐不能操之於中央。"[4] 蔣介石的意圖是運用黨和政府的力量控制唐生智。中共中央看出了這一點，但擔心國民政府遷漢後，"左派群眾的影響愈少，政策愈右，行動愈右"，因之，持反對態度[5]。在討論這一議案時，譚延闓作了說明，他認為："現在的主要工作在鞏固各省基礎，這種工作以首先由廣東省實施最為適宜"，遷到北方將與奉系發生衝突，"目前無急遷之必要"，"與其忙於遷移，不如先把各省的基礎鞏固起來"[6]。會議一致決定國民政府仍暫設於廣州。

（二）迎汪案。這是會上鬥爭最激烈的議案。事前，徐謙曾要求張靜江早日發表蔣介石迎汪電，但張堅持在各議案之後再提出，並稱，"汪係個人的事，不用過事張惶"。右派還揚言，要提出歡迎胡漢民案以為抵制[7]。18 日，江蘇、上海、安徽、浙江 4 個黨部將該案作為臨時動議提出，內稱："當此黨政發展的時候，蔣介石同志主持軍事於外，一切建設政治與黨務，非有能提綱挈領如汪同志者主持大計於內，不足鞏固革命基礎，實現黨政真精神。"[8] 該案有山

1 《陳果夫回憶錄》，見吳相湘：《陳果夫的一生》，台北傳記文學出版社 1971 年版，第 105 頁。
2 《中央通告（鐘字）第十七號 —— 對國民黨中央擴大會議的政策》，《中共中央文件選集》（2），第 311 頁。
3 《民國十五年以前之蔣介石先生》，第八編四，第 22 頁。
4 《民國十五年以前之蔣介石先生》，第八編四，第 55 頁。
5 《中央對於國民黨十月一日擴大會議的意見》，《中共中央文件選集》（2），第 320 頁。
6 《中國國民黨中央各省聯席會議第二次會議錄》，油印件。
7 《K. M. D. 中央地方聯席會議經過情形》，《廣東區黨團研究史料》，廣東人民出版社 1983 年版，第 466 頁。
8 《中國國民黨中央各省區聯席會議議事錄》第 3 號，油印件。

西、山東等 25 個黨部附署。在此情況下，張靜江才無可奈何地公佈了蔣介石的電報，但又表示，不知何處可以尋汪，受到與會代表的嗤笑[1]。會議決定推何香凝、彭澤民、張曙時、簡琴石、褚民誼 5 人會同張靜江、李石曾即日前往勸駕。隨後，江蘇代表張曙時提出：此時非汪、蔣合作不可，應表示對汪、蔣同樣信任，以免人家挑撥。甘乃光等附議。於是，會議又決定電蔣，"表示竭誠信任與擁護"[2]。

（三）中國國民黨最近政綱案。中共中央在與共產國際遠東局討論迎汪問題後，即指示廣東區委："極力向左派表示誠意的合作，與左派共同制定一左派政綱，給左派一行動的標準；同時又使蔣不能反對此政綱，在此政綱之下表示我們仍助蔣。"[3] 聯席會議上通過的 "最近政綱" 即體現了中共中央的這一意圖。政綱共 105 條，對內提出："實現全國政治上、經濟上之統一"，"廢除督軍、督辦等軍閥制度，建設民主政府"；對外提出："廢除不平等條約"，"重行締結尊重中國主權之新條約"。在婦女待遇上，規定 "婦女在法律上、政治上、經濟上、教育上及社會上一切地位與男子有同等權利"；在農民問題上，規定 "減輕佃農田租百分之二十五"，"禁止重利盤剝，最高年利不得超過百分之二十"，"保障農民協會之權力"；在工人問題上，規定 "制定勞動法，以保障工人之組織自由及罷工自由，並取締僱主過甚之剝削"[4]。這是一個具有一定民主主義精神而又能為各派所接受的綱領。

（四）民團問題案。當時，各地民團大都掌握在土豪劣紳手中，成為鎮壓農民運動、威脅國民政府統治的反動武裝。會上，通過了甘乃光、毛澤東等提出的《關於民團問題決議案》，規定民團團長須由鄉民選舉，禁止劣紳包辦；不得受理民刑訴訟；已有農民自衛軍的地方不得重新設立民團；凡摧殘農民之民團政府須解散並懲治之等。這就為改造民團、限制民團權力提供了根據，有利於農民運動的發展。

（五）執行本黨紀律及肅清反動份子案。國民黨第二次全國代表大會時，曾

---

1 《K. M. D. 中央地方聯席會議經過情形》，《廣東區黨團研究史料》，第 466 頁。

2 《中國國民黨中央各省區聯席會議議事錄》第 3 號。

3 《中央致粵區的信》，《中共中央文件選集》（2），第 317 頁。

4 《中央各省區聯席會議錄》，油印件。

決定向西山會議參加者葉楚傖、邵元沖、石瑛、覃振、傅汝霖、沈定一、茅祖權、林森、張知本等提出警告，責令改正，限期兩個月具復中央執行委員會。聯席會議認為葉、邵二人已有表示，未予議處；石瑛等 8 人迄無表示，均開除黨籍。同時決定"本黨統治之地域內，不許西山會議叛黨份子居留"。

（六）請辦沈鴻慈案。沈鴻慈原為中山大學學生，組織反共團體"司的派"，聲言"預備從廣州出發，再衝鋒到全省、全國去，打殺了假革命的 CP"[1]。左派學生將沈扭送國民黨中央要求懲辦，但張靜江認為"案情並不嚴重"，他把持下的監察委員會則認為沈"反對 CP 之假革命者則有之，仍未達到反對本黨之程度"，僅予警告處分。聯席會議期間，廣州市警察特別黨部所屬組織紛紛要求懲辦沈鴻慈，提案不點名地指責張靜江等"袒彼反革命之徒"。會議要求張靜江就沈案處理作出說明，張委託陳果夫報告。在張曙時、孫科二人責問下，陳表示："自應從嚴辦理。"結果，會議決定永遠開除沈鴻慈的黨籍，驅逐出境。

會議最後一天，丁惟汾突然提出，聯席會議只是中央委員會的擴大會議，不能變更或推翻中央委員會的決議，"如有此等錯誤，即是違背總章，違背總章必是無效的"。於是，發生會議權能問題的激烈辯論。吳玉章指出，"聯席會議決議即須切實通過，只有第三次全國大會方有修正之權"，得到通過。

聯席會議以左派的勝利結束。中山艦事件後，左派士氣不振。此次會上，左派揚眉吐氣，屢次向右派進攻，而右派則處於防禦地位。但是，由於會議未能就改組領導機關問題作出任何決議，國民黨中央的權力仍然掌握在蔣介石、張靜江手中，因而，左派的勝利只是局部的，並且只是書面上的勝利。

三、遷都之爭

儘管中央及各省區聯席會議決定國民政府暫不遷移，但蔣介石仍然提出，希望"中央黨部移鄂"。10 月 22 日，他致電張靜江與譚延闓，力陳理由，說明"武昌既克，局勢大變，本黨應速謀發展"[2]。鮑羅廷本來反對遷都，但 10 月

1　《中國國民黨中央各省區聯席會議議事錄》第 12 號，油印件。
2　《民國十五年以前之蔣介石先生》，第八編五，第 105 頁。

底，在武漢的蘇聯顧問鐵羅尼向他寫了一份報告，陳述對唐生智的憂慮，認為唐"像是一個賣弄風情（武裝力量）的女人，誰給她最多，她就將自己出賣給誰"。鐵羅尼說："國民黨省執行委員會缺乏力量和正確處理事務的能力。唐生智一個人控制著形勢，與他對抗的只有陳公博這個懶蟲和鄧演達。""必須有兩或三個中央委員到這裏來並且建立委員會，否則著手重大事務和樹立黨的權威都是不可能的。"[1] 與此同時，張國燾也致函在上海的中共中央，說明唐生智"太聰明，野心也大，各方不滿其態度"，"須請粵方速派季龍（指徐謙 —— 筆者）來"[2]。這樣，鮑羅廷對遷都的態度就發生了變化。這一時期，日本和張作霖的關係緊張，清浦子爵在北京和李石曾、易培基談判，詢問國民政府能否與日本建立友好的聯繫，並派代表到日本會商。廣東國民政府的領袖們認為，"在這日本同張作霖衝突的嚴重局勢之下，張作霖已不敢動作"，因而消除了遷都武漢會與奉系發生衝突的顧慮，並決定派戴季陶使日[3]。11 月 16 日，鮑羅廷、徐謙、宋子文、孫科、陳友仁、宋慶齡等自廣州啟程北上，擬經江西赴武漢調查各省黨務、政務，籌備遷都。

　　蔣介石聞訊，非常興奮，於 1 月 19 日致電張靜江、譚延闓，聲稱："聞徐、宋、孫、鮑諸同志來贛，甚喜。務請孟餘先生速來，中意中央如不速遷武昌，非特政治黨務不能發展，即新得革命根據地亦必難鞏固。"他還表示，在中央與政府未遷武昌以前，自己不到武漢，因為"此時除提高黨權與政府威信外，革命無從著手。如個人赴武昌，必有認人不認黨之弊，且自知才短，實不敢負此重任也"[4]。同日，他接見漢口《自由西報》總編輯美國人史華之時說："新國都將設於武昌，且將為永久之國都。國民政府由粵遷鄂，雖不能決定期限，但在最近期內，必能實現，鄙人將於兩星期內，由贛赴鄂，參與盛典。"[5] 22日，他派鄧演達、張發奎二人飛粵催促。26 日，中央政治會議臨時會議決定，重要人員及文件於 12 月 5 日第一批出發。這樣，遷都問題就正式確定下來了。

1　Document 44, Wilbur and How, *Document on Communism Nationalism and Soviet Advisers in China*, pp. 413–421.
2　《中央政治通訊》第 10 期。
3　《中共廣東區委政治報告》（2），《廣東區黨團研究史料》，第 479—482 頁。
4　《民國十五年以前之蔣介石先生》，第八編六，第 59 頁。
5　《革命軍日報》，1926 年 12 月 1 日。

中共中央仍然反對遷都。11 月 9 日，中共中央與共產國際遠東局討論，認為此舉係蔣介石反對汪精衛回國之策，倘政府及中央黨部遷至武昌，則不僅汪不能回，左派勢必相隨赴鄂，使廣東成為“左派政權”和“模範省”的計劃變為泡影[1]。12 月 4 日，中共中央致函廣東區委，批評鮑羅廷“對於前方後方的實際情形都沒有看清楚，貿然主張馬上遷移”[2]。次日，中共中央在《政治報告》中指示：“萬一無法阻止，亦須盡力防止弊害。”[3] 直到次年 1 月，遷都已成事實後，中共中央才決定支持臨時聯席會議。

鮑羅廷等一行於 12 月 2 日到達南昌。6 日晚，在盧山會談蔣介石報告黨務、政治、軍事等各方面的情況，由於缺乏準備，蔣介石自覺“語多支吾，致啟人疑”[4]。7 日，繼續會談，討論外交、財政、軍事各方面的問題。其內容，據蔣介石記載：1. 對安國軍問題，決定消滅孫傳芳，聯絡張作霖；2. 工運主緩和，農運主積極進行，以為解決土地問題之張本。蔣介石發言說：“只要農民問題解決，則工人問題亦可連帶解決。”會議中，有人提出取消主席制，蔣介石敏感地意識到這是針對自己的，但他卻立即表示附議，並進一步提出，請汪精衛回國，得到一致贊同[5]。會議自然也談到了遷都，這時，蔣介石還是積極主張遷鄂的。他在電復朱培德、白崇禧二人時說：“政府遷鄂，有益無損。”[6] 他並表示，在前方軍事佈置稍定後，也要前赴武漢[7]。

12 月 10 日，鮑羅廷等到達武昌。當時，在廣東的中央黨部與國民政府已經停止辦公。鮑羅廷等感到，沒有中央機關，許多事都無法辦理。13 日，孫科、徐謙、蔣作賓、柏文蔚、吳玉章、宋慶齡、陳友仁、王法勤、鮑羅廷等舉行談話會。會上，根據鮑羅廷提議，決定在中央執行委員會政治會議未遷到武昌開會之前，由國民黨中央執行委員和國民政府委員組織臨時聯席會議，執行

---

1 《對於目前時局的幾個重要問題》，《中共中央文件選集》(2)，第 444 頁。

2 《中央致粵區信》，《中共中央文件選集》(2)，第 471 頁。

3 《中央局報告》，中央檔案館《中共中央政治報告選輯》，中共中央黨校出版社 1983 年版，第 115 頁。

4 《蔣介石日記類抄‧黨政》，1926 年 12 月 6 日。

5 《蔣介石日記類抄‧黨政》，1926 年 12 月 7 日；參見《民國十五年以前之蔣介石先生》，第八編七，第 58 頁。

6 《民國十五年以前之蔣介石先生》，第八編七，第 15 頁。

7 《復武漢各界團體電》，《廣州民國日報》，1926 年 12 月 20 日。

最高職權[1]。會議推徐謙為主席，葉楚傖為秘書長。其成員除上述各人外，特准湖北政務委員會主席鄧演達和湖北省黨部常務委員董用威（董必武）二人參加。會後，由鄧演達致電蔣介石，說明臨時聯席會議的成立，"係應付革命需要與時局之發展"，蔣介石遲至 12 月 19 日才復電稱："聯席會議議決事，甚妥，中皆同意。"[2]

從提出遷鄂之議起，蔣介石就興沖沖地準備去武漢執掌大權。11 月 24 日，他在日記中曾寫道："中央黨部及政府決於一星期內遷至武昌，喜懼交集。懼者，責任加重，不能兼顧廣東根據地；喜者，黨務與政治可以從此發展也。"[3] 這裏所說的"責任加重"，顯然是指他自己。現在臨時聯席會議居然沒有他的位置，並且先斬後奏，事前居然不曾同他商量，這使他很不高興。

中央黨部和國民政府第一批北遷人員為張靜江、譚延闓、顧孟餘、何香凝、丁惟汾等。12 月 6 日，廣州各界人民在中山大學門口集會歡送。省黨部代表致詞稱："巍巍政府，乘勝北遷。統一全國，似箭離弦。"[4] 氣氛是歡快、明朗的，人們誰也沒有料到，國民革命從此進入多事之秋了。

張靜江、譚延闓等於 12 月 31 日抵達南昌，本來只準備停留三四天，就西上武漢，但蔣介石卻於 1927 年 1 月 3 日突然召集中央政治會議第六次臨時會議，與會者有蔣介石、張靜江、譚延闓、鄧演達、宋子文、林祖涵、朱培德、柏文蔚、何香凝、顧孟餘、陳公博等人。會後通告聲稱：為軍事與政治發展便利起見，決定中央黨部和國民政府暫駐南昌，待 3 月 1 日在南昌召開二屆三中全會，決定駐在地後，再行遷移[5]。關於這一次會議的情況，陳公博回憶說："雖說是討論，但實在沒有充分討論的機會。"[6] 4 日，上項決議在中央常務委員會臨時會議上通過，隨即在南昌設立中央黨部臨時辦事處。7 日，又在中央政治會議第七次臨時會議決定，成立政治會議武漢分會，以宋慶齡、徐謙、宋子文、孫科、陳友仁、蔣作賓等 13 人為分會委員，同時通過組織湖北省政府案，

1　《通告》，《廣州民國日報》，1926 年 12 月 17 日。
2　《復鄧主任》，蔣中正檔，《籌筆》，00241。
3　《蔣介石日記類抄・黨政》，1926 年 1 月 24 日。
4　《各界歡送黨政府北遷盛會》，《廣州民國日報》，1926 年 12 月 6 日。
5　《中央黨政府暫設於南昌》，《廣州民國日報》，1927 年 1 月 8 日。
6　陳公博：《苦笑錄》，第 67 頁。

以鄧演達等 5 人組織之。這些做法，實際上取消了臨時聯席會議 "執行最高職權" 的地位。

武漢方面接到南昌的通知後，徐謙、孫科曾於 1 月 6 日致電蔣介石等，詢問不遷漢理由，要求暫時保守秘密，認為 "如宣佈，民眾必起恐慌，武漢大局必受影響"[1]。7 日，鮑羅廷致電蔣介石，聲稱 "中央及政府地點贊成，但須稍緩"[2]。同日，臨時聯席會議第十一次會議開會討論。當時，正值武漢各界人民佔領英租界之後，會議認為："因人民對政府之信用，時局日趨穩定，外交、軍事、財政均有希望。最近佔領英租界之舉，內順民心，外崇威信，尤須堅持到底。"[3] 會議決議，國民政府地點問題，待中央執行委員會全體會議決定，在未決定之前，武漢政局有維持之必要。會後，陳友仁、宋慶齡、蔣作賓聯合致電蔣介石，告以武漢形勢，並稱："苟非有軍事之急變，不宜變更決議，坐失時機。"[4] 10 日，再次開會討論，陳友仁提出，如果臨時聯席會議改為政治分會，對英交涉將立即停頓，"於外交前途殊屬不利"。會議決定仍電請南昌同志蒞鄂。

鮑羅廷一面要求緩遷南昌，一面致電莫斯科彙報。1 月 9 日，斯大林復電鮑羅廷，要求鮑親赴南昌，說服蔣介石：武漢應成為首都；作為妥協，總司令本人和司令部因前線關係可以駐在南昌。同時，斯大林又通過邵力子直接向蔣介石傳達上述意見[5]。但是，還沒有等到鮑羅廷動身，蔣介石卻於 1 月 12 日偕彭澤民、顧孟餘、何香凝以及加倫等到了武漢。

武漢給了蔣介石以盛大而熱烈的歡迎，一時間，"蔣總司令萬歲" 的口號響徹雲霄。但是，蔣此行的目的是與鮑羅廷、徐謙等人晤談，要求在鄂中委和國民政府委員遷贛，而武漢的目的則是感動並說服蔣同意遷鄂。目的不同，衝突自然難免。當晚，在歡宴蔣介石時，鮑羅廷猶豫再三，終於以指責張靜江的昏庸老朽為名對蔣提出了批評。鮑並進一步發揮說："今日能夠得到武漢，今

---

1 《中華民國史檔案資料彙編》第 4 輯（上），江蘇古籍出版社 1986 年版，第 374 頁。

2 《鮑顧問來電》，《蔣介石收各方電稿》，抄本，1927 年 1 月。

3 《臨時聯席會議第 11 次會議記錄》，油印件。

4 《陳友仁等為不宜變更中執會遷鄂決定致蔣介石等密電》，《中華民國史檔案資料彙編》第 4 輯（上），第 375 頁。

5 《聯共中央政治局會議第 78 號（特字第 59 號）記錄》，《聯共（布）、共產國際與中國國民革命運動》(4)，第 66—67 頁。

日能夠在這個地方宴會，是誰的力量呢？並不是因為革命軍會打仗，所以能到這裏的，乃是因為孫中山先生定下了三大政策，依著這三大政策做去，所以革命的勢力才會到這裏的。什麼是中山先生的三大政策呢？第一是聯俄政策，第二是聯共政策，第三是農工政策。——以後如果什麼事情都歸罪到 CP，欺壓 CP，妨礙農民工人的發展，那，我可不答應的。"[1] 鮑的這段話使蔣極為憤怒，視為"生平之恥無逾於此"[2]。第二天，鮑羅廷與蔣介石進行私人交談，並且寫了一封信，和孫科一起交給蔣介石，提出遷都武漢的理由，蔣介石以為"很對"，但表示須一星期後回南昌開中央政治會議討論。他對鮑羅廷昨日晚宴時的講話耿耿於懷，聲色俱厲地要鮑羅廷指明："哪一個軍人是壓迫農工？哪一個領袖是摧殘黨權？"並說："現在的蘇俄，各國看起來是個強國，並且還有人在世界上說你蘇俄是一個赤色的帝國主義者，你如果這樣跋扈橫行的時候，如昨晚在宴會中間所講的話，我可以說，凡真正的國民黨員，乃至於中國的人民，沒有一個不痛恨你的。"他愈說愈激動，調子也愈來愈高："你欺騙中國國民黨就是壓迫我們中國人民，這樣並不是我們放棄總理的聯俄政策，完全是你來破壞我們總理聯俄政策，就是你來破壞蘇俄以平等待我民族的精神。"[3] 此後，蔣介石就決意驅逐鮑羅廷。

1 月 15 日，臨時聯席會議召開第十三次會議，討論是否成立中央政治會議武漢分會一事。徐謙說明了臨時聯席會議成立的原因和經過，認為"已無繼續之必要"。鮑羅廷提出："中央機關的權力一定要集中，不能分離，在革命過程中，如同時發生兩個對等的權力機關，一定要失敗。"[4] 經過討論，決定臨時聯席會議"暫時繼續進行"。當晚，蔣介石宴請各界代表。發言中，大家一致懇切要求，中央黨部、國民政府立即遷鄂。蔣介石無法，只能表示："我當向中央轉達，定可使各界希望能夠滿足。"[5]

---

1 梁紹文：《三大政策的來源》，《進攻週刊》第 2 期。事後，鮑羅廷對他的這次講話頗為後悔，曾說："我擔心犯了錯誤，我尋思在這個問題上我是否犯了錯誤。我們參與反對蔣介石是輿論壓力所迫的。我不知道我的做法是否正確。跟隨蔣介石我們有可能進軍北京；跟隨這個黨（即國民黨），這個可能性就不大了。"見 Trotsky, *Problems of the Chinese Revolution*, University of Michigan Press, 1967, p. 401。

2 王宇等編：《困勉記初稿》卷 5，第 11 頁，蔣中正檔。

3 蔣介石：《在慶祝國民政府建都南京歡宴席上的講演詞》，上海《民國日報》，1927 年 5 月 4 日。

4 《臨時聯席會議第 13 次會議記錄》。

5 《蔣總司令昨晚歡宴各界代表紀盛》，《漢口民國日報》，1927 年 1 月 16 日。

蔣介石在鄂期間，街上已經出現"打倒蔣介石"的標語。他曾先後會見陳銘樞、何成濬、周佛海、葉楚傖等人，這些人都對武漢群眾運動和中共力量的發展不滿。蔣對何成濬說："此間形勢不可久留，我去矣，汝亦速去為好。"[1] 1月18日，蔣介石返贛。

事實表明，蔣介石在武漢的允諾只是虛與委蛇。返贛途中，他在牯嶺與張靜江商量後，致電徐謙，以鮑羅廷當眾侮辱他為理由，要求撤銷鮑的顧問職務[2]。1月21日，蔣又與張靜江、譚延闓聯名致電武漢，以"中央"的名義命令聯席會議毋庸繼續，立即成立武漢政治分會。武漢方面再次討論，回電表示："在南昌中央政治會議未開會以前，暫不取消。"26日，蔣復電漢口市民反英運動委員會，聲稱聯席會議本為中央停止辦公期間的代行機關，現在中央已在南昌辦公，聯席會議自應取消，"若繼續開會，又對中央決議案任意否認，是則原有期效之代行機關，乃一變而為任意延期，權駕乎中央以上之機關。此種矛盾現象，若不懸戒，將來本黨之紀律與系統將成廢物"[3]。27日，蔣和自武昌趕來廬山協商的顧孟餘、何香凝、鄧演達、戴季陶等人談話，堅決表示："余必欲去鮑羅廷，使我政府與黨部得以運用自如。"[4]

為了迫使蔣介石同意按原議遷鄂，武漢的左派們決定動員群眾的輿論，並施加財政壓力。當蔣介石還在武漢的時候，湖北省黨部代表大會正在召開，會議發表通電，表示對國民政府暫駐南昌"深滋疑慮"，要求蔣介石"根據前議，定鼎鄂渚"[5]。17日，發表第二號通告，指示各級黨部、各團體共同通電要求[6]。此後，省總工會、省學聯、漢口市商協陸續發表通電。2月5日，湖北省黨部、漢口特別市黨部又聯合呼籲全國各級黨部一致電請。蔣介石承受的輿論壓力愈來愈大。與此同時，宋子文則將蔣介石所需軍費1300萬元暫扣不發，急得蔣介石派親信、軍需處處長徐桴到武漢催領。宋子文稱："湖北財富之區，籌款

1　何成濬：《八十回憶》，台北《近代中國》第23期，1982年6月30日。
2　參見《吳玉章回憶錄》，第141頁。
3　《蔣介石言論集》，上海中央圖書局1927年版，第49—50頁。
4　《困勉記初稿》卷5，第12—13頁，蔣中正檔；參見《漢口何香凝等15人來電》(1927年1月16日)，《蔣介石收各方電稿》，抄本。
5　《漢口民國日報》，1927年1月16日。
6　《漢口民國日報》，1927年1月21日。

本易，現政府在南昌，一人辦事不動。"[1]徐樑無奈，只好電勸蔣介石："我軍命脈，操在宋手，請總座迅電慰勉之，先救目前之急，再圖良法，萬不可操之過急，致生重大影響。"[2]2月4日，宋子文親赴江西斡旋。群眾的輿論蔣介石可以不理，但軍費不能不要。8日，南昌中央政治會議第五十八次會議決定，中央黨部及國民政府遷至武漢。但同時決定，派徐謙赴美，戴季陶赴蘇，這一決定貌似公正，而實際上是打向臨時聯席會議的一根棍子。至於中央全會，則被推遲到俟東南戰事告一段落以後。

經歷重重風波之後，遷鄂之議再次定下來了。2月9日，宋子文自南昌致電武漢，說譚延闓等三數日內即可蒞鄂。但日期屢變，仍不見人影。20日，南昌各界召開歡送黨、政遷鄂大會。會後，仍不見人員啟程。武漢方面真是望眼欲穿。21日，臨時聯席會議召開擴大會議，決定：1. 結束聯席會議；2. 中央黨部及國民政府即日正式開始辦公；3. 中央執行委員會3月1日以前在武漢召開全體會議[3]。

遷都之爭以武漢國民黨左派的又一次勝利而告一段落，但是，譚延闓等還滯留在南昌，風波並未平息。2月22日，南昌方面聲明：在黨部與政府未遷以前，武漢方面不得以中央黨部及國民政府名義另行辦公。次日，蔣介石在九江和共產國際駐中國代表維經斯基談話，指責鮑羅廷"執行分裂國民革命運動的政策"，聲稱政府在任何時候都可以遷往武漢，但鮑羅廷必須離開，同時必須在黨內確立嚴格的紀律。他激憤地表示："政府在這裏。漢口那邊想成立第二個政府。""我們，政治委員會和中央委員會，認為目前形勢非常嚴重。我們準備決裂。"[4]

形勢確實非常嚴重了。

1　《徐樑致蔣介石電》，《蔣介石收各方電稿》，抄本，1926年1月29日。

2　《徐樑致蔣介石電》，《蔣介石收各方電稿》，抄本，1926年2月5日。

3　《廣州民國日報》，1927年3月1、8日。

4　《1927年2月22—23日維經斯基和蔣介石在九江的談話記錄》，《聯共（布）、共產國際與中國國民革命運動》（4），第133—134頁。

四、恢復黨權運動

遷都之爭中，國民黨左派和共產黨人對蔣介石的專制跋扈有了進一步的感受，為了限制其權力，他們決定開展恢復黨權運動。

徐謙接到蔣介石要求撤銷鮑羅廷顧問職務的電報後，非常緊張，立即電邀在宜昌工作的吳玉章回武昌商議，吳玉章表示："這不是鮑羅廷個人的去留問題，這是蔣介石對中央、對政府的蔑視，我們一定不能讓步。"[1] 2月9日，部分在武漢的國民黨高級幹部集會，決定由徐謙、吳玉章、鄧演達、孫科、顧孟餘5人組成行動委員會，"從事黨權集中"[2]。2月11日，《漢口民國日報》發表社論，提出："整頓黨的組織，嚴肅黨的紀律，擴大黨的威信，要使我們的黨真正能夠成為一個最高權力機關，真正能領導一切實際工作。"[3] 13日，湖北省、武昌市兩黨部召開會議，宛希儼提出，黨已經出現了一種"危機"，"失去民主集中制性質，而具有一種獨裁的趨勢。這種現象，我們如果再讓他繼續下去，將來勢必會使黨和個人兩敗俱傷"[4]。15日，中央宣傳委員會召開第九次會議，鄧演達、顧孟餘、張太雷、葉楚傖等30餘人與會，由顧孟餘報告黨務宣傳情形，會議通過《黨務宣傳要點》：1. 鞏固黨的權威，一切權力屬於黨；2. 統一黨的指揮機關，擁護中央執行委員會；3. 實現民主政治，掃除封建勢力；4. 促汪精衛同志銷假復職；5. 速開中央執行委員會全體會議，解決一切問題；6. 以打倒西山會議派的精神，對待一切黨內的昏庸老朽的反動份子，然後才能剷除黨外的危害本黨的官僚市儈；7. 軍隊在黨的指揮之下統一起來，準備與奉系的武裝決鬥[5]。在此前後，安徽臨時省黨部代表團、七軍政治部等紛紛發表宣言，呼籲恢復黨權，一時輿論沸騰，群情激昂。

在恢復黨權運動中，孫科、鄧演達、徐謙尤為活躍。孫科曾激憤地對陳公博說："蔣介石這樣把持著黨，終有一天要做皇帝了。"[6] 他於2月19日發表文

---

1 《吳玉章回憶錄》，第141頁。
2 《陳銘樞致蔣介石密電》，1927年2月19日，見《蔣介石收各方電稿》；參見《陳銘樞談第一次國共合作時期武漢的軍政大事》，《武漢文史資料》第4輯，第25頁。
3 希儼：《時局進展與吾黨目前之責任》。
4 《漢口民國日報》，1927年2月14日。
5 《漢口民國日報》，1927年2月16日。
6 陳公博：《苦笑錄》，第73頁。

章，指責二屆二中全會變更黨章規定，設立常務委員會主席，"差不多在政治上是一國的大總統，在黨務上是一黨的總理"，"不知不覺就成為一個迪克推多"[1]。鄧演達也撰文指出："國民革命的成功，總是工農的力量作主，不應再把政權操到其他反革命人們手上。"[2] 他要求大家認識目前鬥爭的性質，是封建與民主之爭，革命與妥協之爭，成功與失敗之爭。

孫科、鄧演達的文章反映出武漢國民黨左派的普遍情緒。2月22日，左派以中央常務委員會名義召集會議，決定接受21日擴大聯席會議的要求，於3月1日召開二屆三中全會。23日，發表《中國國民黨黨務宣傳大綱》，不點名地指責張靜江以監察委員代理常務委員會主席，主持中央工作，使黨的意志無由表現，造成"朕即國家"的狀況[3]。次日，武漢三鎮15000人集會，擁護恢復黨權運動。會議由董必武主持，徐謙講話提出"一切軍事、財政、外交，均須絕對受黨的指揮"。會上第一次喊出"打倒張靜江"的口號。[4] 下午續開慶祝中央黨部及國民政府在鄂辦公及上海大罷工示威大會，到會群眾達20萬人。

儘管武漢的恢復黨權運動如火如荼，左派們也義憤滿腔，但是始終沒有正面批判蔣介石，並且仍然期望他勒馬回頭。2月25日，根據鄧演達的提議，派陳銘樞、謝晉2人，攜帶26人的聯名信件和擬在二屆三中全會上討論的各種提案前往南昌，和蔣介石磋商。函件表揚蔣介石"軍事上屢建奇功"，表示相信蔣"定能體現總理建黨之意與北伐將士為黨效死之決心，使本黨威權普及於軍事勢力所及之地"[5]。與陳、謝同行者還有蔣介石派到武漢來刺探情況的陳公博。

對武漢左派的恢復黨權運動，蔣介石惱怒異常。2月19日，他在南昌發表演講，自稱是"本黨的忠實黨員"，"總理忠實的信徒"，"如果中正想成為一個獨裁制，把持一切，操縱一切，如果中正有這樣要做一個軍閥的傾向，豈但本黨各同志可加中正以極嚴厲的處分，中正隨時都可以自殺的"。他又說："我只知道我是革命的，倘使有人要妨礙我的革命，那我就要革他的命。"[6] 兩天後，

1　《為什麼要統一黨的指導機關》，《漢口民國日報》，1927年2月20日。

2　《現在大家應該注意的是什麼》，《漢口民國日報》，1927年2月23日。

3　《漢口民國日報》，1927年2月23日。

4　《武、陽、夏黨員大會慶祝示威大會之熱烈》，《漢口民國日報》，1927年2月26日。

5　《國民軍政報》，1927年4月12日。

6　上海《民國日報》，1927年4月16日。

他再次發表講演，聲稱："聯席會議是沒有根據的，如要提高黨權，就要取消漢口的聯席會議。"還說："我以為只有徐謙是獨裁制，他以沒有根據的漢口聯席會議，自居主席，不受黨的命令，這才是獨裁制。"講話中，他一方面表白："中正並不會反對共產黨，中正是向來援助共產黨的。"但又說："如果今日左派壓制右派，那我就要制裁左派"，"共產黨員有不對的地方，有強橫的行動，我有干涉和制裁的責任及其權力。"[1] 這些講話，預告了他要採取某些嚴厲行動。但是，這一時期，蔣介石的財政問題還未解決，不具備和武漢左派徹底決裂的條件。因此，在謝晉等人到達南昌後，他的態度不得不作某種"轉變"。

在聽取陳公博的彙報後，蔣介石即命陳替他起草擁護中央的通電。2 月 27 日，他發表《對〈黨務宣傳大綱〉宣言》，語中含刺地表示："個人之左右，固須嚴防；黨團之操縱，尤須注意。"但是，《宣言》也表示，同意"鞏固黨部之最高權"，改進中央政治會議、軍事委員會等機構。《宣言》並稱："個人無事業，革命即為中正事業；個人無利益，全黨及民眾之利益即為中正之利益。所希望各同志於此次《黨務宣傳大綱》，一致接受。"[2] 28 日，蔣致電宋子文、孫科，聲稱"各同志所擬提案，皆中正夙昔主張，完全同意，深望黨中同志共體黨之存亡，一致團結"[3]。他要求二屆三中全會延期一星期召開。武漢方面接受蔣的意見，決定將會議延至 3 月 7 日。

3 月 2 日，陳銘樞先行返漢。3 月 3 日，南昌中央政治會議開會討論二屆三中全會問題。謝晉和譚延闓有交誼，此時譚已為謝晉說動[4]。何香凝、陳公博等也都主張赴鄂與會。經長時間討論和諸人苦勸，蔣介石不得不同意全體在贛委員 6 日啟程，但第二天，蔣介石又表示，通電服從中央並非他的"本意"[5]。他再次要求會議展期，表示譚延闓等 5 人可以先行，自己須待朱培德去樟樹鎮檢閱軍隊後一起動身。5 日，在為譚延闓等餞行時，蔣介石慷慨地表示："黨部、政府遷鄂，南昌同志誓擁護到底。"[6] 但又說："他們能等我，等到 3 月 12 日開會，

1 《蔣校長最近之言論》，第 8—9 頁，黃埔軍校政治部編印，1927 年。
2 上海《民國日報》，1927 年 4 月 23 日。
3 《蔣介石致宋子文電》，《廣州民國日報》，1927 年 3 月 15 日。
4 謝宣渠：《國民政府遷都武漢側記》，《武漢文史資料》第 4 輯，第 46—48 頁。
5 陳公博：《苦笑錄》，第 75 頁。
6 《蔣總司令歡送黨政府遷鄂》，《廣州民國日報》，1927 年 3 月 9 日。

就相信他們有誠意；假使提前舉行，其虛偽可知。"[1]

蔣介石一再要求會議延期，武漢左派們自然很不高興。鄧演達對人說："三日後有個新的裁判，看他們來不來加入大會，便可定誰為革命者，誰為反革命者！"[2]

五、國民黨二屆三中全會

蔣介石"驅逐鮑羅廷"的要求不僅受到武漢左派的抵制，連戴季陶、譚延闓等人也擔心牽動中蘇關係，存有疑慮，但他們都拗不過蔣介石的意思。2月26日，南昌中央政治會議決議，致電共產國際執行委員會，要求該會自動撤回鮑羅廷。其後，又致電鮑羅廷本人，要求他自動離去。二電均無反應。這樣，蔣介石便命陳銘樞繼續進行此事。

陳銘樞返漢後，陸續會見孫科、宋慶齡、宋子文、鄧演達等人，出示蔣介石的《對〈黨務宣傳大綱〉宣言》，要求發表，同時轉達蔣的"去鮑"之意。據稱，各人"均於去鮑無異詞"。4日，徐謙、吳玉章、顧孟餘、鄧演達、陳友仁、孫科等會議。吳、顧二人反對發表蔣的《宣言》。吳稱："如要發表，可由陳同志私人持交言論界發表，黨不宜為之發表。"4日，陳銘樞密電蔣介石，告以"此間空氣仍惡，會期必決不遷就"。同日夜，唐生智命第八軍黨代表劉文島會見陳銘樞，轉達"黨中央"意見，要陳立即表明態度。劉稱："如不能反蔣，須自為計，不日即將有大罷工示威運動，待到此時，兄仍不發表意見，則於兄極不利。"陳答以準備出國。劉辭去後不久，偕唐生智再次見陳，勸陳和大家共同對蔣，不能，則"走開甚好"[3]。此際，陳銘樞有過利用第十一軍發動政變，逮捕武漢的國民黨左派和中共黨人的念頭，但怵於鄧演達、唐生智防範嚴密，未敢動手[4]。6日，陳辭去武漢衛戍司令及第十一軍軍長職務，潛往南昌。同

1　陳果夫：《十五年至十七年間從事黨務工作的回憶》，《陳果夫的一生》，第 107 頁。

2　陳銘樞：《致蔣介石密函》，1927 年 3 月 6 日，蔣中正檔，《籌筆》，00428。

3　同上注。

4　《陳銘樞告四軍、十一軍將士書》，上海《民國日報》1927 年 8 月 9 日。

日，鄧演達、唐生智召集十一軍官兵談話，均表示"絕對服從黨"[1]。

3月7日，譚延闓、李烈鈞、何香凝、丁惟汾、陳果夫到達武漢，隨即被接到中央執行委員會第三次全體會議會場。譚延闓稱，蔣介石、朱培德11日可到鄂，要求稍等一兩天，"候其親來，則兩方意思可以調和"[2]。李烈鈞則表示："希望國民革命早日成功，同志捐除意見。"[3]徐謙報告了聯席會議的成立經過，說明中山艦事件以來，黨出現了遷就軍事的不正常現象，他說："為今之計，須趕緊糾正。此非對人問題，乃改正制度，使革命得最後之勝利而已。"[4]會議就是否等候蔣、朱二人，延期至11日召開進行討論。彭澤民、吳玉章、于樹德、毛澤東、惲代英、顧孟餘等認為到會人數已足，不能再延，一致要求當日正式開會。彭澤民說："現在口號打倒獨裁，打倒個人專政，因蔣、朱又不能來，而再展期開會，豈不犯了個人獨裁之嫌嗎？"[5]吳玉章說："革命是共同工作的革命，不能由一二人的意思來指揮，不可使蔣同志因此而生錯誤。若一展再展，誠屬非計。"[6]此後，會議就是否已足法定人數進行討論。譚延闓與吳玉章針鋒相對，會議氣氛頓形緊張。在主席詢問是否付表決時，李烈鈞宣佈退席，致使會議氣氛更形緊張。為了圓場，會議採納徐謙建議，將當日會議作為預備會。

3月10—17日，二屆三中全會召開，共通過決議案20項，宣言及訓令3份，其主要內容有以下幾方面：

（一）充分肯定"臨時聯席會議"成立的必要及其工作成績。會議明確指出，該會"係適合革命利益，應付革命時機，代表中央權力之必要組織"，認為它領導群眾進攻帝國主義，收回租界，因而大大提高了國民政府的權威[7]。這就針鋒相對地否定了蔣介石對"臨時聯席會議"的指責。

（二）恢復和提高黨權，採取了防止個人獨裁和軍事專政的新集體領導體制。國民黨二屆二中全會以後，黨內實行主席制，蔣介石藉此集權於一身，凌

---

1 《中國國民黨第一、二次全國代表大會史料》（下），第747頁。
2 《中國國民黨第二屆中執會第三次全體會議預備會記錄》，《中國國民黨第一、二次全國代表大會史料》（下），第743頁。
3 《中國國民黨第一、二次全國代表大會史料》（下），第744頁。
4 《中國國民黨第一、二次全國代表大會史料》（下），第746頁。
5 《中國國民黨第一、二次全國代表大會史料》（下），第748頁。
6 《中國國民黨第一、二次全國代表大會史料》（下），第748頁。
7 《中國國民黨歷次代表大會及中央全會資料》（上），第316頁。

駕於全黨之上。此次會上，主席制成為集矢對象。徐謙批評其"只見個人權利，不見黨的威權"[1]。孫科稱："以主席為惟一領袖，並且兼為軍事領導。此種封建思想對於黨內黨外皆有影響，漸次便成獨裁制度。"[2]江蘇省黨部代表張曙時與安徽、直隸、山西、河南4省黨部代表聯合提出《請取消主席制度案》，認為"有主席一日，黨內就一日不寧，革命前途有很大之危險"[3]。會議通過的《統一領導機關案》確定不設主席，在中央執行委員會議前後，由常務委員會"對黨務、政治、軍事行使最終議決權"，同時設立政治委員會、軍事委員會。政治委員會審議政治問題，議決後"交由中央執行委員會指導國民政府執行"[4]。軍事委員會由中央委員中的高級軍官和不任軍職的中央委員兩部分人組成，其中7人為主席團；主席團之決議及命令，須有4人簽名方能生效；總司令、前敵總指揮、軍長等，須軍委會提出，由中央委員會任命。為了防止個人干預外交，會議通過的《統一外交決議案》規定：黨員不得擅自變更外交主張，或直接、間接與列強接洽任何事宜；政府職員不得私自與帝國主義接洽或進行秘密交涉；所有外交人員均由外交部直接任免。為了防止個人干預財政，會議又通過《統一財政決議案》，規定"集中各省財政管理權於財政部"。此外，為了改變蔣介石利用黃埔軍校培植私人勢力的狀況，會議還採納彭澤民的意見，規定軍事政治學校均改校長制為委員制[5]。

（三）堅持並重申國民黨"一大"所確定的路線和政策，強調了農民問題的重要性。會議通過的《對全國人民宣言》提出："要用種種方法繼續援助工人、農民和城市一般民眾的革命運動及改良他們本身生活的爭鬥。"《宣言》表示，將設立農政部及勞工部，實現本黨的農工政策[6]。討論中，孫科說："革命根本問題為農民解放問題。中國人民中百分之七八十為農民，如農民解放運動做不到，國民革命即難成功。"[7]鄧演達說："鄉村農民之興起，參加政治鬥爭，打

1　《中國國民黨第一、二次全國代表大會史料》（下），第756頁。
2　《中國國民黨第二屆中執會第三次全體會議提案審查委員會速記錄》，《中國國民黨第一、二次全國代表大會史料》（下），第809頁。
3　《中國國民黨歷次代表大會及中央全會資料》（上），第338頁。
4　《中國國民黨歷次代表大會及中央全會資料》（上），第316—317頁。
5　參見《中國國民黨歷次代表大會及中央全會資料》（上），第318—326頁。
6　《中國國民黨歷次代表大會及中央全會資料》（上），第306頁。
7　《中國國民黨第一、二次全國代表大會史料》（下），第830頁。

碎封建思想，其結果非常偉大。"他熱情肯定了湖南、湖北、河南等地農民運動的成績，認為"如旁觀或制止即係自殺"；主張由大會宣言，"令農民放膽去做"[1]。會議除通過《農民問題決議案》外，又通過了《對全國農民宣言》。《農民問題決議案》提出了當時應立即實行的 10 條事項，如：建立區鄉機關，設立土地委員會，在本年內完全實行減租 25%，依法沒收貪官污吏、土豪劣紳及一切反革命者的土地財產，明令禁止高利盤剝等[2]。《對全國農民宣言》肯定革命"需要一個農村的大變動"，"使土豪、劣紳、不法地主及一切反革命派之活動，在農民威力之下，完全消滅"；使農村政權轉移到農民手中。《宣言》表示，為保障勝利，農民"應得到武裝"，"本黨決計擁護農民獲得土地之爭鬥"[3]。《農民問題決議案》與《對全國農民宣言》均由中央農民運動委員會提出，又經會議指定徐謙、惲代英、王法勤、鄧演達、吳玉章、詹大悲、顧孟餘、鄧懋修、毛澤東 9 人組成審查委員會修訂，其中不少觀點和毛澤東的《湖南農民運動考察報告》相一致，顯然有他的手筆在內。此外，為了鎮壓農村反動勢力，會議還批准了董必武代表湖北省黨部提出的《湖北省懲治土豪劣紳暫行條例》與《湖北省審判土豪劣紳暫行條例》。

（四）否定非法選舉，打擊右派勢力。1926 年 12 月，廣東省黨部召開代表大會，選舉省黨部執行委員。在陳果夫操縱下，以中央名義指定若干人加入預選，然後再以政治會議廣州分會名義圈定 15 人，結果，使右派當權。其後的江西省和廣州特別市黨部選舉都存在類似情況。為此，會議不顧陳果夫的抗辯，通過了張曙時等人的提案，指出上述選舉"違背總章，應由常務委員會令其從速改選"[4]。會議並接受暹羅支部控告，批評右派蕭佛成的言論與行為，決定停止其中央委員職權，解除其在暹羅的一切職務。

（五）改選中央常務委員、各部部長、政治委員會、軍事委員會、國民政府委員會，組成了新的黨、政領導機構。蔣介石雖然還擔任常務委員、軍事委員、軍事委員會主席團委員、國民政府委員等四項職務，但已從權力高峰上跌

---

1 《中國國民黨第一、二次全國代表大會史料》（下），第 845 頁。
2 《中國國民黨歷次代表大會及中央全會資料》（上），第 328—330 頁。
3 《中國國民黨歷次代表大會及中全全會資料》（上），第 308—311 頁。
4 《中國國民黨歷次代表大會及中央全會資料》（上），第 338—339 頁。

落下來，而汪精衛的權位則大大提高。

3月20日，國民政府委員在武昌舉行就職宣誓。至此，新的一屆國民政府正式成立，二屆三中全會似乎功德圓滿了。

二屆三中全會是國民黨左派和中國共產黨人的一次空前的勝利。它完成了1926年中央及各省區聯席會議未能完成的任務，糾正了二屆二中全會所作出的許多錯誤決定，從新右派手中奪回了黨權和政權，其意義重大。但是，興高采烈的左派們很快就發現，他們的勝利遠不是鞏固的，因為蔣介石還掌握著軍權。當紙上的宣言和決議與槍桿子發生矛盾的時候，前者顯然不能與後者較量。

還在遷都之爭初期，鮑羅廷曾對李宗仁說："絕不能再讓蔣介石繼續當總司令了。"他曾試圖動員李宗仁取蔣自代，遭到拒絕[1]。3月下旬，武漢政府又曾密令第六軍軍長程潛逮捕蔣介石，再遭拒絕[2]。4月5日，武漢政府決定廢除國民革命軍總司令，建立集團軍，任命蔣介石為第一集團軍總司令，馮玉祥為第二集團軍總司令，朱培德為預備隊總指揮，楊樹莊為海軍總司令。這是武漢政府削弱蔣介石軍權的重大措施，但是，已經沒有實際效用，一週之後蔣介石就利用他掌握的軍權，發動了"四一二"政變。

1　《李宗仁回憶錄》（上），第441頁。
2　參見本書《"四一二"政變前後武漢政府的對策》一文。

「四一二」政變前夕的吳稚暉 *

——近世名人未刊函電過眼錄

* 本文錄自《楊天石近代史文存》，中國發展出版社 2015 年版；原載《歷史研究》2003 年第 6 期。

一、吳稚暉日記中保存的復陳獨秀函稿

吳稚暉是國民黨元老，陳獨秀是中共領袖，二人一度關係密切，但是，"四一二"政變前夕，吳稚暉卻與蔡元培、李石曾等一起，"檢舉"陳獨秀和中共，成為蔣介石"清黨"的輿論製造者。研究吳、陳二人之間關係的變化，有助於了解1927年春國共關係破裂的一個側面。

吳稚暉未刊日記中保存復陳獨秀函稿一通，很長，但很重要。函云：

仲甫先生：

前日去汪先生[1]處，候一小時，知其時風聲甚緊，不便行路，即弟亦僅望作劇談，並無要言，不欲先生之冒險，故與汪先生談閒話甚暢而歸。前日由羅先生奉到賜書，未早復者，因無投簡之處，遂因循也。稽答，甚歉矣。

先生之所言，弟悉知之，而且深信之。近【向】[2]弟向羅、汪諸先生屢有辭者，並非弟有所不以為然，乃弟知有媒孽者，甚願先生等之慎重之耳。此非是非問題，乃利害問題也。逼上梁山之法，善用之自有其相當之

1　汪先生，指汪壽華，原名何今亮、何松林，1925年參加中共，曾任中共江浙區委常委，時任上海總工會代理委員長。羅先生，指羅亦農，1920年加入中國社會主義青年團，次年在蘇聯轉為中共黨員。1925年回國。同年12月，任中共江浙區委書記。在1926年10月至1927年3月的上海工人三次武裝起義期間，二人均與吳稚暉關係密切。
2　"向"字疑衍。

價值。故自先生標左右分派之名，所生小效不一而足。然《傳》曰："莫敖狃於蒲騷之役"[1]，"狃"亦智者所應當留意，用術過乎其度。人者，模仿動物，教猱升木之說，實足參考。[2] 蓋惟我獨智，而眾亦非皆愚。列寧之對面，已生莫索利尼，則凡"任用李服，而李服圖之；委任夏侯而夏侯敗亡"[3]（即土耳其之前事），用術過度之痛史，亦有反顧價值，不能拘當前之小效，輒如鄙諺所云，咬著陽物，雞腿都換不動，一往直前之沾沾自喜也。雖云厚貌深情，我輩亦十分留意於交際，然惟其如此，受創者益引起懷疑。儘管口蜜出於誠意，莫不疑有腹劍。至於剛柔之道皆窮，亦自叢荊棘而已。

先生來書，推言及於人格。在先生以為至矣、盡矣，然而黨人每每有大人格而不拘小人格。果拘小人格，則受人一飯，相期一言，必致硜硜，章行嚴所以不資之身，甘敗於宰相大臣如段入（？）岑也；比之陳仲甫，所謂鳳凰翔於九天之表，彼則滯於藩籬耳！拘小人格者，失敗也。如彼保大人格者，其勝利也如此。如是，我輩有大人格，輒欲以小人格向人擔保一言，愚昧如弟，亦能笑而不信，因此，弟與羅先生劇談，羅先生亦屢有此等表示，弟惟忍俊不禁而已。事至於弟亦忍俊不禁，所以造謠者皆言 CP 事事可愛，惟口蜜腹劍，人格之不存，是其一短，何怪其有此不諒乎！自然，世人不知有大人格，實眾愚群盲，十分可憐之處，然消息盈虛於其間，寧非兼顧利害者所當有其事乎！

弟之性質，急先鋒之性質；在先生自然尤其是急先鋒之性質，在俄國人自然更是急先鋒，故我非常懷疑，以為列寧式之共產，不過為先行物所職，驅除掃蕩而已，馬格斯之共產，實現者必為德意志人。此說而果然耶？觀今日中國 CP 之舉動，弟可無言，因弟之為人，有極端矛盾兩性質，即對於社會國家，語其卑，雖康有為果能佐宣統皇帝而行明治天皇之政，弟惟不與其謀而已，代世界設想，而亦以為慰情聊勝無，可許其存在；語其高，不惟共產實行，無政府速現，莫不願共邪許[4]，即以為別有洞

1　莫敖，指楚國的貴族莫敖屈瑕。莫敖在蒲騷（今湖北應城境內）打過勝仗，自此趾高氣揚。公元前 699 年，莫敖再次率兵攻打羅國，楚武王的妻子鄧曼對武王說："莫敖狃於蒲騷之役（莫敖習慣於蒲騷之役的勝利），將自用也（必將剛愎自用）。"果然，莫敖出兵後獨斷專行，麻痹輕敵，結果兵敗自縊。事見《左傳》桓公十三年。

2　《詩·小雅·角弓》："毋教猱升木，如塗塗附。"《列女傳》："公子州籲，嬖人之子也。有寵，驕而好兵，莊公弗禁，後州籲果殺桓公。《詩》曰："毋教猱升木"，此之謂也。"後遂將教唆壞人做壞事稱為教猱升木。

3　語見諸葛亮《後出師表》。李服，《魏志》無其人，舊說認為是王服之誤，史稱：車騎將軍董丞受漢獻帝密詔，曾與劉備一起密謀誅殺曹操。夏侯，指夏侯淵，曹操大將，建安二十四年兵敗被殺。

4　《淮南子·道應訓》："今夫舉大木者前呼邪許，後亦應之，此舉重勸力之歌也。"

天福地，當前塵境皆止過渡，一概可以乍現即滅，均付涅盤，弟亦贊同。所以今之CP，若止自任為急先鋒，弟願翹拇指而喝采，曰好，真好，否則，苟有一毫譽蘇俄建設之周密，不憚卑詞厚貌，苦心孤詣（以下當有脫漏）。如先生屢屢所謂不是瘋子，毫無野心，有三分曲求短時之全者，請是非問題之外，兼講一些利害問題。弟何嘗為浮言所動，但請先生知浮言所自可矣。革命者被革命人所製造，浮言者亦被浮言人所製造。此原則也，空洞而說不如證實而言，則請引一近事以為論證。

先生此次所示，甚至於影響海軍，此毛細之事也。弟本不願引為例證，而先生既言之，弟即藉以說明，當不以為迕。海軍猝動一事，先生以為無窮錯誤，弟卻不評為錯誤，因黨人不勝其忿憤，輕舉妄動，乃是常態。當日上午集會，羅、汪、張三先生皆以為時間正在非常，應議非常之舉動，弟甚以為然也，然開始所議者，皆無聊之大綱，所謂驅逐孫傳芳，反對英國兵，諸如此類，我輩以為口禪者，幾乎國共兩黨之吃奶小孩久已熟聞。當彼非常之時，尚制禮作樂，老調別彈，弟遂以為並非處置非常，實乃別有作用，否則天上天鵝遇地下切蔥薑，正求死不得之際，即講許可權分配，太無聊矣。因此弟直言有所貢獻，以為我輩革命黨開會，應當如此直率，庶免許多懷疑與隔閡。嗣經羅先生說明，彼等主要意思，本欲討論軍事等等，弟方大服，遂協議一二日後如何與軍隊接洽，如何與海軍相約，如何民眾燃炮竹助威，大家歡洽而退。然當時更以當夜海軍即動說明，尤為圓滿，不至使有人以為一部分人上午已先知者，竟對中心會議之人至傍晚始令始（知）之，且令屍其名。然現在彼此皆屬極好朋友，自然知急色兒必有所不得已，坦然十分相諒，早已渣滓不存。至在一般人則"是簡驩也"[1]之疑可以發生，進一步疑人待己為頭等阿木林，可憐好朋友，止被人當作貓腳爪，凡疑此中有圈套者，皆易生浮言，易為浮言所動也。我等將保之以大人格，我等不願也，將保之以無足重輕之小人格，不易信也。故言論雖苦，不若以事實詔告，此可貢獻留意者一也

然而此等引起兩黨糾紛之小問題尚為枝葉，至於主要貢獻，而共產黨既非僅僅充破壞之急先鋒，而且以善於建設自命，則先生所謂無窮錯誤愈少愈好，則利害問題之說也。黨軍不日臨滬，非如三月廿九，僅圖與總督衙門拚命，留一廣告，則此錯誤可省也。在周圍數千軍隊之中，急開數

1　《孟子‧離婁》載：齊大夫公行子死了兒子，右師王驩前去弔喪，大家紛紛趨前與王驩談話，只有孟子例外，王驩不悅說："諸君子皆與驩言，孟子獨不與驩言，是簡驩也（看不起我王驩）也。"

炮，明知必為十分鐘、二十分鐘之事業，乃事先已有革命委員會之整備，臨事又有何處回應之樂觀，無窮錯誤之中又含無窮滑稽，故此類舉動，定然可省即省為要。弟於此事，本不應如此的事後批評。若在事之本身，弟十分欽敬於犧牲之烈士，而愧我輩之縮頭不出。然所以十分抱歉藉以發論者，蓋在共產黨乃一世界堂堂大黨，決非壓在十八層地獄之少數革命份子，專以拚短時死命，聊洩憤恨者可比也，而況牽動進行政策，使可望有效歸於無效；牽動黨派，使協和者失其招呼，皆先生所謂無窮錯誤，弟亦以為小有錯失者也。

諸如此類之急色，諸如此類之小誤，若能減少無謂之犧牲，無謂之異同，我輩革命黨攜手進行，共趨一點，現在共助國，將來國變共，時間之早晚，亦相商而定，如水之融乳，泯合無跡，豈不懿歟！弟日日望之，不知能否？古人云，內和外攘，雖使用小法術，汰除不良份子，自亦不得已。然狃且屢，西洋景拆穿亦可失效，世之妥洽人所以致謹於用手段者，恐餷糠及米，始用之於敵，既且及親，既且及最親，幸而世間尚有非共產者耳，否則清一色矣。列寧、托洛司基又彼此矣，如剝蕉然，豈有窮期！此本迂言，言之太陳，然於相當結會中，略行其內和外攘，亦一時之所要也。若云任何一黨，必有不及約束之份子，此為先生所欲答，亦弟所十分首肯，但共產黨素以風紀名於當世，若亦如國民黨之約束不周，則又何優勝劣敗之可分，此必共產黨心欲以此求諒而口所不願出者也。弟托共產黨待我甚厚，狂肆瞽論，且自知所言，皆隔靴搔癢，十分可笑，願矜庶之！弟所欲貢者已盡於此，短時間更無求見先生之必要，請天日稍可昂頭，再劇談也。

　　敬叩

　　道安！

弟吳敬恆頓首，二月廿五日[1]

以上段落，為筆者所分，標點為筆者所加。函中冷僻掌故，請參閱筆者所作簡要注腳。

---

1 《吳稚暉日記》，抄件，台北中國國民黨黨史館藏。

二、函稿背景

要解讀吳函，首先要深入地研究其背景。

1926 年 9 月，廣州國民黨中央為開展江蘇及上海地區的工作，成立江蘇特務委員會，以侯紹裘、吳稚暉、張靜江、鈕永建等 7 人為委員，而以鈕永建主其事。自此，吳稚暉遂與羅亦農、汪壽華、侯紹裘等中共黨人多有來往，共同策劃上海地區反對北洋軍閥的鬥爭。同年 10 月，在上海的共產國際遠東局俄國代表團會議決定，上海起義必須組織 "無產階級的獨立行動"。[1] 23 日，上海工人第一次武裝起義爆發。吳稚暉認為這是汪壽華等 "時圖於國民黨外，要在上海另植一種革命勢力，以為共產黨之地"。[2] 因此，曾向汪等表示："勿急躁。如國民革命完成，貫徹中山先生之遺囑，將來進一步，中山先生亦非不能共產者。何必圖掛招牌，仍賣假藥，學上海書商輒賣預約券，作朝生暮死之事乎！"同時，吳稚暉對蘇俄也心存戒懼，當面對蘇聯駐滬領事館人員表示，希望俄國人誠心幫助中國革命，而不要 "伸縮操縱"。[3] 1927 年 1 月至 2 月間，國民黨右派散佈，中共要在上海成立 "工人專政政府"，吳稚暉疑慮更多。

同年 2 月 18 日，共產國際在上海的代表曼達良、阿爾布列赫特等向中共中央建議，在忠於蔣介石的何應欽部隊到達上海之前，"建立一個能抵制廣州軍隊指揮人員的右傾和深入開展革命運動的政權"。共產國際的代表稱："上海無產階級在相應的政權之下能夠對整個國民政府的進一步革命化產生極大的影響。正是上海的無產階級有條件通過國家政權了真正保證無產階級的領導權，而這一政權形式很快就能為中國各大城市所接受。我們認為完全有可能和有必要按照蘇維埃制度建立起稱之為 '人民代表會議' 的政權。這個會議基本上採取蘇維埃制度，應包括所有的反帝階層。"[4] 同日，上海總工會在未經中共中央和上海區委批准的情況下發佈通告，決定於次日舉行全滬工人總同盟罷工，援

---

1 《共產國際執行委員會遠東局而國代表團會議記錄》，《聯共（布）、共產國際與中國國民革命運動》（1926—1927），上，北京圖書館出版社，第 580—581 頁。
2 《初以真憑實據與汪精衛商榷書》，《吳稚暉先生全集》卷 9，第 876 頁。
3 《初以真憑實據與汪精衛商榷書》，《吳稚暉先生全集》卷 9，第 877 頁。
4 《曼達良、阿爾布列赫特、納索諾夫、福京關於第二次上海起義的書面報告》，《聯共（布）、共產國際與中國國民革命運動》（1925—1927），下，第 138—139 頁。

助北伐軍，打倒孫傳芳，奪取上海。19 日，總同盟罷工開始。同日，共產國際的代表與周恩來、瞿秋白等人談話，提出建立政權及政權形式的設想。20 日，共產國際的代表與彭述之談話，要求變總罷工為起義。21 日，中共中央及上海區委決定，積極準備，組織廣大的群眾的市民暴動，進而成立"臨時市民代表大會"（國民革命的蘇維埃）。[1] 其具體計劃是：22 日晚 6 時，由海軍先開炮，浦東工人上船拿取槍械，然後攻打高昌廟兵工廠。21 日晚，中共上海區委與鈕永建、吳稚暉等決定，將國民黨江蘇特務委員會、江蘇省黨部、上海特別市黨部等合組聯席會議，準備成立上海市政府。22 日上午，羅亦農、鈕永建、吳稚暉及上海總工會、上海學聯、商會等各方代表再次會議，汪壽華提議成立上海市民臨時革命委員會。對於這一名目，吳稚暉極為敏感，當即表示反對："如欲開重要會議，昨夜已成聯席會，即商界學界，亦議加入，何以今日合了換湯不換藥之諸人，又欲別立一名目？難道國民黨還不夠革命嗎？倘共產黨必欲自立名目者，乃無意與國民黨合作。吾立國民黨地位，敢提出抗議。"[2]

當晚，吳稚暉日記記會議情況云：

> 午前十時至廿六號，初無人，繼徐徐來，有羅亦農、王曉籟、汪壽華、楊杏佛、某工會少年二人，學生總會一人。又張曙時欲立什麼革命委員會，後又定名臨時上海市民革命委員會。余忠告勿為此包廂性質之預備，並言有人蔑視國民政府者，吾反對之，三十年內，有議共產者，吾反對之，有賣國於俄羅斯，我力除之也。言固無病而呻，所以致王曉籟商人不知所措者，乃莫名其妙，然對朋友忠告，寧過言之。

廿六號，指上海法租界環龍路 26 號，鈕永建的辦公地點。吳稚暉認為：在當時的中國，不能"蔑視國民政府"；三十年內不能"議共產"；不能"賣國於俄羅斯"。他擔心建立"革命委員會"就是為無產階級一個階級掌握政權準備"包廂"。吳稚暉承認，當時並沒有類似跡象，他的話不過是"無病而呻"，但目的是向朋友盡"忠告"，不能不"過言之"。

在吳稚暉發言之後，汪壽華及國民黨左派、江蘇省黨部秘書長張曙時發言

---

1 瞿秋白：《上海"二•二二"暴動後之政策即工作計劃意見書》，《上海工人三次武裝起義》，第 154 頁。
2 《初以真憑實據與汪精衛商榷書》，《吳稚暉先生全集》卷 9，第 877 頁。

解釋，羅亦農稱："欲立此非常之會議者，正欲討論軍事等耳！"於是，會議轉入研究軍事。當時，鈕永建正在聯繫李寶章的部下倒戈，羅亦農正在聯繫海軍。與會者詢問情況，鈕答："今日必無著落。明晚或有一二處得回音，說不定遲至後日。"羅答："（海軍方面）今日亦來不及"。這樣，會議決定"早則明晚，至遲則後日下午，應有舉動，屆時再集議"。[1]

會議雖然決定推遲起義時間，但是中共上海區委認為李寶章已在鎮壓罷工工人，策動他起義已無可能，拖延時日，必將使罷工工人限於被動，決定仍按原計劃起義。22 日下午五時半，羅亦農、汪壽華代表上海區委將計劃通知鈕永建，要求他簽署命令。鈕問："何以午前不早言？"他指責上海區委擅自作出決定，沒有合作"誠意"。經羅、汪說明，鈕永建最終還是簽署了命令。[2] 以後的情況是，海軍開炮的時間稍有延遲，碼頭上的等候上艦取械的工人糾察隊大部分已經散去，南市、閘北的工人糾察隊雖有所行動，但很快失敗。

當夜，吳稚暉日記云：

> 夜，我正倦睡而起食晚餐，杏佛、濟滄先後來言，頃在二十六號樓上聞炮聲十餘發甚厲，不知何物狂奴為此滑稽之舉動，惕生正大恚，亦無可如何。侯紹裘等似意得。余與楊、湯同至二十六號，皆目相視而默然。史鵬展、王守謙亦在，似亦莫名其妙。嗣後侯紹裘、汪壽華次第來言，高昌廟兵變。眾默然，相對無聊，至十一時乃散。

這一段日記比較簡略，據吳稚暉事後追述：吳稚暉、楊杏佛、湯濟滄到"二十六號"後，鈕永建正對侯紹裘、汪壽華二人發脾氣："如此相欺，何能合作！"侯、汪表示歉意，吳稚暉勸說道："事已如此，亦可勿復有言。革命黨之急躁，常如此也。"其後，次第有人報告："高昌廟回應矣！""西門、龍華，各有回應。"但一直到十點半，杳無消息。吳稚暉再次表示："後當慎之又慎，如此無謂之犧牲，應當切戒。"[3]

同日夜 10 時，陳獨秀起草致吳稚暉函云：

1 《初以真憑實據與汪精衛商榷書》，《吳稚暉先生全集》卷 9，第 877 頁。
2 《初以真憑實據與汪精衛商榷書》，《吳稚暉先生全集》卷 9，第 878 頁。
3 同上注。

前幾天本想和先生一談，以不大方便中止，至為悶悶。此時謠言甚多，尤其是右派，望先生萬勿輕信。在中國革命中，中國國民黨與 CP 萬萬不可分離，CP 決無與國民黨分離之意（即溥泉等，如他們願意打孫傳芳、李寶章，我們尚可與之合作，何況革命的國民黨）。誰願分離，便是誰不忠於革命。我為此言，誓以人格為擔保，望先生勿為右派浮言所動，以至大家鬧無謂意見，而為敵人所喜，並請先生將此轉達鈕惕生先生。CP 為上海事件有宣言，諒先生早已看見，右派造謠，說 CP 要在上海成立工人專政政府，此種無稽之言，實不值識者一笑。CP 份子多出力，這是革命者應有之義務，不得以此遂謂其有成立工人專政之意，軍閥肆意屠殺，群眾忍耐不住，自由行動，甚至於影響海軍革命，行動中自不免無窮錯誤，而不能事事皆歸怨於 CP 之有野心。先生試看 CP 對上海宣言，有什麼野心沒有。或者先生還以此宣言太和平了一點，也未可知，然而 CP 主張只能如此。此事稍定，尚欲與先生詳談一切。先生或不能信他人，當不至疑我亦欺騙先生也。[1]

　　此函意在解除吳稚暉的疑慮，維繫國共合作，所以力陳中共決無與國民黨分離之意，即使如張繼（溥泉）等右派，只要反對北洋軍閥，亦可合作。陳函特別說明，所謂中共要在上海成立"工人專政政府"之說，純系"無稽之言"。2 月 20 日，中共上海市執行委員會曾散發《為總同盟罷工告上海市民書》，其中提出《最低限度的共同政綱》十二條，主要內容為：由上海市臨時革命政府召集市民代表大會，成立正式上海市民政府，直轄於國民政府；撤退各國海陸軍、收回租界、統一市政；徵收市內一切居民的財產（土地在內）累進稅及所得累進稅；頒佈勞動保護法等，確實沒有多少激進內容。[2] 對提前起義的原因，陳獨秀解釋為："軍閥肆意屠殺，群眾忍耐不住，自由行動，甚至於影響海軍革命，行動中自不免無窮錯誤。"函中，陳獨秀並"以人格為擔保"，希望吳稚暉相信自己的話。

　　此函於 23 日午後經羅亦農之手交給吳稚暉。羅並向吳解釋："此皆人民忿

1　《吳稚暉日記》，此函後來吳稚暉在寫作《初以真憑實據與汪精衛商榷書》時曾加以引用，見《吳稚暉先生全集》卷 9。
2　《上海工人三次武裝起義》，第 128—129 頁。

無可洩，故輕舉妄動。"[1] 不過，吳稚暉並不接受陳、羅二人的解釋，也不領陳獨秀以"人格擔保"之情。於 25 日起草了上引致陳獨秀函。

三、函稿探析

函稿充分反映出吳稚暉對中共的不滿。它表明，國共兩黨當時雖仍在合作階段，但彼此間已經存在著很難克服的矛盾。但是，函稿寫得很晦澀，文字亦有脫誤，有仔細梳理、研究的必要。今依照筆者所分段落，逐段加以闡釋。

函稿第一段，說明 2 月 23 日曾與汪壽華長談，知當時上海仍處於白色恐怖之下，不願陳獨秀冒險及所以未及時復函的原因。

函稿第二段，藉中國古代和世界的歷史故事，指責陳獨秀及中共在國民黨中強分左右兩派，逼人激進，是耍弄權術，雖有小效果，但不可多用，不可過度。吳稱：楚國的莫敖因在蒲騷地方打過勝仗，自此驕傲自滿，對打仗漫不經心，結果，再次出兵時就兵敗自縊。曹操用人喜歡耍手段，弄權術，結果，任用李服而李服企圖謀害他，任用夏侯淵而夏侯淵兵敗被殺。因此，"狃亦智者所應當留意"，多用權術就會出問題。吳並稱：人善於模仿，教猱升木的結果只能引導壞人做壞事。例如，列寧的對面已經就產生了莫索利尼這樣的法西斯專制主義者。20 世紀 20 年代初，土爾其共產黨參加凱末爾領導的民主革命，但凱末爾建立土爾其共和國後，卻轉而鎮壓共產黨。凡此，都應該引為戒鑒。否則，"用術過度"，易於引起合作者警覺，懷疑口雖蜜而腹藏劍，給自己製造麻煩，種下許多"荊棘"。

函稿第三段，針對陳獨秀"以人格為擔保"的說法，指責共產黨人追求"大人格"，忽略"小人格"，雖信誓旦旦，但所言均不可相信。吳稱：章士釗只講"小人格"，因而失敗；陳獨秀追求"大人格"，手段高明之至！羅亦農也常以"人格"擔保，但只能使自己"忍俊不禁"，並不能使自己相信。

函稿第四段，吳自稱"急先鋒"，理想可高可低，既可贊成康有為輔佐宣

---

1 《初以真憑實據與汪精衛商榷書》，《吳稚暉先生全集》卷 9，第 878 頁。

統皇帝，進行明治式的維新，也可為實行共產、建立無政府社會而共同奮鬥。但是，吳表示，不贊成"列寧式的共產"，認為那只能起"驅除掃蕩"的清道夫作用，真正有資格實行"馬格斯之共產"的只有德國人。吳表示，贊同中共成為中國革命的"急先鋒"，但是不贊成中共"卑詞厚貌"地稱譽"蘇俄建設"。陳在致吳稚暉函中曾表白中共沒有"野心"；在其他場合，也曾表白，中共不是"瘋子"，不會急躁冒進。吳在本段中要陳斟酌利害，不可為製造"浮言"者提供根據。

函稿第五段，追憶 2 月 22 日聯席會議狀況：一開始討論的是"驅逐孫傳芳、反對英國兵"等宣傳"大綱"，吳認為，這些，"吃奶小孩久已熟聞"，無須討論，現在是非常時期，軍閥正在準備鎮壓（"天上天鵝遇地下切蔥薑"），不能慢騰騰地"制禮作樂"。其後，轉入討論軍事，雙方就"一二日後如何與軍隊接洽，如何與海軍相約，如何民眾燃炮竹助威"等問題達成協議。吳批評中共方面沒有在會上直率說明，當晚海軍即行發動，"竟對中心會議之人至傍晚始令知之，且令尸其名"。

函稿第六段，說明海軍當夜動作是一種"急色兒"行為，已成過去，彼此之間是好朋友，可以諒解，但一般人易生不滿，有被輕視（"是簡驪也"）、被欺騙（"疑人待己為頭等阿木林"）、被利用（"被人當作貓腳爪"）的感覺。

函稿第七段，認為辛亥年革命黨人攻擊廣州總督府的行為有宣傳作用，但今非昔比，國民革命軍即將抵達上海，沒有匆促起義的必要。在數千敵軍包圍之之中，開幾炮，十分鐘、二十分鐘之間即行失敗，是"無窮錯誤之中又含無窮滑稽"的行為。

函稿第八段，針對陳獨秀來函中所稱"行動中自不免無窮錯誤"的說法，認為此次起義"小有錯失"，既影響革命計劃進行，又影響兩黨關係。

函稿第九段，說明本人的國共合作理想是"現在共助國，將來國變共"，時間早晚，可以商量，希望兩黨之間，如乳交融，泯合無跡，對內和平，對外鬥爭。再次表示，不可一再要手段，用權術。吳稱：列寧、托洛司基之間已經分為"彼此"，如此層層"剝蕉"，在內部鬥爭不已，如何有終止之日！

函稿第十段，表示中共一向對己甚厚，所以才大發胡言。所欲言者已經說完，待形勢好轉（天日稍可昂頭）後再作長談。

以上所述，係筆者對吳函的解讀，相信主要方面符合原意。其中有少數地方語義不明，但由於吳稚暉日記的原件已經迷失，現在僅存抄件，其文字脫誤或可疑之處均無法校核，只好留待異日條件具備時進一步考證了。

綜觀上函，可知吳稚暉對中共不滿雖因具體問題而發，但其中卻隱含著若干原則分歧。一是對蘇俄建設、蘇共內部鬥爭和列寧的“專政”學說的評價。此函中，吳稚暉已在攻擊“列寧之對面，已生莫索利尼”，“四一二”政變後，吳稚暉更進一步指責列寧的共產主義“兇暴”，內心思想袒露無遺。[1]另一分歧是，國共合作及未來向“共產主義”發展的形式。吳稚暉的設想是：“現在共助國，將來國變共”，自然，他認為當時中國革命的領導力量只能是國民黨。

自 1923 年 5 月起，共產國際即明確指示，中國革命的領導權應該歸於工人階級的政黨。

1925 年 1 月，中共“四大”明確提出，無產階級在中國民族革命運動中必須取得領導地位。這樣，一個要“共助國”（共產黨協助國民黨），一個要“共領國”（共產黨領導國民黨），這一矛盾就很難調和了。

四、陳獨秀、吳稚暉夜談“共產”

上函寫成後，吳稚暉於 2 月 26 日交給鈕永建，託鈕轉交陳獨秀，但吳又覺得此函“不相宜”，向鈕要回，另寫一函，“意稍和緩”。[2]其後，國共兩黨的領導人在上海繼續維持合作狀態。3 月 5 日，羅亦農、侯紹裘與鈕永建、吳稚暉見面，吳稚暉讀到羅帶來的陳獨秀函，談在上海成立市民政府問題。吳閱後稱：“我們主張也如此。”“從前確有誤會，我們以為 C.P. 的民眾仍有強姦氣，現在我們主張並無不同處。”羅亦農提出“總罷工”，歡迎北伐軍，維持上海治安，防止搶劫，吳、鈕都表示贊成。當時，給羅亦農的感覺是：“解釋許多誤

---

1 《護黨救國運動談話》，《吳稚暉先生全集》卷 9，第 822 頁。

2 《吳稚暉日記》，未刊抄件。

會，吳稚暉也不再放大炮了。"[1] 但是，在第二天吳、陳的一次"夜談"後，吳稚暉的態度卻有了急劇變化。

3月6日夜8時，陳獨秀、羅亦農約吳稚暉到鈕永建處談話。鈕先走，楊杏佛、孟森（心史）繼來。關於這天晚上談話的內容，吳稚暉日記云："談約兩小時，其要點二十年可行共產。二百五之名目亦比無名目好。"這段日記過於簡略，但3月26日吳稚暉有一段敘述記二人對話很詳盡：

> 吳：我是不諱言無政府是要三千年才成的。列寧共產，越飛說的二百年恐還不夠。
>
> 陳：你瘋了。無政府與共產可以很快的。
>
> 吳：這無非假的罷了。
>
> 陳：那我請問你。現在我們中國共和是假的。還是康有為的復辟好？還是假的共和好？
>
> 吳：那末即日掛了共產招牌，行的連三民主義都不如，突然把許多老朋友丟了，於心何忍呢？
>
> 陳：現在哪裏行共產？行共產不是瘋子嗎？
>
> 吳：那末據你判斷，列寧的共產，行在中國要若干年呢？
>
> 陳：二十年足矣！
>
> 吳：那末豈不是國民黨的壽限，止有十九年，便要借屍還魂了呢？[2]

陳獨秀是中國革命應分民主主義與社會主義兩步的最早的設計者之一，但是，此際卻認為中國在二十年內可行"列寧的共產"，之所以如此，可能受了北伐戰爭進展甚快的影響。3月25日，中共上海區委召開擴大活動份子會議，報告者稱："不久以前我們認識中（國）革（命）一氣呵成，可直向社會主義走。"[3] 顯然，與陳獨秀同樣表現出對中國革命的一種過於樂觀的估計。

吳稚暉對"列寧式的共產"一向不滿。這次夜談，陳獨秀的話強烈刺激

1　《特委會議記錄》，《上海工人三次武裝起義》，第279—280頁。

2　《對共產黨問題談話》，《吳稚暉先生全集》卷9。該書編者認為係1927年3月12日談話，但文中稱："二十天前，我與陳獨秀五年不見，約了會談。"陳、吳會談在3月6日，則此談話必為3月26日。

3　《上海工人三次武裝起義》，第395頁。據同年4月6日羅亦農報告稱："中國革命一氣呵成向社會主義路上走，是很有可能的。"據此，在此報告者應為羅亦農。見《中共上海區委召開活動份子會議記錄》，同上書，第444頁。

了吳稚暉本已存在的"反共"神經。1927年4月2日,蔡元培、吳稚暉、張靜江、李石曾、李宗仁等8人在上海舉行國民黨中央監察委員會,陳獨秀的"二十年在中國實行列寧式共產主義"的說法就成了吳稚暉"檢舉"中共的主要內容。

五、吳稚暉站到蔣介石方面

北伐開始以後,各地工人運動發展迅速,罷工事件風起云湧。3月5日,吳稚暉與羅亦農會談時,曾表示"暴動工黨太激烈。"[1]3月16日,吳稚暉致函蔣介石,這種不滿就流露得更為明顯。函云:

> 至於罷工諸問題,時時不免逾軌,此已萬方一慨,想時局未定,為必有之現象,俟大憝既殲,稍予左右以休暇,必能整齊劃一,立之標準,群公奉而周旋,定使共上軌道。[2]

從吳函可見,他認為工人運動"逾軌",已經到了"萬方一慨",到處不滿的嚴重地步。"大憝既殲"云云,顯指正在醞釀中的"清黨"計劃。可見,這時的吳稚暉已經和蔣介石完全站到一起了。

第二次上海工人武裝起義失敗後,中共上海區委繼續籌劃發動第三次起義。3月21日,國民革命軍東路軍迫近上海,前敵總指揮白崇禧進駐龍華。中共上海區委認為時機已到,宣佈舉行全市總同盟罷工,並立即舉行武裝起義。當日,國共領導人召開聯席會議,吳稚暉日記云:"開聯席會議,余旁聽,未肯與會,侯(紹裘)爭警權宜收歸工人所有甚力。"吳於當年2月21日被蔣介石任命為上海臨時政治委員會代理主席,算是上海國民黨組織的頭號人物,但他只肯"旁聽",不肯正式與會。對會議內容,他只記了"侯爭取警權宜收歸工人所有甚力"一句,尤可見他對這一問題的警惕。

1　《上海工人三次武裝起義》,第395頁。據同年4月6日羅亦農報告稱:"中國革命一氣呵成向社會主義路上走,是很有可能的。"據此,在此報告者應為羅亦農。見《中共上海區委召開活動份子會議記錄》,同上書,第79頁。

2　見《吳稚暉日記》。

　　形勢發展得很快。3 月 22 日，上海工人第三次武裝起義取得勝利。同日，召開第二次市民代表大會，選出上海臨時市政府委員會委員。23 日，國民革命軍程潛所部攻佔南京。26 日，蔣介石到達上海。次日，吳稚暉即會見蔣介石，提出反共建議。28 日日記云：＂住入道署，開監察會。＂這裏所說＂監察會＂，指的就是蔡元培、吳稚暉等人＂檢舉＂陳獨秀和中共的國民黨中央監察委員會會議了。

蔣介石發動政變與建立南京國民政府 *

* 本文錄自楊天石主編《中華民國史》第 6 卷（1926—1928），中華書局 2011 年版。

一、贛州慘案與南昌、九江、安慶事件

由於遷都之爭，武漢國民黨和蔣介石之間形成對立；恢復黨權運動使這種對立進一步尖銳化。武漢左派們企圖以群眾大會、通電宣言、決議等約束蔣介石，而蔣介石則以暴力相回答。3 月 6 日，新編第一師師長倪弼下令槍殺贛州總工會委員長陳贊賢，成為將介石開始鎮壓革命力量的訊號。

陳贊賢，江西南康人。1896 年生[1]，辛亥革命後考入江西陸軍講武堂學習。曾參加"二次革命"、"五四"運動和孫中山領導的北伐軍隊。1926 年初加入中國共產黨。歷任廣東南雄總工會委員長、國民革命軍第二軍第五師政治部宣傳科長等職。同年 7 月，自動申請回江西工作以配合北伐[2]。曾策動賴世璜起義。10 月，調任贛南黨務及民眾運動指導員，同時任中共贛州特別支部書記。11 月，在贛州工人第一次代表大會上當選為總工會委員長，隨即發動罷工，要求"保障職業，增加工資，改善待遇，實行八小時工作制"，獲得勝利。不久，又成立工人糾察隊，使贛州的工人運動名盛一時[3]。但是，運動中也出現了"左"的傾向，如捕捉店主，捆綁遊街，要求增資十幾倍等現象[4]。

1　關於陳贊賢的生年，諸說不一，此據 1927 年印行的南康《陳氏族譜》。
2　劉少奇：《論陳贊賢在贛被害事》，《漢口民國日報》，1927 年 3 月 17 日。
3　劉鼎福：《江西工人運動先驅陳贊賢同志》，《江西工人運動史研究資料》第 9 輯，第 25—27 頁。
4　劉勉玉：《陳贊賢》，《中共黨史人物傳》卷 2，第 116 頁。

贛州工人運動的發展遭到敵視。12 月 30 日，洋貨業店員工會幾個店員因去第二女子師範學校看文明戲遭拒，在牆上塗寫污辱婦女的字畫，該校校長、國家主義派份子歐陽魁等在縣黨部支持下，藉此召開各公團聯席會，要求解散洋貨業店員工會，激起工人反對，大批工人包圍縣署。據說，縣黨部主席籌備員、臨時政務委員會主席陳鐵被毆[1]。1927 年 1 月 3 日，贛縣臨時政務委員會致電蔣介石，聲稱 "連日發生工潮，擾亂秩序，搗毀縣署，屬會無力維持，請示辦法"[2]。同日，贛縣縣黨部籌備處也致電蔣介石，指責店員工會 "罷工搗亂，破壞黨務，毆辱黨員，摧殘女界"，要求 "嚴辦工賊"[3]。其後，所謂贛州教職員聯合會、學生會、教育會、婦女解放協會等組織紛紛電蔣，指責陳贊賢等 "糾合工友，目無法紀"，"懇請嚴懲"[4]。事後，工會方面處分了個別工人，但歐陽魁等仍不滿足，勾結新編第一師黨代表倪弼，準備鎮壓工人運動。倪原是孫文主義學會份子，到贛州後，即接收賄賂，為商會說話[5]。1 月 26 日，贛縣臨時政務委員會召集各團體負責人開會，倪弼企圖乘機捕殺陳贊賢等，陳事前獲悉有關消息，化裝離開贛州，赴南昌請願。倪弼等即議決，以 "私藉工會團體，擾亂秩序，危害國民革命，以謀其個人大利" 的罪名，呈請拿辦陳贊賢等，"由人民組織審判委員會，訊明議處"[6]。會後，倪弼派兵至總工會捕去辦事人員。倪的舉動遭到第一師左派軍官的反對，230 人聯名致電總司令部，要求將倪撤差嚴辦。31 日，倪弼與師長張與仁召集幹部會議 "解釋結果，適得其反，倪弼被毆，會後，倪弼赴南昌 "控訴"，張與仁則在致蔣介石電中表示："乞示辦法，死所不辭。"[7]

倪弼到南昌後，在蔣介石面前哭訴，蔣大罵說："你有臉來見我，有本事回贛州去！"[8] 同時，陳贊賢秘密率領的工人請願代表團也到達南昌，他們在總司令部等候了半個月，始終得不到蔣介石的接見，最終只等到了一個批示："該案交

1　《贛州婦女解放協會執行委員主任呈文》，《中華民國史事紀要》，1927 年 1 月 2 日。

2　《蔣介石收各方電稿摘由》，抄本。

3　同上注。

4　同上注。

5　《贛州各工會請願團的報告》，《漢口民國日報》，1927 年 3 月 22 日。

6　《新編第一師政治部等呈文》，《中華民國史事紀要》，1927 年 1 月 2 日。

7　《贛州張與仁來電》，《蔣介石收各方電稿》，抄本。

8　《贛州各工會請願團的報告》，《漢口民國日報》，1927 年 3 月 22 日。

總政治部、省黨部工人部會同新編第一師張師長辦理。"[1] 國民革命軍總政治部副主任郭沫若支持贛州工人，他要求蔣介石將倪弼調開，蔣口頭答應而始終不實行[2]。

在倪弼離開贛州後，經新編第一師團黨代表周學昌調解，勞資糾紛已接近解決。倪回到贛州，贛州商人立即變卦，大批開除工人。2 月 21 日，商人彭益三等殺傷工人十餘人。隨後，省黨部工人部特派員賀其燊跟蹤而至，命令陳贊賢停職，並要求新編第一師及縣署拘捕陳贊賢。此時，陳贊賢已在江西第一次工人代表大會上被選為省總工會執行委員，但他沒有開完會就回到贛州。3 月 1 日，在贛州總工會召開的歡迎大會上，陳贊賢表示："堅決與反動派勢力作鬥爭，為工人階級謀利益。" 6 日，陳贊賢被騙到縣署開會，倪弼等限陳在三分鐘內簽字解散贛州總工會，為陳嚴詞拒絕。倪稱："蔣總司令有令在此，今晚要槍斃你！"倪的左右即向陳開槍。陳身中十八彈，英勇犧牲[3]。

還在 1 月中旬，蔣介石去武漢期間，就對工人運動的發展表示不滿。殺害陳贊賢，說明他已由不滿發展為仇視。

在陳贊賢被害之後不久，左派掌握的南昌、九江市黨部、安徽省黨部等先後被搗毀。

南昌市黨部擁護武漢左派們提出的恢復黨權運動。3 月 6 日，召集合體黨員大會，議決擁護武漢中央黨部宣傳大綱，敦促汪精衛復職，從速組織審判土豪劣紳特別法庭[4]。14 日，右派掌握的江西省黨部即地議解散南昌市黨部，通緝該會執、監委員。15 日，南昌市黨部為紀念辦中山逝世 2 週年，召集有 20 萬群眾參加的大會，提出 "提高黨權" 等口號，當時，蔣介石在場，立即責問：是誰提出此種口號？會場應聲云："群眾公意。"蔣介石憤憤地說："我有我的口號，就是擁護江西省黨部。誰反對江西省黨部，就打倒誰。"[5] 當夜，蔣介石離開南昌。16 日，江西省黨部召集流氓、警察及部分黨員，沿途高叫"打倒左

1 《贛州各工會請願團的報告》，《漢口民國日報》，1927 年 3 月 22 日。
2 郭沫若：《請看今日之蔣介石》，《革命春秋》，人民文學出版社 1979 年版，第 133 頁。
3 《陳烈士贊賢事略》，贛州各界追悼陳烈士贊賢大會印行。
4 《黑幕重重之江西黨務》，《漢口民國日報》，1927 年 3 月 25 日。
5 《蔣介石竟反對恢復黨權》，《漢口民國日報》，1927 年 3 月 19 日。

派"，"打倒赤化"、"打倒鮑羅廷"、"擁護蔣總司令"等口號，衝入南昌市黨部，逢人便打，遇物便毀[1]。隨後即封閉學生會、濟難會及左派創辦的《貫徹日報》，宣佈解散工會、農協。23 日，右派在南昌召開了所謂"江西民眾擁護中國國民黨示威運動大會"，議決組織"江西民眾擁護中國國民黨大同盟"，反對武漢中央[2]。

蔣介石離開南昌後，16 日到達九江。17 日，九江市黨部、總工會、第六軍政治部、農協、《國民新聞》社等處即被手持刀械的幾百個流氓搗毀，當場殺害九江市黨部職員三人、總工會幹部一人、工人十餘人，拋河致死者十餘人，重傷第六軍政治部工作人員九人[3]。工人糾察隊要求解除暴徒武裝，蔣介石卻派衛隊掩護暴徒出市，並命第六軍留守唐蟒為戒嚴司令官，禁止工人罷工[4]。

安徽臨時省黨部在恢復黨權運動中也很活躍。當時，該黨部正流亡於武漢，曾先後發表《最近宣傳大綱》等檔，譴責昏庸老朽份子宰割中樞，壟斷黨務，呼籲"救黨"[5]，國民革命軍進軍安徽後遷回安慶，公開活動，迅速組成省、市總工會，省農協籌備處，婦協籌備處，省學聯等群眾團體。但是，安慶也存在著一個由右派組成的省黨部，它用收買地痞流氓等辦法，也成立起總工會，農協、商協、婦協一類組織，與左派勢力相抗。3 月 20 日，蔣介石抵達安慶，當日，左派省市兩級黨部聯合召開萬人歡迎大會，宣言稱："我們熱誠地歡迎總司令是因為總司令始終站在革命戰線上，向我們的敵人帝國主義者及其走狗奉系、直系安福系等進攻不息。"宣言號召打倒"在革命旗幟下活動"的西山會議派、偽黨部和安福系餘孽[6]。他們怎麼也料不到，這位被歡迎者兩天之後就下了毒手。21 日晚，省市兩黨部宴請蔣介石。席上，蔣介石聲稱安徽"派別多，不團結"，要求各方合作，成立省黨部，左派周駿當即表示："我們要健全國民黨的組織，必須純潔隊伍，我們決不能把西山會議派和幫會頭子都吸收到黨內

1　《南昌之白色恐怖》，《漢口民國日報》，1927 年 3 月 23 日。
2　《贛省來電兩則照錄》，《申報》，1927 年 4 月 2 日；參見《中國國民黨執委會第二屆常委會第四次擴大會議速記錄》，《中國國民黨第一、二次全國代表大會會議史料》，第 900 頁。
3　江西省委黨史研究室：《江西人民革命史資料》，第 73 頁。
4　郭沫若：《請看今日之蔣介石》，《革命春秋》，第 124—126 頁。
5　《安徽省黨部之救黨主張》，《漢口民國日報》，1927 年 2 月 27 日。
6　《安徽歡迎蔣總司令人會》，《申報》，1927 年 4 月 5 日第 9 版。

來。"氣得蔣介石未終席即離去 [1]。

3月22日，國民黨安徽第一次全省代表大會開幕。同日，總政治部命令偽總工會停止職權，聽候審查。該會抗不服從，他們在總司令部特務處副處長溫建剛指揮下，蜂擁到設在省長公署的總司令行營前，要求蔣介石接見。蔣居然表示同情說："你們受了壓迫，本總司令要秉公辦理。"[2] 適值省黨部常委光明甫等來見蔣介石，暴徒們遂一擁而上，將光明甫毆傷。事後，蔣對聞訊趕來的郭沫若說："你以後對於民眾團體的態度總要不偏不袒才好。" 又敷衍光明甫說："好啦！好啦！我警誡他們一下好啦！"[3]

事實上，蔣介石"警誡"的是左派。3月23日，安慶反動份子以省農協、總工會、商協、學聯、婦協等五個團體的名義召開"市民大會"，歡迎蔣介石。事前，出錢收買流氓，組織了一百多人的敢死隊。會後，在總司令部參議劉文明、西山會議派張秋白和青幫頭子楊虎率領下，搗毀左派省市黨部和省教育會等群眾團體，毆傷職員及出席國民黨安徽全省代表大會的代表數十人[4]。"所有傢俱雜物，無一留存"[5]。有一個男同志和一個女同志到省黨部開會，被暴徒們剝去外衣，打得半死不活之後拉去遊街，誣指他們在省黨部白晝宣淫，說這就是共產公妻的赤化份子的榜樣[6]。暴徒們沿途高呼"蔣總司令萬歲"、"打倒赤化份子"等口號，把被打傷了的人拖到總司令部門前一哄而散[7]。當日，李宗仁為此事去見蔣介石，蔣仍然假託民意，聲稱："是民眾打了的，我有什麼辦法呢？"[8]

蔣介石一口一句"民意"，事實真相如何呢？1928年，溫建剛有一封致張靜江的信很能說明問題，該函說："去春在南昌，以徐謙、鄧演達等劫持中央，危害本黨，首在介石先生前建議，撲殺共逆，免滋燎原。由九江而安慶，而南

1　周新民（即周駿）：《回憶大革命時期國民黨左派組織的建立及其進行的鬥爭》，《安徽文史資料選輯》第4輯，第84頁；參見周範文口述：《關於1922年至1928年安慶革命鬥爭情況》，中共安徽省黨史工作委員會編：《安徽現代革命史資料長編》卷1，安徽人民出版社1986年版，第470頁。

2　郭沫若：《請看今日之蔣介石》，《革命春秋》，第124—126頁。

3　郭沫若：《請看今日之蔣介石》，《革命春秋》，第124—126頁。

4　《漢口民國日報》，1927年4月1日。

5　《皖黨部被毀見聞》，《申報》，1927年4月3日。

6　郭沫若：《請看今日之蔣介石》，《革命春秋》，第137頁；參見李亞男、林世良：《蔣介石親自策動的"三二三"反革命事件始末》，《安徽文史資料選輯》第4輯，第109頁。

7　郭沫若：《請看今日之蔣介石》，《革命春秋》，第137頁；參見李亞男、林世良：《蔣介石親自策動的"三二三"反革命事件始末》，《安徽文史資料選輯》第4輯，第109頁。

8　郭沫若：《請看今日之蔣介石》，《革命春秋》，第138頁。

京，奮鬥不遺餘力。"[1] 原來，這是在南昌時期就已經確定的預謀。

3 月 24 日，蔣介石乘船離開安慶。臨行前擅行委任了 28 名安徽政務委員，以陳調元為主席，其中右派佔絕對優勢。

二、蔣介石等在上海策劃清黨

上海是蔣介石的舊遊之地。在這裏，他外可以爭取列強支持，內可以得到江浙資產階級的援助，還可以利用黑社會充當打手，具有其他地區不具備的優勢。因此，蔣介石一到上海，立即召見白崇禧，面示清黨決心[2]，隨即夜以繼日，緊張籌劃，準備政變。

首務是確定清黨反共方針，組成反共營壘。

在國民黨二大所選出的中央監察委員會中，右派佔多數。因此，蔣介石採納陳果夫在南昌時的建議，企圖通過這一組織提出清黨反共方針[3]。3 月 27 日，吳稚暉、李石曾、蔡元培、張靜江及邵元沖、馬敘倫、蔣夢麟等遷入龍華交涉公署，吳稚暉提出，為保密計，在清黨明令未公佈前，均不得外出[4]。同日，蔣介石等舉行會議。吳稚暉主張，"由中央監察委員會提出彈劾共產黨員及跨黨份子謀危本黨，搖動後方及賣國之行為"，"然後再由監察委員會召集中央執行委員之非附逆者開會商量"，至於"開除及監視一切附逆及跨黨之首要等"，則"聽候代表大會裁判"[5]。

28 日，繼續討論，當日會議情況，據《邵元沖日記》所載為："介石謂湘芹（指古應芬——筆者注）處已去電促其速來，而李德鄰（宗仁）、黃季寬（紹竑）、李任潮（濟深）日內皆先後將至，故擬待彼等到後再行決定。"[6] 同日，李宗仁應蔣介石之邀到達上海。

1 　中國第二歷史檔案館藏，原件。

2 　《白崇禧先生訪問記錄》，上冊，台北版，第 73 頁。

3 　陳果夫：《十五年到十七年間從事黨務工作的回憶》，《陳果夫的一生》，台北傳記文學出版社 1971 年版，第 109 頁。

4 　李書華：《吳稚暉先生生平略述》，見《吳敬恆述傳》，台北世界書局 1987 年版，第 3479 頁。

5 　《邵元沖日記》，1927 年 3 月 27 日，上海人民出版社 1990 年版，第 314 頁。

6 　《邵元沖日記》，1927 年 3 月 28 日。

在武漢時，李宗仁就認為兩湖地區的群眾運動"越軌"，以致"市況蕭條，百業倒閉，市上甚至有時連蔬菜也買不到，而工人店員等則在各級黨部指導之下，終日開會遊行，無所事事"[1]。到上海之際，又適逢工人向白崇禧請願，途為之塞，更增加了反感[2]。他和白崇禧都認為"上海一團糟"。白崇禧說："現在不僅上海工人行動越軌，第一軍也不穩。共產黨正在暗中積極活動，企圖取國民黨而代之。如不抑制，前途不堪設想。"見過了白崇禧，李宗仁便去見蔣介石，建議蔣"以快刀斬亂麻的方式清黨，把越軌的左傾幼稚份子鎮壓下去"，並提出將第七軍一部調到南京附近，監視不穩部隊等設想，蔣介石表示說："我看暫時只有這樣做了。"[3]

當日晚，蔡元培、吳稚暉、張靜江、古應芬、李石曾等舉行所謂中央監察委員會常務委員會[4]。首由吳稚暉報告"共產黨謀叛情形"："陳獨秀明言二十年內實行共產，已入國民黨之共產黨員謀叛國民黨及不利於中華民國之種種行為"，提議糾察，實行所謂"護黨救國運動"。蔡元培附議，要求"取消共產黨人在國民黨之黨籍"。李石曾則表示，"護黨救國運動"乃是向前革命之性質與決心，以與變相之帝國主義專制政體奮鬥，並非退後或保守之運動，如共產黨所污加於國民黨者[5]，這次會議後來被視為清黨反共的發端，實際上，一切在27日的會上已經決定，此會不過是過場而已[6]。

繼李宗仁之後，李濟深，黃紹竑也於4月1日自廣州抵滬，一行極為秘密，為此黃紹竑登程時甚至剃去留了六七年的鬍子。4日，蔣介石、何應欽、吳稚暉、李石曾、陳果夫、陳立夫、李濟深、李宗仁、白崇禧、黃紹竑等在東路軍前敵總指揮部會議，蔣介石說："十三年國共合作，共產黨加入國民黨的時候，他們就不懷好意，他們的組織仍存，並且在我們黨內發展組織。自十五年三月二十日中山艦事變之後，過種陰謀日益暴露。北伐軍到了武漢，中央某些

1　《李宗仁回憶錄》，第435—436頁。

2　《李宗仁回憶錄》，第453頁。

3　《李宗仁回憶錄》，第435—436頁。

4　《革命文獻》第17輯，台北"中央文物供應社"1957年版，第128—129頁。這次會議不久即改稱中國國民黨第二屆中央監察委員會第三次全體會議。

5　《中國國民黨第二屆中央監察委員會第三次全體會議第一號會議錄》。

6　這次會議是否真正開過、實際參加人員，均有疑點。

機關和某些個人受了分化或者受了劫持，把武漢和南昌對立起來。因此，現在如果不清黨，不把中央移到南京，建都南京，國民黨就要被共產黨所篡奪，國民革命軍就不能繼續北伐，國民革命就不能完成。"[1] 但是，他又表示，自己手中所指揮的軍隊，很多中下級軍官都是共產份子，不服從調遣，若著手清黨，恐怕激成劇變，沒有什麼辦法了，只好即刻回奉化去[2]。

與會諸人都反共。李濟深敘述了彭湃領導的海陸豐農民運動的情況，他說："如果不早日清黨，早日鎮壓，其他各縣的農民都將起來效尤，廣東就無法維持了。"

黃紹竑也對廣西東蘭的農民運動不滿。他說："現在要鎮壓是很容易的。其所以不敢鎮壓，是因為礙於中央黨部和省黨部的那些共產黨人和他們的同路人用黨部的名義維護著農民。"他表示："必須早日清黨反共。"

何應欽報告了南京事件的情況，他把事件的責任加到共產黨人的身上，說是："共產黨鼓動士兵和地痞流氓搶了、打了外國領事和外國僑民，才引起外國兵艦開炮轟擊的。"

白崇禧對上海工人糾察隊最反感。他說："上海自我軍佔領之後，工人就組織糾察隊封鎖租界。他們有自己的武器，有自己的指揮系統，不服從軍事長官的指揮。他們要衝入租界，佔領租界。現在外國領事團已經提出嚴重警告，黃浦江上佈滿了外國兵艦，兵艦上的大炮都卸了炮衣指向我們。租界裏新近調來了不少外國軍隊。如果發生衝突，不但全國精華的上海完了，北伐事業也完了。"他指責共產黨離間軍隊，說："第一軍駐在上海的兩個師，第二師師長劉峙老實些，執行命令認真一些，他們就貼標語，散發傳單，要打倒他；第一師師長薛岳靈活些，與他們表面上接近一些，他們就貼標語，散發傳單表示擁護。如果這種情況長此下去，我們的軍隊也要發生變化。"[3] 他表示："你們讓我先在上海動手，把共產黨窠巢肅清之後，各地自好辦了。"[4]

吳稚暉大講了一通，國民黨已經變成了"火中取栗的貓腳爪"。他滿口無

1　黃紹竑：《四一二政變前的秘密反共會議》，《文史資料選輯》第 45 輯。
2　白崇禧：《十六年清黨運動的回顧》，《南寧民國日報》，1932 年 4 月 12 日。
3　黃紹竑：《四一二政變前的秘密反共會議》，《文史資料選輯》第 45 輯。
4　白崇禧：《十六年清黨運動的回顧》，《南寧民國日報》，1932 年 4 月 12 日。

錫話，別人不大聽得懂。

　　沒有任何反對意見，"反共清黨"的方針就這樣確定了。

　　當日晚，吳稚暉、蔡元培、張靜江、古應芬、李石曾、陳果夫、黃紹竑、李宗仁等舉行所謂國民黨中央監察委員會第二屆第三次全體會議第二次會議，討論吳稚暉4月1日提出的《呈中央監察委員會文》，吳稱："現在共產黨在各地已公然提出打倒國民黨、打倒三民主義之標語，去年武漢所發之印刷品，亦公然有推翻本黨及賣國之言論。我輩為中國國民黨黨員，對此自應急行斷然之處置。"他並說："至於叛逆份子，因其有危險行為，故必須先行看管，以待中央執行委員會之判決。"[1]接著，蔡元培提出了一份《共產黨在浙禍黨之報告》，計有阻止入黨，煽惑民眾，擾亂後方，壓迫工人等四項[2]。會議根據吳稚暉的建議，將國民黨中央執行委員分為三類：甲類，純為本黨忠實份子，計汪精衛、譚延闓、胡漢民、蔣中正、丁惟汾、戴季陶、李濟深等31人；乙類，態度可疑之份子，計恩克巴圖、經亨頤、王法勤、屈武、吳鐵城等8人；丙類，共黨份子及附和共黨份子，計譚平山、林祖涵、李大釗、徐謙、于樹德、吳玉章、楊匏安、惲代英、毛澤東、許蘇魂、陳其瑗、夏曦、鄧演達、董用威、鄧穎超、詹大悲、顧孟餘等79人。此外，並開列了中央監察委員及各省黨員179人，與丙類同屬於"應先看管者之列"[3]。會後提出了一份《國民黨中央監察委員會呈》，要求中央執行委員會"以非常緊急處置，姑將所開各人及各地共產黨首要危險份子，經黨部舉發者，就近知照公安局或軍警，暫時分別看管監視，免予活動，致釀成不及阻止之叛亂行為"[4]。4月8日，吳稚暉等繼續舉行監察委員會第三次全體會議。9日，由鄧澤如領銜，黃紹竑、吳稚暉等8人聯名的所謂《護黨救國通電》完成，該電指責武漢聯席會議及二屆三中全會的種種措施和決議，認為有"不合者二"，"可痛心者"十一。電文稱："險象如此，詎能再安緘默？爰痛切陳詞，望我全體同志，念黨國之危機，凜喪亡之無日，披髮纓冠，共圖匡濟，扶危定傾，端視此舉。"

1　《中央監察委員會第二屆第三次會議詳紀》，上海《民國日報》，1927年7月1日。
2　《共產黨禍黨證據》，上海《民國日報》，1927年7月2日。
3　《中國國民黨中央監察委員會在上海開會記錄》，《革命文獻》第17輯，第129—134頁。
4　《中國國民黨清黨運動》，第18頁。

國民黨第二次全國代表大會選出中央監察委員 12 人，候補中央監察委員 6 人。儘管吳稚暉等舉行的所謂全體會議並不足法定人數，但清黨反共的"法律"程序總算勉強完成。蔣介石準備採取的措施雖然是中世紀的野蠻的屠殺，他仍然力圖掩蓋在"合法"的外衣下，做到盡可能符合組織原則。歷史在進步，新舊軍閥們不能不跟著轉換手法。

在確定清黨反共方針的同時，蔣介石力謀得到列強的諒解和支持。南京事件後，蔣介石和帝國主義雙方都力圖利用這一事件。在公開的場合，蔣介石聲明這一事件的煽動者是直魯軍的宣傳隊長何海鳴等人[1]。而在背後，卻通知日本方面，事件係共產黨人所為，企圖轉嫁責任，使列強明確支持他鎮壓共產黨。與此同時，帝國主義也不斷對蔣介石施加壓力，拉攏、誘迫他打擊共產黨人和急進力量，維護帝國主義在華權益。3 月 26 日到 4 月 2 日期間，通過黃郛和日本駐上海領事之間的密切接觸，蔣介石和日本政府之間就反共問題達成了默契。

為了發動政變，蔣介石必須擁有充裕的經費，因此，又竭力拉攏江浙資產階級。早在南昌時期，蔣介石就和上海資產階級的代表之間有過協議，到上海後，又一再甘言蜜語，以取得資本家們的歡心。3 月 26 日，蔣介石在接見虞洽卿時表示，"抱維持資本家主張"[2]。28 日，上海商業聯合會代表迎見蔣介石，蔣介石再次表示："此次革命成功，商界暗中助力，大非淺顯。此後仍以協助為期。關於勞資問題，在南昌時已議有辦法。所有保商、惠工各種條例，不日當可頒佈，決不使上海方面有武漢態度。"[3] 蔣介石的表態使上海資產階級感到滿意和放心。月底，蔣介石以總司令部的名義任命江蘇兼上海財政委員會委員 15 人：主任陳光甫，係上海商業儲蓄銀行總經理；委員虞洽卿，時任上海商業聯合會主席；錢新之，"北四行"聯合準備庫副主任；吳榮鬯，中國銀行總文書；秦祖澤，錢莊業代表；湯鉅，交通銀行代表；顧履桂，麵粉業代表；王曉籟，閘北商會會長；徐國安，鹽商和紗廠業代表；陳其采，浙江財政委員會主任。通過這個組織，蔣介石將江浙資產階級緊緊抓在手裏；這個組織也積極為

1　《上海商業聯合會聽取虞洽卿會見蔣介石等情議事錄》，《1927 年的上海商業聯合會》，上海人民出版社 1983 年版，第 46 頁。
2　《1927 年的上海商業聯合會》，第 46 頁。
3　《上海商業聯合會代表迎見蔣介石新聞稿》，《1927 年的上海商業聯合會》，第 48 頁。

蔣介石籌措經費，當時，蔣介石以"前方軍需緊急"為理由，要求該會迅速籌款 1000 萬元。4 月 4 日，通過陳光甫、陳其采的活動，以二五附稅作抵，銀行公會提供借款 200 萬元，錢業公會提仕供社 100 萬元，月息 7 厘[1]。上海工商業聯合會並向蔣介石的軍需處長徐桴表示，自動認捐 500 萬元，"惟求商界與總工會平等待遇，免受壓迫"[2]。此後，江浙資產階級繼續以各種方式提供了大量經費，保證了蔣介石的需要。

上海黑社會是蔣介石的理想打手。開埠之後，在帝國主義和封建地主階級的庇護下，上海逐漸形成了一個盤根錯節的流氓、幫會階層。其成員盲從、拚命，適宜於供驅使。蔣介石到上海後，即指派幫會份子董福開、張伯岐等組織上海工界聯合會。工部局警務處 4 月 2 日情報稱："蔣介石正在組織上海工界聯合會，以對抗目前的上海總工會的活動，其成員均為蔣介石的黨徒。"[3] 3 日，該會掛牌出籠[4]。同時，蔣介石又指使幫會頭目黃金榮、杜月笙、張嘯林成立中華共進會，積極準備向上海工人階級進攻。工部局警務處情報稱："閘北及高昌廟上海總工會武裝工人的非法活動，已經在蔣介石的參謀人員中引起強烈不滿"，"共進會正準備突襲上海總工會辦事處，解除其中人員的武裝。突襲將由青幫份子進行，便衣士兵協助"[5]。這一情報顯示，蔣介石等已經制訂出周密而細緻的行動計劃。

當時，駐紮上海的國民革命軍為第一軍第一師與第二師。第一師駐紮閘北，師長薛岳左傾。上海總工會為表示歡迎，開過幾次聯歡會，士兵和工人的關係比較融洽。白崇禧不放心，即將第一師調往南市，另調劉峙的第二師進駐閘北，以便嚴密監視上海總工會及工人糾察隊總指揮部。劉部進駐後，上海總工會繼續以聯歡會的方式，聯絡第二師士兵。4 月 5 日，蔣介石下令將第一、第二師全部調離上海，並令第二十六軍周鳳歧部於 6 日起到上海接防。周鳳歧的隊伍剛剛脫離軍閥營壘，執行反共任務自然較為可靠。

1　《上海錢業公會討論為蔣介石籌墊 300 萬元餉款等情會議錄》，《1927 年的上海商業聯合會》，第 51 頁；參見該書第 53、57—58 頁。
2　《徐桴致俞飛鵬電》，《1927 年的上海商業聯合會》，第 71 頁。
3　*Police Intelligence Summary*, April 2, 1927.
4　《工界聯合總會已開始辦公》，《申報》，1927 年 4 月 5 日。
5　*Police Intelligence Summary*, April 2, 1927.

　　至此，蔣介石的清黨反共部署已經完成，剩下的只是選擇恰當的發動時機了。4 月 6 日，蔣介石派兵封閉了總政治部在上海的派出機關，攻擊以鄧演達為首的總政治部 "淆惑軍心，背叛主義，違反軍紀，分散國民革命軍勢力，破壞國民革命軍戰線"。同日，開始檢查新聞，下令自即日起，所有來自武漢的電報、函件、報導，總政治部的各種 "反宣傳廣告"，一律不許刊登及轉載，如故意違抗，即按戒嚴條例懲辦。蔣介石的這一行動既出於鉗制輿論的需要，也顯示了他對於武漢國民政府的對抗。8 日，蔣介石指派吳稚暉等 15 人成立上海臨時政治委員會，統攬全市軍事、政治、財政、黨務各種權力。這就在實際上取消了為武漢中央所承認的上海臨時市政府，為政變作出了又一項準備。

三、"四一二" 政變

　　上海工人階級做好了戰鬥和犧牲的準備，完全沒有想到，等待他們的是陰謀和欺騙。

　　蔣介石到上海後，多次肯定工人糾察隊的合法性。3 月 27 日，蔣介石對記者稱："他們如有組織，有紀律，按照黨義，可以武裝自己。"[1] 28 日，在會見上海總工會代表時又表示："糾察隊本應武裝，斷無繳械之理"，"余可擔保不繳一槍一械"[2]。30 日，又對日本記者表示，糾察隊 "係工人自衛上所必要者"[3]。4 月 6 日，工人糾察隊舉行授旗典禮，他贈送 "共同奮鬥" 錦旗一面，以示鼓勵[4]。蔣介石企圖以這些做法麻痹中共和上海工人階級，同時，則磨刀礪刃，準備動手。4 月 8 日晚，蔣介石覺得一切就緒，便離開上海，前往南京，讓白崇禧放手行動。

　　9 日，根據蔣介石的命令，頒佈《戰時戒嚴條例》12 條，成立淞滬戒嚴司令部，以白崇禧和周鳳岐為正副司令。11 日，杜月笙派人持帖邀請汪壽華到杜公館赴宴，商量 "機密大事"。當夜，汪壽華被害。同日夜，杜月笙親自拜見

1　《申報》，1927 年 3 月 27 日。
2　《蔣總司令與總工會代表講話》，《申報》，1927 年 3 月 29 日。
3　《申報》，1927 年 3 月 31 日。
4　《總工會糾察隊昨行授旗禮》，《申報》，1927 年 4 月 9 日。

工部局董事費信惇，為流氓、打手取得了通過租界的許可。12 日晨，各處流氓、軍隊按照預定計劃同時動作，向工人糾察隊發起進攻。

上海總工會會所設於閘北湖州會館。當日 4 時，約有 60 餘名便衣，臂纏工字袖章，向會所放槍。工人糾察隊被迫抵抗。不到 10 分鐘，大批第二十六軍士兵開到，繳去所有便衣的槍械，並用繩索捆綁。糾察隊見狀，熱情招呼士兵入內吃茶抽煙。第二十六軍團長邢霆如邀請糾察隊總指揮顧順章去師部商議解決辦法。行至半途，邢團長突然變臉說：“他們的槍械已經繳了，你們的槍械也應該繳下才好。”於是，士兵立即卸下了顧順章及隨行隊員的槍械。邢團長隨即要求顧順章回會，下令全部糾察隊員繳械，遭到拒絕。邢團長便改令糾察隊將槍架好，後退三步，並用機槍瞄準。糾察隊員無奈，只好照辦。至此，總工會即被佔領。

商務俱樂部（東方圖書館）是上海工人糾察隊總指揮處所在地。時 20 分左右，有身穿黨軍服式，臂纏工字元號的二三百人向俱樂部衝鋒，擊斃糾察隊副隊長楊鳳山。工人糾察隊奮勇抵抗。8 時許，第二十六軍派第五團前來，攜函稱：“貴處與某方發生誤會，此種不幸之事件，應即雙方停戰（吹號為記），敝部特派第五團邢團長前往調停，如有某一方面不服從調停者，即解決某一方面，調停時間以 11 時為限。”邢霆如要求糾察隊派代表前往總工會交涉。正談判間，周恩來趕到，表示可負全責，即隨邢至第二十六軍第二師司令部[1]。在那裏，周恩來嚴詞斥責了國民黨右派的背叛行為。在此期間，邢霆如回到俱樂部，召集工人談話，宣稱第二十六軍係民眾之軍隊，保證不繳糾察隊的槍，要求派一連徒手士兵與糾察隊徒手遊行，“表示切實聯絡”。在糾察隊出發遊行時，該團即乘機入內，佔據俱樂部。

閘北商務印書館印刷所是工人糾察隊的重要據點。當日 5 時，有六名便衣手持盒子槍自租界出來，向印刷所衝擊。正在雙方對射之際，大批第二十六軍士兵開來，大喊：“不要打，都是自己人，不要誤會，我們是來調解的。”隨即令守衛開門談話，一擁而入。

---

1 《淞滬工人糾察隊昨被繳械》，《申報》，1927 年 4 月 13 日。

除上述地點外，閘北天通庵路樓流所、南市華商電車公司、三山會館、浦東、吳淞等處的工人糾察隊，也都受到流氓、軍隊的圍攻，陸續被繳械。總計當日糾察隊犧牲 120 多人，傷 180 多人，被繳步槍 3000 餘支，機槍 20 挺，手槍 600 餘支。事後，白崇禧、周鳳歧等張貼佈告，誣稱工人械鬥，為保障"地方安寧秩序"，"不得不嚴行制止"，企圖以墨寫的諾言掩蓋真相。但是第二十六軍第一師師長伍文淵當時就對《新聞報》記者承認，此次行動"係因白總司令奉蔣總司令密令"。[1] 1933 年，白崇禧在一次演說中交代了其中底細：他從蔣介石那裏接受了"清黨"任務後，即向租借各領事交涉，"請允許清黨軍隊通過租界進攻共黨"；他之所以派便衣隊暗藏短槍，假扮工人進攻，是為了"出其不意"[2]。

工人糾察隊被繳械後，上海總工會立即發佈總同盟罷工令，聲明"軍事當局與租界中敵人默契，昭然若揭，事實俱在，證據確鑿。本會至此，惟有宣告上海總同盟罷工，以為抵抗。本會所領導八十餘萬工友，誓死奮鬥"[3]。同時，通電全國，說明有關情況，電文沉痛地說："此等舉動在帝國主義軍閥為之，吾人亦視若尋常，今乃竟由革命之北伐軍對於革命之工人糾察隊為之，實為國民革命之污點，吾工人甚為恥之。"[4]

當日上午，由濟難會發起，在閘北青云路廣場召開市民大會，提出交還糾察隊槍械，肅清工賊、流氓及一切反動派，保護工會等五項要求。會後，工人齊往湖州會館，要求交還總工會會所。"不顧性命，號哭衝進"。同日，原定在南市公共體育場召開的迎汪復職大會也臨時改變主題，由主席團提議去龍華向白崇禧請願。白崇禧託詞公務忙碌，由秘書主任潘宜之接見代表，數萬群眾則鵠立於門外。在群眾浩大聲勢的壓力下，潘宜之接受了代表們提出的部分要求，實際上不過是虛與委蛇，旨在欺騙群眾散去[5]。這一天，浦東、滬西工人因參加南市大會被阻，只能分頭開會，決議罷工。

1 《"四一二"大屠殺紀實》，《黨史資料》1953 年第 7 期。
2 《十六年清黨運動的回顧》，《南寧民國日報》，1932 年 4 月 12 日。
3 《蔣逆鐵蹄下之東南》，小冊子。
4 《蔣逆鐵蹄下之東南》。
5 《各界市民為解除工人武裝大請願》，《申報》，1927 年 4 月 14 日。

13 日，上海總工會在閘北青云路廣場召開工人群眾大會。由於軍隊沿途堵截，僅閘北工人到會，但人數仍達 10 萬人左右。趙世炎、周恩來出席了會議。會後整隊赴寶山路第二十六軍第二師司令部請願，要求立即釋放被拘工友，發還槍械。行至三德里附近，突有兵士多人從各里弄內衝出，向群眾開槍，旋復用機槍掃射達十五六分鐘。群眾因大區擁擠，不及退避。士兵們在街上橫衝直撞，如瘋如狂，逢人即打，遇旗即撕，群眾當場傷斃約百人[1]。

事後，劊子手們為了掩飾罪行，將上次俘獲的直魯聯軍俘虜數十名押解遊街，前導大旗，指為總工會通敵證據，聲言工人及直魯軍圍攻司令部，士兵不得已而自衛。但是，這種欺騙同樣不能遮住人們的眼睛。鄭振鐸、胡愈之、周予同、李石岑等人當時住在閘北，目睹慘劇，於次日致書蔡元培、李石曾、吳稚暉三人，憤怒抗議："受三民主義洗禮之軍隊，竟向徒手群眾開槍轟擊"，"'三一八'案段祺瑞之衛隊無此橫暴，'五卅'案之英國劊子手無此兇殘"。鄭振鐸等要求：一、國民革命軍最高軍事當局立即交出對於此次暴行直接負責之官長士兵，組織人民審判委員會加以裁判；二、當局應保證以後不向徒手群眾開槍，並不干涉集會遊行；三、在中國國民黨統轄下之武裝革命同志，應立即宣告不與屠殺民眾之軍隊合作。鄭振鐸等沉痛表示："黨國大計非弟等所願過問，惟目觀此次率獸食人之行為，則萬不能苟安緘默。"[2] 15 日，《時報》以《閘北居民致政治委員會函》為題，刊登了這封信的大部分內容。

屠殺後，白崇禧即派兵重佔湖州會館總工會會所。下午 3 時，工界聯合會的董福開等人趕來，毆打並驅逐原總工會職員，霸佔文件、印信，宣佈奉白崇禧面諭，將上海總工會與工界聯合會一律取消，成立上海工聯總會。4 時，工人糾察隊總指揮部也再次被軍隊佔領。與此同時，其他進步組織、團體紛紛被取締。上海特別市臨時政府被封，十餘名正在開會的執行委員被捕；國民黨上海特別市黨部被陳群、潘宜之、吳倚滄、羅家倫等武裝接收；學聯、各

---

1 群眾犧牲的人數，沒有確實統計，作新《蔣介石屠殺上海工人紀實》稱在三四百人以上，見《嚮導》第 194 期。上海總工會報告稱："當場受擊斃者在百人以上，傷者更不可計數。"見《蔣逆鐵蹄下之東南》，第 43 頁；《時報》4 月 14 日報道稱：連行人死傷者共約 20 餘名；聯合社調查稱：工人死 30 人，工人及民眾受傷 56 人；士兵死 12 人，受傷 5 人（含浦東地區），見《糾察隊繳械之死傷者》，《時事新報》，1927 年 4 月 18 日。此據鄭振鐸等《致政治委員會函》，《時報》，1927 年 4 月 15 日。
2 《文史資料選集》第 70 輯，第 1—2 頁。

界婦女聯合會被改組；上海總工會機關報《平民日報》被關閉；中國濟難會被佔領……

"四一二"政變立即得到了中外反共派的歡呼。4月14日，黃金榮、張嘯林、杜月笙聯名通電，宣稱："不忍坐視數千年禮教之邦，淪於獸域。乾淨之土，蒙此穢污，同人急起，邀集同志，揭竿為旗，斬木為兵，滅此共產兇魔，以免遺害子孫。"[1] 日本報紙發表文章稱："上海政變固然意味蔣介石一派與武漢派之決裂，同時亦意味驅逐在武漢派後面之鮑羅廷以下之俄國勢力。""此一目的與北方軍閥之主張實屬一致，孫傳芳與蔣介石一派，除此問題以外殆無相爭之理由。"[2]

四、四川、浙江、福建、江蘇、廣東等地的擁蔣反共活動

在"四一二"政變前後，四川、浙江、福建、江蘇、廣東、廣西各地先後發生擁蔣反共活動。它們既加強了這一政變的聲勢，又是這一政變的實際組成部分。

（一）重慶"三三一"慘案與劉湘進攻瀘州起義軍

劉湘在成為國民革命軍的第二十一軍軍長後，有一段時期，和重慶蓮花池左派省黨部的關係比較密切。他的左傾姿態很迷惑了一些人。川康督辦衙門前經常有無數民眾結隊請願，男女學生們更直接稱他為"劉同志"，但是，劉湘擔心左派會挖他的"牆腳"[3]，當他摸清楚國民革命軍內部也有左右派之分時，就迅速和右派勾結起來。

自1927年1月起，劉湘和蔣介石之間信使往來頻繁。劉湘派往蔣處的有軍法處長李子駿，蔣介石派往劉處的有川康政治宣傳員黃明豪和一批黃埔學生。黃向劉湘傳達了蔣介石對四川將領的希望，劉湘則表示"願效前驅"[4]。3月

1　《時報》，1927年4月14日。

2　《上海のクーデター》（上海政變），《東京日日新聞》，1927年4月14日。

3　劉伯承：《紀念楊闇公同志》，《憶楊闇公同志》，四川人民出版社1980年版，第3頁。

4　《重慶川康政治宣傳員黃明豪2月11日來電》，《蔣介石收各方電稿》，抄本。

5 日，右派盧師諦密函張靜江、蔣介石，聲稱"川中黨務，全操共派之手，三民主義已失領導群眾之權與地位，惟今猶可救，緩則無及"。他要求張蔣二人"毅然斷然，忍痛一割"，自稱"尚能以川省多數之力，為諸兄後盾"[1]，16 日，蔣介石所派四川宣慰使呂超和四川黨務特派員向育仁（傳義）到渝，和劉湘"商洽一切"，23 日，蔣介石再派戴弁到川。通過這些往來，劉湘得悉蔣的反共意圖，待機而動。

當時，正值南京事件之後，中共重慶地委決定以工農商學兵反英大同盟的名義召開群眾大會，並遊行示威。消息為劉湘得知，立即密報蔣介石，蔣電復劉湘，並派盧師諦傳達指示，囑其鎮壓[2]。3 月 30 日，團閥曹燮陽約集江北、巴縣、綦江、南川四縣聯團首領及重慶衛戍司令王陵基密商反共[3]，同日，劉湘指使師長羅儀三恫嚇楊闇公，要他取消預定的大會。次日晨，又派人利誘："若能不去赴會，軍座定有好音。"[4] 這些，都遭到楊闇公的拒絕。

31 日，會議按計劃在重慶打槍壩廣場舉行，參加民眾、學生約二三萬人。在會議即將開始之際，王陵基和曹燮陽等預伏在會場裏面的便衣隊和佈置在會場周圍的武裝，裏應外合，刀槍並舉，"對著那手無寸鐵的民眾和小孩子，殺，打，射擊"[5]。總計，當場被打死、踩死者約達五百多人，其中身穿童子軍制服的小學生約二百餘人，工人代表五十餘人[6]。有些女學生被打死踩死後又遭到侮辱。親歷者記述說："於是他們又動起手腳來了，幾撕，幾拉，幾翻，幾跌，居然就把她們剝得精光"，"他們獰笑著，踢弄著，好似別饒風味。她們的陰戶，有被貫入石子的，有被貫入甘蔗頭的。"[7] 面對這種慘不忍睹的情景，兇徒卻感到興奮。有一封報告曹燮陽的信說："將亂黨打死七八十人，帶傷者不暇計及。內中惟學生佔多數，甚有女生衣褲多被撕毀，竟成裸體者。似此懲創，實係痛快！"[8] 兇徒就是這樣地喪失人性。

1　盧師諦：《致張靜江密函》，中國第二歷史檔案館藏，原件。
2　《吳玉章回憶錄》，第 168 頁
3　四川省文史研究館編：《四川軍閥史料》第 4 輯，四川人民出版社 1987 年版，第 321 頁。
4　吳玉章：《憶楊闇公同志》，《吳玉章回憶錄》，第 168 頁。
5　《重慶三三一慘案紀念特刊》。
6　周非：《重慶三三一慘案親歷記》，《中華民國史事紀要》。
7　《重慶三三一慘案紀念特刊》。
8　《四川軍閥史料》第 4 輯，第 323 頁。

當日，劉湘和王陵基出告示說：“本日市民大會，工學衝突，已派兵彈壓矣。”

在打槍壩實行瘋狂屠殺的同時，劉湘又派人到蓮花池省黨部、省農會、市總工會、婦聯中山、中法等學校進行搜剿。左派陳達三、冉鈞等先後被殺，漆南熏的屍體被砍成數段，扔在路旁。楊闇公於 4 月 3 日啟程赴武漢報告，4 日被捕。劉湘、王陵基和蔣介石派來的特務共同審訊他，楊闇公堅毅不屈，表示：“我頭可斷，志不可奪。”6 日，被割舌，挖去雙眼，剁去雙手，連中三彈，壯烈犧牲。

4 月 9 日，劉湘、劉文輝、鄧錫侯、楊森、劉成勳、賴心輝、田頌堯聯名通電，指責武漢國民黨中央：“提高黨權者，乃提高異黨之權，而非提高本黨之權也。”“所謂統一勢力者，統一於異黨，而非統一於本黨也。”電報稱：“值此是非未明，群言淆亂之際，尤必以自決之精神，作救國救黨之運動。”[1] 自此，四川再度淪入黑暗統治之下。

同月 13 日，劉湘組織川黔聯軍，以賴心輝為總指揮，用 28 個團的兵力進攻瀘州。20 日，劉伯承和起義軍各路司令致電武漢政府，呈請討伐劉湘，表示“願率所部，報命前鋒”[2]。同時多次擊退敵軍的進攻。5 月上旬，在吳玉章等的推動下，武漢政府任命瀘州順慶起義軍為國民革命軍暫編第十五軍，以劉伯承為軍長，黃慕顏為副軍長。但這並不能解決起義軍的任何實際問題。5 月 12 日，劉湘自任總指揮，增調軍隊加緊進攻。瀘州起義軍至此已堅守一個多月，彈盡糧絕，陳蘭亭、袁品文等也發生動搖。16 日，劉伯承等三人縋城撤離，輾轉奔赴漢口報告。23 日，起義軍乘夜突圍，瀘州陷落。6 月初，起義軍到達貴州桐梓，陳蘭亭將隊伍拉出，投奔楊森，袁品文等餘部為貴州軍閥周西成收編。

（二）杭州“三三〇”、“四一一”與寧波“四九”事件

正像許多地方一樣，浙江省也存在著兩派工會組織。

杭州總工會為共產黨人和國民黨左派所掌握，擁有產業工人約二十萬。但是，杭州還有大量職業工人，如泥水、木匠等。1927 年春，蔣介石派陳希豪等

1　上海《民國日報》，1927 年 5 月 3 日。

2　《漢口民國日報》，1927 年 5 月 5 日。

將這部分工人組織起來，成立職工聯合會，也達到四萬人之眾。他們大部分是東陽人，後來，溫台幫工人也參加進來，聲勢更大[1]。該會負責人張浩原是舊國會議員，後依附陳果夫。其他負責人不是官僚、舊軍人，就是訟棍、鴉片鬼。當年 3 月，張靜江從南昌回到浙江，通知陳希豪等已決定"清黨"，並給予陳等以經費支持[2]。

3 月 28 日，浙江省黨部函請省政府轉令公安局解散職工聯合會。29 日，政務委員會決議接受省黨部要求。30 日，職工聯合會召開成立大會，到火腿、柴炭、泥水等 33 個工會，號稱 10 萬人。會後遊行，一路毫無阻礙，顯然事先得到軍警當局的默契。行至杭州總工會門前時，突然有一部分人手持木棍，闖入搗毀。因總工會已有戒備，雙方對敵，受傷五十餘人[3]。事後，職工聯合會的遊行隊伍又圍攻了浙江省黨部。次日，杭州總工會、杭州學聯各界聯合會、總商會等團體決定罷工、罷市、罷課，發動 10 萬人遊行請願。途中，巡警及駐軍開槍阻止，捉去工友三四十人。當晚，工人派代表向省政府、省黨部請願，提出撤換公安局長章烈、解散職工聯合會、發還糾察隊器械、懲兇等五項要求[4]。同日，東路軍前敵總指揮部杭州留守主任羅為雄派隊到總工會，收繳糾察隊的鐵棍、長槍、刺刀等物，出告示稱："該工會糾察隊，行為橫暴，秩序因之紊亂，實屬擾亂後方，應即解散，以維公安。"[5] 4 月 1 日，被拘工友陸續釋放。然而，這不過是緩兵之計。

4 月 10 日，章烈自滬返杭，奉密令，查辦各機關"反動份子"。11 日，全城戒嚴。職工聯合會"工人"會同士兵進入浙江省政務委員會，搜捕查人偉、丁濟美、戴學南等，押出遊街，一路高呼"打倒把持政權的跨黨份子"等口號[6]。當日，共捕 32 人。宣中華避至上海，在車站被第二十六軍捕殺。同日，總工會及糾察隊均被解散。

1　陳希豪：《陳希豪、張靜江利用杭州職工聯合會的一幕》，浙江省政協文史資料未刊稿。
2　《民國十六年浙江清黨資料》，陳立夫檔，美國哥倫比亞大學珍本和手稿圖書館藏；陳希豪：《致張靜江書》，1927 年 8 月 30 日，中國第二歷史檔案館藏檔案。據該函，從當年 3 月至 4 月中旬，陳希豪共從張靜江處取得 2.9 萬元，大部分用於職工聯合會。
3　《杭州之大工潮》，《申報》，1927 年 4 月 3 日。
4　《杭州工會衝突續聞》，《申報》，1927 年 4 月 5 日。
5　《杭總工會糾察繳械》，《申報》，1927 年 4 月 3 日。
6　《杭州之黨潮又起》，《申報》，1927 年 4 月 11 日。

杭州發生政變的同時，寧波也發生類似事件。

4月9日，寧台溫防守司令王俊下令戒嚴，派兵分頭駐守寧波市黨部、總工會、農民協會及民國日報社，同時傳訊報社經理莊禹梅。寧波市政府、黨部、總工會、商會等派代表質問王俊，王竟將代表扣留。當夜，王派出武裝士兵將黨部、總工會、農協等團體一律解散。10日，鐵路總工會、海員工會等組織宣佈罷工、罷市、罷課，召集市民大會。王俊派兵向到會工人及糾察隊開槍，擊斃三人，重傷二十餘人，捕三十餘人。同日，王俊也召集所謂市民大會，但到者僅一二百人，當場宣佈：改組市黨部；將總工會改為工人同盟會；組織"人民裁判會，審判被捕諸人"[1]。

寧波事件是蔣介石直接操縱的結果。行列前，王俊曾赴滬向蔣介石請示[2]；事後，又致電蔣介石報告：寧波"反對派"鼓動總罷工，"圖行暴動"[3]云云。

（三）福州"四三"與廈門"四九"事件

國民革命軍入閩後，左右派都積極發展自己的力量。左派掌握著國民黨福建省黨部籌備處、民眾運動委員會、福州學生聯合會、店員總工會，以《民國日報》為喉舌，代表人物有省黨部籌備處宣傳部主任委員馬式材、工人委員會主任李培桐、民眾運動委員會主任徐琛、《民國日報》編輯主任潘谷公等。右派掌握著臨時政治會議、福州市縣黨部籌備處、福州總工會，以《求是日報》為喉舌。代表人物有臨時政治會議主席方聲濤、政治委員會委員黃展云、前獨立第三師師長林壽昌等，此外，右派並形成了獨立廳同志社、參謀團，青年奮進社、晶社、國民黨青年俱樂部等小組織。1927年3月4日，在省黨部籌備處主任、共產黨員戴任主持下，東路軍各級政治部聯合辦事處和福建民眾運動委員會召開聯席會議，決定成立福建民眾運動委員會，負責審查民眾團體備案，解決民眾團體糾紛等事宜。左派的這一決定堵塞了右派假群眾團體名義進行活動的路子，因此，遭到強烈反對。

3月8日，在方聲濤、冷欣等人策劃下，福州總工會集會並遊行，要求取

---

1 《寧波總罷工之風潮》，《申報》，1927年4月13日。

2 《寧波黨潮之大風波》，《申報》，1927年4月14日。

3 《寧波黨潮之大風波》，《申報》，1927年4月13日。

消民眾運動委員會，解散店員總工會等左派團體，驅逐馬式林、李培桐、潘毅公、徐琛等"四兇"。同日省臨時政治會議分會議決，取消民眾運動委員會職權及馬式材等人職務。右派的這一決定也遭到左派的強烈反對。9 日，店員總工會聯合四十多個團體舉行擁護黨權大會，公推中共中央特派員王荷波主持會議，呼籲各界支持福建民眾運動委員會，要求省臨時政治會議解散福州總工會。會後遊行時，林壽昌等指使暴徒數十人，持槍械衝擊，毆傷國民革命軍總政治部特派員共產黨人江削五。此後，右派即連續秘密會議，派遣周一志、冷欣、方紹美等人赴各地聯絡，策劃反共。

4 月 3 日，福州右派總工會等團體，召開擁護蔣介石及護黨運動大會，方聲濤任主席。會議議決 16 條，主要為：一、擁護蔣介石在軍政時期行使全部職權；二、肅清跨黨份子；三、取締一切違反三民主義及本黨政策之口號、標語、傳單出版物；四、懲辦破壞福建黨務，"擾亂北伐後方"的戴任、馬式材等人；五、改組福建省黨部籌備處；六、收回《福建日報》。會議還決定組織福建各界擁蔣護黨運動大會執行委員會，公舉譚曙卿、方聲濤、林壽昌等為委員 [1]。會議進行中，新編第二師五團二營黨代表方毅威等五人挺身而出，登台指責會議"淆亂群眾聽聞，實為西山（會議）派搗亂北伐後方"。方聲濤惱羞成怒，命人捆縛方毅威，宣佈"反動派應槍決"，台下哄然舉手。混亂之間，四人逃走。右派總工會的糾察隊在方毅威的背上插上紙旗，大書共產黨三字，於散會後擁令遊街，在行至萬壽橋時，用手槍擊斃，拋屍江中 [2]。當夜，譚曙卿召開聯席會議，決定全省戒嚴，以譚為全省戒嚴司令，張貞為福州戒嚴司令，同時議決派出偵探、軍警進行搜捕。6 日，由福州市黨部籌委會主任、右派黃展云出面兼任省黨部籌委會主任，《福建民國日報》被迫停刊到 9 日，改名《福州民國日報》。

面對右派的兇焰，中共福州地委曾於 3 日晚商討對策，決定於次日召開各界群眾大會，聲討右派。4 日上午在店員總工會集議，計劃召集工人遊行，被譚曙卿派部隊解散。隨後，福州地委書記徐琛、宣傳部長方爾灝、組織部長陳

<hr>

1　《福州各界擁蔣大會通電》，《申報》，1927 年 4 月 7 日。
2　《閩垣最近之政潮》，《申報》，1927 年 4 月 11 日。

興鍾三十餘人先後被捕。

繼福州之後，廈門於 9 日發生政變。

8 日夜，方聲濤、譚曙卿密電廈門海軍警備司令林國賡，令其逮捕共產黨員和工、農、青、婦等團體領袖。9 日，由"建築總工會"出名召開擁蔣護黨大會[1]。會後，林國賡即派軍警搜查廈門總工會，逮捕正副委員長羅揚才、楊世寧，封閉廈門字生聯合會，逮捕該會主席黃樹埔（以上三人均為共產黨員）。當日晚，有四五百人到海軍司令部請願，要求以上釋放羅、楊等人，被林國賡下令驅逐。11 日晨，軍警手持"擾亂公安，格殺無論"的旗幟，遊行街市。

（四）南京"四九"、"四一〇"事件

江右軍攻克南京後，蔣介石即委派溫建剛任公安局長，楊虎為特務處長，幫會頭目、孫文主義學會份子陳葆元為特務員，加緊準備鎮壓革命力量。同時，中共上海區委也力謀協助國民黨左派掌握南京，發展革命形勢。南京成為雙方必爭的要地。

3 月 30 日，周恩來在中共上海區委特委會上提出："南京非常重要，省黨部趕快遷去。"[2] 4 月 2 日，國民黨江蘇省黨部自上海遷寧，與左派南京市黨部計議，加緊黨務、政治各方面的工作。5 日，省、市黨部在金陵大學召開黨員大會，通過擁護武漢中央，擁護三大政策等 21 項議案[3]。即在此時，東路軍入城，有人稱奉蔣總司令命令，另組市黨部。第六軍政治部當即予以查封。同時，又有所謂勞工總會出現。該會係陳葆元等以每人兩塊銀元的代價收買流氓所組織。第六軍政治部接受省、市黨部要求，準備查封，但溫建剛即出面保護，聲稱勞工總會是真正的工人團體，總司令准許組織的[4]。6 日，江蘇省政務委員會舉行籌備會議，推選李富春、李隆建、張曙時、侯紹裘四人為籌備委員，決定於 4 日 11 日成立省政府。同日，農協開會，但公安局隨即佈告，各界如集會，須經公安局批准，否則即予取締[5]。

---

1 《廈聲報》，1927 年 4 月 14 日；參見《廈門戒嚴後整理黨務》，《申報》，1927 年 4 月 11 日。

2 《特委會議記錄》，《上海工人三次武裝起義》，第 437 頁。

3 《江蘇省黨部代表張曙時報告》，《漢口民國日報》，1927 年 4 月 29 日。

4 同上注。

5 《南京快信》，《申報》，1927 年 4 月 7 日。

左派們感到了局勢的嚴重。4月8日,召開軍民聯歡大會,只有第六軍政治部及少數軍人到場,第一軍無人參加。會議決定嚴厲處置偽市黨部和勞工總會。當日下午,省黨部宴請各軍、各機關長官,侯紹裘與溫建剛發表了針鋒相對的訓話。侯稱:"現在反革命派勢力尚未完全消滅,當秉總理遺訓,繼續工作。"溫稱:"如有發現違背三民主義及妨礙革命工作者,當以權力手段,掃除一切障礙。"[1]同日深夜,侯紹裘召集省黨部常委和監察委員會議,提出要作好準備,防止蔣介石的突然襲擊[2]。9日,原定召開歡迎汪精衛復職大會,因蔣介石於當日到寧,臨時改為歡迎大會。下午開會之際,陳葆元率領勞工總會的流氓,口稱"奉蔣總司令命",先後搗毀省、市黨部及總工會,將戴盆天、黃競西、張曙時、高爾柏等二十餘人綁架,送入公安局。正在開會的群眾得到消息,決議到總司令部請懇,要求保護省、市黨部及南京市總工會,封閉勞工總會。10日,江蘇省黨部召開南京市民肅清反革命派大會,提出將反動份子交人民委員會審判、武裝工人糾察隊自衛、釋放張曙時等7項要求。會後整隊到總司令部請願,派劉重民等六人為代表同蔣介石交涉。自上午10時至下午3時,群眾在風雨中等候了五個多小時,代表出來報告說,交涉毫無結果,蔣稱:"此時皆是民意,無所謂有真偽。"[3]下午5時多,突然擁出一批流氓向群眾大打出手,同時警衛用排槍射擊,便衣匪徒以短槍回應,計打死請願群眾數十人。當夜,省市黨部、市總工會等團體的共產黨主要負責幹部集會,商議應變措施,突遭包圍,侯紹裘、劉重民、謝文錦、陳君起等被捕。蔣介石企圖以江蘇省政府主席的位置收買侯紹裘,侯嚴詞拒絕,被活活戳死,裝入麻袋,拋入秦淮河,劉重民及女共產黨員張應春等同時遇難。

(五)廣州"四一五"大逮捕

上海反共會議召開後,李濟深、古應芬諸人即匆匆回粵。4月14日,李濟深、古應芬、徐景唐、錢大鈞、李福林、鄧彥華、陳孚木等議決,於15日戒嚴,搜捕共產黨人,收繳工會糾察隊槍械。同時,任命錢大鈞為廣州戒嚴司

1 《寧垣之兩歡會》,《申報》,1927年4月15日。
2 《南京省市兩黨部被搗毀之滬訊》,《申報》,1927年4月16日。
3 南京市黨部代表鄭旺華報告,《中國國民黨中央執行委員會第二屆常務委員會第八次擴大會議速記錄》,油印件。

令，督同公安局長鄧彥華處理一切。

15 日淩晨 2 時，廣州緊急戒嚴。錢大鈞首先派出軍隊控制電報，電話，隨即包圍全國總工會廣東辦事處、廣州工人代表會、省港罷工委員會、粵漢鐵路總工會、廣九鐵路總工會、廣三鐵路總工會等地，中山大學婦女解放協會等地則由公安局派保安隊搜索，總計逮捕 2100 餘人。以工人佔多數，其次為學生，僅中山大學一校就捕去學生 40 餘人。逮捕者並不熟悉被捕者的情況，鄧彥華不得不致函孫文主義學會、機器工會等右派組織，要他們派人前來指認。結果，發現其中居然有"極端信仰總理三民主義，反對共產黨的工友"在內 [1]。黃埔軍校是李濟深的清黨重點。事前，他對方鼎英說："黃埔已經共產化，要用武力解決。"方擔保不會出問題，可不必動用武力。當日學生隊緊急集合，宣佈共產黨人名單，按名逮捕，其中不少並非共產黨員，最後共逮捕近五百人 [2]。

同日下午，李濟深、古應芬、李福林等會同省黨部召開聯席會議，決議組織特別委員會，執行廣東黨務、政治、軍事最高權力，以李濟深、古應芬、李福林、陳孚木、鄧彥華為特別委員，黃居素為秘書長。當日決定成立民眾運動委員會、軍政督察委員會及宣傳委員會。據稱：民眾運動委員會的任務為統一民眾運動，使一切民眾集中於中國國民黨指揮之下；軍政督察委員會的任務為偵察並懲治一切反動份子；宣傳委員會的任務為主持一切宣傳事項，檢查報紙及一切書籍、印刷品。會議通令各級黨部限三日內將共產份子檢舉，同時限令CP 及 CY 份子於十日內到軍政督察委員會自首。會議並決定以古應芬代理財政部長及廣東財政廳長，以原中央銀行副行長黃隆生代理中央銀行行長，派陳孚木接管（廣州民國日報），曾養甫接管《民國新聞》。16 日，錢大鈞宣佈："所有一切集會結社，非得本司令許可，不得擅自開會。" [3] 17 日，省農民協、省港罷工委員會、婦女協會、全國總工會等群眾組織紛紛被改組。

廣州的大逮捕、大檢舉造成了嚴重的恐怖氣氛。軍政督察委員會下令組織工人檢舉委員會。黃埔軍校也組織了清黨檢舉審查委員會，凡閱讀《中國青

---

1 《粵省舉行清黨活動之情況》，《申報》，1927 年 4 月 23 日。

2 《陸軍軍官學校校史》第 6 冊，第 41 頁。

3 《廣州民國日報》，1927 年 4 月 16 日。

年》、《嚮導》的，"平時吵嘴鬧事的"，均被視為共產黨員，屬於檢舉之列。有些非軍政機關，任意逮捕人民，擅自訊辦，迫使公安局不得不出面禁止。22日，劉爾崧、李森、蕭楚女、何耀全、畢磊、沈春雨、劉劍雄、鄧培、容保輝、陳輔國、熊銳等共產黨人英勇就義。其中，何耀全被裝進麻袋，投入白鵝潭。

繼廣州之後，汕頭也於 16 日發生政變。當地駐軍武力接收市黨部、總工會等 27 種組織，封閉嶺東日日新聞社，同時下令逮捕杜國庠、李春濤、楊石魂等 40 餘人。

政變之前，在廣州的中共黨人有一定警覺。4 月 1 日，中共海員工會黨團書記陳郁專程到上海，向陳獨秀提議，組織以南方海員工人為主的總同盟罷工，然後號召全國其他行業工人回應。陳獨秀認為這樣做 "會把事態擴大，造成不可收拾的後果"[1]。此後，中共曾準備組織黃埔學生教導團、軍官訓練班、工人糾察隊、農民自衛軍等進行抵抗，"背城一戰"[2]。4 月 13 日，中共廣東區委召開全市黨團負責幹部緊急會議，號召共產黨員、青年團員提高警惕，準備戰鬥[3]。14 日，李森、劉爾崧、何耀全又在全國總工會廣州辦事處召開各工會領導人特別會議，決定發動總罷工，組織工人自衛隊[4]。但是，"政變來得太快，無從集中力量"[5]，只有奉命進抵西郊的農軍和部分鐵路工人進行了抵抗，因寡不敵眾而失敗。22 日，在陳郁和廣州市安工安書記周文雍的領導下，廣州部分工人舉行政治總同盟罷工，抗議廣州當局逮捕，殺害革命群眾，要求釋放被捕工人。海員工人們舉著打倒帝國主義、打倒蔣介石的橫幅在中山路等地遊行[6]。23 日，廣州當局處決了散發傳單、鼓動罷工的周翼華等五人。報載："三男犯不發一語，且無畏懼之色，而兩女犯告屬妙齡少女，裝束時髦，毫無瑟縮之態，且沿途高呼打倒反動派，中國共產黨萬歲種種口號。"[7]

1　周焱、王景泰等著：《陳郁傳》，工人出版社 1985 年版，第 63 頁。
2　《廣州四一五慘案之真象》，《漢口民國日報》，1927 年 5 月 4 日。
3　《劉爾崧》，《中共黨史人物傳》卷 8，第 183 頁。
4　林健柏、李致寧：《李啟漢》，廣東人民出版社 1984 年版，第 99—100 頁。
5　廣東代表韓麟符報告，《中國國民黨中央執行委員會第二屆常務委員會第十一次擴大會議速記錄》，油印本。
6　《陳郁傳》，第 65 頁；參見《廣州清黨運動改期舉行》，《申報》，1927 年 4 月 24 日。
7　《廣州共產黨陰謀再舉》，《晨報》，1927 年 5 月 10 日。

廣東清黨之後，往日蓬蓬勃勃的氣象消失淨盡。6月13日，陳可鈺致胡漢民函稱：“當事者往往不擇手段”，“劣紳土豪以為是他世界”，“今日之現狀，如以十五年眼光觀之，是開倒車也。”[1]

（六）廣西清黨

上海反共會議之後，黃紹竑本擬和李濟深一起回南，但蔣介石認為有李濟深就夠了，李宗仁也邀黃協助在第七軍中清黨，於是，黃紹竑便留了下來[2]。他打電報給廣西黃旭初（第七軍參謀長兼旅長）、黃劍鳴（第七軍政治部副主任）、黃華表（省黨部委員，代宣傳部長）、朱朝森（省政府秘書長）等四人，要他們根據上海會議的精神，組織清黨委員會，可以權宜行事，不必遇事請示。同時，命劉日福旅派兵全力進攻東蘭韋拔群所領導的農民武裝[3]。

黃旭初接電，立即組織九人清黨臨時委員會。其成員為黃旭初、朱朝森、黃華表、黃劍鳴、伍廷揚、呂競存、藍呈琪等，又指定龔傑元、黃華表、伍廷揚、黃同仇等為梧州、南寧、柳州、桂林的分區代表。

4月12日，黃旭初等開始行動，逮捕國民黨廣西省黨部委員梁六度、雷沛濤、曾天壯、陳立亞、周仲武，國民黨南寧市黨部委員馮蔭西、鄧哲等。7月，黃華表提出，要在全省洗監，將在獄的人全部殺光，因伍廷揚等反對，決定擇要處決。9月1日，雷沛濤、鄧哲、梁六度、雷天壯、陳立亞、周仲武、梁西園、馮蔭西、梁砥等13人犧牲[4]。當時廣西共產黨員很少。據黃紹竑說：“不管是不是共產黨，凡是過去反對政府的，只要不是容縣人，不經過審訊就殺害了。”[5]37日，在梧州逮捕一百餘人，在南寧殺害12人。10月9日，鄧匡等14人犧牲。

（七）云南內爭與龍云“清共”

“二六”政變後，云南形成胡若愚、龍云、張汝驥、李選廷四鎮守聯合統治的局面。

1　胡漢民檔，美國哈佛燕京學社圖書館藏。

2　黃紹竑：《“四一二”事變前後我親身經歷的回憶》，《廣西文史資料》第7輯，第24頁。

3　黃紹竑：《“四一二”事變關於廣西方面資料的補述》，《廣西文史資料》第7輯，第44頁。

4　楊賜章：《緬懷英烈，憶“四一二”事變國民黨在南寧的大屠殺》，《廣西文史資料》第7輯，第53頁。

5　《“四一二”事變前後我親身經歷的回憶》，《廣西文史資料》第7輯，第26頁。

政變後，云南先後成立了三個國民黨省黨部。左派設立於法政學校內，被稱為"法政黨部"；右派設立於圓通街，被稱為"圓通黨部"；龍云舅子李培天成立的省黨部設立於議會大樓，被稱為"舅子黨部"。5月7日，龍云派兵查封左派省黨部及省農協，逮捕共產黨人、省農協主席李鑫、省工會負責人黃麗生及國民黨左派王復生等人。

在四鎮守使中，出任省務委員會主席兼軍政廳長的胡若愚自認資歷較深，首倡倒唐，對龍云佔據昆明不滿；龍云年歲居長，其兵力達3萬人，實力在各鎮守使之上，對只獲得省務委員會委員也意有未足。二人矛盾日深[1]。6月13日深夜至14日凌晨之際，胡若愚派兵包圍龍云住宅，逮捕龍云，囚禁於鐵籠中。史稱"六一四"政變。7月1日，胡若愚宣佈云南"易幟"。

龍云雖然被囚，但其部隊依然存在。龍云的表弟、親信旅長盧漢等人乘夜逃出城外，集結部隊，並請出滇軍老將胡瑛暫代第三十八軍軍長，率軍東下反攻。雙方在祥云縣清華洞、云南驛一帶激戰，胡若愚、張汝驥部不支，敗守祿豐。盧漢攻城，旬日不下。胡瑛乘機率部直指昆明。7月24日，胡若愚被迫挾龍云撤離，到達昆明東郊大板橋時，將龍云釋放。胡部南退至昭通，張部繞道退到曲靖。

8月13日，龍云出任代理省務委員會主席。同月，蔣介石派李宗黃以中央駐滇代表身份到達云南。1928年1月17日，蔣介石任命龍云為云南省政府主席。同日，龍云成立清共委員會，大規模地鎮壓云南共產黨組織。

五、南京國民政府的建立

按照蔣介石的計劃，政變之後，緊接著的節目就是在南京召開中央執行委員會全體會議，成立國民政府。蔣介石的這一目的雖然部分達到了，但是，情景卻相當冷落。

中央執行委員會的會期訂在4月15日。14日，開預備會，以胡漢民為主

---

1 《云南現代史研究資料》第5輯，第5頁。

席。15 日，因人數太少，改稱談話會。蕭佛成提出八項主張：一、以南京為國都；二，取消不合法之中央黨部；三、取消漢口偽政府；四、取消跨黨份子黨籍；五、通緝搗亂份子；六、恢復十五年七月所訂革命軍總司令職權；七、以武力征討奸黨；八、通電報告。當日，並以中央監察委員會名義致電中央常務委員會，要求他們克日趕赴南京[1]。17 日，根據胡漢民建議，另換名目，召開所謂中央政治會議第七十三次會議，柏文蔚、蔣介石、吳稚暉、張靜江、甘乃光、陳果夫、胡漢民、李石曾、蔡元培 9 人出席，以吳稚暉為主席。他聲稱："自南昌、武漢間發生中央地點問題以後，武漢以中央目居，其決議案及命令中發見多量危害國民革命之行動，因此經監察委員會全體會議決定舉發案以後，確認南京有繼續南昌中央政治會議開會之必要。"[2] 蔣介石稱：總理北上時，因北京時局緊張，曾加添中央政治委員會委員數人，在北京開會。現在武漢之中央同志未來，北伐方在進展，客觀的需要與總理北上時相同，請加派蕭佛成、蔡元培、李石曾、鄧澤如、何應欽、白崇禧、陳可鈺、陳銘樞、賀耀組 9 人為委員。吳稚暉又稱：應時局之需要，國民政府應即開始辦公。本席提議國民政府於本月 18 日開始在南京辦公，同時舉行慶祝典禮。議決通過。

會議決定：以鈕永建為國民政府秘書長；以吳稚暉暫代國民革命軍總政治部主任，陳銘樞為副主任，並以吳稚暉、李石曾、蔡元培為國民革命軍政治訓練指導員。

同日，召開第七十四次會議，到陳銘樞等 11 人，以胡漢民為主席。會議決定組織以吳稚暉為首的中央宣傳委員會，胡漢民為首的組織委員會。同時通過吳稚暉起草的《奠都南京宣言》、蔡元培起草的《接受監察委員會宣言》。會議並通過李石曾提議，設立中央研究院[3]。開過這兩次會議，算是從法理上確立了南京國民政府的地位。

4 月 18 日，南京國民政府以原江蘇省議會為辦公地址，即在議會門外舉行成立典禮。台上橫額稱："建設民主政治"，兩旁對聯稱："人民平等，世界

---

1 《致各中央常務委員電》，1927 年 4 月 15 日，《中華民國史事紀要》，台灣版。

2 《中央政治會議第七十三次會議記錄》，《革命文獻》第 22 輯，總 4211 頁。

3 《革命文獻》第 22 輯，總 4213—4215 頁。

大同。"由蔡元培授印，胡漢民代表受印。接著，在公共體育場舉行"慶祝國民政府遷都南京與恢復黨權"大會。吳稚暉、胡漢民、蔡元培、李石曾、蔣作賓、蔣介石等相繼演講。胡漢民稱：建都南京是為實現總理的精神和意旨，"在國民黨之下，無論何人，須服從黨義，認心黨以外無黨，而黨以內更不能有其他之跨黨份子搗亂"[1]。會議通過八項提案，有"請中央執、監聯會訓令各級黨部從事清黨運動"，"請全國國民一致打倒謀害三民主義的、欺騙無產階級的、擾亂北伐後方的共產黨"等，顯示出這個新成立的政府將反共列為首要任務。會後，舉行遊行和閱兵式。

當日發表的文件有《中國國民黨中央執行委員會政治會議宣言》、《國民政府奠都南京宣言》、《國民政府告國民革命軍全體將士文》，以及蔣介石的《告中國國民黨同志書》、《告全體民眾書》等。這些文件除宣稱"三民主義為救中國之唯一途徑"，"造成新世界之唯一工具"外[2]，主要篇幅均用於攻擊中國共產黨"破壞國民革命"，"不惟自絕於黨國，抑且自絕於世界"[3]。《奠都南京宣言》稱："凡反對三民主義者，即反革命"；"凡不利於三民主義之反革命派在所必除"。蔣介石《告全體民眾書》稱："政治不是群言龐雜，莫衷一是可以解決的，必須有一般艱苦卓絕的人，抱一種審慎考慮適合國家情形的主張，統一堅強的意志，作聯合的戰線，才可以產生出一點良好的結果。"[4] 這就說明，儘管南京國民政府以"建設民主政治"相標榜，但上述言論顯示，蔣介石們所要建立的是一個沒有思想、言論自由，不允許其他黨派存在，不要"民權"，而由少數寡頭專政的政府。

同日，南京國民政府發出秘字第一號令，通緝共產黨人和國民黨左派197人，命令稱："此次逆謀，實以鮑羅廷、陳獨秀、徐謙、鄧演達、吳玉章、林祖涵等為罪魁，以及各地共產覺首要、次要危險份子，均應從嚴拿辦。"

20日，楊樹莊、何應欽、白崇禧等在南京舉行陸海軍將領會議，議決六項，主要者為"擁護南京中央黨部國民政府，恢復黨權"，"打倒破壞國民黨及

---

1 《國民政府建都南京之盛典》，《申報》，1927 年 4 月 22 日。

2 《奠都南京宣言》，《國民政府公報》，寧字第 1 號。

3 《中國國民黨中央執行委員會政治會議宣言》，《國民政府公報》，寧字第 2 號。

4 《國民政府公報》，寧字第 1 號。

國民革命之共產份子及一切叛賣黨國之黨員"，"陸海軍團結一致，完成北伐"等。會後，由楊樹莊領銜通電，表示"誓以忠誠，求其實現"[1]。沒有軍人刺刀的保護，就不會有南京國民政府，楊樹莊等人的迅速通電顯示了軍人在這個新政權中的獨特地位和影響。

在舉行成立典禮的時候，南京國民政府還是個空牌子。19 日，中央政治會議任命古應芬為財政部長、伍朝樞為外交部長。這個政府算是有了兩個成員。20 日，任命蔡元培、李石曾、汪精衛為教育行政委員會委員，行使教育部職權。同日，江蘇兼上海財政委員會在南京成立。21 日，蔣介石電稱，軍事委員會由廣州遷移南京，開始辦公。4 月 27 日，中央政治會議議決以胡漢民、丁惟汾等九人為中央法制委員會委員。至此，這個政府才粗粗地搭了個架子。

儘管南京國民政府的成立符合列強的願望，但是，列強暫時還不準備承認它。民國以來，中國政局派系林立，統治勢力更迭頻繁。在這場動盪不安的戰亂之中，南京政權究竟能夠存在多久？它是否具備統一全國的能力和前景？它會不會超越列強所能容許的速度和範圍去實現自己的民族要求？這一連串的問號，都有待時間來作出回答。在國民革命陣營大分裂後，沒有一個國家決心把自己的在華利益和前途押在南京政權身上。誰也不急於同這個政權解決南京事件，進一步發展關係。各國都在維護自身主要權益的前提下，耐心觀望局勢變化，同時與中國各地事實上的統治當局打交道。

六、"二期清黨"

"四一二"政變前後，蔣介石等人在各地逮捕並殺害了一批共產黨人，但是，在孫中山實行國共合作政策以後，大批共產黨人加入國民黨，積極工作，成為各級組織中的骨幹，其力量，其影響，都是巨大的，這種情況，自然使剛剛建立的南京國民黨當局難以安枕，因此，力謀進一步肅清共產黨人。

5 月 5 日，南京國民黨中央常務委員會及各部長聯席會議決定，組織中央

---

1 《國民政府公報》，寧字第 1 號。

清黨委員會，通過由胡漢民、吳倚滄起草的《清黨原則》六條。17 日，中央清黨委員會正式成立，委員為鄧澤如、吳倚滄、曾養甫、蕭佛成、段錫朋、冷欣、鄭異七人，以鄧澤如為主席委員。其後，南京、上海、廣東、廣西、福建、安徽、浙江各地陸續建立清黨委員會，海外華僑和軍隊中也建立了相應的組織。6 月 1 日，中央清黨委員會通告：限定清黨日期為 6 月 1 日至 8 月 31 日，各地清黨委員會須於 9 月 30 日呈報結果。

據清黨委員會組織大綱規定，其職責為：「秉承中央執行委員會訓令，肅清黨內共產份子、土豪劣紳、貪官污吏、投機份子及一切腐化、惡化份子。」[1] 但實際上，所清者完全為「共產份子」。這一點，胡漢民說得很老實。他說：「我們這次的清黨，是進一步把共產黨的死灰都要送還給俄羅斯，不能讓他留在中國的，乾脆地說，這次的清黨，就是要消滅中國共產黨。」[2] 由於它有別於「四一二」前後各地發生的政變，因此，蔣介石稱之為「第二期清黨」，他說：第一期清黨為「緊急處分」，目的在於「打倒共產黨領袖及其著名活動份子」；第二期清黨為「根本整理」，其範圍「遍及一般跨黨份子」。蔣介石認為，後者較前者更加困難，是「本黨真正生死關頭」，必須「以至大至久的恆心與毅力肅清潛伏之共產份子，絕其根株」[3]。

《清黨原則》、《清黨條例》等規定：在清黨時期中，停止入黨；所有黨員經過三個月之審查再發黨證；各黨部於接到清黨文告之日起，限令所屬黨員於半月內填就審查表，呈報當地清黨委員會；黨員須每半月將其工作向所屬區分部報告，然後逐級呈報當地清黨委員會；無故一月不報上工作者加以警告，三個月不報告工作者取消黨員資格[4]。但實際上，這些大都是具文，各地清黨委員會的真正興趣和主要工作均為逮捕並審判共產黨人。為此，專門成立了清黨審判委員會。5 月 25 日，南京國民政府通令各行政機關遵行《清黨條例》：「遇有反動份子搗亂本黨，阻礙清黨進行者，當地清黨委員會得直接通知該地軍警或

1　《中華民國史事紀要》，1927 年 5 月 17 日。
2　《清黨之意義》，《革命文獻》第 9 輯。
3　《對於第二期清黨之意見》，《中央》半月刊第 1 期。
4　中國國民黨浙江省清黨委員會編：《清黨運動》，第 3—4 頁。

行政機關，嚴行緝拿。"[1] 6 月 14 日，南京國民政府再次訓令軍、政、司法各機關，"嚴查所有各地之共產黨餘孽，機關悉數解散，並分別逮捕共產黨份子，毋稍寬縱，以絕亂源"[2]。這就說明，所謂 "二期清黨" 仍然是暴力清黨。

"四一二" 政變後，陳群、楊虎二人在上海濫捕、濫殺，使得某些堅決反共的人士也表示不滿。5 月 8 日，張靜江致電蔣介石，認為 "除重要及陰險份子之外"，應待全國代表大會發落，要求嚴令陳、楊二人，"毋得過事殺戮，致招反感"[3]。6 月 1 日，白崇禧也致電蔣介石，批評自清黨運動以來，上海一隅 "任意逮捕殺人"[4]。但是，這些意見和批評都未能動搖蔣介石對陳、楊二人的信任。6 月中旬，楊虎親自率隊破獲中共江蘇省委機關，逮捕新任省委書記陳延年。吳稚暉立即致函，吹捧楊虎為 "天人"，要求將陳 "明正典刑"，"寒通國共黨之膽"[5]。21 日，蔣介石應寧波商會之請，派陳、楊赴寧波清黨[6]，二人甫抵甬，即處決了共產黨人士王鯤、楊眉山、胡蕉琴、陳良義、吳德元、甘漢光六人。當時，曾有人向陳群詢問處刑標準，陳答："入共產黨滿六個月者殺，國民黨員跨黨者殺。"[7] 同月 29 日陳群在上海連破四個中共機關。次日，秘密處決十餘人[8]。陳延年大概即就義於此時。7 月 19 日，著名共產黨人趙世炎被害。在二期清黨中各地被害的共產黨人還有王宇椿、鄭採臣、何赤華、李征鳳等，究竟有多少優秀的中華兒女在此期間犧牲，目前尚難以作出精確的統計。

在殺害之外，南京國民黨當局也採取 "自首"，"自新" 的辦法誘惑少數意志不堅份子。6 月 21 日，上海特別市清黨委員會通告稱，對 "盲從走入歧途之份子，准其來本會自首，予以從寬發落"[9]。浙江省清黨委員會則經南京中央清黨委員會批準備案，成立了 "反省院"，這一措施後來為國民黨當局長期沿用。

由於南京國民黨當局實行濫捕，大量無辜者受到牽累。6 月 15 日，南京清

---

1 《國民政府公報》，寧字第 4 號。
2 《（南京）國民政府第二十四次會議記錄》，1927 年 6 月 14 日，油印本。
3 《上海張人傑來電》，《蔣介石收各方電稿》，抄本。
4 《五河白崇禧來電》，《蔣介石收各方電稿》，抄本。
5 《共黨巨憝陳延年正法》，上海《民國日報》，1927 年 7 月 5 日。
6 俞雩堂：《大革命時期寧波商會殘害共產黨人之罪行》，浙江省政協文史資料未刊稿。
7 金璨庠：《長興清黨見聞》，《浙江文史資料》第 2 期，第 82 頁。
8 《上海陳群陷日來電》，《蔣介石收各方電稿》，抄本。
9 上海《民國日報》，1927 年 6 月 1 日。

黨審判委員會開庭，受審十一人。其中三人"實無共產證據可尋"，宣告無罪；五人"均係無知愚民"，交保釋放；另三人"係過路受累，無證可指"，即予開釋[1]。由此不難想見當年捕人的輕率。

在國民革命高潮中，各地土豪劣紳不得不蟄伏一時。南京國民黨當局實行清黨，各地土豪劣紳紛紛蠢動。5月初，江陰即有人致電南京用民政府，指出"清黨後，土豪劣紳乘機報復，地方行政長官有扶助土豪劣紳恢復舊勢力之傾向"[2]。同月，浙江長興土豪蔣玉麟指使暴徒搗毀縣黨部，逮捕常務委員等人，所有文書印章搜卷殆盡[3]。6月，溫州國民黨員蔡雄被誣指為共產黨人，擅行槍決[4]。其他誣告、陷害之類，更比比皆是。

對於南京國民黨當局的清黨方針及措施，廣大國民黨員態度冷淡，不少人拒填所謂"黨員審查表"和"半月工作報告表"。南京市清黨委員8月下旬通告承認，將表格"送繳本會者，仍屬寥寥"[5]。該委員會威脅說，對此類黨員將以不願受審查論，清除其黨籍，但這也無濟於事。

清黨的結果是，國民黨失去了大量的精英，新舊官僚、政客、投機腐化份子乘機聚結，國民黨的腐化現象日益嚴重。8月22日，白崇禧沉痛地說："此次清黨後，即發生許多以黨營私之假革命黨，尤其在上海一隅，更加其甚，藉清黨之名，姦人妻子，擄人財物，敲榨剝削，隨便殺人，以致人民怨聲載道。上海是輿論中心，故民眾對本黨已漸失信仰。"[6] 9月1日，規定結束清黨的日期已屆，上海市清黨委員會發表宣言稱："本黨自去歲北伐以來，得到民眾之歡迎，簞食壺漿，惟恐未至，正有東征西怨之概。乃今歲四月，克復江浙，假革命者冒充忠實，竟將本黨令名幾付諸東流。嗟呼！清黨運動固如是耶！"[7] 白崇禧和上海清黨委員會道出了一個使他們難堪的事實 —— 國民黨已失去人民的信仰，這是有勇氣的。但是，他們卻無論如何也不能了解發生這一現象的真正

1 《清黨審判委員會開幕第七日》，上海《民國日報》，1927年6月20日。
2 《（南京）國民政府委員會第十次會議記錄》，1927年5月10日，油印本。
3 《（南京）國民政府委員會第二十次會議記錄》。
4 《（南京）國民政府委員會第二十九次會議記錄》。
5 《寧市清委會通知》，上海《民國日報》，1927年8月23日。
6 《軍事委員會紀念週紀》，上海《民國日報》，1927年8月26日。
7 《清委會發表宣言》，上海《民國日報》，1927年9月1日。

原因。

　　同日，南京國民黨中央清黨委員會通告："現以時局影響，交通阻滯，各省市多有不能依期竣事者，自應延期，繼續辦理，以利進行，"[1] 這一通告既宣告了"二期清黨"計劃的失敗，也宣告南京國民黨的反共政策將長期延續。

1　《中央清黨委員會通告》，上海《民國日報》，1927 年 9 月 9 日。

「四一二」政變前後武漢政府的對策 *

* 本文原載日本《東方學報》第 59 期，1987 年 3 月。

1927 年 4 月 12 日，蔣介石在上海發動的政變並不是突然的，事前，他早已公開表態，並且在南昌、九江、安慶、南京、杭州、福州等地大打出手。因此，武漢政府對於蔣介石可能採取的行動並非完全沒有警覺，曾經採取過一些對策。但是，從總的方面看，麻痹天真，優柔遲疑，失去時機。"四一二"之後，武漢政府處境困難，政治譴責取高調而軍事上則迴避和蔣介石決戰，對馮玉祥、閻錫山等人又判斷失誤，終於未能挽回頹勢。中國革命史由此發生了重大的轉折性變化。

一、以黨權限制蔣介石

武漢政府是在和蔣介石激烈衝突中的產物。將國民政府由廣州遷到武漢，本來是蔣介石的主張。1926 年 11 月 16 日，徐謙、宋子文、陳友仁、孫科、鮑羅廷等北上，籌備遷都。同年 11 月 26 日，中央政治會議決定，在廣州的國民黨中委和國民政府委員分批出發。12 月 13 日，先行到達武漢的孫科、徐謙、蔣作賓、柏文蔚、吳玉章、宋慶齡、陳友仁、王法勤等議決，在國民政府未遷來之前，組成國民黨中央執行委員，國民政府委員臨時聯席會議，執行最高職權。同月底，譚延闓、張靜江、顧孟餘、何香凝等人抵達南昌，蔣介石突然改變主張，提出將中央黨部和國民政府暫駐南昌，企圖將黨和政府置於他的軍事控制之下。這樣，在聯席會議和蔣介石之間就發生了激烈衝突。最初，武漢的國民黨左派和顧問鮑羅廷準備動員李宗仁反蔣。他們紛紛去李處遊說，告訴他：蔣介石"集黨、政、軍大權於一身，現在已成為一新軍閥，本黨如不及早加以抑制，袁世凱必將重見於中國"。鮑羅廷並曾推心置腹地動員李宗仁取代蔣介石的總司令位置，遭到李的拒絕。[1] 此後，武漢的國民黨左派們決定以黨權來限制蔣介石。1927 年 2 月 15 日，國民黨宣傳委員會在漢口舉行會議，到會的有鄧演達、顧孟餘等 30 餘人，提出鞏固黨的權威，一切權力屬於黨；統一黨的指揮機關，擁護中央執行委員會；實現民主政治，掃除封建勢力；促汪精衛銷假復職；速開中央執行委員會全體會議，解決一切問題等主張。會議通過的《黨務宣傳要點》指出："封建思想在黨員頭腦中潛滋暗長，不即加以糾正，必定演成個人獨裁。"考慮到當時的條件，《要點》主要矛頭指向張靜江，但是，也沒有點他的名，而是以"昏庸老朽的反動份子"一詞相代。《要點》表示，要以打倒西山會議派的精神，肅清黨內的"昏庸老朽的反動份子以及相與勾結的官僚、市儈"。[2] 自此，各地即掀起恢復黨權運動。2 月 21 日，國民政府宣佈在武漢正式辦公。

對於這一切，蔣介石惱怒異常。2 月 19 日，他在總司令部南昌特別黨部成立大會上說："我只知道我是革命的，倘使有人要妨礙我的革命，反對我的革命，那我就要革他的命。我只知道革命的意義就是這樣。誰要反對我革命的，誰就是反革命。"[3] 21 日，他又說："如果今日左派壓制右派，那我就要制裁左派。""共產黨員有不對的地方，有強橫的行為，我有干涉和制裁的責任及其權力。"[4] 這實際上已是政變的預告。

恢復黨權運動在二屆三中全會期間達到了高潮。這次會議原定 3 月 1 日召開，由於蔣介石的阻撓，一直推遲到 3 月 10 日。會議於 3 月 17 日閉幕。這次會議糾正了國民黨二屆二中全會的許多錯誤決定，是國民黨制度上的一次大改

1　《李宗仁回憶錄》，第 437—442 頁。
2　《漢口民國日報》，1927 年 2 月 16 日。
3　上海《民國日報》，1927 年 3 月 29 日。
4　上海《民國日報》，1927 年 4 月 17 日。

革。會議通過了統一黨的領導機關案、統一革命勢力案、統一財政決議案和統一外交決議案。這些決議案的主旨都在於提高黨權、集中黨權。會議改選了國民黨中央政治委員會、常務委員會、軍事委員會和國民政府委員會，在實際上解除了蔣介石的常務委員會主席和軍事委員會主席兩項職務，蔣介石被從最高領導的地位上拉了下來，權力大大縮小了。會上，孫科點名批評蔣介石："蔣介石同志之在南昌宣言，則為軍閥及帝國主義所歡迎。"[1] 會後發表的《本會經過概況》雖然不點名，但卻對蔣介石進行了最嚴厲的指責。《概況》認為：自"三二〇"中山艦事件以來，"不但總理之聯俄及容納共產黨政策被其破壞，即本黨軍隊中之黨代表制與政府制度亦完全破壞，開個人獨裁之漸，啟武人專橫之端"。又說："自設總司令以來，黨國大政，無不總攬於一人。黨與政府，等於虛設。"[2]《概況》高度評價二屆三中全會的決議，認為是"個人屬於黨與黨屬於個人之分歧點"，"武力屈服於黨，抑黨屈服於武力之分歧點"，"個人獨裁與民主集中制之分歧點"。《概況》表示，將不再採取"委曲求全"的方針。

二屆三中全會之後，各地反蔣呼聲日趨激烈。湖北省黨部要求免去蔣介石本兼各職。武昌中央農民運動講習所學生結隊請願，要求將蔣介石交付監察委員會和軍事委員會按照黨紀懲辦。武昌第三區第四分部致電蔣介石，表示要以"革命的手段對待"，"臨電枕戈，佇候明教"。[3] 湖南省黨部則公開電稱："與其愛一蔣介石，以延長中國反動之局；何如去一蔣介石，而樹立真正民治之基。"[4]

蔣介石不想以口舌、筆墨進行論爭，他用暴力來回答武漢政府。3 月 16 日，他強迫解散南昌市黨部、南昌市學聯，封閉《貫徹日報》。17 日，製造九江慘案，殺害九江市黨部和總工會負責同志 4 人。3 月 23 日，製造安慶慘案，搗毀安慶省黨部和總工會。同時，處心積慮，控制南京、上海。

在很長時期內，鮑羅廷和國民黨左派們一直擔心蔣介石抵達東南後，會和帝國主義以及中國大資產階級發生關係，因此，也力謀控制南京、上海，進一步限制和削弱蔣介石的權力。3 月 21 日，上海發生工人第三次武裝起義，武

1　《中國國民黨第二屆中央執行委員會第三次全體會議第七日速記錄》。
2　《中國國民黨第二屆中央執行委員會第三次全體會議宣言及決議案》。
3　《民眾紛起責問蔣介石》，《漢口民國日報》，1927 年 3 月 29 日。
4　《省黨部請罷免蔣介石》，《湖南民報》，1927 年 4 月 10 日。

漢國民黨中央政治委員會立即召開會議，討論應付方案。會議決定派外交、財政、交通三部部長赴滬，又指定孫科、顧孟餘、陳友仁、宋子文、徐謙為外交委員會委員，以陳友仁為主席，研究上海方面的外交策略；派郭沫若為上海軍隊中的政治工作指導員。3 月 23 日，北伐軍攻克南京，武漢國民黨中央政治委員會立即任命程潛等 11 人組成江蘇省政務委員會，以程潛為主席，其中共產黨人和左派佔絕對優勢。27 日，武漢政府電令上海各機關，所有江浙財政均須經宋子文辦理，否則概不承認。這一切，都是為了加強武漢政府對南京、上海地區的控制，限制蔣介石的權力。

　　蔣介石不理睬武漢政府這一套，繼續任命行政、外交等方面的人員，並且干涉武漢政府的用人權。3 月 28 日，孫科在政治委員會第六次會議上提出：最近軍事長官，往往干涉交通部用人行政事宜，上海方面交通部派員不能接事，一定要總司令委派才可以。會議決議，由國民政府電令各省軍事機關，嗣後不得干涉用人行政。4 月 1 日，政治委員會第八次會上，鮑羅廷提出："現在反動份子自由委派重要官長，損傷黨權。"于樹德提出："軍事領袖擅自拜訪各國的外交官是否合法。"孫科說："現在越鬧越不像話，好像是他總司令的世界，為所欲為，把黨的威權弄得掃地。我們如果再不下決心，何必還革什麼命？"[1]會議根據鮑羅廷和孫科的提議，將二屆三中全會統一外交、財政各決議案通知蔣介石以及各軍，"飭令遵照，並警告不得違反，否則以反革命論"[2]。武漢政府很天真，以為蔣介石還會按照它的命令行事。蔣介石也在某些方面麻痺武漢政府。不僅於 3 月 30 日發電請示軍事、外交進行方針，而且同時呈報安徽省政務委員名單，要求委派鈕永建為新編第七軍軍長。這一切也給了武漢政府以錯覺，似乎蔣介石還準備聽它的話。4 月 2 日，武漢國民黨中央常務委員會第五次擴大會議上，孫科提出：蔣總司令自江西到上海後，即被反動勢力包圍與利用，形成一個反動中心，建議立刻下一道訓令給蔣介石，要他立即離開上海，回到南京去，專負軍事方面的責任。他說："蔣在上海，帝國主義只看見他一人，不見有中國國民黨及中央政府，外交、財政、交通都被其破壞。""這是

1　《中國國民黨中央政治委員會第八次會議速記錄》。
2　同上註。

給蔣總司令一個最後機會，試驗他能不能夠有覺悟，服從中央命令，抑或一意孤行。"[1] 會議通過了有關電文，聲稱："同志在滬，已有不能團結革命之表徵，徒為外人所乘，於此緊急之外交形勢殊屬不利，必同志離滬，中央始可對上海之嚴重形勢指揮自如，而負完全之責任。" 決議要求蔣介石"對於外交未得政府明令以前，切勿在滬發表任何主張，並勿接受任何帝國主義口頭或文字之通牒"[2]。武漢政府以為，只要蔣介石離開上海，就可以使他擺脫反動影響。鮑羅廷說："假使我們不是愛惜蔣同志，就任從他在上海，聽他將來弄到一個失敗的結果給我們看的。現在我們要他離開上海反革命的重心，免他受包圍走去反革命。"[3]

4月5日，武漢國民黨中央政治委員會根據軍事委員會的呈請，決定廢除總司令，改為集團軍，任命蔣介石為第一集團軍總司令，馮玉祥為第二集團軍總司令，朱培德為總預備隊總指揮，楊樹莊為海軍總司令。這是武漢政府削弱蔣介石軍權的重大措施，但是，對蔣介石沒有任何實際影響。

武漢政府有黨權，蔣介石有軍權，武漢政府的基本策略是以黨許可權制軍權，幻想黨紀、命令、輿論可以制服蔣介石，但是，事實證明，勝利者是軍權，而不是黨權。

二、逮捕蔣介石與派兵東下計劃的擱淺

武漢政府還準備了另一手。

在幾經猶豫之後，武漢政府於3月下旬草擬了一個俟機逮捕蔣介石的密令，由譚延闓親筆寫在一塊綢子上，準備交給程潛執行，同時責成二、六兩軍控制南京地區。3月27日，林祖涵將密令縫在衣服內，以代表國民政府慰勞前方將士的名義東下。[4] 同時，張國燾則以機密方法，通知在上海的中共中央，要

---

1 《中國國民黨中央執行委員會第二屆常務委員會第五次擴大會議速記錄》。

2 《命令蔣總司令離滬赴寧電文》，《中國國民黨中央執行委員會第二屆常務委員會第五次擴大會議決議案》。

3 《中國國民黨中央執行委員會第二屆常務委員會第五次擴大會議速記錄》。

4 程潛：《對謝慕寒〈關於"東征""西征"和第六軍被消滅的片斷回憶〉一文的訂正和補充》，《湖南文史資料》第4輯，第31頁。

求就近予程潛以協助。[1]28 日，中央軍事委員會總政治部任命林祖涵為駐寧辦事處主任，林未到任前，由李富春代。

武漢政府將希望寄託在程潛身上，但是，程潛卻並不願意執行命令。林祖涵東下之際，程潛正與何應欽一起應蔣介石之召，赴上海商談。到滬後，程潛力主調和，並表示願意去武漢勸合。[2]此外，程潛還和李石曾、吳稚暉作了交談，了解到他們正在準備"清黨"。程潛擔心自己被蔣介石軟禁，便於 30 日離滬返寧。當晚，林祖涵也到了南京。程潛得悉交給他的任務後，表示："那不行，我不能做分裂國民黨的罪魁禍首。這樣對不起孫中山先生。"[3]六軍政治部主任李世璋以形勢危急相勸，告訴程潛："蔣介石已經把何應欽派進來了，他們已經佔領了高地，恐怕來意不善。"程潛卻滿不在乎地說："不要怕！"[4]

程潛的態度有他本身的原因，但是，逮捕蔣介石的時機也已失去。南京事件發生的第二天，蔣介石便乘艦過寧，沒有上岸。這以後，他一直處在重兵的護衛中，要逮捕蔣介石幾乎是不可能的。關於此事，鮑羅廷曾總結說："第六軍軍長程潛未能及時執行逮捕蔣介石的命令，因為沒有中央政府的堅定而明確的指示，他自己不知道怎麼辦。送逮捕令的交通員晚到南京一周時間。"[5]

林祖涵也沒有其他辦法。在南京期間，二、六兩軍都有人表示對蔣介石"深致懷疑"，"希望中央早日討伐"。林祖涵只能含混相答。4 月 1 日，程潛下令"除渡江部隊外，其餘概行集結南京"，同時，以全體官兵名義通電擁護武漢三中全會決議，即隨林祖涵返漢。他將軍長職務交楊傑代理，將衛戍南京的任務交賀耀祖負責。程潛自以為萬無一失，他無論如何想不到，楊、賀二人都已經倒向蔣介石一邊。[6]

程潛離寧後，蔣介石即接連下令駐守南京的二、六兩軍於 4 月 6 日全部渡江，沿津浦路北上，同時命何應欽的東路軍火速向南京集中。蘇聯顧問勃拉戈

1　《張國燾回憶錄》第 3 章。
2　程潛：《對謝慕寒〈關於"東征""西征"和第六軍被消滅的片斷回憶〉一文的訂正和補充》，《湖南文史資料》第 4 輯，第 31 頁。
3　李世璋：《關於北伐前後的第四軍》，《江西文史資料》第 2 輯，第 42 頁。
4　李世璋：《關於北伐前後的第四軍》，《江西文史資料》第 2 輯，第 42 頁。
5　文件 201，《聯共（布）、共產國際與中國國民革命運動》（4），第 220 頁。應該指出，俄國編者將錯此事理解為 1927 年 4 月 14 日武漢國民黨中央對蔣的懲戒令，是不了解有關歷史的結果。
6　李世璋：《關於北伐前後的第四軍》，《江西文史資料》第 2 輯，第 42 頁。

達托夫曾向蔣介石建議，六軍在戰鬥中損失很大，需要補充、復元，應該暫留南京，為蔣拒絕。[1] 在此情況下，六軍密電程潛請示，程復電不得渡江，不幸，程電被蔣介石的總司令部截獲。其間，魯滌平也知道二期北伐尚在計劃中，蔣介石此舉，必係排除異己，別有他圖，急電武漢請示，但未能打通。這樣，二軍和六軍的大部分都被派北上，留守的少數六軍戰士被包圍繳械，南京完全落到蔣介石手中。

武漢政府雖然下了逮捕蔣介石的決心，但是，並不感到政變迫在眉睫，還在準備北伐，並訂於 4 月 5 日誓師，同時慶祝中央軍事委員會成立和滬寧克復。3 月 31 日，顧孟餘在宣傳委員會上說："黨權運動的發展，上海方面軍事領袖並未極端反對，但表面雖服從，內中或準備一兩月後某一種發展。他們的方法，大概是在上海或南京集中力量，對北伐不進行，而坐觀成敗，但中央則非迅行北伐不可！"[2] 4 月 1 日，軍事委員會對全體將士訓令稱："國民革命軍將士目前最急切的任務，便是打倒張作霖，消滅奉系勢力。"[3] 4 月 4 日，程潛到漢，報告了上海方面準備"清黨"的情況，李富春也密電陳述蔣介石、何應欽即將來寧建立政治組織的消息。這樣，武漢政府就緊張起來了。當日以"籌備尚未就緒"為理由，宣佈將北伐誓師典禮展期。[4] 4 月 7 日，武漢國民黨中央政治委員會召開緊急會議，決定"為適應革命勢力之新發展及應付目前革命之需要"，將中央黨部及國民政府遷至南京，遷移日期另行決定。會議指定顧孟餘、鄧演達、譚平山三人負責遷都的宣傳工作，下令軍事委員會制訂以南京為中心的作戰計劃。[5] 當夜九時，軍事委員會開會，決定軍事進行計劃。武漢政府決定遷都的理由，據孫科、譚平山等人所述，基於五個方面：一、對付帝國主義。武漢政府認為，英、美帝國主義正聯合日本，準備武力干涉中國革命，封鎖上海、南京、天津等口岸，武漢政府必須先發制人。遷都南京、坐鎮南京，帝國主義就不敢明白進攻。二、統一外交。武漢政府感到，地處武漢，不便於"對

---

1 《中國革命紀事》，生活・讀書・新知・三聯書店 1982 年版，第 269 頁。
2 《中央宣傳委員會第十四次會議記錄》，《漢口民國日報》，1927 年 4 月 2 日。
3 《漢口民國日報》，1927 年 4 月 2 日。
4 《國民革命軍北伐誓師典禮籌備處緊急通告》，《漢口民國日報》，1927 年 4 月 5 日。
5 《中國國民黨中央執行委員會政治委員會臨時緊急會議決議錄》。

付長江下游的外交"。三、掌握財政。長江下游是富庶之區，遷都有助於控制下游財政。四、團結下游革命力量，控制蔣介石。譚平山說："最近長江下游，帝國主義利用種種機會，用挑撥的方法以分離革命勢力。現在一部分同志已被帝國主義和反動派利用，但我們知道，在反動軍事領袖之外，還有許多革命領袖在長江下游。這些同志，我們要拉他一路走。"又說："少數在下游的軍事領袖，想利用軍隊造成自己的地位，但中央要在長江下游，就完全能指導他們。不能用電報來指揮，我們要到軍隊勢力中來指揮他革命。"[1] 五、沿津浦路北伐。武漢政府認為，京漢路北伐有確實把握，必須將注重點轉移至津浦線。在上述五項理由中，最主要是第四條。8 日，常務委員會第六次擴大會議聽取了孫科的說明。孫科慷慨激昂地表示："帝國主義與殘餘軍閥勾結，將革命轉為反革命，所以為應付外交，要下一決心，拚命移至南京。""全體送去受他壓迫，看蔣介石有無決心？"[2] 孫科的話博得了與會者的熱烈掌聲。會議決定接受政治委員會的決議。當日，舉行了東下的誓師典禮。

　　武漢政府這次確實準備行動了。據吳玉章等人回憶：當時，武漢政府已決定派張發奎率四軍和十一軍去加強南京的防禦，支持上海的革命力量。軍隊中迅速作了動員，運輸的船隻和糧秣槍彈都已準備就緒。4 月 9 日，四軍登輪，準備東征。同時武漢方面命令六軍留在南京，不要聽命於蔣介石；又命令已進至長江北岸的二軍回師南京，協同六軍衛寧反蔣。但是，就在此刻，有人提出，不應該把鐵軍調到南京去。理由是：一、長江下游和帝國主義太靠近，會引起衝突和干涉。二、汪精衛已從國外回到上海，將要來武漢。如果和蔣介石完全鬧翻，蔣一定要扣留汪。事實上，汪精衛已於 6 日起程來漢。參加會議的共十人。瞿秋白、鄧演達支持吳玉章的意見，加倫也表示："從北伐的軍事觀點來看，加強南京方面是合理的。這樣我們可以一方面從武漢沿京漢路北上，一方面可以從南京沿津浦路北上。"但是，與會者大多數不同意吳玉章的意見。

1　《在中央宣傳委員會第十五次會議上的報告》，《湖南民報》，1927 年 4 月 18 日。

2　《中國國民黨中央執行委員會第二屆常務委員會第六次擴大會議速記錄》。

四軍登輪的當天，就得到在船上待命的通知。11 日，又得到命令退回原地。[1] 四軍、十一軍東下的計劃就這樣擱淺了，遷都南京的決議也就成了一紙空文。

吳玉章說：“假使第四軍按照原定計劃調去南京，長江下游左右派的力量對比便會發生重大的變化，蔣介石的反革命政變也就不會那樣順利。”[2] 事實上，四軍東下的決定也已為時過晚。根據當時蘇聯在華軍事顧問們的分析，在 3 月 23 日到 4 月 3 日期間，完全可以輕而易舉地解除蔣介石的武裝[3]，但武漢政府作出有關決定已在此後。過了四天，蔣介石就在上海發動了政變。在一場緊張的爭奪時間的賽跑中，武漢政府落到了後面。

武漢政府派兵東下計劃的改變和共產國際對蔣介石的態度有關。2 月 31 日，共產國際的機關刊物《國際新聞通訊》發表文章稱：“國民黨內的分裂和工人階級與革命軍士兵之間的敵對情緒，在目前絕無可能”，“蔣介石這樣的一位革命家不會去和反革命的張作霖合作行動”。4 月 5 日，斯大林在莫斯科發表演說稱：“既然我們有多數，既然右派聽從我們，為什麼把右派趕走？只要有用場，農民連一匹疲蹶的老駑馬也需要。他不把它趕走。我們也一樣。等到右派對我們沒有什麼用場，我們就把它趕跑。目前我們需要右派。它有的是能幹的人，這些人尚率領軍隊且指導它去反對帝國主義者。蔣介石也許對革命沒有同情，但他正帶著軍隊，且除了引導他去反對帝國主義者之外，便不能幹別的事情。此外，右派中人尚和張作霖的將領有關係，且非常懂得如何去使他們軍心渙散，不經一擊便引誘他們全部轉到革命方面來。他們和富商也有關係，可以從他們那裏募錢。所以他們必須要被利用到底，像檸檬一樣榨乾，然後丟掉。”[4] 次日，新近到達武漢的共產國際代表團代表羅易，在維經斯基等人的支持下建議代表團去上海會見蔣介石，和他商談革命力量的統一問題。如果蔣同意，就邀請他到武漢參加和解會議；如果他拒絕，就證明他反對黨的政權，號召群眾

---

1 《吳玉章回憶錄》，第 143—144 頁；黃霖：《八一起義前後的幾點回憶與認識》，《中國共產黨在江西地區領導革命鬥爭的歷史史料》第 1 輯，江西人民出版社 1970 年版，第 17 頁；朱雅林：《一九二七年底回憶》，第 101—102 頁；勃拉戈達諾夫：《中國革命紀事》，第 293 頁；巴庫林：《中國大革命武漢時期見聞錄》（俄文版），1927 年 4 月 8 日之 4 月 11 日。

2 《吳玉章回憶錄》，第 144 頁。

3 文件 212、268，《聯共（布）、共產國際與中國國民革命運動》（4），第 269、500 頁。

4 轉引自伊羅生：《中國革命史》，中譯本，1947 年版，第 183—184 頁。

團結在武漢周圍。羅易的意見遭到鮑羅廷的堅決反對。[1] 此後，幾乎每天都在討論和重新決定同一問題。大約是 10 日左右，中共中央在武漢召開臨時會議，魏經斯基認為蔣介石"有辦法"，羅易也認為蔣介石"還有辦法"，再次提出派代表赴滬與蔣介石商談。[2] 4 月 13 日，羅易致電蔣介石，聲稱"一切革命力量的團結是最大的需要"，表示"將樂於訪問南京"。[3] 而在這前一天，政變已經發生了。

三、政治譴責的高調與軍事決戰的迴避

汪精衛在 4 月 10 日到達武漢。

從 1926 年蔣介石製造"中山艦事件"，汪精衛避居國外之後，就不斷有人主張迎汪回國，以抵制蔣介石日益增大的影響。在 1927 年春天的"恢復黨權"運動中，"迎汪"的口號更喧騰一時。人們對蔣介石愈不滿，對汪精衛的期望也就愈殷切。現在，汪精衛終於回來了。但是，他並沒有給武漢政府帶來福音。

4 月 13 日下午 4 時，武漢國民黨中央政治委員會第十二次會議正在舉行，得到了蔣介石的通電，要求中央各執、監委員在 14 日以前趕到南京開會，隨即又得到了上海市黨部的來電，工人糾察隊被繳械。汪精衛當即表示："這件事比南京會議還要嚴重，簡直是反了！"[4] 會議決定以中央執行委員會的名義致電蔣介石，要求查辦事件的主動者和負責者。電文說："現本黨駐滬軍隊，竟有用武力令上海糾察隊繳械之舉，顯係違背命令，甘為反革命。在黨紀上，萬難寬恕。望即將此次膽敢違犯黨紀之部隊官長，即刻停職拘捕，聽候國民政府查明事實，依法懲辦，總司令及總指揮未能事前防範，亦應依法嚴重處分，並應飭令將已繳槍械，退回糾察隊。"[5] 隨後，汪精衛又在湖北省市兩黨部的歡迎宴會上宣佈了消息，他說："反共產派已經與帝國主義軍閥妥協，已經把真正革命同志的血獻給軍閥帝國主義者了，國民革命軍的總司令已經變做討赤聯軍副司

1　文件 192、212，《聯共（布）、共產國際與中國國民革命運動》（4），第 201、269 頁。

2　李立三：《黨史報告》，中央檔案館編：《中共黨史報告選編》，中共中央黨校出版社 1982 年版，第 245 頁。

3　《中國新聞》，1927 年 4 月 14 日。

4　《中國國民黨中央執行委員會政治委員會第十二次回憶速記錄》。

5　《漢口民國日報》，1927 年 4 月 14 日。

令了。"他故作慷慨地表示："我現在什麼嫌疑也不怕了，非為這些工友復仇不可，就如有一批數十年的老師友，像吳稚暉，現在就都該殺，殺了來填幾十個工友的命。"[1] 當日在會上演說的還有徐謙、何香凝、孫科、高語罕等人。何香凝說："現在蔣介石卻公然摧殘工農了，我們怎樣對付呢？就只有照廖先生說的話，打倒這些反革命派。"[2] 孫科表示："我們今日若對蔣再不予以處分，則他仍要利用國民革命軍的招牌，來違法作惡。現在已經不是講情面的時候，我們一定要求中央對蔣嚴厲處分。"[3]

14 日，武漢國民黨中央監察委員會開會，提出處分蔣介石、張靜江，取消蔣介石一切本兼各職、開除黨籍，由國民黨政府將其撤職查辦。

15 日，汪精衛手書《對三大政策之解釋》："總理所定聯俄、容共、農工三政策是整個的，破壞一個政策，即是破壞整個政策，即是將改組本黨的精神意義根本取消。一切革命同志應該起來，擁護此整個的政策。"[4] 汪精衛這裏的表態當然是正確的，但是，其人華而不實，脆而不堅，缺乏氣節，善於見風轉舵，3 個月之後，由於形勢變化，他就高叫"分共"，跟在蔣介石、吳稚暉後面，完全背叛了他"手書"的"三大政策"。

同日，武漢國民黨常務委員會第七次擴大會議討論懲蔣問題，參加者 28 人，列席者鮑羅廷、唐生智、張發奎三人，主席徐謙。先後發言的有董用威（必武）、鄧演達、潘云超、詹大悲、高語罕、彭澤民、孫科、林祖涵、江浩、吳玉章、鄧懋修、王樂平、顧孟餘、何香凝、王法勤、陳公博、譚延闓、朱培德、黃實等，普遍態度強烈，要求中央改變遲疑態度，作出決定。董用威說："務希中央毅然決然，加以處置，以申黨紀。"彭澤民說："如再猶豫，不是蔣氏自殺，是我們自殺。"高語罕說："（蔣介石）自四川殺起，一直殺到上海。（我們）日日不作聲，等待他殺，這是何等麻木啊！"其中，仍然以孫科最為激烈，他要求與會者一一表態："蔣介石是革命敵人，尤其是中央執行委員會敵

1　《漢口民國日報》，1927 年 4 月 14 日。
2　同上注。
3　同上注。
4　《漢口民國日報》，1927 年 4 月 17 日。

人，無論對蔣介石有無私人感情，今日皆不能緘默的。"[1] 在如何對待蔣介石上，會議出現兩種意見。一種是免去職務，明令討伐，以鄧演達為代表；另一種意見以顧孟餘為代表，認為對一個人只有懲辦，不必用討伐。會議最後同意顧孟餘的意見，一致決議："蔣中正屠殺民眾，摧殘黨部，甘心反動，罪惡昭彰，已經中央執行委員會議決，開除黨籍，免去本兼各職，著全國將士及各革命團體拿解中央，按反革命罪條例懲治。"[2] 該項決議至 18 日以國民政府命令形式發表。

18 日同時發表的文件還有《為懲治蔣中正訓令全體黨員》，指責蔣介石自中山艦事件以來的作為，聲稱 "凡此種種，皆為極端反革命行為，既不能感之以誠，復不能喻之以理，似此罪大惡極，是已自絕於黨，自絕於民眾，本黨為革命前途計，不能不決然毅然，執行黨紀，加以嚴厲之懲治"[3]。

21 日，國民黨中央執行委員、候補執監委員、國民政府委員、軍事委員會委員汪精衛、譚延闓、孫科、徐謙、顧孟餘、譚平山、陳公博、吳玉章、唐生智、鄧演達、宋子文等四十人聯名發表通電，指責蔣介石由反抗中央進而自立中央等行為。通電號召："凡我民眾及我同志，尤其武裝同志，如不認革命垂成之功，毀於蔣中正之手，惟有依照中央命令，去此總理之叛徒，中央之敗類，民眾之蟊賊。"[4]

上述種種，都是對蔣介石一種政治上的譴責，較之武漢政府以前的態度，是堅決、鮮明多了，但是，政治上的譴責不能代替軍事上的打擊。這方面，武漢政府仍然顧慮重重。15 日的國民黨中央常務委員會上，在慷慨討蔣的高調聲中，也時時可以感到這種顧慮的存在。詹大悲說："今日中央應行決定，失敗是不必顧慮，更不應該顧慮。"江浩說："黨求勝利，不全在軍事上，如果全在軍事勝利，黨就根本要糟。在此狀況之下，雖然軍事上稍失敗或吃虧，於黨還是好的。"鄧懋修說："縱敗猶榮，終有勝利之一日。"吳玉章說："如果是革命的，是不怕強力，不怕武力的。"[5] 這些語言誠然是壯烈的，但卻反映出武漢政府的

1　《中國國民黨中央執行委員會第二屆常務委員會第七次擴大會議速記錄》。
2　《革命生活》第 58 期，1927 年 4 月 19 日。
3　《革命生活》第 59 期，1927 年 4 月 21 日。
4　《中央委員聯名討蔣》，《漢口民國日報》，1927 年 4 月 22 日。
5　《中國國民黨中央執行委員會第二屆常務委員會第七次擴大會議速記錄》。

領袖們缺乏鬥爭勝利的信心。何香凝說得很坦率："我對軍事上、財政上很是擔心。"[1] 正是這種擔心，使武漢政府迴避馬上和蔣介石決戰。

"四一二"政變後，武漢政府兩面受敵，軍事方針陷入動搖不定中。當時出現了兩種意見，一種主張東征討蔣，一種主張北伐討奉。兩種方針各有利弊。向東討蔣吧，奉軍正沿京漢路南下；向北討奉吧，又擔心蔣介石打過來。這是很難解決的矛盾。這一矛盾不僅表現於武漢政府領導人之間，也表現於蘇聯顧問、共產國際代表和中國共產黨人中。4 月 13 日，羅易在中共中央會議上提出："在發起下一步進攻前應擁有鞏固的根據地"，當前的革命任務是：發展工農運動，集中和加強國家機關，改革和集中軍隊。14 日，羅易再次表示：北伐將給工人、農民帶來損害，主張首先完成三項任務：通過實行土地革命和先進的勞工政策發動民主力量；依靠民主力量奪取農村政權；建立革命軍隊。當日，鮑羅廷和羅易在會上發生激烈衝突。鮑稱：如果會議作出反對北伐的決定，他就辭去在國民黨中擔任的職務。15 日，羅易繼續提出反對北伐的理由，認為既沒有取得勝利的保證，又會敞開南方根據地任憑"反動派"進攻。但是，他也作了部分妥協，同意將軍隊調往河南前線，與馮玉祥配合行動。[2] 4 月 16 日，汪精衛以政治委員會名義召開國共兩黨聯席談話會，討論"積極北伐"與"肅清東南"問題。同日，中共中央通過羅易起草的《關於繼續北伐問題的決議》，認為"在目前情況下，立即北伐去佔領京津等地，不僅不符合革命的需要，而且有害於革命。採取北上擴大領域的軍事行動之前，必須將早已在國民黨統治下或革命已經部分完成的那些地區的革命基地加以鞏固。"[3] 決議提出，只能採取佔領河南南部、安徽西部等"防禦性的軍事行動"，使隴海路成為"保衛革命的第一線"。這樣，雖然在是否立即進攻北京和天津上仍有不同意見，擔派兵北上的實質分歧已經消失。

然而，事情的變化簡直太富於戲劇性了。4 月 18 日早晨，武漢國民黨中央政治委員會根據鮑羅廷的新意見，突然宣佈，決定向東推進，佔領南京，首先

1　《中國國民黨中央執行委員會第二屆常務委員會第七次擴大會議速記錄》。
2　文件 259，《聯共（布）、共產國際與中國國民革命運動》（4），第 422—428 頁。
3　《關於繼續北伐問題的決議》，《羅易赴華使命》，中國人民大學出版社 1981 年版，第 176 頁。

消滅蔣介石的力量，然後渡江北上，進攻北方軍閥。[1] 羅易和共產國際代表團的另一成員多里奧立即對這一改變表示滿意。[2] 但是，加侖將軍說服了鄧演達，鄧逐一做工作，到了當天晚上，政治委員會又決定，經河南向北推進，打敗張作霖，讓馮玉祥的國民軍進入河南，將反奉的任務交給他，而武漢北伐軍則沿隴海路東進，襲擊南京。這一方案於是被視為"最佳方案"。[3] 關於東征還是北伐的這一艱難的決策過程，鄧演達回憶說："往東 —— 打南京 —— 往北的計劃前後變更了四五次，卒之為如下之理由取決往北去，把張作霖在河南的隊伍肅清，把馮玉祥的隊伍接出來，然後把對付張作霖於京漢路線上的責任託付給他，我們的隊伍專致力於東南的肅清。"[4] 當時，奉系有六個集團軍，20—25 萬人，第一集團軍駐守開封和蘭封地區，由張學良統率，約 6 萬人。馮玉祥的隊伍號稱 30 萬人，確是一支可以和奉系匹敵的力量。此外，還有個閻錫山，有軍隊 5 萬人。武漢政府認為，有可能倒向自己方面。因此，毅然於 4 月 19 日在武昌南湖誓師。20 日，各路軍隊由京漢路進入河南，集中駐馬店，第二期北伐開始了。

這一時期，武漢政府領導人的言論中，討奉和討蔣是並列的。南湖誓師典禮上，汪精衛說："我們要使全國民眾能得到解放，必須要打倒奉系軍閥。""我們要打倒帝國主義與軍閥，尤必須要打倒本黨的內奸蔣介石。"[5] 但是，實際上，討蔣已被暫時擱置到一邊。徐謙甚至說："反革命蔣介石，用不著出兵聲討，就是用黨制裁，開除黨籍，免去軍職，在東南的革命力量，不久會把反叛的蔣介石，拿送中央懲辦的。"[6] 這當然是一種自欺欺人的空想。

儘管武漢國民政府的領導人這時唱的是響入雲霄的高調，但是，高調中仍然可以覺察出細微的低調。這就是武漢政府處境很困難。4 月 27 日，徐謙說："是要往北，才能打出一條生路。"[7] 5 月 13 日，汪精衛說："如果外交形勢變換，我們應該與西北革命軍同志協力，將大陸拿到手內，這也是革命的唯一

1　文件 268，《聯共（布）、共產國際與中國國民革命運動》（4），第 501 頁。
2　文件 191、192，《聯共（布）、共產國際與中國國民革命運動》（4），第 198、204 頁。
3　文件 268，《聯共（布）、共產國際與中國國民革命運動》（4），第 504—505 頁。
4　《中國革命最近嚴重局勢之由來》（1927 年 8 月 17 日在莫斯科的報告），中國第二歷史檔案館藏。
5　《革命生活》第 59 期，1927 年 4 月 21 日。
6　《中央執行委員會歡迎北伐將士大會記錄》，油印件。
7　同上註。

出路。"[1] 所謂外交形勢變換,實際上是帝國主義干涉的委婉說法。武漢政府的領導人除了害怕和蔣介石正面衝突外,還害怕和帝國主義正面衝突。他們想走"西北道路",即必要時退到西北。據羅易回憶,當時,鮑羅廷認為,由於革命力量太軟弱,武漢將不能保持,建議將殘餘的力量安全地撤退到在西北的新基地。那裏,是帝國主義勢力所不及的地方,不會有武漢這樣尖銳的社會階級矛盾,又接近蘇俄和外蒙,便於獲得援助。[2] 當年 5 月初,鮑羅廷在漢口報告說:"我們應當擴大國民政府的勢力範圍,通過國民革命軍向西北挺進,擺脫外國巡洋艦對我們形成的包圍圈。" 又說:"我們應當去西北地區,國民政府的勢力範圍應當向西北擴展,否則我們將始終處於主要集中在東南地區的帝國主義的打擊之下。"[3] 武漢政府的決策顯然反映了鮑羅廷的影響。

武漢政府寄希望於馮玉祥和閻錫山,以為他們會忠實於自己,但是,這兩個人都靠不住。武漢政府既失去了東征的時機,北伐也中途夭折。中國近代史證明,依靠軍閥,而不依靠人民的政府是沒有出路的。

1　《中國國民黨中央執行委員會第二屆常務委員會第十一次擴大會議速記錄》。

2　M. N. Roy: My Experience in China, pp.56–57. 參見《張國燾回憶錄》第 3 章。

3　文件 201,《聯共(布)、共產國際與中國國民革命運動》(4),第 224—227 頁。

論第一次國共合作的破裂 *

* 本文錄自《找尋真實的蔣介石：蔣介石日記解讀》（2），重慶出版社 2018 年版；原題為《論第一次國共合作的分裂》，載於《20 世紀的中國》，台北近代中國出版社，2002 年。

1922 年 8 月末，陳獨秀、李大釗等共產黨員加入國民黨，協助孫中山對國民黨進行改組，可以視為國共兩黨第一次合作的起點。至 1927 年 4 月 12 日，蔣介石在上海發動“清黨”，延至 7 月 15 日，汪精衛在武漢“分共”，第一次國共合作終結。這五年不到的歷史給了中國社會以巨大而深刻的影響，一直到今天，海峽兩岸都還處在這種影響之下。研究並正確地闡釋這一段歷史，是歷史學家無可推卸的責任。但是，這是一件很難做的事情。國共兩黨對這一段歷史的解釋幾乎完全不同，海內外史學家對它的認知也多有差異。我們必須超越長期以來兩黨對峙的政治架構，撥開煙霧，剝離由於敵意而塗附於歷史的層層油彩，在百家爭鳴中攻難切磋，才有可能揭示歷史本相。

一、兩黨的思想、理論與策略分歧

　　中國近代社會的特點是“窮”、“弱”、“落後”。國民黨和共產黨之所以能進行合作，首先在於兩黨都渴望改變這種狀態，拯救祖國，振興中華，並且都不僅以一般的“政治革命”為滿足，而要同時進行“社會革命”。孫中山聲稱：民生主義和共產主義是好朋友，甚至說民生主義就是共產主義。這應視為由衷之言，而不是基於一時的策略。但是，無可否認，兩黨的思想、理論也存在相當大的差異，這些差異後來發展為兩黨分裂的思想因素。

其一是對資本主義的態度。孫中山認為，資本公有、土地公有是天經地義的事情，但是，中國的問題是"大貧"和"小貧"，資本主義還沒有出世。這樣，他就在力圖預防資本主義禍害的同時，又為資本主義的發展留下餘地。《實業計劃》宣稱，國家只經營對國計民生有重大意義的大工業，至於此外的事業，則不妨任由老百姓去經營，國家以法律保護並獎勵之。20世紀20年代，蘇聯從軍事共產主義改行新經濟政策，這更加強了孫中山的一種認識，連蘇聯這樣的國家都沒有資格建設馬克思所設想的社會，更何況中國！[1] 當時，西方某些有識之士已經在探求對資本主義進行改良，出現了若干為當年馬克思所不曾見到的情況，例如工時縮短，工人的工資、福利有較大增長等。孫中山據此判斷，資本主義還有強大的活力，從而對是否必須徹底消滅資本主義產生疑問。他說："馬克思研究社會問題，用功幾十年，所知道的都是以往的事實。至於後來的事實，他一點都沒有料到。所以他的信徒，要變更他的學說，再推到馬克思社會主義的目的，根本上主張要推倒資本家。究竟資本家應該不應該推倒，還要後來詳細研究才能更清楚。"[2]

孫中山的戰友廖仲愷、朱執信、胡漢民、戴季陶等都曾不同程度地受過西方社會主義思潮的影響。"五四"運動之後，蔣介石閱讀過馬克思、恩格斯的《共產黨宣言》和日本坊間出版的社會主義著作，也接受過日本具有空想社會主義色彩的作家武者小路實篤的"新村主義"的影響，認為有進行"社會改革"的必要。[3] 從蔣介石早年的日記看，他對中國的地主和資本家均無好感，但是，他所設想的"社會改造"仍然限於"平均地權"和"節制資本"，改良和提高工人和農民的生活水準。1923年11月，蔣介石參加共產國際執委會會議，季諾維耶夫在報告中認為三民主義只是"革命初期的政治口號"，警告中國國民黨"不應用中國資本家階級的統治去取代外國帝國主義的統治"。[4] 這些話蔣介石聽起來自然很不舒服，答辯說："我們不是為資產階級而進行革命工作的。"幾

1　《民生主義第一講》，《孫中山全集》卷9，中華書局1986年版，第364頁。

2　《民生主義第一講》，《孫中山全集》卷9，第374頁。

3　《蔣介石日記類鈔》，1919年11月4日、22日。

4　《聯共（布）、共產國際與中國國民革命運動》（1），北京圖書館出版社1997年版，第336頁。

天後，共產國際主席團作出決議，要求國民黨人"不僅要消滅外國資本的殘酷剝削，而且也要消滅本國資本的殘酷剝削"，蔣介石在日記中批評其為"浮泛不切"。在三民主義和社會主義、共產主義的關係上，蔣介石早期的認識可以概括為四點：第一，三民主義範圍廣大，包括一切社會主義，所謂共產主義、集產主義，"都是三民主義之一部分"；[1] 第二，三民主義和共產主義同為革命主義，利害完全相同，但在方法和時期上"有分別"，可以"互相為用而不相悖"；[2] 第三，三民主義適用於現在，共產主義適用於將來。"民生主義到最後一步，就是共產主義"；[3] 第四，中國人大多數屬於小農階級、小資產階級，"使用共產主義口號將使他們加入反對派陣營"，因此，根據"現在的國情"，"無論如何只能夠實行三民主義，不能實行共產主義"。[4] 基於上述認識，他一方面表示，"必能包括共產主義始為真正之三民主義"，同時又表示，"實行三民主義，則共產主義即在其中"。[5] 透過這些兩面兼顧而表述並不很清楚的話語，可以發現，蔣介石推崇和強調的重點始終是三民主義。1925 年 9 月，他發表演說稱，"三民主義是我們中國革命唯一的中心"，"唯一的主義"。[6] 12 月，在《為西山會議告同志書》中稱，三民主義可以"垂之百世，推之世界"。[7] 次年 1 月，又發表演說稱，三民主義是"救國救民的根本主義"，"蘇俄同志，不但是不要我們施行共產主義，而且崇信三民主義"，"蘇俄目下所行的政策，就是我們總理的三民主義"。[8] "清黨"時，他用以反共的理由就是這種三民主義"唯一"說和"根本"說。[9] 和國民黨人不同，中國共產黨在對資本主義的態度上始終是堅決而明確的。中共認為，由於中國落後，資本主義在中國雖有進步意義，可以在適當時期適當範圍內容許其發展，但是，資本主義是萬惡之源，有朝一日，必須堅

1　《校長第三次訓話》，《蔣中正先生演說集》，上海三民出版部 1925 年版，第 69—70 頁。
2　《校長第三次訓話》，《蔣中正先生演說集》，第 70 頁；《對第二期畢業生訓話》，同前書，第 150 頁；《第三期同學錄序》，《蔣校長演講集》，黃埔軍校，1927 年，第 209 頁。
3　《校長第三次訓話》，《蔣中正先生演說集》，第 70 頁。
4　《有國民黨代表團參加的共產國際執行委員會速記錄》，《聯共（布）、共產國際與中國國民革命運動》(1)，第 331 頁；《對商界代表演說詞》，《蔣中正先生演說集》，第 121 頁。
5　《第三期同學錄序》，《蔣校長演講集》，第 210 頁；《為西山會議告同志書》，同前書，第 216 頁。
6　《校長在本校特別黨部第三屆執行委員會選舉大會演說詞》，《蔣中正先生演說集》，第 156—158 頁。
7　《蔣校長演講集》，第 216 頁。
8　《再論聯俄》，《蔣校長演講集》，第 15—16 頁。
9　參見《國民政府為國民革命奮鬥實現三民主義宣言》，《革命文獻》第 16 輯，第 2809 頁。

決、徹底地消滅資本主義、消滅剝削。毛澤東在比較兩黨的革命目標後認為，國共兩黨的"最低綱領"大致相同，但是，共產黨在"最低綱領"之外，還有"最高綱領"，而國民黨則只有"最低綱領"沒有最高綱領。毛澤東所說的"最高綱領"就是建設社會主義和共產主義的長遠目標。共產黨最擔心的是，"國民革命"之後，中國會出現一個資產階級政權，向資本主義道路發展。1922年7月，中共二大決定和國民黨建立"民主聯合戰線"時就提醒自己，這種聯合只是"暫時"的，"民主派打倒封建以後，他們為自己階級的利害計，必然要用他們從封建奪得（的）政權來壓迫無產階級"。[1] 因此，中共在參加"國民革命"的過程中，總是力圖確保這一革命要向"共產革命"轉化。

為了解決中國革命的前途與中國革命的現實兩者之間的矛盾，國共兩黨都曾有人作過"兩步走"的設想。中共二大提出："我們無產階級有自己階級的利益，民主主義革命成功了，無產階級不過得著一些自由和權利，還是不能完全解放。"因此，無產階級還須"對付資產階級，實行'與貧苦農民聯合的無產階級專政'的第二步奮鬥"[2]。一年之後，蔣介石作為孫逸仙博士代表團團長訪問蘇聯，也在向蘇方提交的備忘錄中說：中國革命的第一階段是實行民族獨立和政治民主，第二階段才是宣傳共產主義，實行"經濟革命"、"社會革命"。[3] 但是，兩黨對"第一步"所需時間的長短卻大有差異。1927年3月，國民黨的吳稚暉和共產黨的陳獨秀在上海有過一次談話。吳稚暉認為，在中國實行共產需要200年以上時間，陳獨秀認為，建成共產主義只需要20年，吳稚暉堅決表示不可能，聲稱即使建成了，也一定是"贋品"。他說，按照20年建成共產主義的說法，國民黨的生命不是只有19年了嗎？[4] 陳獨秀的說法當然只是他個人的一時估計，未必經過深思熟慮，但急於消滅資本主義，急於建成社會主義、共產主義社會卻是中國共產黨人長時期內的普遍願望。

孫中山在進行"國民革命"時主張採取暴力形式，用武裝鬥爭推翻舊政權，

---

1 《關於"民主聯合戰線"的決議案》，《中共中央文件選集》（1），第65頁。

2 《中國共產黨第二次全國代表大會宣言》，《中共中央文件選集》（1），第144—145頁。

3 Memorandum of the Delegation of Dr. Sun Yat Sen with Relation to the Proposal Mentioned in the Telegram of A. A. Joffe Sent from Tokyo May 1，中國第二歷史檔案館藏。參見蔣介石在共產國際執委會會議上的報告，《聯共（布）、共產國際與中國國民革命運動》（1），第331—333頁。

4 《吳稚暉致中央監察委員會請查辦共產黨函》，《革命文獻》第9輯，第1301頁。

但是，在進行"社會革命"時，卻堅決反對暴力。他說："社會之所以有進化，是由於社會上大多數的經濟利益相調和，不是由於社會上大多數的經濟利益相衝突。"[1]因此，他重視"調和"的作用，主張調和資本主義和社會主義這兩種促成人類進化的"經濟能力"。[2]早年，孫中山曾經明確主張"不稼者不得有尺寸土"，但是，在設計"平均地權"理論時，孫中山卻主張由地主自報地價，當地價提高時，原價為地主所有，增價則由國家徵收，為全民造福。這一理論剝奪了地主階級對土地的壟斷，但是，也照顧到了地主對土地的所有權，是一個比較溫和的改革方案。國民黨一大前後，孫中山提出"耕者有其田"的方案，顯示出他準備滿足農民的土地要求，但是，即使這一時期，孫中山所考慮的，也還是"和平解決"，即使農民得益，而又使地主"不受損失"的方案。[3]孫中山去世後，國民黨人繼承了孫中山的"調和"思想，以全民利益的代表者自居。蔣介石明確聲稱：國民黨是代表"各階級利益的黨"。[4] 1925 年 11 月，蔣介石讀《泰戈爾傳》，贊許泰戈爾"以愛與快樂為宇宙活動之意義"，批評列寧"以權力與鬥爭為世界革命之手段"。後來，又進一步批評馬克思"以恨人為其思想出發點"。顯然，他也是階級"調和"論者。[5]

前期，蔣介石和共產黨合作時雖然說過，"有了階級便免不了爭鬥"，"共產黨主張階級鬥爭，國民黨也不必反對它"，但是，他主張，這種鬥爭，"總以不妨礙國民革命為限"，而且要"在革命統一指揮的範圍以內"，"使農工運動得收實益而又不破壞聯合的戰線"。[6]到了"清黨"之後，蔣介石就完全反對階級鬥爭，宣稱"要各個階級合作，不是要一個階級的專政"了。[7]台灣時期，國民黨人進行土地改革，兼顧地主與農民的利益，就是"調和"、"合作"思想的體現。

共產黨人高度重視"階級鬥爭"，視"階級鬥爭"為社會發展的直接動力。

---

1 《民生主義第一講》，《孫中山全集》卷 9，第 369 頁。

2 《建國方略》，《孫中山全集》卷 6，第 398 頁。

3 《孫中山全集》卷 9，第 424 頁。

4 《高級政治訓練班訓詞》（1926 年 5 月 20 日），《蔣校長演講集》，第 88—89 頁。

5 《蔣介石日記類鈔》，1925 年 11 月 12 日；又，《蔣介石日記》，1931 年 4 月 15 日。

6 《中央執行委員會全體會議閉會日演詞》（1926 年 5 月 22 日），《蔣校長演講集》，第 84 頁。

7 《告民眾書》（1927 年 4 月 18 日），《革命文獻》第 16 輯，第 2815 頁。

中共二大宣佈中共的"目的是要組織無產階級，用階級鬥爭的手段，建立勞農專政的政治，剷除私有財產制度，漸次達到一個共產主義的社會"。[1] 1924 年，陳獨秀在廣東演講，明確宣稱：共產主義者"立腳於階級鬥爭的原則上面"，"每個步驟都必須用革命的方法，不能採用改良的方法"。[2] 自然，中共堅決反對"階級調和"。二大宣稱"資本家與工人中間沒有相同的點，他們中間利益的衝突，是不能調和的"。[3] 1925 年 1 月，中共四大批評國民黨"在群眾中有造成階級調和觀念之危險"，要求共產黨員在國民黨的工作中，"對於各種運動，須努力保存階級鬥爭的成分"。[4] 中共指示：即使"遇著那種民族主義的官吏、軍閥、企業家"時，也應該"指導工人對他們進行決不讓步地鬥爭，只能使他們讓步以求工人的贊助，決不能使工人受他們的影響而滅殺自己階級鬥爭的攻勢；並且我們應當利用民族主義者對工人的聯絡，而得步進步地向資本進攻"。[5] 中共所提倡的這種"階級鬥爭"不僅體現於以暴力奪取政權，而且體現於以疾風暴雨式的群眾運動在社會和經濟領域進行革命。毛澤東的名言"革命不是請客吃飯，不是做文章，不是繪畫繡花，不能那樣雅致，那樣從容不迫，文質彬彬"，所指並非戰爭暴力，而是湖南農民對"土豪劣紳"的各種各樣的鬥爭。

還在《民報》時期，孫中山等人就主張廢除"不平等條約"。提出"不平等條約"這一概念，可以說是孫中山等人的一項貢獻。但是，在策略上，孫中山由於孤立無助，在相當長的時期內不能不盡量爭取資本主義列強的援助。因此，《民報》六大主張中有一條，就是要求世界列國贊助中國之革新事業。武昌起義後，孫中山風塵僕僕，奔走於美、英、法諸國，目的是爭取他們的經濟援助和政治中立。只是在晚年，孫中山在蘇聯和中共的影響下，才逐漸對列強強硬起來。國民黨二大前後，國民黨日漸左傾，反帝的態度愈益鮮明強烈，蔣介石也多次表態，要堅決"打倒帝國主義"，但北伐進行中，他逐漸傾向於"首先單獨對付一國"，避免帝國主義組成聯合戰線，使中國"處處受敵"。[6] 1926

---

1 《中國共產黨第二次全國代表大會宣言》，《中共中央文件選集》(1)，第 115 頁。
2 《六大以前》，人民出版社 1980 年版，第 132—133 頁。
3 《關於工會運動與共產黨的議決案》，《中共中央文件選集》(1)，第 77 頁。
4 《對於民族革命運動之議決案》，《中共中央文件選集》(1)，第 339 頁。
5 《對於職工運動之議決案》，《中共中央文件選集》(1)，第 349 頁。
6 《告全體民眾書》(1927 年 4 月 18 日)，《革命文獻》第 16 輯，第 2813 頁。

年 8 月，他在長沙發表對外宣言稱："其有贊助吾國之國民革命者，皆以最親愛之友邦視之；其有妨害吾國之國民革命者，皆與四萬萬人民共棄之。"[1] 同年 11 月，蔣介石派邵力子出使共產國際，目的之一是爭取共產國際贊成國民黨對列強的態度：利用矛盾，區別對待。[2] 同一時期，國民黨中央決定派戴季陶訪日，目的即在於安撫日本，使之與中國友好相處，"冀其朝野賢達，知武力侵略乃自害害人，終歸失敗"。[3] 1927 年初，漢口發生群眾集體衝擊英租界事件，漢口和九江租界相繼收回，英、美、日擔心上海租界的命運，協定增兵來華。此後，蔣介石多次向列強傳遞訊息，說明自己奉行的外交方針是：尊重歷來的條約，不採取非常手段和直接行動加以廢除，一定負責償還外債，充分保護外國企業。[4] 他私下對他舊日的日本老師小室靜透露，上海租界自應收回，但"若各國對於此合理的要求不予採納，則更講求他種手段"。[5]

與國民黨相反，中國共產黨則始終主張堅決地不妥協地打倒帝國主義。1922 年 6 月，中共二大明確提出，中國的反帝運動要併入全世界被壓迫民族的革命潮流，"迅速打倒共同的壓迫者 —— 國際資本帝國主義"。[6] 為此，中共批評國民黨在列強面前表現軟弱，"有親近一派帝國主義的傾向"，"反對帝國主義的英國或美國，卻與日本親善，或反對帝國主義的日本，卻與英美親善"。陳獨秀將這種情況稱為"半國民運動"，是"不徹底的國民運動"。[7] 中共尤其激烈地批評國民黨寄希望於列強援助中國革命，稱之為"求救於敵"。[8]

孫中山在長期爭取世界列強援助中國無效後，轉向蘇聯，確定聯俄政策，但是，國民黨內有一部分人始終懷疑蘇俄援助中國革命的目的，不滿意於蘇聯對蒙古的控制。蔣介石 1923 年訪蘇，要求在庫侖建立軍事基地，並自蒙古向北京進軍，推翻直系政權。這一要求遭到蘇俄的堅決拒絕。此後不久，蔣介石即

1 《蔣校長演講集》，第 277 頁。
2 參見拙作《邵力子出使共產國際與國共兩黨爭奪領導權》，《蔣氏秘檔與蔣介石真相》，重慶出版社 2015 年版，第 131 頁。
3 戴季陶：《跋特種外交委員會檔》，宋子文檔，第 40 盒，美國胡佛檔案館藏。
4 《最近中國關係諸問題摘要》卷 2，《日本外務省文書》，SP166。
5 《蔣介石最近之重要表示》，《台灣民報》，1927 年 3 月 27 日。
6 《中共中央文件選集》(1)，第 108 頁。
7 《中國共產黨對於時局的主張》，《中共中央文件選集》(1)，第 37 頁；《陳獨秀關於社會主義的演講》，《六大以前》，第 137 頁。
8 《中國共產黨第三次全國代表大會宣言》，《中共中央文件選集》(1)，第 165 頁。

在致廖仲愷函中尖銳地批評蘇聯是赤色帝國主義，對中國懷有禍心。蔣的這一態度被孫中山批評為"顧慮過甚"。[1] 此後，蔣一度高唱聯俄，否認蘇俄有侵略中國的意圖，甚至表示："對於俄國同志，只怕他對於世界革命不肯負責任，而不要怕他來攬權竊柄。"[2] 但是，蔣介石是一個要求"獨立自主"的人，北伐開始後，蔣介石即逐漸表現出擺脫蘇俄顧問控制的企圖。1927 年初，鮑羅廷在武漢一次宴會上藉批評張靜江為名，當眾、當面批評蔣介石，使蔣感到"奇恥大辱"。[3] "清黨"時，他就公開喊出："中國民族當有處分自己之權"，"東交民巷的太上政府斷不能代之以鮑羅廷的太上政府"。[4]

中共則在長時期內相信和依靠蘇聯。1922 年，中共二大在《關於"世界大勢與中國共產黨"的議決案》中提出："蘇維埃俄羅斯是世界上第一個工人和農人的國家，是無產階級的祖國，是勞苦群眾的祖國，也是全世界工人和農人與世界帝國主義的國家對抗的壁壘。"《議決案》號召中國工人加入世界工人的聯合戰線，"保衛無產階級的祖國"。[5] 在國家關係上，中共則要求"中俄親善"，經濟、政治合作。[6]

"扶助農工"，這是兩黨一致同意的政策，分歧主要表現在對以農工為主體的群眾運動的態度上。蔣介石在北伐開始時，即斬釘截鐵地宣佈："在本黨和政府之下，罷工就算是反革命的行動。"[7] 北伐進程中，在中共的領導或影響下，廣東、湖南、湖北地區的工人運動風起云湧，有"三日一小罷，十日一大罷"之勢。運動中，工人的社會地位、工資水準都得到了一定程度的提高，但是，也出現了若干"左"的傾向，例如，"工資加到駭人的程度，自動縮短工時到每日四小時以下"，以及捕捉店主，捆綁遊街，等等。[8] 對此，蔣介石曾主張雙方"調和"。他向商人呼籲：不要拒絕工人的"急迫的要求"，保證"本黨與國民政府斷乎不會蔑視商人"；又向工人呼籲："急須受本黨指揮"，"非但不該仇視

1　蔣介石：《蘇俄在中國》，《先"總統"蔣公全集》卷 1，台北中國文化大學出版部 1984 年版，第 288 頁。

2　《再論聯俄》（1926 年 1 月 10 日），《蔣校長演講集》，第 15 頁。

3　參見拙著《中華民國史》第 2 編卷 5，中華書局 1996 年版，第 140—141 頁。

4　《革命文獻》第 16 輯，第 2825 頁。

5　《中共中央文件選集》（1），第 59 頁。

6　《教育宣傳問題議決案》，《中共中央文件選集》（1），第 204 頁。

7　《戰時工作會議之第三日》，《廣州民國日報》，1926 年 6 月 26 日。

8　參見劉少奇：《關於大革命歷史教訓中的一個問題》。

商人，並且須在可能範圍內急謀諒解"。[1] 但是，此後的工人運動並沒有按蔣介石所允許的軌道發展，蔣介石對工人運動的不滿和敵視日漸強烈。1927 年 3 月，新編第一師黨代表倪弼槍殺贛州工人領袖陳贊賢，左派要求嚴懲，而蔣則對倪持明顯的祖護態度。

1924 年孫中山於北上前夕，簽署過一項命令，減少佃農田租百分之二十五。[2] 1926 年 7 月，中共中央將之納入《對於廣東農民運動決議案》。[3] 同年 10 月，國民黨在廣州召開中央及各省區聯席會議，將之納入《左派政綱》，成為兩黨一致同意的綱領。[4] 北伐軍進入湖南後，減租減息鬥爭掀起。這時，社會尚無明顯反對意見。不僅如此，由於湖南等地的農民、農會歡迎北伐軍，積極為北伐軍帶路、擔架、偵探，因此，國民黨將領對農民運動頗有好感。蔣介石曾在日記中寫道："各村人民與農會有迎於十里之外者，殊甚可感。農民協會組織尤為發達，將來革命成功，當是湖南為最有成績。"[5] 關於"耕者有其田"，國民黨人，包括蔣介石在內，理論上都是接受的。1926 年 8 月，蔣介石曾從湖南前線致電在廣州的張靜江和譚延闓，要他們和鮑羅廷商量，在國民黨中央設立土地制度委員會，研擬解決土地問題的辦法。[6] 分歧主要在於實行時機、辦法、手段和對兩湖農民以各種方式鬥爭土豪劣紳，自行插標分田的態度上。自 1927 年 2 月起，毛澤東多次為湖南農民運動喊好，稱頌農民完成了"四十年乃至數千年來未曾成就過的奇勳"。毛當然也看出了運動中存在"左稚之病"，如：有五十畝地，即為"土豪"，穿長衫，即為"劣紳"，以至提出"有土皆豪，無紳不劣"的口號，以及農民鬥地主的手段"出於法律之外"，當時的鄉村已"陷於無政府狀態"，等等。但他認為，"矯枉必須過正"，這一切都是"革命鬥爭中所必取的手段"，"過分一點也是對的"，"不是東風壓倒西風，就是西風壓倒

1 蔣介石：《告武漢商界同胞書》，《忠告武漢工商同胞書》，均見《廣州民國日報》，1927 年 1 月 5 日。

2 鮑羅廷演講，見《鮑羅廷在中國的有關資料》，中國社會科學出版社 1983 年版，第 103、111 頁。參見《惲代英文集》下卷，人民出版社 1984 年版，第 893 頁。

3 《中共中央文件選集》(2)，中央黨校出版社 1983 年版，第 164 頁。

4 《中央各省區聯席會議錄》，油印件。

5 《蔣介石日記類鈔》，1926 年 8 月 3 日，中國第二歷史檔案館藏。

6 《革命文獻拓影》第 6 冊，《蔣中正"總統"檔案》；又 1926 年 9 月 12 日《共產國際執行委員會遠東局使團關於對廣州政治關係和黨派關係調查結果的報告》稱："蔣介石重新轉向了社會輿論，他的政治行為又變得更明確了。國民黨中央收到了蔣介石要求起草《土地法》的建議。"見《聯共(布)、共產國際與中國國民革命運動》(3)，北京圖書館出版社 1998 年版，第 477 頁。

東風，怎能不嚴厲一點"。[1] 蔣介石、汪精衛等人則與毛澤東的態度完全不同，他們聲稱湖南農民運動是 "無條理暴動"，視為對社會基礎的 "大破壞"。[2] 武漢國民黨中央於 1927 年 5 月發佈《保護公正紳耆訓令》，指責農民 "擾亂破壞公共秩序"，"無異於反革命，應由各地黨部隨時制裁"。[3] 一個讚譽為 "奇勳"，一個憤而要 "制裁"，兩者的距離真是不可以道里計了！[4]

國共兩黨在思想、理論、策略上還存在其他種種分歧或相異之點，這裏不能一一列舉。

二、促成兩黨破裂的國內外因素

第一次國共兩黨的合作形式是共產黨員以個人身份參加國民黨，即所謂 "黨內合作"。採取這一形式是孫中山本人和共產國際代表馬林的共同意見。對於這一形式，以陳獨秀為代表的中共領袖們長期想不通，多次抵制，在勉強接受以後，又曾多次要求退出，只是由於斯大林和共產國際的壓力，"黨內合作" 才得以維持到 1927 年。"黨內合作"，在部分國民黨人看來，無異是孫行者鑽進鐵扇公主的肚子。他們既擔心共產黨掌握國民黨大權，"赤化" 國民黨；又對不時出現的來自共產黨的批評感到惱火，更對共產黨在國民黨內部組織 "黨團"，發展共產黨員感到疑慮不安。因此，從孫中山決定 "容共" 之日起，國民黨內始終存在著一股反對 "容共" 的力量。他們一次又一次地向孫中山建言、上書，要求和共產黨 "分家"，各自獨立。孫中山在世時，這一派被壓制著；孫中山逝世後，這一派先是亮出自己的主義 —— 戴季陶主義；繼而形成自己的派別 —— 西山會議派。

列寧最初在蘇聯實行軍事共產主義。20 年代，改行 "新經濟政策"。與此

---

1 以上引文，參見《湖南農民運動考察報告》（1927 年版）、《視察湖南農運給中央的報告》、《湖南農民運動目前的策略》、《湖南省第一次農民代表大會宣言》，均見日本毛澤東文獻研究會編《毛澤東選集》及《毛澤東選集補卷》。

2 《武漢中央執行委員會告中國共產黨書》，《革命文獻》第 16 輯，第 2833 頁；《國民政府為國民革命奮鬥實現三民主義宣言》，同前書，第 2815 頁。

3 《漢口民國日報》，1927 年 5 月 25 日。

4 關於解決土地問題的分歧，不僅表現於國共兩黨之間，而且深刻而廣泛地表現於國民黨和共產黨的內部，限於篇幅和本文主題，這裏不能詳論。

相應，在中國推行的政策也具有穩健性。國民黨一大提出的"節制資本"，既是孫中山和國民黨人的一貫思想，也和"新經濟政策"若合符節。因此，孫中山曾高興地宣佈，列寧的新經濟政策就是他的民生主義。但是，列寧逝世以後，斯大林即著手改變列寧的既定路線，蘇聯的內外政策逐漸"左"傾。與此相應，共產國際的政策也向強硬、激烈方向變化。從強調聯合殖民地、半殖民地國家的資產階級共同革命，改變為警惕"同路人"變質，準備"分手"。1926 年 12 月的共產國際第七次擴大全會認為，中國革命已經進入第三階段，即"運動的基本力量將是革命性更強的聯盟 —— 無產階級、農民階級和城市小資產階級的聯盟，把大部分大資產階級排除在外。" 共產國際要求中共做出選擇："是同資產階級中的大部分勢力維持聯合，還是進一步鞏固自己同農民的聯盟。"[1] 布哈林在會上嚴厲批評中共害怕資產階級反對，進行"土地革命"不力，迫使中共代表譚平山在會上做出檢討。此後，中共部分領導人力圖緊跟共產國際的步伐，另一部分則對共產國際的指示持消極和抵制態度。中共內部的"左"、"右"傾鬥爭趨於激烈，在相當長的時間內找不到整合的意見和辦法。

在蘇聯和共產國際鼓勵和支持中國"激烈派"的同時，列強則期待中國出現"溫和派"。對於中國革命，列強自然是不喜歡的，部分極端份子甚至有過武裝干涉的打算，但是，列強出兵又是極為審慎的。在大多數情況下，列強希望革命營壘中出現"溫和派"，推行其可以接受的政策。早在 1926 年 1 月，英國駐華公使麻克類（J. W. R. Macleay）就提出："我們最重要的方針是就此住手，靜觀其發展，以期中國即將來臨的事件導致廣州的布爾什維克勢力削弱，更溫和的黨派在那裏佔優勢。"[2] 同年 4 月 27 日，美國駐廣州領事詹金斯（D. Jenkins）致函駐華公使馬慕瑞（J. V. A MacMurry）說："從美國人的觀點來看，如果國民黨內的溫和派一旦獲得完全統治，整個形勢將大為改觀。"[3] 在經過相當時期的觀察、研究後，列強逐漸認為蔣介石就是這樣的"溫和派"。

1927 年 3 月，藍普森（M. W. Lampson）向英國政府報告說：蔣介石"現

1　《共產國際有關中國革命的文獻資料》第 1 輯，第 280 頁。

2　FO, 371, Vol. 11621, F513/1/10, Appendix 10.

3　FRUS, 1926, Vol. 1, p. 705.

已顯示出國民黨溫和派領袖的本色，看來他和他的朋友們終於走到挫敗極端派及其俄國顧問的轉捩點"[1]。同月下旬，南京發生大規模的排外事件，多處領事館、外僑住宅、商店、教堂遭到搶劫，列強借此加緊壓迫蔣介石採取行動，鎮壓激烈份子，維護秩序。30 日，日本駐滬總領事矢田七太郎受日本外務省指派，會晤蔣介石稱，時機已到"千鈞一髮的重大關頭，彌漫著某些細小事端都可以引起重大事件的危險性"。他要蔣介石"深刻考慮"上海的"治安問題"，蔣則答以"業已體察尊意，一定嚴加取締"。[2]

20 世紀 20 年代，中國民族資產階級，特別是金融資產階級的力量有了較充分的發展。以中國銀行為例：1917 年時，其私人股份為 727.98 萬元，至 1927 年，增加到 1500 萬元，增加率為 100%；1917 年時，其存款為 14,869,500 元，1927 年時，增加到 33,049,700 元，增加率為 122%。當年，中國已有 57 家新式銀行，其中 48 家為中國資本的商業銀行，共有資本 8000 萬元，存款總額達 3 億 6000 萬元，其中 80% 集中於 10 家銀行。[3] 銀行業已如此，其他行業的發展狀況可以想知。

中國民族資產階級苦於外資擠壓和軍閥壓榨，希望國家統一和強大。在一段時期內，民族資產階級對廣東革命政府和北伐是持好感的。1926 年，上海資本家王曉籟等人組織代表團訪問廣州，印象良好。但是，廣東地區的工人運動發展起來之後，他們對革命逐漸害怕起來。工人一而再再而三的罷工，以及不斷增長的提高工資的要求都損害了他們的經濟利益，他們尤其不能接受的是工人成立工會後，自己就失去了自由解聘員工的權利。北伐軍攻下武漢後，天津《國聞週報》發表過一篇題為《全國實業界應要求蔣介石宣明態度》的文章，中稱："蔣軍之政治政策，固尚鮮明，而經濟政策，極為曖昧。謂為赤化也，則廣州尚未聞資本制度之剗除；謂為非赤化也，則廣州咸傳為勞工勢力所支配。"該文要求蔣介石明白回答："是否仿照赤俄，將以其舊政策為模範耶，抑以其新政策為模範耶？""其以共產主義為主義乎？將以資本主義為主義乎？抑介二者

1　Lampson to Chamberlain, Mar. 9, 1927, FO, 800, Vol. 260.

2　《矢田致幣原電》，《日本外務省文書》，微卷，PVM27。

3　張家璈：《中國貨幣與中國銀行的朝向現代化》，張家璈檔，胡佛檔案館藏。

之間別有新政策乎？""在廣州之勞工政策，將推行於長江流域乎？對香港之封鎖政策，將採用於全國商埠乎？"該文稱，中國連年戰禍，民生困苦，實業生機，不絕如線，不能也不應該"赤化"。[1] 這篇文章可以看作中國民族資產階級對蔣介石的一次公開呼籲。後來，武漢工人運動進一步發展，"左"的傾向也日益發展，資本家們迫切需要找尋蔣介石的庇護。1927 年 3 月，蔣到上海後對虞洽卿表示，"抱維持資本家主張"，又對上海商業聯合會代表稱："關於勞資問題在南昌時已議有辦法。所有保商、惠工各種條例，不日當可頒佈，決不使上海方面有武漢態度。"[2] 於是，上海資本家，特別是金融資本家們紛紛解囊，以換取蔣對工人運動的抑制。

繼工人運動之後，兩湖地區的農民運動也日益激烈。1926 年 11 月，湖南全省 75 個縣中，有 37 個縣建立了農民協會，入會農民 1,367,727 人；1927 年 4 月，激增至 63 縣，500 餘萬人。[3] 農民運動的內容也從支持北伐軍發展為揪鬥"土豪劣紳"。對此，一部分人覺得"痛快"，視為革命的必要之舉；一部分人覺得"過火"；一部分人則痛心疾首。當時，唐生智所部軍隊或在河南前線作戰，或衛戍武漢。其軍官中有不少人出身地主之家，他們的老子或親屬在家鄉被鬥，反共情緒因而日益強烈；廣東地區的農民運動比較"溫和"，張發奎的部隊就在一段時期內"親共"。

三、兩黨關係從合作向破裂的演進

國共兩黨第一次合作的破裂有一個演變過程。始於國共兩黨對中國革命領導權的爭奪，發展為國民黨內部的黨權、政權、軍權之爭，終於"清黨"、分共，兩者以刀兵相見。國共兩黨合作，意味著兩黨結成統一戰線。在這一聯合中，到底誰聽誰的，誰領導誰？開始時這一問題並不明確。孫中山允許共產黨員以個人身份參加國民黨，這意味著他只想領導參加國民黨的共產黨員，而不

---

1 《國聞週報》第 3 卷第 36 期，1926 年 9 月 19 日。
2 《一九二七年的上海商業聯合會》，上海人民出版社 1983 年版，第 46、48 頁。
3 以上統計，前者據毛澤東《湖南農民運動考察報告》（1927 年版），後者據《湖南各團體請願代表團農民協會代表報告》，《漢口民國日報》，1927 年 6 月 12 日。

想領導共產黨。李大釗在國民黨一大會議上聲明，宣稱中共願意接受國民黨的政綱，"在本黨總理指揮之下，在本黨整齊紀律之下"，"以同一步驟，為國民革命奮鬥"[1]。這個時候，他顯然沒有想到過，要領導國民黨的問題。

然而，根據列寧的理論，在資產階級民主革命中，無產階級是要掌握領導權的。1923 年 5 月，共產國際明確指示中共，領導權應當歸於工人階級的政黨。[2] 但是，共產國際並沒有指示，中共如何爭取和掌握領導權。事實上，在共產黨員以個人身份加入國民黨這一特殊的 "合作" 形式中，也很難找到妥善的辦法。當時，中共採取的基本辦法是改造國民黨，其具體辦法有：批評國民黨政治綱領的軟弱性和不徹底性，企圖以自己的堅定性去影響國民黨；發展國民黨中的先進份子加入共產黨；以共產黨員去充任國民黨的高級幹部；為國民黨組織省、市和基層黨部，等等。但是，這幾種辦法都引起國民黨中部分人士的反感。於是，中共只能改變 "包辦" 方式，致力於發展國民黨左派，支持左派，扶植左派，企圖通過左派去貫徹自己的主張，間接掌握領導權。孫中山逝世以後，汪精衛是公認的國民黨 "左派" 領袖，中共對國民黨的領導部分通過汪精衛，部分則通過在國民黨中央工作的譚平山等人。

1926 年中山艦事件之前，蔣介石在北伐時機等問題上和蘇聯軍事顧問（實際上是和蘇共中央、共產國際）發生分歧，蔣介石認為中國革命必須 "獨立自主"，力圖擺脫蘇共對中國革命的控制。中山艦事件後，蘇共決定對蔣介石讓步，作為左派領袖的汪精衛得不到支持，憤而出國。同年 5 月，蔣介石在國民黨二屆二中全會上提出整理黨務案，其目的是限制中共在國民黨內部日益擴大的力量和影響，蘇共中央再次決定讓步，並且幫助蔣介石順利掌握了軍權和黨權，成為國民革命軍總司令和國民黨中常會主席。至此，可以說是國共兩黨爭奪領導權的第一階段，蔣介石取得勝利。

中山艦事件前，黃埔軍校內部發生左右兩派的分歧和鬥爭，蔣介石為此感到煩惱。他認為，法國革命由於指揮不統一，因此發生多頭政治，彼此衝突，而俄國革命之所以成功，就在於黨的組織統一，有唯一的領袖指導。1926 年 5

---

1 《李大釗文集》（4），人民出版社 1999 年版，第 370 頁。
2 《中共中央文件選集》（1），人民出版社 2013 年版，第 586 頁。

月，他在國民黨二屆二中全會閉幕時公開提出："世界革命須統一，中國革命也須統一"，"中國的國民革命是要由國民黨統一指揮的"。[1] 此後，他多次演講，聲稱革命"只需要一個黨，不應有兩個黨，只要有一個主義，而不應用（有）兩個主義"[2]。為了解決當時兩黨並存的矛盾，他要求作為"小黨"的共產黨做出"犧牲"——參加國民黨的共產黨員"暫時退出共產黨"，"做一個純粹的國民黨黨員"，"使中國國民黨成為一個很強固的黨，把中國革命勢力和指揮統一起來"。他說："大黨中間有一個小黨，黨員在團體裏面另有所組織活動，這個大黨一定是要搖動的，不會堅固的，一定是很容易崩壞下來的。"[3] 蔣並預言，在國民革命成功之後，共產黨會"發展"，會"成功"。蔣的要求表現出，他對跨黨的共產黨員的個人品質、革命精神頗有好感，但他不能容忍共產黨員在國民黨內活動，和他分庭抗禮。蔣的要求遭到鮑羅廷和中共的抵制後，便於 1926 年 11 月派邵力子出使共產國際，以承認共產國際是世界革命領導為條件，要求共產國際承認國民黨對中國革命的領導權。

兩黨都要求領導權，但領導權只能有一個。中國沒有服從民意，取決於選票的傳統；即使有，在北伐過程中也無法付諸實施。於是，共產國際和中共仍然採用老辦法，支持和加強國民黨左派。蔣介石按照自己的意圖率軍北伐後，鮑羅廷和中共都感到蔣介石的權力過於龐大，力圖加以限制。於是，發起迎汪復職運動，召開左派佔優勢的國民黨中央及各省區代表會議，通過"左派政綱"，同時企圖改變國民黨中央領導，將蔣介石從最高領袖的位置上拉下來。結果，前者得到實現，但後者卻受到國民黨代理中常會主席張靜江的堅決抵制。1926 年 10 月，北伐軍克復武漢，蔣介石要求國民政府遷都該地。12 月，鮑羅廷和先期到達武漢的部分國民黨中央委員、國民政府委員成立以徐謙為首的臨時聯席會議，代行中央職權。這是一個在實際上改變國民黨中央權力結構的措施，事前未和蔣介石商量，未經中央全會討論，國民黨黨章中也沒有對這一組織層次的規定，因此被蔣介石指責為非法。蔣隨即改變主張，要求暫以南昌為

---

1 《中央委員會全體會議閉會日演說詞》，《蔣校長演講集》，1927 年，第 83 頁。
2 《高級政治訓練班訓詞》，《蔣校長演講集》，第 85 頁。
3 《六月七日總理紀念週講話》，《蔣校長演講集》，第 99 頁。

首都，從而發生遷都之爭。鮑羅廷和國民黨左派認為蔣介石出爾反爾，以軍權挾制黨權，發起提高黨權運動，企圖以黨權限制蔣介石掌握的軍權。1927 年 3 月，國民黨二屆三中全會在武漢召開，不僅將左派的許多政見納入大會決議，而且以集體領導取代國民黨長期實行的黨魁制，蔣介石因而失去國民黨的最高領袖地位。至此，可以說是國共兩黨爭奪領導權的第二階段，左派取得勝利。

遷都之爭後，蔣介石決意向長江下游進軍，同時密謀 "清黨"。中共和國民黨左派也力圖削弱蔣介石的軍權，同時密謀通過第六軍軍長程潛逮捕蔣介石。1927 年 4 月，蔣介石在上海金融資產階級和桂系的支持下，收繳工人糾察隊武裝，通緝並逮捕共產黨人，隨後在南京成立國民政府，形成與武漢國民政府對峙的局面。武漢國民政府在汪精衛歸國後，雖然加強了討蔣的聲勢和輿論宣傳，但是幾經權衡，仍然採取了聯絡馮玉祥，先行北伐的方針。

共產國際第七次擴大全會的精神傳入中國後，兩湖地區的工農運動，特別是農民運動的廣度、烈度都迅速發展，中共內部或認為 "必要之舉"，或認為 "過火" 現象，爭論不一，但是，武漢的國民黨左派卻普遍認為 "過火"。1927 年春夏，武漢國民政府曾發表一系列訓令，目的都在於糾正 "過火" 現象。當時，由於工人罷工、列強與南京方面的封鎖等多種原因，武漢政府及其所控制的地區經濟空前惡化，蘇聯原來答應給予的援助又未能充分兌現。7 月 15 日，汪精衛集團 "分共"，第一次國共合作至此遂完全破裂。

1924 年，蔣介石說："必能容納共產黨，始為真正之國民黨。"[1] 1927 年，蔣介石卻說："如果國民黨要成功，非先消滅中國共產黨不可。"[2] 短短的幾年內，蔣介石對共產黨的態度發生了迥然不同的變化。

四、兩黨破裂與近代中國的歷史發展

蔣介石說過："共產黨不僅有組織，有紀律，而且比國民黨組織紀律嚴厲得多，對於革命有步驟、策略、方針、政綱，與其他團體不同。國民黨除與共產

1　《為西山會議告同志書》，《蔣校長演講集》，第 216 頁。
2　《蔣總司令在清黨後對於時局的演講》，《革命文獻》第 9 輯，第 1319 頁。

黨合作外，尚有何黨何派可與之聯合？現在已可看得明白，革命黨不僅不與共產黨分離，且應日日團結，方能擴大力量，適合本黨的政策。如放棄、排除，使共產黨在革命工作上受打擊，而本黨處領導民眾地位，離開共產黨所受打擊更大些。"[1] 後來中國的歷史發展，正如蔣介石所言。

兩黨破裂使國民黨喪失了大批精英。國民黨改組前，組織鬆散；國民黨採取"容共"政策後，大批信仰共產主義的年輕精英在國民黨改組過程中發揮了重要作用。對此，蔣介石評論說："國民黨若沒有這些新進的黨員加入，或許失去國民黨的革命作用。因為一般青年份子是很有力量的，思想是很澈底的。"[2] 在一段時期內，國民黨的許多宣傳機構，國民黨中央、上海等地方黨部的許多實際工作，都由共產黨員"包辦"，北京、天津、南京、安徽、湖北、湖南、江蘇、浙江等省市黨部甚至都由共產黨"為之創設"。[3] 兩黨破裂後，這部分跨黨份子或遭逮捕、殺戮，或者轉為反抗國民黨的力量，國民黨回復到改組前的鬆散、疲弱狀態。

兩黨破裂也使國民黨失去了工農群眾。國民黨一大前後，國民黨確立了"扶助農工"的方針，但是，真正深入到工農中去，發動工農，組織工農的大部分是共產黨人，各地的工會、農會也差不多都掌握在共產黨人手中。兩黨破裂後，工農運動停頓，國民黨既缺乏聯繫工農的能力，也缺乏動員工農的革命綱領，因此，很快就失去了大批工農群眾。

兩黨破裂還使國民黨失去了蘇聯的援助，不得不尋求新的"與國"。國民黨曾經希望和日本搞好關係，但是，日本當時是新興的極富侵略性的國家，1927 年，蔣介石下野後訪日，沒有取得任何成果。在北伐戰爭以後，英國即逐漸從東方撤退；美國也不很重視和中國的關係。因此，在相當長的時期內，國民黨並沒有得到列強的實質性的援助。這種情況，直到抗戰爆發後才緩慢地發生變化。

兩黨破裂後，國民黨的外交和內政都發生了不同情況的變化。外交上，大

---

1 《政治黨務報告》（1926 年 8 月 25 日），《蔣校長演講集》，第 193—194 頁。

2 《高級政治訓練班訓詞》（1926 年 5 月 22 日），《蔣校長演講集》，第 89 頁。

3 參閱《國民運動進行計劃決議案》，《中共中央文件選集》（1），第 200 頁。

體堅持了孫中山等人原定的目標，而在內政上，卻發生了嚴重的停滯和倒退。

前文已經指出，國民黨原來對列強的態度比較溫和。國民黨改組後，受到共產黨影響，外交政策趨向強硬，"廢除不平等條約"的口號升級為"打倒列強"和"打倒帝國主義"；與此相聯繫，國民黨政府和列強的談判常常伴以大規模的群眾示威和罷工。兩黨破裂後，國民黨在外交領域排除群眾運動，從強硬退回溫和，企圖以長期、耐心的談判和列強磋磨，以期廢除鴉片戰爭以後列強強加的各種不平等條約。

1927 年 5 月，伍朝樞就任南京政府外交部長，宣佈其外交方針為：1. 不採用暴力手段；2. 於相當時期提議廢止不平等條約；3. 打倒帝國主義非排外主義。伍朝樞並解釋說：國民黨要打倒的帝國主義，是侵略中國的帝國主義，而不是無選擇性的排外。[1] 1928 年 6 月，黃郛接任外交部長，繼續要求廢止不平等條約，但措辭更為委婉，態度更為軟弱，聲稱在新約尚未訂定之前，"國民政府準備與各友邦維持並增進其親善工作"；即使對於干涉中國內政的國家，黃郛也僅示："不得不採取並施行最適宜之應付方法。"[2] 黃郛之後的王正廷雖然標榜"革命外交"，但他還是要在"鐵拳之外，罩上一層橡皮"，[3] 實際上其辦法還是和列強長期協商、談判。

不過，南京國民政府還是在力圖收回國家失去的權利。1927 年 7 月，國民政府決定於當年 9 月 1 日起實行關稅自主，但不久又決定暫緩。1928 年 7 月，國民政府與美國簽訂《整理中美兩國關稅關係之新條約》，此後經過漫長談判，直到 1930 年 5 月與日本簽訂《關稅協議》止，世界各國才都承認了中國的關稅自主權。

在收回關稅自主權的同時，南京國民政府又著手廢除列強在中國的治外法權。1929 年 12 月，國民政府公佈撤廢領事裁判權特令，隨即遭到列強反對，國民政府再次退讓，宣佈"仍將通過與列強的會商來廢除這一特權"。[4] 至 1931

---

1 程道德等編：《中華民國外交史資料選編》（1919—1931），北京大學出版社 1985 年版，第 410 頁。

2 洪均培：《國民政府外交史》，上海華通書局 1930 年版，第 241—242 頁。

3 轉引自樓桐孫：《新約平議》，《東方雜誌》第 26 卷第 1 號。

4 《外交部關於廢約的宣言》，1929 年 12 月 30 日，《中華民國史檔案資料彙編》第 5 輯第 1 編，外交卷，第 52—53 頁。

年"九一八"事變前夕，國民政府與英、美的談判已獲初步成效。此外，國民政府還收回了威海衛英租界、天津比利時租界、鎮江英租界、廈門英租界和部分司法主權。

全面廢除不平等條約是抗戰期間的事。1942 年 3 月，國民政府外交部向盟國提出："一切不平等條約，戰後應無條件取消。" 蔣介石認為外交部所定時間過晚，於同年 10 月草擬交涉要點，敦促美國提前放棄不平等條約。[1] 此後不久，國民政府即先後與美、英簽訂平等新約。為此，國民政府發表文告稱："我們中華民族，經五十年的革命流血，五年半的抗戰犧牲，乃使不平等條約百週年的沉痛歷史，改變為不平等條約撤廢的光榮記錄。"[2] 不過，歷史不會是筆直的。1945 年 8 月，國民政府與蘇聯簽訂的《中蘇友好同盟條約》仍然是一個不平等條約。1946 年 11 月簽訂的《中美友好通商航海條約》形式上平等，而實際內容並不平等。

縱觀南京國民政府的外交史，溫和、軟弱、妥協是其特色，但仍然為廢除不平等條約、收回國家主權做了不少工作。

與外交相比，南京國民政府在內政上的成績卻殊難令人滿意。這一點，尤其明顯地表現在實行孫中山的理想——"耕者有其田"方面。

國共分裂後，國民政府於 1927 年 5 月頒佈《佃農保護法》，規定佃農繳納租項不得超過收穫量的百分之四十。[3] 1930 年 6 月，國民政府又在《土地法》中規定，"地租不得超過耕地正產物收穫總額的千分之三百七十五"，俗稱"三七五減租"。但是，國民黨嚴格規定："絕對取消共產黨階級鬥爭的抗租、罷工、怠工、減工之亡國滅種政策。"[4] 兩個法令均長期停留於紙上。1927 年年底至 1928 年年底，浙江省曾經打算執行"二五減租"政策，然而城鄉地主們群起反對，省政府主席張靜江也建議取消，國民黨中央派戴季陶調解，結果不了了之。

1 《蔣介石與威爾基談話記錄》，秦孝儀主編：《中華民國重要史料初編——對日抗戰時期》第 3 編，《戰時外交》第 1 冊，台北"中央文物供應社"1981 年版，第 523 頁。
2 《"總統"蔣公思想言論總集》卷 32，台北 1984 年，第 47 頁。
3 國民政府檔案，見侯坤宏編《土地改革史料》，台北"國史館"1988 年版，第 33 頁。
4 《"總統"蔣公全集》第 1 冊，台北 1984 年，第 573 頁。

　　抗戰勝利後，國民政府行政院於 1945 年 10 月通令，減免佃農應繳地租的四分之一，但實際執行的僅江蘇吳縣等少數縣份。1946 年 11 月，蔣介石下令：自各省明令實施二五減租辦法之日起，地主不得藉故更換租約，增加租額，不得藉故撤佃。同時要求各級社會行政機關，協同黨部、團部，充實各地農會組織，大量爭取佃農、僱農為會員，以便推行減租運動。[1] 但是，也只是說空話。1948 年 8 月，蔣介石閱讀毛澤東的《中國革命戰爭的戰略問題》，恍然悟到中共得到農民擁護的原因，決定在國民黨"收復區"承認中共的土改成果。手令稱："吾人必須打破其優點，為爾後發揮戰鬥力之要著；其對策應考慮土地政策，實行耕者有其田，並於收復區已分配之土地，承認其所有權，以爭取農民。"[2] 國民黨在 1930 年代"剿共"時，長期實行"田還原主"政策，現在承認"翻身農民"的土地所有權了，自然是一個重大的改變。[3] 然而，當時國民黨人正依靠城鄉地主的支持和中共作戰，又何能貫徹這一指令，侵犯支持者的利益呢！

　　1949 年，國民黨在大陸失去政權，退保台灣，痛定思痛，才在 1951 年 6 月頒佈《三七五減租條例》，於 1953 年 1 月公佈《實施耕者有其田條例草案》。後一條例規定，既要幫助佃農取得其耕作土地之所有權，同時也保護地主的利益。其辦法是，政府一面採取強制性的措施和價格，收購地主的土地，轉售給現耕農；一面出售"國營公司"的股份，便利地主投資，將地主的土地所有權轉變為工業廠礦的股份。台灣的這一土改方案和孫中山的"平均地權"思想並不一致，但解放了農村生產力，為台灣後來的經濟起飛打下了基礎。

　　國民黨失去大陸的原因很多，但失去農民支持應是主因。1949 年 4 月，著名銀行家陳光甫在日記中寫道："今日之爭非僅國民黨與共產黨之爭，實在可說是一個社會革命。共產黨的政策是窮人翻身，土地改革，努力生產，清算少數份子……所以有號召，所以有今天的成就。反觀國民黨執政二十多年，沒有替

1　"行政院"檔案，《土地改革史料》，第 144 頁。

2　"行政院"檔案，《土地改革史料》，第 185—188 頁。

3　1932 年 6 月，蔣介石在廬山召開會議，通過的《剿匪區內各省農村土地條例規定》："被匪分散之田地及其他不動產所引起之糾紛，一律以發還原主，確定其所有權為原則。"見《地政月刊》第 1 卷第 6 期。

農民做一點事，也無裨於工商業。"[1] 陳光甫並非"親共"份子，應該承認，他的這段議論是客觀的、公正的。和國民黨的情況相反，中共在兩黨破裂後轉入農村。它雖損失了不少黨員，但是，因禍得福，卻在農村中獲得了生根發芽的新機會。中國農民處於中國社會的最底層，保持著改變現狀的強烈要求。共產黨在這個新天地裏發展、壯大，以農村包圍城市，最後，依靠穿上軍裝的農民打敗了國民黨以美國武器裝備起來的現代化的軍隊。

抗日戰爭期間，國民黨和共產黨進行第二次合作。毛澤東總結第一次合作時期的經驗，作了三項重要決策：一是採取"黨外合作"的方式，避免"黨內合作"所必不可免的種種矛盾和猜忌；二是明確宣佈"孫中山先生的三民主義為中國今日之必需"，其後，毛澤東又提出新民主主義論，將中國革命分為兩步走，克服"一步到位"的"左"傾急性病；三是調節階級關係，宣佈取消"暴動政策"和"赤化運動"，在一切抗日的階級和黨派之間提倡"互助互讓政策"，主張"既不應使勞苦大眾毫無政治上和生活上的保證，同時也應顧到富有者的利益"。[2] 這三項決策保證了第二次國共合作能貫穿於抗日戰爭的始終，成為抗戰勝利的重要原因之一。但是，1949 年之後，毛澤東卻在部分問題上犯了"左"傾急性病和迷信階級鬥爭兩個錯誤。在經濟上，匆匆忙忙搞"三大改造"，搞大躍進，搞人民公社，企圖儘快將資本主義等非公有經濟成分消滅乾淨，以便及早建成社會主義和共產主義。在政治上，提倡階級鬥爭要"年年講，月月講，天天講"，以為在任何情況下都是"階級鬥爭一抓就靈"。這兩個錯誤的嚴重後果是造成 1959 年至 1962 年的嚴重經濟困難和 1966 年開始的十年動亂。鄧小平搞改革開放，首先致力的就是糾正毛澤東的上述兩個錯誤。他積極引進外資，允許個體經濟和私有經濟等非公有經濟成分的存在和發展，宣佈中國目前所建設的只是"社會主義初級階段"，這就從根本上糾正了部分中共黨人急於建成社會主義、共產主義的"左"傾急性病。同時，廢止"以階級鬥爭"為綱的方針和一系列政策，明確宣佈以經濟建設為中心，這就從根本上糾正了中共黨內長期存在的對階級鬥爭作用的誇大和迷信。

1　陳光甫日記，美國哥倫比亞大學珍本和手稿圖書館藏。

2　《中國共產黨在民族戰爭中的地位》，《毛澤東選集》卷 2，人民出版社 1991 年版，第 525 頁。

顯然，鄧小平所開創的改革、開放事業是總結中國革命長期以來經驗和教訓的結果；他的改革、開放理論綜合了包括孫中山在內的許多仁人志士的經驗和智慧。

蔣介石與二次北伐 *

* 本文錄自《蔣介石秘檔與蔣介石真相》，社會科學文獻出版社 2002 年版。

1926 年 7 月，蔣介石在廣州誓師北伐，但是，到第二年 4 月，和共產黨決裂，北伐陷於停頓。1928 年 4 月，蔣介石在江蘇徐州宣佈第二次北伐開始。同年 6 月，奉軍退出北京，南京國民政府宣佈北伐成功，全國統一。總計，國民革命軍自徐州出師至勝利，前後不過兩個月。

　　在中國近代軍事史上，太平天國的北伐失敗了；民國初年的北伐僅開其端，迅即以孫中山讓位於袁世凱告終；但是，蔣介石率領的二次北伐卻成功了。戰爭進行得很順利，發展很迅速，結局比較圓滿。其原因，值得加以探討和總結。

一、前期北伐為二次北伐打下了堅實的勝利基礎

　　前期北伐是國共兩黨聯合進行的戰爭，其迅速取勝，固然由於外有蘇聯軍事援助，內有工農大眾的積極支持，但是，也和國民革命軍正確的戰略、策略有關。

　　前期北伐時，國內存在著吳佩孚、孫傳芳、張作霖三大軍閥集團，在西南地區的云南、貴州、四川等省，存在著若干軍閥小集團。因此，軍閥的力量總體大於國民革命軍，形勢對於北伐並不利。但是，軍閥集團之間存在著深刻的

矛盾，便於國民革命軍分化利用，各個擊破。有鑒於此，國民革命軍採取遠交近攻的策略，首先進攻距國民革命軍最近，對廣東根據地威脅最大的吳佩孚集團，而對遠在北方的奉系張作霖集團和偏處東南五省的孫傳芳集團則採取聯絡政策。奉系集團在 1922—1924 年間曾與孫中山有過反對直系軍閥的聯盟，這時因勢力膨脹，也企圖統一全國，便同樣採取遠交近攻政策，計劃首先奪取吳佩孚集團掌握的河南、湖北等省的地盤。雙方信使往還，雖未完全達成一致意見，但已在事實上建立了反對吳佩孚集團的聯盟[1]。孫傳芳集團當時還沒有統一全國的力量，因此，以 "保境安民"，"人不犯我，我不犯人" 相標榜，企圖坐山觀虎鬥，在國民革命軍和吳佩孚集團鬥得兩敗俱傷時出而收漁人之利。國民革命軍利用孫傳芳的這一心理，多次派代表和孫傳芳談判，要求孫在北伐軍攻擊吳佩孚時保持中立[2]。這樣，國民革命軍就可以集中力量首先擊潰吳佩孚的軍事力量。

吳佩孚素以善於治軍和作戰著稱，曾經有過橫行中原、不可一世的輝煌時期。國民革命軍於 1926 年 7 月北伐時，吳佩孚並沒有把國民革命軍放在眼裏。他當時正忙於在北方和傾向革命的馮玉祥的殘部作戰，企圖在消滅了馮的殘部之後再揮師南下。這樣，國民革命軍就得以順利攻取湖南，取得了先聲奪人的勝利。在吳佩孚匆匆趕到南方時，軍隊的頹勢已成，難以扭轉了。

孫傳芳眼看吳佩孚即將失敗，國民革命軍的進攻又已嚴重威脅自己的勢力範圍，決定出兵援吳，國民革命軍不得不分兵開闢江西戰場。在艱難的拉鋸戰之後，國民革命軍擊潰了孫傳芳的援軍。為了不給孫傳芳喘息的機會，蔣介石改變了攻克武漢後即繼續北上，進攻河南的方針，轉而自江西揮軍東下，進攻江蘇、浙江、上海等地，以期徹底擊潰孫傳芳集團。不久，國民革命軍即克復長江下游地區，孫傳芳率部隊北上投奔張作霖。

吳佩孚的軍隊在汀泗橋、賀勝橋作戰時遭到了決定性的失敗，不得不退保武漢，吳佩孚本人並一直退到了河南境內。武漢三鎮受到北伐軍的長期包圍

1　關於廣東國民政府與奉系談判情況，見《陸山致（畏公）譚延闓密函》、《楊丙致譚延闓密函》、《楊宇霆致張靜江等函》，張靜江全宗；又見《蔣作賓致蔣介石函》、《張靜江、譚延闓致蔣介石函》，《革命文獻拓影》，北伐時期第 5 冊，蔣中正檔。

2　關於廣東國民政府與孫傳芳談判情況，見《何成濬致譚延闓密函》（1926 年 9 月 4、7 日），張靜江全宗。

後終於被攻破，吳佩孚退到河南的軍隊遭到了奉系集團的沉重打擊。1927 年 4 月，武漢國民政府出師河南，經過艱難的血戰，終於擊敗了張學良等率領的奉系精銳，並勝利和自潼關東出的馮玉祥軍會師[1]。

前期北伐消滅了吳佩孚軍閥集團，沉重打擊了孫傳芳軍閥集團，重創了奉系精銳。這就為二次北伐打下了堅實的基礎。

二、國民黨內部因一時團結而加強了力量

1927 年 4 月，蔣介石在上海發動 "清黨"，和共產黨決裂，原來共同合作的戰友成了刀兵相見的仇敵。蔣介石既失去蘇聯的援助，又失去工農的支持，但是，國民黨卻因內部的一時團結而加強了力量。

第一次北伐期間，國民黨內形成蔣、馮、閻、桂四大軍事派系。在這些派系中，馮玉祥的國民軍原來接近蘇俄和武漢國民政府，是一支受到共產黨某些影響的 "赤色" 力量；閻錫山長期依附北方政權，和奉系軍閥關係密切，喜歡觀望風色，見機行事；桂系雖然曾和蔣介石合力反共，但是，在 1927 年 8 月，又曾和武漢國民政府呼應，逼蔣下台。因此，蔣介石要再次北伐，首先必須調整內部，團結馮玉祥、閻錫山、李宗仁等軍事派系。

蔣介石下野後，馮玉祥、閻錫山決定共同行動，進攻奉系，南京國民政府也派兵北上配合，但進展不大。11 月 8 日，蔣介石自日本歸國，於 12 日致電閻錫山，聲稱 "現敵盡力絀，務望內部糾紛，澈底解決，團結一致，揮師北伐"[2]。同月 28 日，閻錫山致電南京國民政府軍事委員會主席團，表達化解矛盾，團結北伐的願望，電稱："黨務事小，北伐事大，允宜蠲棄一切，努力殲敵，完成革命大業。"[3] 同日，閻又致電蔣介石稱："值此強敵當前，凡我同志，允宜乘千載一時之機，共禦外侮，黨務係內部事，縱略有糾紛，任何時均可從

---

1 關於前期北伐情況，參閱本書另文《蔣介石與前期北伐戰爭的戰略策略》及拙著《中華民國史》第 2 編卷 5，中華書局 1996 年版。

2 《蔣介石休戚相關為公後盾電》，《閻伯川先生要電錄》，台北 1996 年，第 288 頁。

3 《上國民政府蠲棄一切完成北伐電》，《閻伯川先生要電錄》，第 290 頁。

容解決。"他要蔣"力勸本黨同志顧念大局，一致殲敵"[1]。12 月 2 日，馮玉祥致電閻錫山，邀閻共同擁蔣。11 日，閻錫山、馮玉祥聯合致電南京國民黨中央和國民政府，推崇蔣介石"效忠黨國，智勇兼優"，要求恢復他的總司令職務，以便統一指揮，完成北伐。閻、馮二人的聯電，標示著這兩大軍事派系的進一步和解。不久，桂系也對蔣的復職表示贊成，並同意派兵北伐[2]。

　　1928 年 1 月 9 日，蔣介石宣佈恢復行使國民革命軍總司令職權。2 月初，國民黨在南京召開二屆四中全會，改組國民黨和國民政府，決定全軍北伐，在兩個月內會師北京。16 日，蔣、閻、馮的代表在河南開封舉行會議，決定將馮、閻的隊伍分別改編為第二和第三集團軍，同時初步分配了北伐任務。兩天後，蔣、馮在鄭州互換蘭譜，結為"生死相共"之交。接著，蔣介石又以桂系和兩湖部隊為主成立第四集團軍，以李宗仁為總司令，命其待機北伐。這樣，蔣、閻、馮、桂四大派系就在北伐問題上達成了一致意見，國民黨由此出現了前所未有的團結局面。當時，蔣系第一集團軍有兵力 29 萬人，馮系第二集團軍有兵力 31 萬人，閻系第三集團軍有兵力 15 萬人，桂系第四集團軍有兵力 24 萬人。四者相加，總兵力達到 99 萬人。在國民黨的軍事史上，可以說是空前強盛的時期。

三、江浙金融資產階級給予經濟支持

　　經濟是政治的命脈，也是軍事的命脈。戰爭需要出動足夠數量的兵員，配備精良的武器、充足的糧餉，這些，都需要財政支持。1912 年孫中山之所以未能堅持北伐，讓位於袁世凱，主要原因就在於無法籌集支持北伐所必須的經費[3]。蔣介石要向奉系進攻，自然也必須解決這一問題。

　　辛亥革命前後，中國資產階級發展不足。在政治上，他們最初支持立憲派，企圖在中國實行君主立憲制度；武昌起義後，他們雖然贊成民主共和，但

1　《致蔣介石盼顧念大局乘勝北進電》，《閻伯川先生要電錄》，第 290 頁。

2　《劉峙請再催蔣復職電》，又《白崇禧兩湖待肅清方叔平前進電》，《閻伯川先生要電錄》，第 297、301 頁。

3　參閱拙作《孫中山和民國初年的輪船招商局借款》，《中國社會科學》1997 年第 4 期。

是，在孫中山和袁世凱之間，他們寧願選擇袁世凱。北伐時期，中國資產階級有了一定的發展。1927 年，他們在共產黨和蔣介石之間選擇了後者。蔣介石當時之所以能取勝，其原因之一就在於得到江浙金融資產階級的支持。二次北伐前，為籌集經費，蔣介石特派宋子文於 1928 年 1 月到上海，邀集張嘉璈、陳其采、李銘、貝祖詒等銀行家聚會，討論發行 1600 萬元國庫券事宜。3 月 4 日，蔣介石又親到上海，壓迫張嘉璈認購。張內心雖然不滿，但又不願和南京政府決裂，決定先行墊款 600 萬元[1]。

二次北伐計劃之所以能付諸實施，得力於江浙金融資產階級的財政支持。

四、三路大軍並出，粉碎奉軍先發制人的進攻

奉系曾經是北洋軍閥中最強大的一支力量。國民革命軍廣州北伐時，奉系有兵力約 35 萬人。當時，奉軍入關不久，統一北洋各派，正是如日中天之際。南京北伐軍在徐州誓師北伐時，奉系兵力發展至 60 萬人。其中，張學良、楊宇霆的第三、四方面軍作戰能力較強，是奉軍的精銳，而張宗昌、孫傳芳的部隊則已在此前的作戰中遭到重大損失。因此，國民革命軍的總體力量已大大強於奉軍。

蔣介石的部署是三路大軍並出，從正面與側面進攻奉軍。其中正面戰場由蔣介石的第一集團軍和馮玉祥的第二集團軍擔任，分別進攻山東與直隸（今河北省）；側面戰場由閻錫山的第三集團軍擔任，進攻奉軍的腰背。李宗仁的第四集團軍則作為預備隊，待機調往前線。

奉系明白力量對比不利於己，因此，力謀先發制人、集中精銳，先行擊敗山西閻錫山與河南馮玉祥的部隊。但是，奉軍在山西方面進展甚微，河南處於僵持狀態，而在山東方面，則全面潰敗。

二次北伐的主戰場在山東。蔣介石以劉峙、陳調元、賀耀祖三個軍團的優勢力量北進，兵力強盛。奉系由於將主力投入山西、河南戰場，山東方面僅

---

1 《張嘉璈日記》，1928 年 3 月，未刊稿，上海圖書館藏。

以張宗昌的直魯軍和孫傳芳的餘部抵擋。張宗昌雖曾以巨金聘請德國人為其在魯南構築防禦工事，但該部戰鬥力極弱，一觸即潰。孫傳芳雖也是國民革命軍的手下敗將，但該部比較能戰鬥，也較有計謀。他出奇兵突襲第一集團軍的後方，一度威脅江蘇北部的重鎮徐州。蔣介石緊急徵調馮玉祥的第二集團軍支持，殲滅孫軍主力，蔣馮兩軍會師。5 月 1 日，蔣介石的第一集團軍順利進入山東省會濟南。

張宗昌和孫傳芳在山東的失敗牽動奉軍全線，張作霖不得不下令轉攻為守。閻錫山乘機衝出山西，馮玉祥在克服了後方的叛亂後也揮軍北上，展開反攻。奉系集團的形勢越來越不妙了。

五、對日忍讓，繞道北伐

日本在山東保有巨大權益。國民革命軍北伐後，日本政府即積極謀劃出兵山東，阻撓國民革命軍北伐。4 月 19 日，田中義一通過駐上海總領事轉告蔣介石："如果在濟南附近發生戰爭，日本便會出兵。"[1] 21 日，日本首批部隊到達濟南。5 月 3 日，日軍在濟南悍然開槍射擊中國軍民，慘殺中國外交官員蔡公時等 17 人，製造了震驚中外的濟南慘案。隨後，日軍又提出苛刻的帶侮辱性的條件，強迫蔣介石在 12 小時內接受。

面對日本的挑釁，白崇禧主張採取強硬態度。4 月 29 日致電蔣介石云："日本出兵，意圖妨礙北伐，我軍應繼續進攻，勿為所儡。若存投鼠忌器之心，則不但延殘餘軍閥之生命，且縱鄰邦之野心。" 對此電，蔣介石答稱："日本出兵，不足妨礙北伐之進展，決無因外兵中止革命之理也。"[2]

蔣介石不願影響既定的北伐目標，事件發生前，即決定對日軍的挑釁不加抵抗。5 月 2 日，他在日記中寫道："不屈何以能伸，不予何以能取。犯而不校，聖賢所尚。小不忍而亂大謀。聖賢所戒。"[3] 5 月 4 日，蔣介石與第一集團

1　張群：《我與日本七十年》，台北中日關係研究會出版社 1981 年版，第 36 頁。
2　《革命文獻拓影》，北伐時期第 19 冊，蔣中正檔。
3　古屋奎二：《蔣"總統"秘錄》第 7 冊，台北"中央日報社"1976 年版，第 26 頁。

軍前敵總指揮朱培德、總參謀長楊傑等會議，決定中國軍隊大部分退出濟南，分五路渡過黃河，繞道北伐。次日，閻錫山致電南京國民政府，強調"非大忍不能大有為"，電稱："仍當擺脫一切，迅速北進，攻克京津，則一了百了矣！"[1]同月 9 日，蔣介石致電在廣州的李濟深，要他派人到香港，尋求英國當局的援助，電中稱自己："含淚忍辱，節節退讓，並恐小不忍而亂大謀。"[2] 10 日，中國軍隊全部撤離濟南。11 日，蔣介石致電白崇禧稱："國危已極，身受更苦，惟多難興邦，毫不悲觀，只期共同一致，則五年之內，必雪此奇恥也。"[3]

濟南事件是蔣介石實行對日妥協的開端，其整個交涉過程雖有過於軟弱的一面，但是，其目的在於堅持北伐，有其可以理解的一面，人們對此不應苛責。

5 月 9 日，閻錫山統率的第三集團軍東進，佔領河北南部重要城市石家莊和正定。10 日，蔣介石致電李宗仁，鼓勵他從京漢線揮師北上，電云："情勢如此，津浦路已難進展，以後作戰，全賴京漢一線。務望兄處迅即督師北上，京津果下，日人失卻爪牙，或稍斂其侵略之野心。"[4] 11 日，馮玉祥統率的第二集團軍韓復榘部也北上抵達石家莊，與第三集團軍會師。13 日，蔣介石指示閻錫山，要求閻督率所部，盡一切可能以最快的速度佔領北京。19 日，蔣介石又與馮玉祥會商，確定了三個集團軍分工合作、進軍京津的計劃，要求各軍主力於 5 月 25 日之前集結待命，聯合包圍奉軍。

國民革命軍步步進逼，張作霖不得不再度下令總攻，他調動兵力圍攻第二集團軍，使孤軍深入的山西部隊一度受挫。不過，閻錫山要求前線部隊堅韌抵抗，並調兵增援，終於轉危為安。28 日，第二集團軍迫近保定，離北京只有一二百公里了。

六、軍事進攻與政治談判並行，和平進入北京

1927 年 "四一二" 政變後，中國的政治局面出現了複雜的形勢。一方面，

1 《上國民政府擺脫濟南日軍橫阻迅速北上電》，《閻伯川先生要電錄》，第 322 頁。

2 黃郛檔，美國哥倫比亞大學珍本和手稿圖書館藏。

3 《致白總指揮》，《革命文獻拓影》，北伐時期第 19 冊，蔣中正檔。

4 《致漢口李總指揮、白總指揮》，《革命文獻拓影》，北伐時期第 19 冊，蔣中正檔。

蔣介石與張作霖在反共上已經一致。另一方面，由於吳佩孚、孫傳芳兩大集團已先後被擊敗，奉系呈現頹勢。因此，蔣、奉都萌生了以政治手段解決雙方矛盾的意願，在日本東京、中國大連、北京、南京等地多次談判。山西閻錫山集團也從中斡旋，勸奉方服從三民主義，改換旗幟，歸依南方，共同"討赤"。不過，奉方雖表示可以接受三民主義，但不肯放棄自己原來的安國軍旗幟，企圖以長江為界，南北分治[1]。這樣，蔣介石就不能不首先對奉系加以軍事打擊。

發生濟南慘案，蔣介石以政治手段解決奉系的意圖再度萌動，同時，奉系內部也進一步發生變化。舊派中的常蔭槐、國務總理潘復，新派中具有愛國思想的張學良、楊宇霆等都主張"停止內爭，一致對外"。[2] 連孫傳芳都表示："日人欺我太甚，本人受良心之責備，不願再事內爭。"[3] 5 月 9 日，張作霖宣佈停戰，國內政治問題，交給國民公正裁決。16 日，派出使節赴南方商談。

形勢變化，南京國民政府於 11 日晚開會討論，李烈鈞等主張"寬大"，"除張作霖外，奉方將領中有覺悟者，願一視同仁"[4]。遠在前線的蔣介石認為，張作霖之所以宣佈停戰，是由於"精疲力盡"，不能不採取"緩兵之計"，因此，他要求部隊繼續前進[5]。但是，他也主張利用這一形勢，離間奉系和日本的關係，同時，喚起北方將領的愛國覺悟。他指示吳忠信和北方南來的使節談判，先後提出的條件是：1. 同心救國，奉軍退出關外，鞏固東北國防；2. 允許奉方參加國民會議，一切國事交國民會議解決；3. 張作霖下野。[6] 同時，蔣介石又指示閻錫山派人作為國民政府的代表在北京和張學良等磋商。5 月 28 日，南京北伐軍根據蔣介石部署開始總攻，進抵北京周圍，形成大軍壓城之勢。

除山東外，日本在東北也擁有巨大權益。在北伐軍節節勝利的情況下，日本政府決定以逼迫奉系退回關外為條件，阻擋北伐軍進軍東北。5 月 17 日，日

1　《楊丙致蔣介石等密函》，未刊稿，張靜江全宗。

2　參見常蔭槐與張學良、楊宇霆往來函電，未刊稿，張靜江全宗。

3　《孫傳芳致潘復電》，1928 年 5 月 9 日，《申報》，1928 年 5 月 17 日。

4　《趙丕廉日本迫晉和奉張作霖通電求和》，《閻伯川先生要電錄》，第 324 頁。

5　《蔣介石致閻錫山電》，1928 年 5 月 12 日，《民國閻伯川先生錫山年譜長編初稿》（3），台北商務印書館1990 年版，第 965 頁。

6　《蔣介石致譚延闓電》，1928 年 5 月 12 日，《中華民國重要史料初編 —— 對日抗戰時期》緒編（1），台北1981 年，第 195 頁；《蔣介石致閻錫山電》，1928 年 5 月 14、15 日，《民國閻伯川先生錫山年譜長編初稿》（3），第 968 頁。

本駐北京公使芳澤謙吉向張作霖提交備忘錄，要求奉軍撤回東北。張作霖內外交困，不得不於同月 30 日下總退卻令。6 月 3 日，日本關東軍在瀋陽附近炸毀了張作霖乘坐的列車，張作霖不治身亡。此前，國民政府的代表和張學良之間的談判曾出現僵局，但因張作霖的暴亡，奉軍全線撤退。

在北伐的四個集團軍中，第一、第二、第三集團軍都有資格接收北京，但蔣介石考慮到閻錫山與日本和奉系的關係都較好，由閻執行和平接收京津的使命，可望得到日本及奉方的諒解與合作。6 月 8 日，第三集團軍波瀾不驚，和平地進入北京，長達 16 年的北洋軍閥統治由此結束。

1928 年 12 月，蔣介石又通過談判，順利促使張學良改懸青天白日旗，實現了全國統一。

戰爭是政治的繼續。當政治衝突無法以通常的方式解決時，雙方往往訴求於戰爭。但是，在一定的條件下，又可以用非戰爭的方式達到預期目的。中國古代有所謂"不戰而屈人之兵"的說法，視為解決軍事對抗的最理想的境界。在二次北伐中，蔣介石交替使用軍事打擊和政治談判，最後以政治談判解決了和奉系的矛盾，應該說，其處理是成功的、圓滿的。

七、戰後格局

辛亥革命後，中國的統治為北洋軍閥所接替。前期北伐和二次北伐打倒北洋軍閥，實現全國統一，完成了辛亥革命的未竟之業，在近代中國的發展史上是有意義的。

為進行二次北伐，蔣介石團結了馮、閻、桂三大派系；在戰爭過程中，也比較好地處理了和這些派系的關係。但是，這些派系都在戰爭中發展起來了，不久，就因權力分配等原因，和蔣介石發生利益衝突，並進一步發展為中原大戰，中國再度陷入軍閥混戰的痛苦中。

奉蔣談判與奉系出關 *

* 本文錄自《蔣介石秘檔與蔣介石真相》，社會科學文獻出版社 2002 年版。

北伐開始時，張作霖、吳佩孚、孫傳芳三大軍閥集團在中國北方和東南地區鼎足而立。奉系為了擴張實力，消滅吳佩孚集團，和北伐的國民革命軍取聯絡姿勢。吳佩孚和孫傳芳遭到北伐軍重創後，奉系一派獨大。1927 年 4 月，蔣介石在南京成立國民政府，雙方一面軍事對抗，同時也通過各種渠道進行談判，但始終未能談攏。1928 年 4 月，蔣介石發動二次北伐，奉系在軍事上受到沉重打擊，又受到濟南慘案影響，激於民族大義，與南京國民政府重開和談，終於在重重複雜因素影響下，達成協議，退往關外。

一、公開喊話與秘密談判

奉系與蔣介石之間的談判始於 1926 年 8 月間楊丙和蔣作賓的先後使奉。當時，奉蔣之間有著消滅吳佩孚集團的共同目的。談判中，雙方雖有利益衝突，但大體和諧。同年 11 月，孫傳芳投靠張作霖，山東軍閥張宗昌則企圖藉援孫的名義南下，因此，奉系和蔣介石之間的矛盾有所發展，但是，雙方仍須合力反對吳佩孚，談判不得不斷續進行。

1927 年初，奉系觀察到蔣介石和中共以及蘇聯顧問之間存在著矛盾，便想借此分化國民革命陣營，張作霖密電蔣介石稱："赤俄黨人，亟宜驅逐，共產份子只許其存在，不許其發展。如能容納斯意，則南北可以停戰，協商和平統一辦法。"[1]同月 7 日，奉軍總參議楊宇霆發表談話，將張作霖在密電中提出的條件公之於世，聲稱只要南方改變其 "赤化" 與 "聯俄" 兩項政策，便可達成妥協。他說："奉方所反對者，不過為其赤化政策，與俄人干涉內政兩事耳！如南方幡然棄此二事，而允納吾人意見，則妥協固可能也。"[2]當時，蔣介石與鮑羅廷的矛盾已初步顯露，楊宇霆估計蔣有可能改變，聲稱 "現時蔣介石一派，與俄人在相互利用之中，在或〔某〕時期以後，想蔣介石亦能自棄上述政策也"。

楊宇霆談話後，國民革命陣營的內部矛盾進一步發展。3 月 16 日，奉軍參謀長于國翰發表談話稱："奉方對於南北妥協，並無絕對贊否之意。只要黨軍果能驅逐共產份子，不再依賴俄人解決中國之爭，未始不可與之協力，以謀中國之發展。否則奉方縱至僅留一兵一卒，亦必與之周旋。" 這一段話與前引楊宇霆所述基本一致，但對蔣介石的反共要求更高。

這一時期，盛傳蔣介石派魏邦平到北京洽商，在北方的王寵惠、鄭洪年南下[3]，均無確據。但是，3 月中旬，確有人自南昌到北京和奉系當局接觸。此人當月初曾在南昌和蔣介石晤談，"勸其以穩健謀進步，可完全學土耳其革命成功者之基馬耳氏"，蔣表示同意，囑咐此人到北京調查奉系 "對於國事前途之真正態度"。這則消息透露出，蔣介石也在試圖摸清奉系的底牌[4]。

"四一二" 政變改變了中國的政治組合，奉系提出的條件已不成問題。在此情況下，奉系通過喊話，肯定蔣介石的轉向，要求他進一步表明誠意。5 月 2 日，楊宇霆在瀋陽發表談話稱："中國非資本主義國，三民主義之精神，雖在安國軍方面，亦非所反對。蔣介石最近之傾向與安國軍之主義主張一致之意味，殊深其感。惟歷史的國民革命軍與安國軍歸於一致，或為至難，然吾人以完成共通理想之意味，名稱如何，姑作別論。"[5]接著，又陸續發表談話，聲稱："就歷史上言之，奉軍與南軍雖極相反，而兩者均為愛國之政黨，則為不能否認之

1　《溫壽泉等報告張作霖與蔣介石洽合作電》，《閻伯川先生要電錄》，台北閻伯川先生紀念會 1996 年編印，第 230 頁。

2　《楊宇霆對時局之談話》，《晨報》，1927 年 1 月 8 日。

3　《于國翰之談話》，《晨報》，1927 年 3 月 17 日。

4　《南北妥協可能性》，《晨報》，1927 年 6 月 30 日。

5　《楊宇霆在瀋陽之談話》，《晨報》，1927 年 5 月 6 日。

事實。"[1] 楊宇霆表示不反對"三民主義",承認國民黨是"愛國之政黨",表明奉系在努力向國民黨人示好[2]。

在歷史上,奉系和國民黨之間確實有一段關係不錯。1922 年,孫中山曾派伍朝樞到瀋陽,約定雙方會師武漢,以後又曾共同組成粵、皖、奉三角同盟,反對直系。5 月 15 日,《晨報》發表《奉方要人談話》,追敘舊情,強調要看蔣介石的"真正態度"。談話稱:"關於南北妥協問題,雨帥(指張作霖 —— 筆者)對於國民黨素無惡感,其前此曾與孫中山合作,從可證明,惟深惡赤化之禍國耳。妥協問題,只看蔣介石之真正態度如何。"

公開喊話曲折地反映出雙方秘密談判的狀況。1927 年 5 月上旬,蔣介石的代表與楊宇霆在大連初步會晤[3]。同月,蔣介石派蔣方震訪日,張作霖也派航空署督辦張厚琬到東京。雙方會談後一致同意:1. 負責在各自勢力範圍內消滅共產黨;2. 由各方代表召開政治會議,然後再召集國民會議,實現統一。但是,蔣方要求以隴海鐵路為線劃分勢力範圍,奉方則要求以長江為界,而且反對將來的統一政府以三民主義為綱領及實行一黨制。雙方爭執不下,未能達成協議[4]。奉系雖然聲稱不反對三民主義,但是,並不願意奉為自己的綱領。

二、閻錫山出面斡旋,企圖組織奉寧晉三角同盟

日本政府關注中國政局,希望在中國出現南北兩個政府,以便分而治之。日方人士一面促進寧奉直接談判,一面積極動員閻錫山出面斡旋。5 月上旬,日本駐華使館武官本莊繁將奉蔣大連談判情況面告山西在北京的代表潘連茹:"奉寧妥協事,現正進行中。奉方只有兩個條件,一、剷除共黨;二、與俄脫離關係。如寧方能事行此二條件,津浦戰事立即停止。楊宇霆返奉,即為此事。

1 《時事新報》,1927 年 5 月 18 日。
2 《楊宇霆昨日在京談話》,《晨報》,1927 年 5 月 18 日。
3 1927 年 5 月 10 日李慶芳致閻錫山電云:"探聞蔣代表赴大連與鄰葛會晤蔣方震赴日亦與奉寧妥協有關。"見《民國閻伯川先生錫山年譜長編初稿》,第 747 頁。
4 《研究俄國對華問題的幾點主要考慮》,1927 年 6 月 10 日;《松井少將關於中國時局的演講綱要》,1927 年 6 月 13 日。均見《日本外務省檔案》(縮微)S16136。《張厚琬由日返國》:"航空署督辦張厚琬前赴日本,視察日本民間航空⋯⋯19 日返國,21 日抵大連,日內即可抵京。"《晨報》,1927 年 5 月 24 日。

大約妥協步驟先停戰，以長江為界，成立南北兩政府，然後徐圖統一政府。"他表示：日本"不願受干涉之嫌疑"，"百帥（指閻錫山——筆者）對南無惡感，對北關係又深，俟相當時機，百帥能為一言，實中國前途之福"[1]。同月底，日本老牌特務阪西利八郎由東京經大連回北京，也發表談話稱："余對於中國時局，以為南北兩方，均宜放棄武力主義，而講求收拾之策。""北方標明之主義為討赤，而南方蔣介石亦實行撲滅共產黨，張、蔣主義既無不同，戰爭亦難有結果，故余之意見，以為此時促進張、蔣之妥協，分地而治，實為當務之急。"[2]

當時，日本有關方面還準備了第二套計劃：支持蔣介石統一關內，命奉系退出關外，華北地區改由晉系接管。5月20日，田中首相致電駐華公使芳澤謙吉："一、如蔣派仍持近來之態度，我方將予以精神上之支持，助其達成政治上之企圖。二、目前，張在其勢力範圍內，應迅速收買人心，維繫眾望，制訂利國福民之策。"[3]同月25日，日本武官土肥原密告潘連茹等：奉軍將退出關外，北方政局，由山西維持。他表示，希望山西方面出面斡旋南北，"早息戰爭，以免再現寧、漢等地之騷亂，而杜赤俄之陰謀"[4]。土肥原並偕閻錫山的妹夫薄永濟到太原活動。後來，在"分地而治"的計劃破產後，土肥原的"以晉代奉"計劃逐漸為日本政府和軍方所採納。

蔣介石也看中了閻錫山。閻雖是國民黨元老，但孤懸北方，標榜"保境安民"，和奉系保持不即不離的關係。北伐開始後，閻逐漸傾向南方。4月5日，閻錫山宣佈山西全省服從三民主義。南京國民政府成立後，蔣介石即派何澄（亞農）到山西，動員閻錫山出面做張作霖的工作。蔣指示閻稱："奉天若以主義為依歸，政治解決，非不可能。"當時，孫傳芳、張宗昌的殘餘勢力正盤踞於蘇皖北部，構成對南京的直接威脅，蔣希望通過談判減輕壓力，電閻稱："非使孫、張完全退出蘇、皖境外，有事實之表示，無以見合作之誠。先決問題，似即在是。"[5]

1　1927年5月10日潘連茹致閻錫山電，《民國閻伯川先生錫山年譜長編初稿》，第748頁。
2　《阪西利八郎談話》，《晨報》，1927年6月1日。
3　《日本外務省檔案》（縮微）PVM41。
4　《蘇體仁致閻錫山電》，《民國閻伯川先生錫山年譜長編初稿》，第750頁。
5　《民國閻伯川先生錫山年譜長編初稿》，第756頁。

當年 3 月，張作霖發現閻錫山不穩，曾先後派張學良、韓麟春、于國翰到山西，勸閻和奉系合作，"共挽狂瀾"[1]，閻則反勸奉系和南方合作[2]。4 月 7 日，閻的駐京代表李慶芳受命向張作霖進言："莫若利用民黨以制共產。以多數制少數，以好辦法代壞辦法。"[3] 南京國民政府成立後，李再次面晤張作霖，建議他"聯蔣討共"。張表示，接受閻的意見，已分電張宗昌與孫傳芳，對蔣勿再進攻[4]。閻見事有可為，於 5 月 11 日復電李慶芳，要求張接受三民主義，電稱："民族、民權、民生為共和國自然之趨勢，雨帥何妨標此旗幟，以團結各方，共同討赤？"[5] 同日，再電李慶芳稱："雨帥既贊成聯蔣，請聯合各方成立一'討共大同盟'，一致討共，根本剷除共黨，為國除害。"[6]

最初，閻錫山的斡旋頗為順利。6 月 1 日，楊宇霆、李慶芳、于國翰等人集議，確定"保持北方大局，進行國家統一"的辦法四條：1. 討伐共產，組織討共同盟軍；2. 贊成三民主義，以免階級鬥爭；3. 政治統一問題，由國民會議解決；4. 一致對外，解除國際束縛[7]。6 月 5 日，閻錫山致電蔣介石，報告說："此間日來力說奉方服從三民主義，更換旗幟，頗有進展。"[8] 8 日，閻錫山特派政務處長兼警察廳長南桂馨為議和專使抵京，偕同李慶芳拜訪楊宇霆。南桂馨提出，寧奉合作的先決條件是奉方易幟，除贊同三民主義外，應懸掛青天白日旗，改稱國民革命軍[9]。接著，又拜見張作霖，勸奉方採納三民主義，組織奉、寧、晉三角聯盟[10]。閻的打算是，和奉系談妥後，南桂馨即離京南下，向蔣介石通報。

閻錫山的估計顯然過於樂觀了。奉系雖然歡迎閻出面調停，但對蔣介石是否能切實反共還存有疑慮，要看一看；同時，奉系當時還保有強大的軍事力

1 《張作霖派於國翰來洽電》，《閻伯川先生要電錄》，第 244 頁。
2 《國民革命軍北方軍作戰紀略》，《閻伯川先生要電錄》，第 299 頁。
3 《李芬圃勸奉與國民黨結合電》，《閻伯川先生要電錄》，第 246 頁。
4 《民國閻伯川先生錫山年譜長編初稿》，第 747 頁。
5 《民國閻伯川先生錫山年譜長編初稿》，第 749 頁。
6 《民國閻伯川先生錫山年譜長編初稿》，第 747 頁。
7 《楊宇霆等時局主張四項電》，《閻伯川先生要電錄》，第 254 頁。
8 《民國閻伯川先生錫山年譜長編初稿》，第 756 頁。
9 《南桂馨與電通社記者談話》，《世界日報》，1927 年 6 月 10 日。又，1927 年 7 月 17 日《晨報》所載《晉方某要人談話》云："寧方託晉方轉達條件……1. 服從三民主義；2. 改換旗幟；3. 軍隊更名；4. 某某兩項。"據此，這三條，其實是蔣介石託晉方轉達的條件。
10 《晨報》，1927 年 6 月 10 日。

量，不肯輕易按蔣介石的條件就範。6 月 6 日，奉軍外交處長吳晉發表談話，將閻錫山出面調停一事公之於世，並將蔣介石的變化說成是對張作霖主張的依歸。他說："此次奉方討赤，原在消滅過激之共產黨，並非與國民黨為難。""現蔣介石既反對共產黨，並對於過激黨徒極力取締，是其主張已與雨帥主張相同。閻百川現既出任調停，而蔣介石在最近又有與雨帥合作之表示，雨帥自無不贊成。"在作了上述一番表態後，吳晉話鋒一轉說："現在共產黨之根據地，為武漢與湖南，則消滅過激黨，肅清武漢與湖南之責，雨帥任之也可，閻百川任之亦可，即蔣介石任之亦無不可。"[1] 吳晉的這一段話表明，奉系當時還保持著向南擴張的強烈興趣。

閻錫山要奉系改掛青天白日旗，張作霖卻要國民黨下旗。6 月 8 日，張作霖招待日本記者團，發表談話說："夫蔣果真反對共產主義，何故現尚揭揚青天白日旗？"他要蔣明確立場，徹頭徹尾、表裏如一地反對共產主義，聲稱："若三民主義真以國利民福為宗旨，則予亦自贊成。若徒以國利民福為假面具，而實質上仍行共產主義，則予輩固將竭力以聲討排斥之也。"他表示："須蔣真能反對共產主義，且能將俄人逐盡，並完全脫離過激赤化主義，而後不辭對蔣妥協。"[2]

南桂馨到達北京後，奉軍要人隨即舉行會議，研究對策，決定對蔣持寬容態度，聲稱 "蔣中正先時雖與安國軍有敵對行為，但蔣果能以誠心討伐共產之目標，來與安國軍妥協，安國軍自可容納，而友好之。"[3] 會議決定對三民主義不持反對，但先決問題是 "共同討赤"。晉方既主張奉晉寧三角同盟，應先由三方面攤派隊伍，"會剿赤化軍"；至於國家大局，俟赤化平定後，召開國民會議從長計議[4]。會議還給閻錫山出了個難題：希望晉方將開入直隸境內的軍隊，即日移向黃河北岸。10 日，張作相對記者發表談話，聲稱三民主義彼亦贊成，但不能即懸青天白日旗。奉軍有百餘團可戰[5]。奉系的這種強硬態度自然使南桂

1　《晨報》，1927 年 6 月 7 日。
2　《晨報》，1927 年 6 月 9 日。
3　《世界日報》，1927 年 6 月 11 日。
4　《張作相昨對新聞記者談話》，《晨報》，1927 年 6 月 11 日。
5　《時報》，1927 年 6 月 11 日；參見《晨報》，1927 年 6 月 11 日；《世界日報》，1927 年 6 月 10、11 日。

馨不悅，雙方發生"言辭衝突"，南桂馨只得折返太原。

從不反對三民主義到"彼亦贊成"，顯示出奉系頭領在繼續作出讓步，但是，奉系終究不甘心將國民黨人的政治綱領全盤接過來。6月14日，吳晉發表談話，傳達張作霖的意旨：在三民主義之外，再加上"民德主義"。他說："三民主義為建設國家之基礎，自無不可。惟中國為禮義之邦，自來對道德異常重視。現在人心不古，道德淪亡，即以軍人而言，倒戈等事，層見迭出。雨帥擬於三民之外，增加民德一項，共成四民，以維國本。"[1] 張作霖畢竟是封建軍閥，他所關心的是利用傳統道德，防止軍人"倒戈"。同日，張作霖宴請應召北上的張宗昌、孫傳芳及吳俊升、張作相、張學良、韓麟春、楊宇霆、潘復等人，席上，張宗昌、孫傳芳堅決反對與蔣妥協。張稱："魯南防務險固，士氣壯尚堪一戰。"[2] 孫稱："以黨治國，絕對不能同意。"會後，吳晉發表了更為強硬的談話："易幟一層，雨帥絕不能承認……不但於法律上無所據，具有一黨包辦之嫌。"[3]

從1920年揮師入關之日起，張作霖的野心就不斷膨脹。1926年11月，在天津被推為"全國討赤聯合軍總司令"。這時，正準備在北京成立安國軍政府，升任"大元帥"，以便為進一步晉升"總統"作好鋪墊[4]。6月16日，張作霖通電表示："此後海內各將帥，不論何黨何系，但以討赤為標題，即屬救亡之同志。不特從前之敵，此時已成為友，即現在之敵，將來亦可為友。"又稱："一切主義，但於國利民福不相衝突，盡可共策進行。"[5] 張作霖的想法是，在"討赤"的旗幟下盡可能將各派力量收容過來。

6月初，南桂馨在京說和不成，怏怏而歸。6月18日，安國軍政府在北京成立，但閻錫山保持沉默，並且電囑李慶芳不參加軍政府下設的內閣。張作霖

1 《張作相昨對新聞記者談話》，《晨報》，1927年6月11日。

2 《奉派之同床異夢》，《時事新報》，1927年6月13日。

3 《晨報》，1927年6月15日。

4 張作霖本來是想當總統的，但是，閻錫山首先反對。1927年5月6日閻錫山致李慶芳電云："雨帥正位，我意為國家計，亦為雨帥自計，宜俟時機，方為穩妥。"見《閻伯川先生要電錄》，第249頁。這裏所說的"正位"應指出任總統，而非如該書編者擬解時所稱"就任大元帥"。稍後，張學良解釋說："大元帥之所以不作臨時總統，而改就大元帥職，則表示其為臨時底位置，而擬俟至將來國民會議中，再行解決全部問題。"見《張學良謂斷然反對以一黨黨旗代國旗》，《世界日報》，1927年7月20日。

5 《晨報》，1927年6月17日。

"登基"時，李慶芳僅"隨同參觀，並未持束致賀"[1]。28日，奉方派遣衛戍司令邢士廉為特使趕赴太原，企圖拉住晉方。邢特別聲明，此行是由於"前次晉方代表來京。言語上曾有些衝突，雙方感情，不無誤會，亦當前往當面解釋"[2]。為了保證邢此行成功，張作霖特別致電閻錫山，聲稱"非停戰不可以救民，非議和不足以殲赤"。他親熱地對閻表示："我兄既謀斡旋南北，議和罷兵，作霖仍本初衷，總以利國利民福為前提，決不因一己之私，置人民於不顧也。"[3] 同時，張學良也電閻解釋，前次南桂馨來京受挫，乃係奉方內部"有一二人未明世界潮流趨勢"所致。電稱："現徵得各方同意，甚願息事寧人。"[4]

6月29日，邢士廉抵達太原，但閻錫山託病不見，指派其總參議趙戴文等代為接待。閻通過趙等表示：1. 希望北京政府依照三民主義徹底改革一切；2. 希望雨帥從速與寧蔣妥協。邢既不肯允諾以"懸掛青天白日旗及改稱國民革命軍"為先決條件，也不答應進行"徹底改革"，只表示："雨帥此時對於妥協之具體意見，在先停戰，一切糾紛，待召集開國民大會解決。"[5]

三、張學良是奉蔣聯合的促進派

對南北妥協，張學良態度最為積極。

早在1926年7月，張學良就主動向國民黨北京政治分會建議，廣東國民政府方面應採取"遠交近攻"之計，與奉方聯合[6]。1927年1月，漢口發生群眾佔領英租界事件，張學良對英國駐華公使蘭普森說："中國南北之事，不過國人對內政見未能一致，因起戰端。古詩有言，兄弟鬩於牆，外禦其侮。對外衛國，決不因對內不一致而發生影響。"[7] 同年3月下旬，國民革命軍佔領南京，混亂中發生搶劫、殺害外僑，導致外艦開炮射擊事件。4月3日，國聞社記者訪問

1　《李慶芳張作霖就職未賀未晉謁電》，《閻伯川先生要電錄》，第260—261頁。

2　《邢士廉對新聞記者談話》，《晨報》，1927年7月6日。

3　《晨報》，1927年6月30日。又據山西代表稱："前此南君來京，未承接納，而徐州會議因之成功，張雨帥事後頗為追悔，派邢士廉赴晉問病。"《晨報》，1927年7月29日。

4　《新聞報》，1927年6月30日。

5　《邢士廉對新聞記者談話》，《晨報》，1927年7月6日。

6　《陸山致畏公（譚延闓）密函》，中國第二歷史檔案館藏。

7　《與蘭普森談漢潯案》，《張學良文集》，香港（中國）市場信息出版社1991年版，第33頁。

由前線返京的張學良詢問他"何不息內爭而一致對外"時，張答云："無論如何，絕不能因一黨一派之利害，而危及國家。如彼方拋棄過激之一切運動，及鮑羅廷之操縱，為國家事，沒有什麼不可商量。"[1] 兩天後，他與韓麟春聯名通電稱："果諸公有救時之良策，愛國之真誠，同是國人，一致對外，千難萬難，又何敢辭！"[2] 張學良的這些表態並非官樣文章，而是發自內心的真誠呼籲。這一點，從他稍後致張學銘的私電可知。該電云："一念同是同種，自相殘殺，心中又怏怏焉。如有對外爭戰，在兄馬革裹屍，雖死無恨也。"[3]

閻錫山出面斡旋後，張學良、韓麟春派人持親筆函赴山西，向閻錫山表示"贊成三民主義"[4]。當時，閻復電建議：取消安國軍，將奉軍改組為河北（泛指黃河以北——筆者）國民革命軍。電稱："彼方所恃以號召者，在國民革命，我亦以國民革命為旗幟，在敵人無的可射，敵情自然和緩。" 又稱："行政在合民，凡可以結合民眾之名義，即當採取。蓋處國家，當以利害計得失，不當為虛面子所困也。"[5] 6月3日，張、韓電閻，表示贊成這一計劃。電稱："良等素抱平民主義，決無軍閥野心，但期利國福民，一切均可不計。對於改組河北九區國民革命軍一節，既於北方全局有利，良等深表贊同，無論有何阻礙，亦必毅然進行。"[6] 但是，張、韓二人又有種種顧慮，詢問閻錫山：1. 奉軍中思想陳舊的部分將領反對，有斷絕餉械之虞時，山西能否予以補充？2. 直魯軍反對時，山西是否能予以兵力援助？3. 奉軍向後撤兵時，山西能否承擔守備河北的責任？4. 南方諸同志是否諒解及容納，有無何種保證？此函流露出張學良、韓麟春當時已有撤兵北返的打算。6月4日，閻錫山復電表示：他的計劃是組織"北方國民委員政府"，推張作霖為領袖，1、2、3各條均可不必顧慮；北方組織就緒後，即聯絡南京及各方，組織"討共大同盟"，國民黨方面當然同意。閻在電中保證："兩兄此後有何困難之處，弟必盡力幫助。"[7]

1 《張學良之談話》，《晨報》，1927年4月4日。
2 《致各部院、各省區等通電》，《張學良文集》，第36頁；《晨報》，1927年4月8日。
3 《張學良文集》，第40頁。
4 上海《民國日報》，1927年6月5日。
5 《致張學良改為國民革命軍電》，《閻伯川先生要電錄》，第253頁。
6 《張學良、韓春致閻錫山電》，《民國閻伯川先生錫山年譜長編初稿》，第754—755頁。
7 《閻伯川先生要電錄》，第255頁。

除與閻錫山磋商外，張學良又積極與蔣介石、馮玉祥等建立聯繫。"四一二"政變後，張學良兩次派參謀葛光庭赴南京會見蔣介石，說明"雙方必須合作討赤之理由"[1]。其間，張學良與楊宇霆還曾聯名致函上海張某，內稱："弟等信仰三民主義，已非一日。討賄之役，兄與其事，當知其詳。國際風云，日趨險惡，吾人惟有一致服從先總理三民主義，同心協力，以救中國之危亡。蔣總司令忠信勤勇，千古一人，心折已久，還希再將鄙意轉達，藉求諒解。"[2] 同年 7 月，張學良致函馮玉祥，表示"服從三民主義"之意，甚至表示願"讓出關內"[3]。多年來，奉系一直積極向關內擴張，勢力所至，一度跨過長江。張學良提出"讓出關內"，在奉系中是第一人。

然而，張學良主張和蔣介石妥協又是有條件的。7 月 19 日張學良招待日本記者團，聲稱張作霖確實希望"對蔣妥協"，但他同時表示："國旗乃屬代表國家之物，故斷然反對以一黨之黨旗，代易國旗。"對召集國民會議一事，張表示："此事自可贊成。"他說："國民會議，非一黨一派之會議，必須為網羅全國各黨派之全民會議始可。故吾儕力排一黨政治。何以故？以其等於以一黨專制，代替個人專制也。"[4]

張學良的和平努力獲得蔣介石的回應。蔣在接見葛光庭時提出兩點希望：1. 政治上服從三民主義；2. 軍事願以誠懇態度，促成奉方從新的方面做去。蔣稱："中國之事須以中國國民之意見解決之，如果北方能脫去舊軍閥帽子，則寧方不但津浦線願意無條件停戰，即進一步讓出蚌埠、浦口，亦未嘗不可。"[5]

四、南方來使與和談中斷

邢士廉的山西之行雖然沒有具體收穫，但他在太原見到了蔣介石派到山西的常駐代表何澄。何與楊宇霆、韓麟春、邢士廉都是日本士官學校的同學，他

1　《葛光庭對新聞記者談話》，《晨報》，1927 年 8 月 4 日。
2　《時事新報》，1927 年 6 月 13 日。
3　《洛陽孔祥熙寒日來電》（1927 年 7 月 14 日），又，《洛陽馮玉祥來電》，1927 年 7 月 18 日，均見《蔣介石收各方電稿》，抄本；參見《葛光庭談話》，《世界日報》，1927 年 7 月 27 日。
4　《張學良謂斷然反對以一黨黨旗代國旗》，《世界日報》，1927 年 7 月 20 日。
5　《蔣提出妥協兩要點》，《世界日報》，1927 年 7 月 27 日。

向邢提出幾條解決時局意見，邢回京後向楊、韓報告，楊、韓認為"有可妥協之餘地"，邀請何澄入京[1]。

7月15日，何澄抵達北京，第一日即會晤楊宇霆、張學良、韓麟春三人，開出三劑藥方：第一劑，北方政治根本改造，與寧、晉在同一旗幟之下，共同奮鬥；第二劑，現制之名義如欲保存，則須移地，惟可留一部願與寧、晉合作者，在北方共同維持大局，根本辦法，則待以後國民會議解決；第三劑，除新行之政制應行取消外，其他則略為改變，自行採用與寧、晉相同之制度，暫維現狀，後事歸國民會議解決[2]。何的這三劑藥方，其核心仍是要奉系實行"政治改革"，奉系中雖有楊宇霆等少數新派具有革新思想，但舊派勢力深厚，自然難於接受上述條件。7月23日，何澄訪問張作相與吳晉，張、吳相繼表示，"大致謂政治之事，由大元帥主持"，"我輩軍人以服從為主，惟軍事政治分期解決，較為適當"[3]。談判中，奉方主張"先軍事，後政治"，何澄與返京任山西代表的南桂馨則希望"先政治，後軍事"[4]。雙方無法談攏。7月25日，南桂馨發表談話，聲稱"奉天內部個人的意見尚多，一時不易一致"，委婉地承認談判失敗[5]。

繼何澄之後，何成濬於7月29日到京。

何成濬此行本受蔣介石委派前往山西，途經北京時和張學良、楊宇霆會談。楊提出奉方與國民黨各自成一團體，在國家大致上合作，內部之事則各自為政。國民黨不必自居於中華民國正統，奉方亦不以中央自居。楊宇霆同時表示：先軍事後政治。第一步商停戰辦法，第二步商合作方案[6]。何不願對此表態，建議"撇開政治專談軍事"。當時，徐州已為孫傳芳和張宗昌的直魯聯軍攻陷，南京北伐軍全線動搖，紛紛自魯南撤退，武漢的汪精衛、唐生智等人又在積極準備東征，因此，蔣介石急於穩定蘇、皖形勢。31日，何成濬發表談

1　《晉閣代表南桂馨談話》，《晨報》，1927年7月20日。

2　《晨報》，1927年7月23日。

3　《何澄昨訪張、吳》，《晨報》，1927年7月24日。

4　《葛光庭對新聞記者談話》，《晨報》，1927年8月8日；又，《晉閣代表南桂馨談話》："與楊宇霆見，楊：一、政治緩期研究；二、軍事先期解決。"見《晨報》，1927年7月20日。

5　《晨報》，1927年7月26日。

6　《晨報》，1927年8月8日。

話："寧方之意，只要主義相同。凡事皆可有商量餘地。""南方對津浦軍事，不主急進，故魯南已撤兵。徐州以北，不擬積極發展。惟以地理關係，徐州以南，亦絕不能放棄。只要奉軍無南攻意，南軍當然亦不願對北為軍事上行動。"[1] 8月1日，何成濬轉赴太原。同日，邢士廉對新聞記者談話，聲稱擬以解決軍事為先，使津浦線早日停戰，寧方得以全力應付武漢方面的進攻。關於"內部問題"，邢稱："仍由各自主持改革，很可不必互相干涉。"他表示，直魯軍的南下，"不過一時之現象。妥協果成功，南軍退江南可，魯軍退徐北亦可"。[2] 其後，蘇、皖境內的南京部隊繼續潰退。8月7日，葛光庭等電催何成濬返京，企圖先行解決停戰問題，但何成濬返京時，蔣介石已因兵敗，在桂系的壓迫下於13日辭職。

　　當蘇皖前線軍情緊急之際，曾於 1926 年奉命使奉的楊丙再次到北京活動。8月12日，他在和楊宇霆會談後密報蔣介石說："頃晤鄰葛兄，據謂父老苦兵久矣。奉對我公，確以誠意謀和，先行停戰，其軍事區域，以現時地點為限。奉方由鄰兄負全責簽字，公方須有負責代表簽字。雙方一經簽字，此間即下停戰令。至政治一切問題，統由國民會議解決。"不久，直魯聯軍在皖北大勝，奉方又提出，以長江為界，劃江分治。27日，楊丙再次密報蔣介石等稱：孫傳芳的軍隊"雖云前進，未始不可劃江分守，只要南方負責有人，迅速直接協商"云云。9月1日，楊丙密函報告奉方狀況，認為和議進行，"其結果終不外平等的聯合及財力公平分配而已"。3日，又密報稱："奉方本意在平定河南，劃江而守，與南對等議和，以國民會議解決時局。抑深知輕入長江，即令一時得意，亦不能守。此次孫氏南攻，特恐南軍不肯休戰，故為得寸進尺之謀。苟南北兩方能得一確實保證，以江為界，兩不相侵，則奉方未嘗不可令孫氏改圖河南，以滿其地盤之願。"[3] 不過，當時蔣介石已經下野，楊丙的這些密報沒有發生作用，奉蔣和談因此中斷。

　　蔣介石下野後，晉奉之間於 10 月間發生戰事。當時，蔣介石正在日本訪

1　《何成濬對人談話》，《晨報》，1927 年 8 月 1 日。

2　《晨報》，1927 年 8 月 3 日。

3　《楊丙致蔣介石等密函》，中國第二歷史檔案館藏，以下同。

問。他指示閻錫山暫時與奉系妥協，保存實力，答應在日代為活動；日本政府也向蔣表示，可以負責促使張作霖退兵[1]。11 月 5 日，閻錫山致電張作霖，聲稱"苟有解決途徑，仍當開誠相與"[2]。16 日，張學良派董英斌向山西方面"謀和"[3]，未有結果，晉奉兩軍陷入長期對峙中。

五、濟南慘案發生，民族大義推動和談再起

1928 年初，蔣介石再次上台，不久即發動二次北伐。5 月 3 日，日軍出兵山東，製造"濟南慘案"，向蔣介石及南京國民政府示威。事件發生後，南京國民政府和北京安國軍政府分別向日方提出抗議，國內各階層普遍呼籲雙方就此息爭，合力對外。5 月 6 日，上海總商會致電張作霖、張學良等，認為南北政府同時抗議，表明"對內政見，雖稍有歧異，對外仍表示一致"。電稱："當此國難已臨，計惟停息內爭，集合全力，以禦外侮，庶彼方無機可乘，然後付諸公論，以求最後解決。"[4] 5 月 9 日，駐歐全體公使致電外交部："日本啟釁山東，屯兵調艦，居心叵測，大禍當前，南北兩方，同時抗議。對外既能一致，內爭奚啻燃萁！應請當局速決嫌怨，立息戰爭，同禦外侮，以紓國難。"[5] 在此情況下，蔣介石以政治手段解決奉系的意圖再度萌動，同時，奉系內部也進一步發生變化。

5 月 5 日，日本駐華使館武官建川美次會見安國軍政府軍事部次長于國翰，要求奉軍不得反攻濟南，此事激起奉系骨幹常蔭槐的憤慨。同日，常致電在石家莊的張學良和楊宇霆，內稱："似此無理干涉，既對南軍宣戰，又來北方牽制。國內政爭，致外人乘隙，辱我孰甚！"他要求張、楊二人電請張作霖"速息內爭，一致對外"。6 日，張、楊回電常蔭槐，對濟南事件表示憤慨，聲稱："弟等雖屬軍人，究亦同為國民，豈敢後上，且事關國家榮辱，詎容漠視不

---

1 《蔣主張暫與奉妥協電》、《蔣以寧無望某難靠盼暫妥協電》，《閻伯川先生要電錄》，第 277、280 頁。
2 《致張作霖革故鼎新盼善擇之電》，《閻伯川先生要電錄》，第 282 頁。
3 《民國閻伯川先生錫山年譜長編初稿》，第 852 頁。
4 《晨報》，1928 年 5 月 8 日。
5 《晨報》，1928 年 5 月 12 日。

問！"但二人表示，身為統兵大員，不宜輕易表態，要常蔭槐相機向張作霖"陳明"。常蔭槐向張作霖建議時，張有採納之意，但遭到"一二人反對"後，又改變主意。7日，常蔭槐再次致電張、楊，要求二人回京，"會同極諫，務期達到目的，免為後世唾罵"[1]。

　　5月9日淩晨，張學良、楊宇霆由保定入京，向張作霖進言並參加奉系首腦會議。與會者受到民族大義感染，普遍認為"國內苦戰，外侮乘虛而至，亟應止息內爭，以救國家"。同日，張作霖接受常、張、楊等人意見，通電宣佈停戰。電稱："國內政見歧異，竟至波及外人。長此不已，不特無以對全國，抑且無以對友邦。作霖有鑒於此，特將彰德、正太戰勝之兵停止攻擊。"電報同時表示："所有國內政治問題，但期國民有公正之裁決，斷不作無謂之堅持。公是公非，聽諸輿論。"[2]張電發表後，形勢遂急轉直下。奉系領導人不斷發表言論，表示和解意圖。5月10日，張學良復北京禮制館朱啟鈐電云："濟南事變，復為外人藉口。邦人諸友，莫肯念亂，言之痛心。"電稱："但能息爭救國，無不遵從。"[3]5月11日，他與韓麟春、楊宇霆聯名《復上海總商會電》云："南北一家，彼果無彎弓而射之成心，我確有免冑尋盟之真意。"[4]5月11日，張作霖對孫傳芳、褚玉璞稱："濟南之變，關係國本"，"故特退避三舍，與黨軍以迴旋之地，俾可從容交涉，並可以表示息爭禦外之決心"[5]。同日，他對公使團領袖荷蘭公使歐登科稱："此次撤兵，一為國事艱難，不得不加體諒，一為示和議決心，促各方覺悟。"[6]

　　二次北伐開始後，蔣介石親率的第一集團軍和馮玉祥的第二集團軍在山東的勝利沉重地打擊了安國軍。5月9日，閻錫山統率的第三集團軍東進佔領石家莊、正定。11日，第二集團軍韓復榘也北上抵達石家莊，兩軍會師。奉系首領之所以急轉彎，固由於軍事上已處於逆勢，但濟南慘案所激起的民族感情的上揚也是重要原因。

1　以上常、張、楊各電，均為中國第二歷史檔案館所藏，未刊。
2　《晨報》，1928年5月10日。
3　《晨報》，1928年5月14日。
4　《晨報》，1928年5月10日。
5　同上注。
6　《晨報》，1928年5月12日。

六、不無遺憾的結局

蔣介石決定利用濟南慘案後的新形勢。5月12日，蔣介石連發三電。致閻錫山電稱：奉張宣佈停戰，其原因"精疲力盡，不能抵抗我師"，必須迅速前進，決不可中其緩兵之計，但他同時提出，"我似宜利用之，以離間奉天與日本之關係。更乘此機會，喚起北方將士之覺悟，勿為日人之倀"[1]。致吳忠信電稱："國難方殷，彼此均應同心救國，如彼方自動出關，一切國事國民會議解決。"致譚延闓電稱："北方宣佈停戰，如其果確，則中正以為可允其全部集結關外，以固東北國防。至一切國是，當俟國民會議解決，並允奉方參加國民會議。即惟一條件，要求奉魯軍退出關外。"[2]

和平有望，蔣介石卻保持著充分警惕。5月15日，蔣介石致電閻錫山稱："弟意如張作霖能下野，另由新派軍人接統軍隊，自可相當容納。倘張仍作戀棧之勢，在其所謂合力對外者，必不可恃。而我與元惡言和，將無以慰將士與國民之望。惟有明白答復，以張去職為停戰第一條件而已。"[3]

日本田中內閣發現奉系敗局已定，加緊逼迫張作霖退回關外。5月15日至16日，內閣會議決定：1. 在國民革命軍未到達京津地方之前，准許張作霖撤回滿洲，同時阻止國民革命軍進入山海關以北；2. 如張作霖在與國民革命軍交戰或接觸後向東北退卻則不准南北兩軍任何一方進入滿洲[4]。會議結束後，田中立即電告芳澤，要他命張作霖"立即返回滿洲"[5]。5月17日深夜，芳澤謙吉訪問張作霖，勸他立即將北京和平地讓與北伐軍[6]。18日，正式照會張作霖及南京國民政府："目前戰亂情形將波及京津地方，而滿洲地方亦將有蒙受其影響之虞"，"當戰亂波及滿洲時，帝國政府為維持治安，將採取適當而有效的措施"[7]。

日方一面向張作霖施壓，一面和晉系代表南桂馨在天津會談。1927年10月閻奉之間發生戰事後，南桂馨即離京避居天津，與段祺瑞及日本華北駐屯軍

---

1 《民國閻伯川先生錫山年譜長編初稿》，第966頁。
2 《中華民國重要史料初編──對日抗戰時期》緒編（一），第195頁。
3 《民國閻伯川先生錫山年譜長編初稿》，第968頁。
4 臼井勝美：《中國きめぐる近代日本の外交》，築摩書房1983年版，第223—224頁。
5 《日本外務省檔案》（縮微），S1615-31。
6 《芳澤謙吉自傳》，東京時事通訊社1965年版，第103頁。
7 《國民政府近三年來外交經過紀要》，外交部1929年印，第29頁。

司令新井龜太郎等人來往[1]。當時，馮玉祥的第二集團軍和閻錫山的第三集團軍都有資格佔領京津。但是，日本方面拒馮而表示歡迎晉軍，向南桂馨表示：馮軍到京津附近，必挑釁；晉軍單獨到此，極歡迎。段祺瑞在 1926 年下野後即蟄居天津，待機再起。他與南桂馨約定：1. 日方由芳澤謙吉出面，勸告奉張於最短期內退出關外。2. 奉張將中央政權及近畿維持秩序各事交段負責，由段徵求各方意見解決國事。3. 奉軍撤退後，無論何方軍隊，不得侵入馬場、任丘、大城、保定一線，並由山西約同寧方勸止各軍前進；如馮玉祥部不聽勸止時，山西及寧方軍隊概不參加北進。4. 山西設法約同各方贊成段解決國是電[2]。段的意圖是由他出面組織臨時政府，對此，閻、蔣都未加理睬。22 日，蔣介石決定，限奉軍一星期內全部退出關外，京津由山西方面和平接收。同時，又致電馮玉祥，命他贊成這一方案，以使 "敵人無從離間，加強內部團結"[3]。

奉系在宣佈停戰後，決定派直隸省省長孫世偉赴南方談判。5 月 16 日，潘復電召孫世偉入京。孫入京後，潘復、張學良、楊宇霆等均稱："南蔣既有意與我攜手，無論事之成否，總須前往一行，並可察其內容，徐圖應付。" 5 月 24 日，孫世偉乘輪赴滬。其時，張學良所派代表已在上海。

1928 年 3、4 月間，張學良、楊宇霆再派葛光庭赴滬，訪問何成濬等，商洽和平。濟案發生後，又派尹扶一到滬，通過何成濬等向李烈鈞、蔣介石等陳述，達成妥協條件："奉張出關，並希望奉方加入政府，共定中原，藉以解決外交。"[4] 議決之後，由葛光庭急電張、楊，張、楊認為可以磋商，但須選派正式代表來京，負責研究。

5 月 30 日，國民政府代表孔繁蔚、尹扶一抵京，會見張學良、楊宇霆、孫傳芳、張作相等人。楊表示："內事不已，牽動外交，倘因此不國，將何顏以對國人！" 他並稱："急願息爭，一致團結，苟利國家，敢存私見！倘不踐言，願

1　魯墨庭等：《張作霖與閻、馮、蔣、李戰爭紀略》，《中華文史資料文庫》第 2 卷，中國文史出版社 1996 年版，第 845 頁；參見南桂馨《1927—1928 接收京津之經過》，《山西文史資料》第 4 輯，第 103—113 頁；趙瑞：《閻錫山通敵叛國罪行紀要》，《文史資料選輯》第 29 輯，文史資料出版社 1980 年版，第 164 頁。

2　《天津南桂馨奉軍出關四條件電》，《閻伯川先生要電錄》，第 331—332 頁。電中所稱 "偉民"，隱指段祺瑞。關於此點，筆者另有考證。

3　《蔣介石致馮玉祥電》，1928 年 5 月 22 日，《閻伯川先生要電錄》，第 201 頁。

4　《孔繁蔚隨員談話》，《晨報》，1928 年 6 月 4 日。

自刎以謝諸兄。”張學良等人的意見與楊大體相同，聲稱“雨帥出關，確能辦到，但須以和緩手段，使彼自動”，其他問題，俟停戰後交代表會議或國民會議解決[1]。同日夜，張作霖下令“總退卻”。5月31日，孔、尹致電南京國府，要求對等停止軍事行動。6月1日，譚延闓復電，提出辦法三項：第一，奉軍應撤至京東一帶，由奉軍長官負責整理；第二，北京已派閻錫山接收，希望奉方妥為交代；第三，北京政務善後事宜，由國民政府處理，奉方要人務須加入，共策進行。張、楊表示，一、二條可以讓步，第三條需要考慮[2]。

國民政府代表孔繁蔚與奉方代表張學良、楊宇霆在北京議定：奉軍撤離北京，退往榆關；成立以北洋元老王士珍為首的臨時治安會，維持北京政局。6月1日，譚延闓批准雙方所議條件。3日，張作霖乘專列離京。4日，國奉談判再次舉行。張學良等同意閻錫山的第三集團軍進入北京，雙方和平交接，但張因直魯聯軍紀律敗壞，不願帶回東北，提出要以天津以東永、遵等10縣為張宗昌、褚玉璞、孫傳芳的屯兵區域。孔繁蔚則提出：1. 東三省必須懸掛青天白日旗；2. 服從國民政府命令；3. 直魯聯軍及孫傳芳殘部必須接受改編。雙方發生爭執。當夜，張學良獲悉其父噩耗，匆促出京，同時按孔繁蔚要求，下令部隊向灤河撤退，僵局遂自動化解。

6月5日，南京國民政府任命閻錫山為京津衛戍總司令。8日，晉軍和平進入北京。11日，張宗昌、褚玉璞派代表與晉方代表南桂馨談判，達成協議，決定直魯軍自動退出天津，交晉軍維持治安[3]。12日晨，張宗昌、褚玉璞率直魯聯軍殘部撤離天津。同日，晉系的傅作義宣佈就任天津警備司令。

至此，二次北伐成功，辛亥以來北洋軍閥長期統治中國的歷史終於結束。它是國民黨人的一個重大勝利，但是，也是土肥原“以晉代奉”計劃的勝利。這是一個不無遺憾的結局。

1　《孔繁蔚、尹扶一呈譚主席及蔣總司令電》，《革命文獻拓影》，北伐時期第17冊，蔣中正檔。
2　《孔繁蔚隨員談話》，《晨報》，1928年6月4日。
3　《閻錫山致南京國民政府軍事委員會及蔣介石電》，中華民國史事紀要編輯委員會編：《中華民國史事紀要》1928年1—6月卷，台北1978年，第1084—1085頁。

策劃編輯　李　斌

責任編輯　龍　田

裝幀設計　a_kun

書籍排版　陳先英

找尋真實的蔣介石：

蔣介石及其日記解讀（五卷本）

I

早年經歷、北伐戰爭
與「清黨」反共

著　　者　楊天石

出　　版　三聯書店（香港）有限公司

香港北角英皇道 499 號北角工業大廈 20 樓

Joint Publishing (H.K.) Co., Ltd.

20/F., North Point Industrial Building,

499 King's Road, North Point, Hong Kong

香港發行　香港聯合書刊物流有限公司

香港新界荃灣德士古道 220–248 號 16 樓

版　　次　2022 年 6 月香港第一版第一次印刷

2023 年 10 月香港第一版第二次印刷

規　　格　16 開　（170 × 230 mm）464 面

國際書號　ISBN 978-962-04-4980-2（平裝套裝）

ISBN 978-962-04-5005-1（精裝套裝）

ISBN 978-962-04-4981-9（第一卷）